수능기출문제집

한문 I

김경률 지음

도서출판 계승

머리말

대학수학능력시험을 준비할 때 빼놓을 수 없는 것이 바로 기출문제 풀이입니다. 그러나 여타 과목과 달리 「한문Ⅰ」 과목에 대한 기출문제 해설집은 아직까지 거의 없다시피 한 실정입니다. 그래서 부족하나마 이 책을 쓰게 되었습니다.

이 책의 특징

단순히 기출문제를 푸는 것으로는 자신의 실력을 점검할 수 있을 뿐입니다. 기출문제를 풀어 점수를 상승시키려면 우선 어느 정도 실력이 뒷받침해 주어야 하고 거기에 덧붙여 어떤 문제가 나오는지, 어떻게 풀어야 좋은지 등을 알아야 합니다. 이 책은 기출문제를 풀고 해설을 읽는 과정에서 자연스럽게 실력을 쌓고 문제에 접근하는 방법을 터득하여 점수 상승으로 이어질 수 있게 하였습니다.

한문 실력을 쌓을 수 있게 하기 위하여 이 책은 철저한 직역을 지향하였습니다. 한문을 공부하는 데 가장 어려운 부분은 한자와 해석이 일대일로 대응되지 않는다는 것입니다. 그러다 보니 해석을 읽어도 그 지문의 내용은 이해할지언정 다른 지문을 해석할 수 있는 실력은 여전히 키워지지 않습니다. 이 책에서는 원문과 해석을 나란히 제시하고, 한자와 해석이 일대일로 대응되도록 철저히 직역하여 글자 하나하나가 어떻게 해석되는지 눈으로 보면서 따라갈 수 있게 하였습니다.

철저한 직역을 지향하는 것은 쉽지 않은 일이었습니다. 한문에서 한 글자, 한 글자가 정확히 어떤 뜻으로 해석되는지 파악하는 것은 때에 따라서 매우 어려운 일이 되기도 합니다. 해석이 애매한 부분을 만날 때마다 직역하지 않고 적당히 의역하여 넘어가고 싶었지만 이런 유혹을 뿌리치고 철저한 직역이 되도록 하였습니다. 이 때문에 다소 표현이 부자연스러운 부분이 있지만, 이해하는 데 큰 무리가 없는 정도라고 생각됩니다.

문제에 접근하는 방법을 익힐 수 있게 하기 위하여 문제를 푸는 사람의 입장에서 문제를 해설하려고 하였습니다. 긴말이 필요 없는 문제는 구태여 장황하게 해설하지 않았습니다. 기존의 기출문제집이 흔히 그러하듯이 쓸데없이 문제를 변호하려고 하지도 않았습니다. 특히, 누구나 찾으면 알 수 있는 지문의 내용만 해석해 놓는 데 그치지 않고 모르는 부분이 있거나 까다롭게 느껴지는 문제에서도 어떤 부분에서 힌트를 얻어 이를 극복하고 답을 찾을 수 있는지 설명하려고 하였습니다.

구성과 활용법

이 책에는 2005학년도부터 2017학년도까지 출제된 모든 6월, 9월 모의고사, 대학수학능력시험 문제가 실려 있습니다. 이 정도로도 일 년 동안 풀어 볼 분량으로는 충분하다고 생각합니다. 한 회분의 문제 뒤에는 해당 문제의 해설이 붙어 있습니다.

문제를 풀고 채점한 다음, 한자 영역은 모르는 한자나 한자어, 성어를 찾아 읽습니다. 한문 영역은 지문의 해석을 읽으면서 원문과 한 글자, 한 글자 대조하여 보고, 그 다음에는 해석을 보지 않고 지문을 한 글자, 한 글자 짚어 가며 해석하는 연습을 합니다. 이런 연습을 통하여 문장의 구조를 보는 눈이 생기게 됩니다. 그러면 처음 보는 지문의 복잡한 문장을 만나도 자연히 해석하는 방법이 눈에 보이게 됩니다. 지은이도 이렇게 하면서 한문을 공부하였습니다.

부가적으로 이런 과정에서 지문의 내용도 머리에 남게 됩니다. 고등학교 교육용 한자(1800자)의 범위 안에서 나올 수 있는 지문이 제한적이기 때문에 출제된 지문이 또 출제되는데, 이런 상황에서 지문의 내용을 상기할 수 있는 것은 문제를 푸는 데 엄청난 자산이 됩니다. 이 사실은 기출문제를 풀면서 점점 더 뼈저리게 느끼게 될 수 있을 것입니다.

끝으로 어려운 출판계 형편에도 흔쾌히 이 책의 출간을 승낙해 주시고, 기획에서부터 최종 교정에 이르기까지 불철주야 물심양면으로 온갖 수고를 아끼지 않은 도서출판 계승 여러분들께 무한한 감사의 마음을 전합니다.

아무쪼록 이 책으로 공부한 분들이 대학수학능력시험에서 소기의 성과를 거두기를 바랍니다.

2017년 2월

김경률

이 기출문제집의 해설이 잘못되었거나 불충분하다고 느껴지면 bir1104@snu.ac.kr로 말씀해 주시기 바랍니다.

차례

성명 [   ]   수험 번호 [| | | | — | | | |]

○ 먼저 문제지에 성명과 수험 번호를 정확히 기입하시오.

○ 응시한 선택 과목의 문제지를 확인하시오.

○ 답안지에 수험 번호, 답을 정확히 표기하시오.

○ 문항에 따라 배점이 다르니, 각 물음의 끝에 표시된 배점을 참고하시오.
  1점 문항에만 점수가 표시되어 있습니다.
  점수 표시가 없는 문항은 모두 2점씩입니다.

---

1. ㉠에 알맞은 한자는? [1점]

① 貝   ② 魚   ③ 鹿   ④ 負   ⑤ 夏

2. 한자어의 독음이 잘못된 것은? [1점]

① 罪惡 : 죄악   ② 眼鏡 : 안경
③ 容易 : 용역   ④ 宇宙船 : 우주선
⑤ 降雨量 : 강우량

3. ㉠에 알맞은 한자는? [1점]

① 牛   ② 犬   ③ 虎   ④ 馬   ⑤ 羊

4. 한자어의 짜임이 나머지 넷과 <u>다른</u> 것은? [1점]

① 喜悅   ② 貧富   ③ 往來   ④ 進退   ⑤ 長短

5. 60세를 나타내는 한자어는? [1점]

① 而立   ② 耳順   ③ 弱冠   ④ 古稀   ⑤ 不惑

6. 다음에서 설명하고 있는 것은?

生於水而寒於水.

① 江   ② 氷   ③ 雨   ④ 雲   ⑤ 海

7. ㉠, ㉡에 들어갈 한자를 바르게 배열한 것은?

君子之言, 寡而(㉠). 小人之言, (㉡)而虛.

① 實, 少   ② 少, 多   ③ 益, 少   ④ 實, 多   ⑤ 多, 少

8. ㉠, ㉡, ㉢에 들어갈 숫자의 합은? [1점]

初志(㉠)貫   吾鼻(㉡)尺   十中(㉢)九

① 10   ② 11   ③ 12   ④ 13   ⑤ 14

9. 성어의 풀이가 잘못된 것은?

① 多多益善 : 많으면 많을수록 더욱 좋다.
② 有備無患 : 대비가 있으면 근심이 없다.
③ 無爲徒食 : 하는 일 없이 무리 지어 먹는다.
④ 見利思義 : 이익을 보면 의로움을 생각한다.
⑤ 仁者無敵 : 어진 사람은 대적할 사람이 없다.

10. 그림이 나타내는 성어와 관계가 있는 것은?

① 協同   ② 出衆   ③ 虛勢   ④ 包容   ⑤ 自足

11. ㉠에 적당한 속담을 한문으로 옮긴 것은? [1점]

엄마 : 막내 아이가 자꾸 버릇 없이 형한테 대들어서
       걱정이에요.

아빠 : (㉠   )(라)고 하더니…… 형 무서운 줄 모르는군.

엄마 : 당신이 한번 잘 타일러 보세요.

① 結者解之.   ② 烏飛梨落.
③ 突不燃, 不生煙.   ④ 一日之狗, 不知畏虎.
⑤ 無足之言, 飛于千里.

12. 글의 중심 내용을 잘 나타낸 것은?

> 水去不復回, 言出難更收.

① 和　　② 愼　　③ 勇　　④ 直　　⑤ 寬

13. 글에서 제시하는 독서 방법으로 알맞은 것은?

> 凡讀書, 必熟讀一冊, 盡曉義趣, 貫通無疑, 然後,
> 乃改讀他書.

① 多讀　　② 速讀　　③ 默讀　　④ 朗讀　　⑤ 精讀

14. 글의 내용과 의미상 가까운 성어는?

> 士君子, 閑居無事, 不讀書, 復何爲?

① 不恥下問　　② 百年河淸　　③ 浩然之氣
④ 手不釋卷　　⑤ 識字憂患

15. ㉠'同道'와 의미상 관련이 깊은 한자는? [1점]

> 君子與君子, 以㉠同道爲朋, 小人與小人, 以同利爲朋.

① 義　　② 權　　③ 財　　④ 官　　⑤ 福

[16~17] 다음 글을 읽고 물음에 답하시오.

> 宋人得玉, 獻㉠諸司城子罕, 子罕不受. 獻玉者曰: "以示玉人,
> 玉人㉡以爲寶, ㉢故獻之." 子罕曰: "我以不貪爲寶, 爾以玉
> 爲寶, ㉣若以與我, 皆喪寶也, ㉤不若人有其寶."
> 　　* 司城子罕(사성자한) : 司城은 벼슬 이름, 子罕은 사람 이름
> 　　* 爾(이) : 당신, 너

16. ㉠~㉤의 설명으로 바르지 않은 것은?

① ㉠諸 : '之於'의 축약　　② ㉡以爲 : ~라 여기다
③ ㉢故 : 일부러　　④ ㉣若 : 만약
⑤ ㉤不若 : ~만 못하다

17. 위 글에 나타난 자한(子罕)의 성품으로 알맞은 것은?

① 勤勉　　② 親切　　③ 獨善　　④ 信義　　⑤ 淸廉

18. ㉠, ㉡에 들어갈 한자를 바르게 배열한 것은? [1점]

> 今有十八分之十二. 問: "約之, 得幾何?" 答曰: "三分之二."
> 設有四分之二者, 繁而言之, 亦可爲八分之四, 約而言之,
> 則㉠分之㉡也.

① 二, 一　　② 四, 二　　③ 六, 三　　④ 八, 四　　⑤ 九, 六

19. 다음 글에 나타난 인물의 성격으로 적절한 것은?

> 崔北, 字七七, 字亦奇矣. 遊金剛, 至九龍淵, 忽大叫曰: "天
> 下名士, 死於天下名山, 足矣." 墮淵, 幾至不救.

① 남들과 어울려 다니기를 즐겼다.
② 자신을 대단하게 여겨 남들을 무시했다.
③ 보통 사람과는 다른 기이한 면이 있었다.
④ 포부를 성취하지 못하자 삶을 체념하였다.
⑤ 뛰어난 재능을 감추고 숨어살기를 좋아했다.

[20~21] 다음 글을 읽고 물음에 답하시오.

> 子曰: "後生可畏, ㉠焉知來者之不如今也? 四十五十而無
> 聞焉, 斯亦不足畏也已."

20. ㉠'焉'의 뜻으로 맞는 것은? [1점]

① 누구　　② 무엇　　③ 어디　　④ 어느　　⑤ 어찌

21. 공자(孔子)가 강조하고자 한 내용은?

① 勉學　　② 精誠　　③ 畏敬　　④ 名聲　　⑤ 出仕

[22~23] 다음 글을 읽고 물음에 답하시오.

> 群兒戲於庭, 一兒登甕, 足跌沒水中, 衆皆棄去.
> 司馬光, 持石擊甕破之, 水迸, 兒㉠得活.
> 　　* 甕(옹) : 항아리　* 跌(질) : 헛딛다　* 迸(병) : 쏟아지다

22. 사마광(司馬光)의 행동을 가장 잘 나타낸 성어는?

① 臨機應變　　② 九死一生　　③ 一石二鳥
④ 日就月將　　⑤ 束手無策

23. ㉠'得'과 바꾸어 쓸 수 있는 것은?

① 而　　② 於　　③ 與　　④ 能　　⑤ 所

[24~25] 다음 한시를 읽고 물음에 답하시오.

> 臨溪茅屋獨閑居,　　月白風淸興有餘.
> 外客不來山鳥語,　　移床竹塢臥看書.
>
> * 茅(모) : 띠풀　　* 塢(오) : 둑

24. 위 시를 그림으로 그려본 것이다. 시에 묘사되지 않은 것은?

① ㉠　　② ㉡　　③ ㉢　　④ ㉣　　⑤ ㉤

25. 위 시에 대한 설명으로 바른 것은?

① 둘째 구와 셋째 구는 대구이다.
② 운자(韻字)는 '居', '語', '書'이다.
③ 시의 형식은 칠언 율시(七言律詩)이다.
④ 색감의 대비를 통해 배경을 잘 묘사했다.
⑤ 칠언(七言) 시는 보통 4자, 3자로 끊어 해석한다.

[26~27] 다음 한시를 읽고 물음에 답하시오.

> (가) 春眠不覺曉,　　處處聞啼鳥.
> 　　　夜來風雨聲,　　花落知多少.　　* 啼(제) : 울다
>
> (나) 近來安否問如何,　　月白紗窓妾恨多.
> 　　　若使夢魂行有跡,　　門前石路已成沙.　　* 紗(사) : 비단

26. (가)의 시에 대한 설명으로 적절한 것은?

① 늙어 가는 처지에 대한 절망감을 드러냈다.
② 가는 봄날에 대한 안타까운 마음을 묘사했다.
③ 꽃과 새를 통해 낙천적인 세계관을 드러냈다.
④ 버림받아 처량한 신세를 역설적으로 표현했다.
⑤ 봄이 오기를 기다리는 심경을 은유적으로 묘사했다.

27. (나)의 셋째, 넷째 구의 속뜻을 바르게 설명한 것은?

① 기다림에 지쳐 수없이 문 앞을 서성였다.
② 만날 수 없는 안타까움에 돌길 위를 배회했다.
③ 보고 싶은 마음에 임을 만나러 자주 찾아갔다.
④ 몸은 떨어져 있지만 마음 속으로 늘 님을 그리워했다.
⑤ 문 앞의 돌길 위에서 임을 만나는 꿈은 언제나 허망했다.

[28~30] 다음 글을 읽고 물음에 답하시오.

> 許生掩卷起曰: "惜乎! 吾讀書㉠本期十年, 今七年矣." 出門
> 而去, 無相識者. ㉡直㉢之雲從街, 問市中人曰: "漢陽中
> ㉣誰最富?" 有㉮道卞氏者. 遂訪其家, 許生長揖曰: "吾家貧,
> 欲有所小試, 願從君借萬金." 卞氏曰: "諾." 立與萬金, 客
> ㉤竟不謝而去.
>
> * 掩(엄) : 덮다　　* 卞(변) : 성씨
> * 揖(읍) : 읍하다(인사법의 하나)

28. ㉠~㉤의 설명으로 잘못된 것은?

① ㉠本 : 근본　　　② ㉡直 : 곧바로
③ ㉢之 : 가다　　　④ ㉣誰 : 누구
⑤ ㉤竟 : 마침내

29. ㉮'道'와 쓰임이 같은 것은?

① 吾道, 一以貫之.　　　② 朝聞道, 夕死可矣.
③ 君子務本, 本立而道生.　　④ 夫子之道, 忠恕而已矣.
⑤ 無道人之短, 無說己之長.

30. 위 글의 내용과 일치하는 것은?

① 허생은 예정했던 대로 십년 공부를 마쳤다.
② 변씨와 허생은 원래 알고 지내던 사이였다.
③ 변씨는 허생에게 기꺼이 만금을 빌려주었다.
④ 허생은 변씨에게 감사의 인사를 하고 떠나갔다.
⑤ 허생은 공부를 계속하려고 변씨에게 돈을 빌렸다.

* 확인 사항

o 답안지의 해당란에 필요한 내용을 정확히 기입(표기)했는지 확인
하시오.

9

2005학년도 6월 모의평가

1	②	7	④	13	⑤	19	③	25	⑤
2	③	8	③	14	④	20	⑤	26	②
3	④	9	③	15	①	21	①	27	④
4	①	10	②	16	③	22	①	28	①
5	②	11	④	17	⑤	23	④	29	⑤
6	②	12	②	18	①	24	⑤	30	③

1. 한자의 변천 문제

㉠은 물고기에서 나온 한자이다. 그러니 ㉠은 물고기라는 뜻을 가져야 한다. 따라서 ㉠은 '魚'이다. 셋째 글자를 보면 '魚'라는 게 더욱 확실하다.

답: ②

2. 한자 문제

독음이 잘못된 한자를 고르라고 하고 있으므로 음이 여러 개인 한자를 묻는 문제임을 알 수 있다. ①~⑤에 나온 한자들은 음이 여러 개인 대표적인 한자들이다.

惡	악할 악	죄악(罪惡)
	미워할 오	증오(憎惡)
易	바꿀 역	교역(交易)
	쉬울 이	용이(容易)
降	내릴 강	강우(降雨)
	항복할 항	항복(降伏)

참고로 '용역'은 한자로 '用役'이다.

답: ③

3. 십자말풀이 문제

가로 열쇠는 '馬耳東風'(마이동풍), 세로 열쇠는 '走馬看山'(주마간산)이다. 사자성어 가운데 세 글자를 제시하여 풀기 어렵지 않은 문제였다.

답: ④

4. 짜임 문제

한자어의 짜임은 두 글자 이상의 한자로 이루어진 한자어가 어떻게 해석되는가를 나타내는 개념이다. 한자어의 짜임에는 '주술(주어＋서술어)', '술목(서술어＋목적어)', '술보(서술어＋보어)', '수식', '병렬'의 다섯 가지가 있다.
① 喜悅(희열): 기쁨. (병렬)
② 貧富(빈부): 부유함과 가난함. (병렬)
③ 往來(왕래): 가고 옴. (병렬)
④ 進退(진퇴): 나아가고 물러남. (병렬)
⑤ 長短(장단): 길고 짧음. (병렬)
그런데 ①~⑤의 한자어의 짜임이 모두 '병렬'이다. 이럴 때에는 같은 뜻을 지닌 한자끼리의 병렬인지, 반대되는 뜻을 지닌 한자끼리의 병렬인지 살펴보면 된다. 그러면 ①~⑤ 가운데 '喜悅'만 같은 뜻을 지닌 한자끼리의 병렬이고 나머지는 반대되는 뜻을 지닌 한자끼리의 병렬이므로 답이 '喜悅'임을 알 수 있다.

답: ①

5. 한자어 문제

① 而立(이립): 30세　　② 耳順(이순): 60세
③ 弱冠(약관): 20세　　④ 古稀(고희): 70세
⑤ 不惑(불혹): 40세

'而立'(이립), '不惑'(불혹), '耳順'(이순)은 『논어(論語)』에서 유래한 한자어이다.

> 吾十有五而志于學, 三十而立, 四十而不惑, 五
> 오십유오이이지우학　삼십이립　사십이불혹　오
> 十知天命, 六十而耳順, 七十而從心所欲不踰矩.
> 십지천명　륙십이이순　칠십이종심소욕불유구
> 나는 열다섯에 배움에 뜻을 두고, 삼십에 서고, 사십에 미혹되지 않았으며, 오십에 하늘의 명을 알고, 육십에 귀가 순해졌으며, 칠십에 마음이 하고자 하는 바를 좇아도 법도를 넘어서지 않았다.
> *矩(구): 곱자, 법도

답: ②

6. 단문 문제

> 生於水而寒於水.
> 생 어 수 이 한 어 수
> 물에서 생겨나나 물보다 차다.
> *於(어): ～에, ～보다

① 江(강 강)　　② 氷(얼음 빙)　　③ 雨(비 우)
④ 雲(구름 운)　　⑤ 海(바다 해)

답: ②

7. 대구 문제

> 君子之言, 寡而(㉠). 小人之言, (㉡)而虛.
> 군 자 지 언　과 이　　　　소 인 지 언　　　이 허
> 군자의 말은 적으나 ㉠하다. 소인의 말은 ㉡하나 헛되다.

이 문장을 암기해서 풀라는 것이 아니다. 한문의 대구를 이용하여 ㉠과 ㉡을 결정하는 문제다. 문장을 보면 '君子'(군자)와 '小人'(소인)이 반대되는 뜻이므로 ㉠은 '虛'(빌 허)와 반대되는 뜻의 한자일 것이요, ㉡은 '寡'(적을 과)와 반대되는 뜻의 한자일 것이다. 따라서 ㉠은 '實'(열매 실), ㉡은 '多'(많을 다)이다.

답: ④

8. 사자성어 문제

사자성어는 각각 다음과 같다.
初志一貫(초지일관): 처음의 뜻이 하나로 꿰뚫음. 처음에 먹은 마음을 끝까지 밀고 나감.
吾鼻三尺(오비삼척): 내 코가 석 자.
十中八九(십중팔구): 열 가운데 여덟이나 아홉. 거의 예외가 없음.
㉠~㉢에 들어갈 숫자의 합은 12이다.

답: ③

9. 사자성어 문제

도대체 이걸 어떻게 고등학생에게 풀라고 낸 건지…… 알 수가 없다. 배운 사람이 있으려나? 아무튼 알고만 가자. '無爲徒食'(무위도식)의 '徒'는 '무리'가 아니라 '다만'의 뜻으로 쓰였다.

답: ③

10. 사자성어 문제

그림이 나타내는 사자성어는 '群鷄一鶴'(군계일학)이다.

① 協同(협동)　　② 出衆(출중)　　③ 虛勢(허세)
④ 包容(포용)　　⑤ 自足(자족)

답: ②

11. 속담 문제

① 結者解之.
　맺은 자가 그것을 풀어야 한다.

② 烏飛梨落.
　까마귀 날자 배 떨어진다.

③ 突不燃, 不生煙.
　굴뚝이 불타지 않으면 연기가 나지 않는다.

④ 一日之狗, 不知畏虎.
　하룻강아지 범 무서운 줄 모른다.

⑤ 無足之言, 飛于千里.
　발 없는 말이 천 리 간다.

답: ④

12. 단문 문제

水去不復回, 言出難更收.
물은 가면 다시 돌아오지 않고, 말은 나오면 다시 거두기 어렵다.

① 和(화): 화합　　② 愼(신): 신중함　　③ 勇(용): 용맹함
④ 直(직): 정직함　　⑤ 寬(관): 너그러움

답: ②

13. 단문 문제

凡讀書, 必熟讀一册, 盡曉義趣, 貫通無疑, 然後, 乃改讀他書.
무릇 책을 읽는 것이란, 반드시 한 책을 익숙하게 읽어, 뜻을 깨달음을 다하고, 꿰뚫어 통하여 의심이 없어, 그러한 후에야 곧 다른 책을 고쳐(바꾸어) 읽는다.

＊曉(효): 깨닫다

① 多讀(다독)　　② 速讀(속독)　　③ 默讀(묵독)
④ 朗讀(낭독)　　⑤ 精讀(정독)

답: ⑤

14. 단문 문제

士君子, 閑居無事, 不讀書, 復何爲?
사군자가 한가롭게 살며 일이 없음에 책을 읽지 않는다면 다시 무엇을 하겠는가?

① 不恥下問(불치하문): 아랫사람에게 묻는 것을 부끄러워하지 않음.
② 百年河淸(백년하청): 백 년이 지난들 황허 강이 맑아질까. 중국의 황허 강이 늘 흐려 맑을 때가 없음. 아무리 기다려도 일이 이루어지기 어려움.
③ 浩然之氣(호연지기): 호연한 기운. 하늘과 땅 사이에 가득 찬 넓고 큰 원기.
④ 手不釋卷(수불석권): 손에서 책을 놓지 않음.
⑤ 識字憂患(식자우환): 글자를 알면 근심스러움.

답: ④

15. 단문 문제

君子與君子, 以同道爲朋, 小人與小人, 以同利爲朋.
군자와 군자는 같은 도로써 벗이 되고, 소인과 소인은 같은 이익으로써 벗이 된다.

① 義(옳을 의)　　② 權(권세 권)　　③ 財(재물 재)
④ 官(벼슬 관)　　⑤ 福(복 복)

답: ①

[16~17] 자한불수(子罕不受)

宋人得玉, 獻諸司城子罕, 子罕不受.
송나라 사람이 옥을 얻어 사성(벼슬 이름) 자한에게 그것을 바치려고 하나 자한이 받지 않았다.

獻玉者曰: "以示玉人, 玉人以爲寶, 故獻之."
옥을 바친 사람이 말하기를, "옥장이에게 보임으로써 옥장이가 보물이라고 여기니 그러므로 그것을 바칩니다."

子罕曰: "我以不貪爲寶, 爾以玉爲寶, 若以與我, 皆喪寶也, 不若人有其寶."
자한이 말하기를, "나는 탐하지 않음을 보물로 여기고 너는 옥을 보물로 여기는데 만약 나에게 준다면 모두 보물을 잃는 것이니 사람마다 그 보물이 있음만 못하다."

16. 해석 문제

㉠~㉢은 모두 해석이 까다로운 글자들이다. ㉢은 '일부러'가 아니라 '그러므로'로 해석된다. '故'가 '일부러'라는 뜻으로 쓰인 예로 '故意'(고의)가 있다.

답: ③

11

17. 한자어 문제

① 勤勉(근면)　　② 親切(친절)　　③ 獨善(독선)

④ 信義(신의)　　⑤ 淸廉(청렴)

답: ⑤

18. 분수(分數)

수학에 대한 지문이어서 생소했을 것이다. 숫자를 보고서 대충 해석은 했겠지만 쉽지는 않았을 것이다. 해석하면 초등학교 수학 문제다.

> 今有十八分之十二. 問: "約之, 得幾何?"
> 금 유 십 팔 분 지 십 이　문　약 지　득 기 하
> 이제 18분의 12가 있다. 묻기를, "그것을 약분하면, 얼마를 얻는가?"
>
> 答曰: "三分之二."
> 답 왈　　삼 분 지 이
> 답하여 말하기를, "3분의 2이다."
>
> 設有四分之二者, 繁而言之, 亦可爲八分之四,
> 설 유 사 분 지 이 자　번 이 언 지　역 가 위 팔 분 지 사
> 約而言之, 則(㉠)分之(㉡)也.
> 약 이 언 지　즉　　분 지　　야
> 4분의 2라는 것이 있다고 할 때, 번거롭게 하여 그것을 말하면 또한 8분의 4가 될 수 있고, 약분하여 그것을 말하면 ㉠분의 ㉡이다.

4분의 2를 약분하면 2분의 1이다.

답: ①

19. 최북(崔北)

> 崔北, 字七七, 字亦奇矣.
> 최 북　자 칠 칠　자 역 기 의
> 최북은 자가 칠칠인데 자 또한 이상하다.
>
> 遊金剛, 至九龍淵, 忽大叫曰: "天下名士, 死
> 유 금 강　지 구 룡 연　홀 대 규 왈　천 하 명 사　사
> 於天下名山, 足矣."
> 어 천 하 명 산　족 의
> 금강산에서 놀면서 구룡연에 이르러 갑자기 크게 부르짖어 말하기를, "천하의 이름난 선비가 천하의 이름난 산에서 죽으면 만족스럽다."
>
> 墮淵, 幾至不救.
> 타 연　기 지 불 구
> 못에 떨어져 거의 구할 수 없음에 이르렀다.

자와 이름이 이상할 뿐 아니라 하는 짓도 이상하다. 그것을 순화한 선지가 ③이다.

답: ③

[20~21] 후생가외(後生可畏)

> 子曰: "後生可畏, 焉知來者之不如今也?
> 자 왈　후 생 가 외　언 지 래 자 지 불 여 금 야
> 공자가 말하기를, "뒤에 난 사람은 두려워할 만하니 어찌 올 사람이 지금(의 우리)만 못하다는 것을 알겠는가?
>
> 四十五十而無聞焉, 斯亦不足畏也已."
> 사 십 오 십 이 무 문 언　사 역 부 족 외 야 이
> (나이가) 40, 50인데 (명성이) 들림이 없으면 이 또한 두려워하기 충분하지 않다.

20. 해석 문제

㉠의 '焉'(언)은 '어찌'라는 뜻으로 쓰였다.

답: ⑤

21. 해석 문제

뒤에 난 사람이 지금만 못하다는 것을 알 수 없으므로 두려워해야 한다는 내용의 글이다. 결국 배움에 힘쓰라는 말이다.

① 勉學(면학)　　② 精誠(정성)　　③ 畏敬(외경)

④ 名聲(명성)　　⑤ 出仕(출사)

답: ①

[22~23] 신동 사마광의 기지

> 群兒戲於庭, 一兒登甕, 足跌沒水中, 衆皆棄去.
> 군 아 희 어 정　일 아 등 옹　족 질 몰 수 중　중 개 기 거
> 여러 아이가 뜰에서 노는데 한 아이가 항아리에 올라 발을 헛디뎌 물속에 빠지니 여러 아이가 다 버리고 갔다.
>
> 司馬光, 持石擊甕破之, 水迸, 兒得活.
> 사 마 광　지 석 격 옹 파 지　수 병　아 득 활
> 사마광이 돌을 집어 항아리에 던져 그것을 깨니 물이 쏟아져 아이가 살 수 있었다.

22. 해석 문제

① 臨機應變(임기응변)　　② 九死一生(구사일생)

③ 一石二鳥(일석이조)　　④ 日就月將(일취월장)

⑤ 束手無策(속수무책)

답: ①

23. 해석 문제

㉠은 '얻다'라는 원래의 뜻이 아닌 '~할 수 있다'라는 뜻으로 쓰였다. 따라서 ㉠과 바꾸어 쓸 수 있는 것은 '能'(능)이다.

답: ④

[24~25] 길재, 「한거(閑居)」

> 臨溪茅屋獨閑居,　시내와 띠집(초가집)에 임하여 홀로 한가롭게 사니
> 림 계 모 옥 독 한 거
> 月白風淸興有餘.　달은 희고 바람은 맑아 흥이 남음이 있구나.
> 월 백 풍 청 흥 유 여
> 外客不來山鳥語,　밖 손님은 오지 않고 산새가 말하니
> 외 객 불 래 산 조 어
> 移床竹塢臥看書.　대나무 둑으로 상을 옮겨 누워 책을 본다.
> 이 상 죽 오 와 간 서

24. 해석 문제

시의 내용을 전혀 몰라도 한자만 보고 풀 수 있는 문제다. ㉠은 '臥'(누울 와), ㉡은 '竹'(대나무 죽), ㉢은 '茅屋'(초가집), ㉣은 '溪'(시내 계)를 보고 풀 수 있다. ㉤은 '溪'와 '鷄'(닭 계)를 구별하라고 낸 것이다.

답: ⑤

25. 한시 문제

① 문법적 기능이 동일한 글자의 배열로 이루어져 있을 때 대구라고 한다. 둘째 구와 셋째 구는 문법적 기능이 동일한 글자의 배열로 이루어져 있지 않으므로 대구를 이루지 않는다.
② 운자는 '居'(거), '餘'(여), '書'(서)이다. 운자는 짝수 구에 오고, 첫째 구에 올 수 있으나 셋째 구에는 올 수 없다.
③ 율시는 여덟 구로 이루어진다.
④ '白'(흰 백)이 색을 나타내는 한자이지만 색감의 대비가 일어나는 부분은 없다.
⑤ 칠언시는 4자, 3자로 끊어 해석한다. 이는 칠언시를 읽는 기본 원칙이다.

답: ⑤

[26~27] 맹호연, 「춘흥(春興)」
이옥봉, 「몽혼(夢魂)」

春眠不覺曉, 춘 면 불 각 효	봄날에 잠들어 새벽을 깨닫지 못했는데
處處聞啼鳥. 처 처 문 제 조	곳곳에 새 울음소리 들린다.
夜來風雨聲, 야 래 풍 우 성	밤이 오니 바람과 비 소리 나고
花落知多少. 화 락 지 다 소	꽃이 떨어짐이 얼마인지 알겠는가?

近來安否問如何, 근 래 안 부 문 여 하	근래에 안부가 무엇과 같은지 묻습니다.
月白紗窓妾恨多. 월 백 사 창 첩 한 다	달은 환데 깁으로 바른 창에 제 한이 많습니다.
若使夢魂行有跡, 약 사 몽 혼 행 유 적	만약 꿈의 넋이 다녀 자취가 있게 하면
門前石路已成沙. 문 전 석 로 이 성 사	문 앞 돌길이 이미 모래가 되었을 것입니다.

26. 이해와 감상 문제

정답에는 이상이 없다. 그러나 (가)에 대해 어느 정도 배경 지식이 없으면 안타까운 마음을 읽어내기가 쉽지 않다. 게다가 (가)의 '花落'에서 시간적 배경이 '가는 봄날'인 것을 놓치면 ③을 고를 수 있다.

답: ②

27. 해석 문제

어디까지나 가정이라는 점에 주의해야 한다. 돌길을 모래로 만드는 주체도 '夢魂'(몽혼: 꿈의 넋)이다.

답: ④

[28~30] 허생전(許生傳)

許生掩卷起曰: "惜乎! 吾讀書本期十年, 今七 허 생 엄 권 기 왈 석 호 오 독 서 본 기 십 년 금 칠 年矣." 년 의	허생이 책을 덮고 일어나 말하기를, "아깝도다! 내가 책을 읽

기를 본래 10년을 기약했거늘, 이제 7년이구나."

出門而去, 無相識者. 출 문 이 거 무 상 식 자	문을 나가 가니, 아는 사람이 없었다.
直之雲從街, 問市中人曰: "漢陽中誰最富?" 직 지 운 종 가 문 시 중 인 왈 한 양 중 수 최 부	곧바로 운종가로 가 저자 사람에게 물어 말하기를, "한양 중에서 누가 가장 부유한가?"
有道卞氏者. 遂訪其家, 許生長揖曰: "吾家貧, 유 도 변 씨 자 수 방 기 가 허 생 장 읍 왈 오 가 빈 欲有所小試, 願從君借萬金." 욕 유 소 소 시 원 종 군 차 만 금	변씨라고 말하는 사람이 있었다. 마침내 그 집을 찾아가 허생이 길게 읍하고 말하기를, "내 집이 가난한데 작게 시험하려는 바가 있고자 하니, 그대에게서 만금을 빌리기를 원하오."
卞氏曰: "諾." 변 씨 왈 낙	변씨가 말하기를, "좋소."
立與萬金, 客竟不謝而去. 립 여 만 금 객 경 불 사 이 거	선 자리에서 만금을 주니, 손님(허생)이 마침내 고마워하지 않고 갔다.

28. 해석 문제

㉠은 '근본'이라는 원래 뜻이 아닌 '본래'라는 뜻으로 쓰였다.

답: ①

29. 해석 문제

'道'(도)는 크게 '길', '도리', '말하다'라는 세 가지 뜻을 가지고 있다. ㉮는 '말하다'라는 뜻으로 해석된다.

① 吾道, 一以貫之.
　오 도　 일 이 관 지
　내 도는 하나로써 그것을 꿰었다. (도리)

② 朝聞道, 夕死可矣.
　조 문 도　 석 사 가 의
　아침에 도를 들으면 저녁에 죽어도 된다. (도리)

③ 君子務本, 本立而道生.
　군 자 무 본　 본 립 이 도 생
　군자는 근본에 힘쓰니, 근본이 서야 도가 생겨난다. (도리)

④ 夫子之道, 忠恕而已矣.
　부 자 지 도　 충 서 이 이 의
　스승님의 도는 충과 서일 뿐이다. (도리)

⑤ 無道人之短, 無說己之長.
　무 도 인 지 단　 무 설 기 지 장
　남의 단점을 말하지 말고, 자신의 장점을 말하지 말라. (말하다)

답: ⑤

30. 해석 문제

글의 '卞氏曰: "諾."'에서 변씨가 허생에게 기꺼이 만금을 빌려주었음을 알 수 있다.

답: ③

제5교시 **제2외국어/한문 영역(한문)**

성명 [　　　]　　수험 번호 [　│　│　│　│　│ — │　│　│　│]

○ 먼저 문제지에 성명과 수험 번호를 정확히 기입하시오.

○ 응시한 선택 과목의 문제지를 확인하시오.

○ 답안지에 수험 번호, 답을 정확히 표기하시오.

○ 문항에 따라 배점이 다르니, 각 물음의 끝에 표시된 배점을 참고하시오.
  1점 문항에만 점수가 표시되어 있습니다.
  점수 표시가 없는 문항은 모두 2점씩입니다.

1. 다음 그림과 관련된 한자는? [1점]

① 立
② 工
③ 矢
④ 入
⑤ 赤

2. 시간의 단위가 가장 큰 것은? [1점]

① 年　　② 分　　③ 旬　　④ 日　　⑤ 月

3. ㉠에 알맞은 한자어는? [1점]

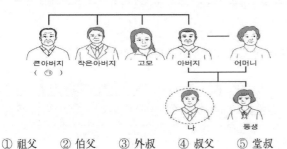

① 祖父　　② 伯父　　③ 外叔　　④ 叔父　　⑤ 堂叔

4. ㉠ '樂'과 ㉡ '說'의 음이 바른 것은?

○ 知者㉠樂水, 仁者樂山.　　－『논어(論語)』
○ 無道人之短, 無㉡說己之長.　　－『문선(文選)』

① ㉠ : 악　㉡ : 열　　② ㉠ : 락　㉡ : 열
③ ㉠ : 요　㉡ : 설　　④ ㉠ : 락　㉡ : 설
⑤ ㉠ : 요　㉡ : 열

5. ㉠과 짜임이 같은 한자어는?

寺在㉠白雲中, 白雲僧不掃.　　－ 이달(李達), 「산사(山寺)」

① 日月　　② 上下　　③ 大魚　　④ 登校　　⑤ 讀書

6. ㉠에 알맞은 한자어는? [1점]

① 光陰　　② 春秋　　③ 歲月　　④ 回甲　　⑤ 古稀

7. ㉠ '청'을 한자로 바꿀 때 옳은 것은? [1점]

附耳之言, 勿㉠청焉. : 귀에 대고 속삭이는 말은 듣지 마라.
　　　　　　　　　　　　　　－『연암집(燕巖集)』

8. ㉠에 들어갈 말로 알맞은 것은? [1점]

세인 : 소연아! 지금 무슨 책 읽고 있어?
소연 : 응, 『심청전』. 다시 읽는 중이야.
세인 : 그래. 그 책 나도 읽었는데, 심청이의 효성이 너무 감동적이지 않니?
소연 : 맞아! 특히 맹인 잔치에서 심청이를 만나 심봉사가 눈 뜨는 장면은 정말 (　㉠　)이야.

① 壓卷　　② 助長　　③ 盲目　　④ 知音　　⑤ 蛇足

9. 글의 내용과 관계있는 성어는? [1점]

나는 본래 우물 안 개구리인지라 우주고 인생이고 알 까닭이 없다. 대통 구멍으로 하늘을 내다보고, 달이 어떻고 별이 어떻고 말할 주제가 못 된다.

① 千慮一失　　　② 坐井觀天　　　③ 好衣好食
④ 教學相長　　　⑤ 天高馬肥

10. 성어의 속뜻으로 알맞은 것은?

① 刻舟求劍 : 계획적으로 일을 처리함.
② 沙上樓閣 : 화려하고 튼튼하게 지은 집.
③ 脣亡齒寒 : 서로 사이가 좋지 않은 관계.
④ 指鹿爲馬 : 윗 사람을 농락하여 권세를 부림.
⑤ 孤掌難鳴 : 혼자 힘으로 어려운 환경을 극복함.

11. 글의 내용과 가장 관계있는 것은?

> 二人同心, 其利斷金 ; 同心之言, 其臭如蘭. – 『주역(周易)』

① 君臣有義　　　② 父子有親　　　③ 夫婦有別
④ 長幼有序　　　⑤ 朋友有信

12. ㉠에 들어갈 한자로 가장 알맞은 것은?

> 玉不琢, 不成器 ; 人不(㉠), 不知道. – 『예기(禮記)』

① 善　　② 直　　③ 淸　　④ 學　　⑤ 儉

13. 글의 내용과 관련된 속담은?

> ○ 산에 가야 꿩을 잡고, 바다에 가야 고기를 잡지.
> ○ 계획을 잘 세워도 실천하지 않으면 의미가 없다.

① 三歲之習, 至于八十.
② 不入虎穴, 不得虎子.
③ 無足之言, 飛于千里.
④ 農夫餓死, 枕厥種子.
⑤ 一日之狗, 不知畏虎.

14. 글의 중심 내용을 가장 잘 나타낸 것은?

> 子曰 : 歲寒然後, 知松栢之後彫也.
> 　　　* 彫(조) : 시들다. – 『논어(論語)』

① 恭敬　　② 友愛　　③ 節義　　④ 勉學　　⑤ 孝道

15. 글의 풀이가 바르지 않은 것은?

① 愛人者, 人恒愛之. : 남을 사랑해야 남도 나를 사랑함.
② 過而不改, 是謂過矣. : 잘못이 있으면 이를 고쳐야 함.
③ 積善之家, 必有餘慶. : 선을 행하면 언젠가는 보답을 받음.
④ 知彼知己, 百戰不殆. : 상대와 나를 알아야 경쟁에서 이김.
⑤ 人無遠慮, 必有近憂. : 앞 일을 쓸데없이 근심하면 불행해짐.

16. 글에서 강조하는 학문적 태도로 가장 알맞은 것은?

> ○ 不能舍己從人, 學者之大病. 天下之義理無窮, 豈可是己
> 而非人?　　　　　　　　　　　　– 『퇴계집(退溪集)』
> ○ 恥不知而不問, 終於不知而已. 以爲不知而必求之, 終能
> 知之矣.　　　　　　　　　　　　– 『이정집(二程集)』

① 고루함　② 침착함　③ 겸손함　④ 방만함　⑤ 근엄함

[17~18] 다음 글을 읽고 물음에 답하시오.

> 春川俗, 有車戰. 以獨輪車, 各里分隊, 前驅相戰, 以占
> ㉠年事, 逐北者爲凶. 加平俗, 亦然.
> 　　　　　　　　　　　　　– 『동국세시기(東國歲時記)』

17. ㉠의 풀이로 가장 알맞은 것은?

① 나이　　　　② 농사　　　　③ 차전놀이
④ 명절 준비　　⑤ 수레 제작

18. 위 글의 풍속에 대한 설명으로 바르지 않은 것은?

① 속도로 승패를 결정한다.
② 춘천과 가평에서 행해졌다.
③ 외바퀴 수레로 하는 놀이다.
④ 마을 대항전의 성격을 지닌다.
⑤ 협동심을 필요로 하는 놀이다.

[19~20] 다음 글을 읽고 물음에 답하시오.

> 夫百車之載, 不及一船, ㉠陸行千里, 不如舟行萬里之爲
> 便利也. 故, 通商者, 又必以水路爲貴. – 『북학의(北學議)』

19. ㉠과 문장의 형식이 같은 것은?

① 騎馬, 欲率奴.
② 水至淸, 則無魚.
③ 天帝, 使我長百獸.
④ 天下之難事, 必作於易.
⑤ 子之廢學, 若吾斷斯織也.

20. 위 글의 내용을 바르게 설명한 것은?

① 상품 생산의 다양화.
② 수군을 통한 국방력의 증진.
③ 수로 정비를 통한 치수사업.
④ 수로를 통한 유통의 효율성 증대.
⑤ 수로 정비를 통한 농업 생산의 증대.

[21~22] 다음 글을 읽고 물음에 답하시오.

> 楚人, ㉠有鬻盾與矛者, 譽之曰 : "吾盾之堅, 莫能陷也."
> 又譽其矛曰 : "吾矛之利, 於物, 無不陷也." 或曰 : "以㉡子之
> 矛, 陷子之盾, 何如?" 其人, 弗能應也.
>
> 　　*楚(초): 초나라. *鬻(육): 팔다.　-『한비자(韓非子)』

21. ㉠의 풀이 순서를 바르게 배열한 것은?

① 有 - 鬻 - 盾 - 與 - 矛 - 者
② 矛 - 與 - 盾 - 者 - 鬻 - 有
③ 矛 - 鬻 - 盾 - 與 - 有 - 者
④ 盾 - 與 - 矛 - 鬻 - 者 - 有
⑤ 盾 - 矛 - 與 - 有 - 鬻 - 者

22. ㉡ '子'와 바꾸어 쓸 수 있는 한자는? [1점]

① 汝　　② 此　　③ 人　　④ 民　　⑤ 我

[23~24] 다음 글을 읽고 물음에 답하시오.

> 明君制民之産, 必㉠使仰足以㉡事父母, 俯足以㉢畜妻子,
> ㉣樂歲終身飽, 凶年免於死亡, 然後驅而之善, 故民㉤之從之
> 也輕.　　　　*俯(부): 숙이다.　-『맹자(孟子)』

23. ㉠ ~ ㉤의 풀이로 가장 알맞은 것은? [1점]

① ㉠ : 가령　　② ㉡ : 일　　③ ㉢ : 가축
④ ㉣ : 풍년　　⑤ ㉤ : 가다

24. 위 글의 내용을 가장 잘 나타낸 것은?

① 백성은 임금의 명령에 따라야 한다.
② 관리는 백성을 자식처럼 대해야 한다.
③ 관리는 세금을 지나치게 걷지 말아야 한다.
④ 임금은 법으로 백성을 괴롭히지 말아야 한다.
⑤ 임금은 백성이 선을 행하도록 생업을 보장해야 한다.

[25~27] 다음 글을 읽고 물음에 답하시오.

> 王祥性(㉠). 父母有疾, 衣不解帶, 湯藥必親㉡嘗. 母
> ㉢嘗欲生魚, 時天寒氷凍, 祥解衣, 將剖氷求之, 氷忽自解,
> 雙鯉躍出, 持之而歸.
>
> 　　*剖(부): 가르다. *鯉(리): 잉어. *躍(약): 뛰다.
> 　　*王祥(왕상): 중국 진(晋)나라 사람.　-『소학(小學)』

25. ㉠에 알맞은 한자는? [1점]

① 孝　　② 忠　　③ 信　　④ 禮　　⑤ 智

26. ㉡과 ㉢에 쓰인 '嘗'을 바르게 풀이한 것은?

① ㉡ : 일찍이　㉢ : 맛보다　　② ㉡ : 맛보다　㉢ : 일찍이
③ ㉡ : 일찍이　㉢ : 일찍이　　④ ㉡ : 맛보다　㉢ : 맛보다
⑤ ㉡ : 시험하다　㉢ : 맛보다

27. 위 글의 내용과 관계있는 것은?

① 桑田碧海　　② 靑出於藍　　③ 至誠感天
④ 緣木求魚　　⑤ 小貪大失

[28~30] 다음 시를 읽고 물음에 답하시오.

> (가) 十五越溪女,　　　羞人㉠無語別.
> 　　　歸來掩重門,　　　泣向㉡梨花月.
> 　　　*羞(수): 부끄럽다. *掩(엄): 닫다.
> 　　　　　　　- 임제(林悌),「무어별(無語別)」
>
> (나) 雨歇長堤㉢草色多,　　送君南浦㉣動悲歌.
> 　　　大同江水㉤何時盡,　　別淚年年添綠波.
> 　　　*歇(헐): 그치다. - 정지상(鄭知常),「송인(送人)」

28. ㉠ ~ ㉤의 풀이가 바르지 않은 것은?

① ㉠ : 말없이 헤어짐　　② ㉡ : 배꽃에 걸린 달
③ ㉢ : 짙푸른 풀빛　　④ ㉣ : 슬픈 노래가 울림
⑤ ㉤ : 언젠가는 마름

29. (가)에 대한 설명으로 바르지 않은 것은?

① 형식은 5언 절구이다.
② 봄을 배경으로 하고 있다.
③ 운자(韻字)는 '別'과 '月'이다.
④ 이별의 아쉬움이 잘 나타나 있다.
⑤ 친정 어머니에 대한 그리움을 표현했다.

30. (나)에 대한 설명으로 바른 것은?

① 공간적 배경은 한양이다.
② 꿈속의 상황을 표현했다.
③ 3구와 4구는 대우(對偶)이다.
④ 시각적 이미지가 두드러진다.
⑤ 비가 그치자 이별의 슬픔이 반감되었다.

* 확인 사항

○ 답안지의 해당란에 필요한 내용을 정확히 기입(표기)했는지 확인
하시오.

2005학년도 9월 모의평가

1	①	7	③	13	②	19	⑤	25	①
2	①	8	①	14	③	20	④	26	②
3	②	9	②	15	⑤	21	④	27	③
4	③	10	④	16	③	22	①	28	⑤
5	③	11	⑤	17	②	23	④	29	⑤
6	②	12	④	18	①	24	⑤	30	④

1. 한자 문제

① 立(설 립)　② 工(장인 공)　③ 矢(화살 시)
④ 入(들 입)　⑤ 赤(붉을 적)

그림과 관련된 한자는 '立'이다.

답: ①

2. 한자어 문제

① 年(해 년): 1년　② 分(나눌 분): 1분
③ 旬(열흘 순): 10일　④ 日(날 일): 1일
⑤ 月(달 월): 1개월

시간의 단위가 가장 큰 것은 '年'이다. '旬'이 10일을 나타낸다는 것을 몰랐다면 '年'과 '旬' 가운데 헷갈렸을 수도 있겠다. '旬'이 들어가는 한자어로 '초순(初旬)', '중순(中旬)', '하순(下旬)', '三旬九食(삼순구식)' 등이 있다.

답: ①

3. 한자어 문제

친족 호칭에 취약한 사람에게는 쥐약이다. 교양으로 알고 넘어가자. ①~⑤의 호칭은 다음과 같다.

① 祖父(조부): 할아버지　② 伯父(백부): 큰아버지
③ 外叔(외숙): 어머니의 남자 형제
④ 叔父(숙부): 작은아버지
⑤ 堂叔(당숙): 아버지의 사촌 형제

'伯父'는 '伯'(맏 백)이 들어가는 얼마 안 되는 한자어 가운데 하나이다. 여기의 '伯'이 '맏이'라는 뜻으로 쓰였다는 것도 유념해서 보자.

답: ②

4. 해석 문제

'樂'은 각각 '풍류', '즐겁다', '좋아하다'라는 뜻으로 쓰일 때 '악', '락', '요'로 읽는다. '說'은 각각 '말하다', '기뻐하다', '달래다'라는 뜻으로 쓰일 때 '설', '열', '세'로 읽는다.

知者樂水, 仁者樂山.
지 자 요 수　인 자 요 산
지혜로운 사람은 물을 좋아하고, 어진 사람은 산을 좋아한다.

無道人之短, 無說己之長.
무 도 인 지 단　무 설 기 지 장
남의 단점을 말하지 말고, 자기의 장점을 말하지 말라.

㉠은 '좋아하다'로 해석되므로 음이 '요'이고, ㉡은 '말하다'로 해석되므로 음이 '설'이다.

답: ③

5. 짜임 문제

한자어의 짜임은 두 글자 이상의 한자로 이루어진 한자어가 어떻게 해석되는가를 나타내는 개념이다. 한자어의 짜임에는 '주술(주어＋서술어)', '술목(서술어＋목적어)', '술보(서술어＋보어)', '수식', '병렬'의 다섯 가지가 있다.

寺在白雲中, 白雲僧不掃.
사 재 백 운 중　백 운 승 불 소
절이 흰 구름 속에 있는데 흰 구름은 중이 쓸지 않는다.

㉠은 '흰 구름'으로 해석되므로 그 짜임은 '수식'이다.

① 日月(일월): 해와 달. (병렬)
② 上下(상하): 위아래. (병렬)
③ 大魚(대어): 큰 물고기. (수식)
④ 登校(등교): 학교에 오르다. (술보)
⑤ 讀書(독서): 책을 읽다. (술목)

답: ③

6. 한자어 문제

① 光陰(광음): 빛과 그늘. 시간 또는 세월.
② 春秋(춘추): 봄과 가을. 나이
③ 歲月(세월): (세월)
④ 回甲(회갑): 갑자가 돌아옴. 60세.
⑤ 古稀(고희): 70세.

답: ②

7. 한자 문제

① 廳(관청 청)　② 淸(맑을 청)　③ 聽(들을 청)
④ 請(청할 청)　⑤ 靑(푸를 청)

답: ③

8. 한자어 문제

① 壓卷(압권): 답안지를 누름. 어떤 서책 가운데서 가장 잘 지은 대목이나 시문, 또는 가장 뛰어난 부분. 과거에서 가장 잘 쓴 답안을 맨 위에 올려놓은 것에서 유래.
② 助長(조장): 자라는 것을 도움. 바람직하지 않은 일을 부추김. 어리석은 한 농부가 모가 잘 자라지 않아 모를 뽑아 자라는 것을 도우려 했다는 발묘조장(拔苗助長)에서 유래.
③ 盲目(맹목): 먼눈
④ 知音(지음): 소리를 앎. 자신을 알아주는 진정한 친구. 백아가 거문고를 타면 종자기가 듣고 그 뜻을 알아맞혔다는 것에서 유래.
⑤ 蛇足(사족): 뱀의 발. 쓸데없는 군짓을 하여 도리어 일을 그르침. 뱀을 먼저 그리는 사람이 술을 마시는 내기에서 어떤 사람이 뱀을 다 그리고 시간이 남아 발까지 그리자, 뱀은 발이 없다며 다른 사람이 술을 가로채 마신 것에서 유래.

답: ①

18

9. 사자성어 문제

① 千慮一失(천려일실): 천 번 생각에 한 번 실수. 지혜로운 사람도 실수할 수 있음.
② 坐井觀天(좌정관천): 우물에 앉아 하늘을 봄. 견문이 매우 좁음.
③ 好衣好食(호의호식): 좋은 옷을 입고 좋은 음식을 먹음.
④ 教學相長(교학상장): 가르치고 배우며 서로 자람. 교사는 가르치면서 더 잘 가르치게 되고, 학생은 배우면서 견문이 넓어짐.
⑤ 天高馬肥(천고마비): 하늘은 높고 말은 살찜. 가을.
 *글의 내용과 관계있는 또 다른 성어로 '井底之蛙'(정저지와: 우물 밑 개구리)도 있다.

답: ②

10. 사자성어 문제

① 刻舟求劍(각주구검): (칼을 떨어뜨린 자리를) 배에 새기고 칼을 구함. 시대의 변화에 융통성 있게 대처하지 못하는 어리석음.
② 沙上樓閣(사상누각): 모래 위의 누각. 기초가 약하여 오래 견디지 못할 일이나 실현 불가능한 일.
③ 脣亡齒寒(순망치한): 입술이 없으면 이가 시림. 이해관계가 밀접한 사이에서 한쪽이 망하면 다른 쪽도 온전하기 어려움.
④ 指鹿爲馬(지록위마): 사슴을 가리켜 말이라고 함. 윗사람을 농락하여 권세를 부림.
⑤ 孤掌難鳴(고장난명): 외손뼉은 울기 힘듦. 혼자서는 일을 이루기가 어려움. 또는 맞서는 사람이 없으면 싸움이 일어나지 않음.

답: ④

11. 단문 문제

二人同心, 其利斷金; 同心之言, 其臭如蘭.
이 인 동 심 기 리 단 금 동 심 지 언 기 취 여 란
두 사람이 마음을 함께하면 그 날카로움이 쇠를 자르고, 마음을 함께하는 말은 그 냄새가 난초와 같다.

① 君臣有義(군신유의): 임금과 신하 사이에는 의리가 있어야 한다.
② 父子有親(부자유친): 아버지와 아들 사이에는 친함이 있어야 한다.
③ 夫婦有別(부부유별): 부부 사이에는 구별이 있어야 한다.
④ 長幼有序(장유유서): 윗사람과 아랫사람 사이에는 순서가 있어야 한다.
⑤ 朋友有信(붕우유신): 벗 사이에는 믿음이 있어야 한다.
그런데 글의 내용과 관계있는 것이 좀처럼 눈에 띄지 않는다. 단서는 글의 내용이 두 사람이 함께함과 관계있다는 데 있다. '朋友有信'을 제외한 나머지는 두 사람이 대등한 관계에 있지 않다. 따라서 답은 '朋友有信'이다.

답: ⑤

12. 빈칸 문제

玉不琢, 不成器; 人不(㉠), 不知道.
옥 불 탁 불 성 기 인 불   부 지 도
옥은 쪼지 않으면 그릇을 이루지 못하고, 사람은 ㉠하지 않으면 도를 알지 못한다.

① 善(착할 선)　　② 直(곧을 직)　　③ 淸(맑을 청)
④ 學(배울 학)　　⑤ 儉(검소할 검)

사람이 도를 알려면 무엇을 해야 할까? 배워야 한다.

답: ④

13. 속담 문제

① 三歲之習, 至于八十.
　삼 세 지 습 지 우 팔 십
　세 살 버릇 여든 간다.
② 不入虎穴, 不得虎子.
　불 입 호 혈 부 득 호 자
　호랑이굴에 들어가지 않으면 호랑이 새끼를 얻지 못한다.
③ 無足之言, 飛于千里.
　무 족 지 언 비 우 천 리
　발 없는 말이 천 리 간다.
④ 農夫餓死, 枕厥種子.
　농 부 아 사 침 궐 종 자
　농부는 굶어죽더라도 그 씨를 벤다.
　1) 사람은 자신의 직업의식을 버리지 못함.
　2) 사람은 죽을 때까지 희망을 버리지 않고 앞날을 생각함.
　3) 어리석고 인색한 사람은 자신이 죽고 나면 재물도 소용이 없음을 모름.
⑤ 一日之狗, 不知畏虎.
　일 일 지 구 부 지 외 호
　하룻강아지 범 무서운 줄 모른다.

답: ②

14. 단문 문제

子曰: "歲寒然後, 知松栢之後彫也."
자 왈　세 한 연 후 지 송 백 지 후 조 야
공자가 말하기를, "해가 추워진 연후에야 소나무와 잣나무가 나중에 시듦을 안다."
*彫(새길 조): 여기서는 凋(시들 조)의 뜻으로 쓰였다.

① 恭敬(공경)　　② 友愛(우애)　　③ 節義(절의)
④ 勉學(면학)　　⑤ 孝道(효도)

답: ③

15. 단문 문제

① 愛人者, 人恒愛之.
　애 인 자 인 항 애 지
　남을 사랑하는 사람은 남이 그를 항상 사랑한다.
② 過而不改, 是謂過矣.
　과 이 불 개 시 위 과 의
　잘못하였으나 고치지 않는 것, 이것이 잘못이라 이르는 것이다.

③ 積善之家, 必有餘慶.
적 선 지 가　필 유 여 경

선을 쌓는 집은 반드시 남는 경사가 있다.

④ 知彼知己, 百戰不殆.
지 피 지 기　백 전 불 태

저를 알고 나를 알면 백 번 싸워도 위태롭지 않다.

⑤ 人無遠慮, 必有近憂.
인 무 원 려　필 유 근 우

사람이 먼일에 대한 고려가 없으면 반드시 가까운 근심이 있다.

'앞일을 쓸데없이 근심하면 불행해짐'은 ⑤와 정반대의 내용이다.

답: ⑤

16. 해석 문제

不能舍己從人, 學者之大病.　*舍(사): 버리다(捨)
불 능 사 기 종 인　학 자 지 대 병

자기를 버리고 남을 따를 수 없는 것은 배우는 자의 커다란
병이다.

天下之義理無窮, 豈可是己而非人?
천 하 지 의 리 무 궁　기 가 시 기 이 비 인

천하의 의리는 끝이 없는데, 어찌 내가 옳고 남이 틀렸다고 할
수 있는가?

恥不知而不問, 終於不知而已.
치 부 지 이 불 문　종 어 부 지 이 이

알지 못함을 부끄러워하여 묻지 않으면 알지 못함에서 끝나게
될 뿐이다.

以爲不知而必求之, 終能知之矣.
이 위 부 지 이 필 구 지　종 능 지 지 의

알지 못한다고 여겨 반드시 그것을 구하려고 한다면 끝내 그
것을 알 수 있을 것이다.

남을 따르고, 알지 못하면 물으라는 내용이므로 글에서 강조하는
학문적 태도는 '겸손함'이다.

답: ③

〔17~18〕 차전(車戰)

春川俗, 有車戰.
춘 천 속　유 차 전

춘천 풍속에 수레싸움이 있었다.

以獨輪車, 各里分隊, 前驅相戰, 以占年事, 逐
이 독 륜 거　각 리 분 대　전 구 상 전　이 점 년 사　축

北者爲凶. 加平俗, 亦然.
배 자 위 흉　가 평 속　역 연

외바퀴 수레로써 각 마을이 무리를 나누어, 앞으로 몰아 서로
싸워 이로써 한 해의 일을 점치는데, 쫓겨 달아난 자는 흉년이
라고 여겼다. 가평의 풍속도 또한 그러하였다.

17. 해석 문제

㉠은 '한 해의 일'이라는 뜻이다. ①~⑤ 가운데 한 해 동안 할
만한 일이 무엇일까? '농사'밖에 고를 것이 없다.

답: ②

18. 해석 문제

① 속도로 승패를 결정한다는 내용은 어디에도 없다.

답: ①

〔19~20〕 통상혜공(通商惠工)

夫百車之載, 不及一船, 陸行千里, 不如舟行萬
부 백 거 지 재　불 급 일 선　륙 행 천 리　불 여 주 행 만

里之爲便利也.
리 지 위 편 리 야

무릇 백 수레의 실음은 한 배에 미치지 못하니, 육지로 천 리
를 다님은 배가 만 리를 다니는 편리함만 못하다.

故, 通商者, 又必以水路爲貴.
고　통 상 자　우 필 이 수 로 위 귀

그러므로 상업을 통하는 자는 또한 반드시 물길로써 귀함을
삼아야 한다.

19. 문장 형식 문제

㉠은 '배가 만 리를 다니는 편리함만 못하다.'로 해석되는 비교형
문장이다.

① 騎馬, 欲率奴.
기 마　욕 솔 노

말을 타면 종을 거느리고자 한다. (가정형)

② 水至淸, 則無魚.
수 지 청　즉 무 어

물이 지극히 맑으면 물고기가 없다. (가정형)

③ 天帝, 使我長百獸.
천 제　사 아 장 백 수

천제가 내가 모든 짐승의 우두머리 노릇을 하게 하였다. (사동형)

④ 天下之難事, 必作於易.
천 하 지 난 사　필 작 어 이

천하의 어려운 일도 반드시 쉬운 것에서부터 이루어진다. (평서형)

⑤ 子之廢學, 若吾斷斯織也.
자 지 폐 학　약 오 단 사 직 야

그대가 배움을 그만두는 것은 내가 이 베를 끊어 버림과 같다. (비교형)

답: ⑤

20. 해석 문제

위 글의 내용은 '수로를 통한 유통의 효율성 증대'이다. 해석만
할 수 있으면 푸는 문제다.

답: ④

〔21~22〕 모순(矛盾)

楚人, 有鬻盾與矛者, 譽之曰: "吾盾之堅, 莫
초 인　유 육 순 여 모 자　예 지 왈　오 순 지 견　막

能陷也."
능 함 야

초나라 사람에 방패와 창을 파는 사람이 있어 그것을 자랑하
여 말하기를, "내 방패의 굳음은 뚫을 수 없다."

又譽其矛曰: "吾矛之利, 於物, 無不陷也."
우 예 기 모 왈　오 모 지 리　어 물　무 불 함 야

또 그 창을 자랑하여 말하기를, "내 창의 날카로움은 사물에
뚫리지 않음이 없다."

或曰: "以子之矛, 陷子之盾, 何如?" 其人, 弗能應也.
_{혹왈 이자지모 함자지순 하여 기인 불능응야}

누군가가 말하기를, "그대의 창으로써 그대의 방패를 뚫는다면 어떠한가?" 그 사람이 응할 수 없었다.

21. 해석 문제

㉠은 '방패와 창을 파는 사람이 있었다.'로 해석된다. 따라서 풀이 순서는 '盾 - 與 - 矛 - 鬻 - 者 - 有'이다.

답: ④

22. 바꾸어 쓸 수 있는 한자 문제

㉡은 '그대'로 해석되므로 바꾸어 쓸 수 있는 한자는 '汝'(너 여)이다.

답: ①

[23~24] 항산(恒産)과 항심(恒心)

明君制民之産, 必使仰足以事父母, 俯足以畜妻子,
_{명군제민지산 필사앙족이사부모 부족이축처자}

현명한 임금은 백성의 재산을 다스림에 반드시 우러러 어버이를 섬기기에 충분하고 굽어 아내와 자식을 먹임에 충분하게 해야 하니,

樂歲終身飽, 凶年免於死亡, 然後驅而之善,
_{낙세종신포 흉년면어사망 연후구이지선}

즐거운 해에는 몸을 다하도록 배부르게 해야 하며, 흉년에는 사망을 면하게 해야 하고, 그러한 뒤에 몰아 선함에 가면

故民之從之也輕.
_{고민지종지야경}

그러므로 백성이 그것을 따르는 것이 가볍다.

23. 해석 문제

㉠: ~하게 하다　　㉡: 섬기다　　㉢: 먹이다
㉣: 즐거운 해(풍년)　　㉤: ~이

답: ④

24. 해석 문제

위 글의 내용은 '임금은 백성이 선을 행하도록 생업을 보장해야 한다'이다. 해석만 하면 풀 수 있는 문제다.

답: ⑤

[25~27] 왕상지효(王祥之孝)

王祥性(㉠).
_{왕상성}

왕상의 성품은 ㉠하였다.

父母有疾, 衣不解帶, 湯藥必親嘗.
_{부모유질 의불해대 탕약필친상}

부모가 병이 있자 옷에서 허리띠를 풀지 않았으며 약을 달이면 반드시 몸소 맛보았다.

母嘗欲生魚, 時天寒氷凍, 祥解衣, 將剖氷求之, 氷忽自解, 雙鯉躍出, 持之而歸.
_{모상욕생어 시천한빙동 상해의 장부빙구지 빙홀자해 쌍리약출 지지이귀}

어머니가 일찍이 살아 있는 물고기를 원하자, 때가 날씨가 춥고 얼음이 얼었음에도 상이 옷을 벗고 장차 얼음을 깨 그것을 구하려고 하는데, 얼음이 갑자기 저절로 깨지더니 쌍의 잉어가 뛰어나와 그것을 가지고 돌아갔다.

25. 빈칸 문제

해석이 되면 너무나도 쉽고, 해석을 하지 못했더라도 '父母'(부모), '母'(어미 모)가 나오는 것으로 보아서 '孝'(효도 효)일 가능성이 높음을 알 수 있다.

답: ①

26. 해석 문제

㉡이 '맛보다'로 해석된다는 것은 쉽게 알 수 있다. 문제는 ㉢이다. '欲生魚'에는 무언가 하나가 부족해 보인다. '欲嘗生魚'에서 '嘗'이 앞으로 도치된 것이 아닐까? 물론 한문에서 도치가 일어나는 경우도 있지만, 시험에서 그렇게 어려운 것을 물어보지는 않는다. 이 경우에는 부모가 병이 나기 전에 어머니가 살아 있는 물고기를 원했다는 뜻에서 '嘗'이 쓰였다. 그렇다면 '欲生魚'는 어떻게 해석해야 할까? 그렇다. 바로 '살아 있는 물고기를 원하다'라고 해석하면 된다.

답: ②

27. 사자성어 문제

① 桑田碧海(상전벽해): 뽕나무밭이 변하여 푸른 바다가 됨. 세상 일이 덧없이 변천함이 심함.
② 靑出於藍(청출어람): 푸른빛은 쪽에서 나옴. 제자가 스승보다 뛰어남.
③ 至誠感天(지성감천): 지극한 정성은 하늘을 감동시킴.
④ 緣木求魚(연목구어): 나무에 올라 물고기를 구함. 도저히 불가능한 일을 하려고 함.
⑤ 小貪大失(소탐대실): 작은 것을 탐하다가 큰 것을 잃음.

답: ③

[28~30] 임　제,「무어별(無語別)」
　　　　　정지상,「송인(送人)」

十五越溪女,　열다섯 아름다운 계집
_{십오월계녀}

羞人無語別.　남을 부끄러워하여 말이 없이 헤어졌네.
_{수인무어별}

歸來掩重門,　돌아와 덧문을 닫고는
_{귀래엄중문}

泣向梨花月.　울며 배꽃에 걸린 달을 향하네.
_{읍향리화월}

雨歇長堤草色多,　비 그친 긴 둑에 풀빛이 많은데
_{우헐장제초색다}

送君南浦動悲歌.　그대를 남포에서 보내면서 슬픈 노래 부른다.
_{송군남포동비가}

大同江水何時盡,　대동강 물 어느 때 다할까,
_{대동강수하시진}

別淚年年添綠波.　이별의 눈물 해마다 푸른 물결에 더하는데.
_{별루년년첨록파}

28. 해석 문제

㉤은 '어느 때 마르겠는가?'로 해석되는 반어형 문장이다. 이를 '언젠가는 마를'로 해석하면 뜻이 정반대가 된다.

답: ⑤

29. 한시 문제

① 다섯 글자씩 네 구이므로 오언절구이다.
② 배꽃이 핀 때이므로 봄을 배경으로 하고 있다. 그러나 배꽃이 봄에 핀다는 것을 모른다면, 일단 넘겨 보자.
③ 운자는 짝수 구의 마지막 글자에 오고, 첫째 구의 마지막 글자에 올 수 있다. '別'(별), '月'(월)이 운자이므로 '女'(녀)는 운자가 아님을 알 수 있다.
④ 이별의 아쉬움이 잘 드러나 있음은 당연하다.
⑤ 친정 어머니에 대한 그리움은 나타나 있지 않다.

답: ⑤

30. 한시 문제

① '大同江'에서 공간적 배경이 한양이 아님을 알 수 있다.
② 이것은 꿈 속의 상황이 아니다. 꿈 속의 상황임을 알 수 있는 표지가 전혀 없다. 아무런 표지가 없는데 꿈 속의 상황임을 파악하고 맞히라고 요구하는 것은 시험 문제로서 자격 미달이다.
③ 두 구가 문법적 기능이 동일한 글자의 배열로 이루어져 있을 때 대우를 이룬다고 한다. 그러나 제3, 4구는 그렇지 않으므로 대우를 이루지 않는다.
⑤ 이별의 슬픔은 비가 그친 것과 아무런 관계가 없다.

답: ④

성명		수험 번호				—		

1. ㉠에 알맞은 것은? [1점]

① 天　　② 王　　③ 生　　④ 牛　　⑤ 石

2. ㉠~㉢에 모두 알맞은 것은? [1점]

모양	음	뜻
(㉠)	견	개
馬	(㉡)	말
風	풍	(㉢)

① ㉠: 大　㉡: 마　㉢: 바람
② ㉠: 犬　㉡: 조　㉢: 바람
③ ㉠: 犬　㉡: 마　㉢: 바람
④ ㉠: 大　㉡: 조　㉢: 구름
⑤ ㉠: 犬　㉡: 조　㉢: 구름

3. 화살표 방향으로 각각 2자로 된 한자어를 만들 때 □에 알맞은 것은? [1점]

① 白　　② 成　　③ 多　　④ 小　　⑤ 分

4. 다음이 가리키는 것은? [1점]

○ 국보 제1호이다.
○ '남대문'이라고도 불린다.
○ 명칭은 '예를 숭상한다'는 뜻을 담고 있다.

① 敦義門　　② 弘智門　　③ 惠化門
④ 光化門　　⑤ 崇禮門

5. 글의 내용과 가장 관계있는 것은? [1점]

> 이익은 누구나 다 바라는 것이다. 그러나 자기만을 위해 함부로 탐하면 본래의 착한 마음이 흐려져서 의리를 망각하게 된다.
> － 『성리대전(性理大全)』 －

① 表裏不同　　② 錦上添花　　③ 甘言利說
④ 發憤忘食　　⑤ 見利思義

6. 그림의 내용으로 유추할 수 있는 것은? [1점]

정말 많이 변했군!

① 桑田碧海　　② 牛耳讀經　　③ 指鹿爲馬
④ 朝三暮四　　⑤ 結草報恩

7. ㉠에 알맞은 것은?

> 智者, 成之於順時,
> ↕　　↕　　↕
> (㉠)者, 敗之於逆理.　　－ 『계원필경(桂苑筆耕)』 －

① 愚　　② 仁　　③ 信　　④ 孝　　⑤ 賢

8. ㉠, ㉡의 음이 모두 바른 것은?

> ○ 學而時習之, 不亦㉠說乎?　　－ 『논어(論語)』 －
> ○ 破山中賊㉡易, 破心中賊難.　　－ 『양명전서(陽明全書)』 －

① ㉠: 설　㉡: 역　　② ㉠: 열　㉡: 이
③ ㉠: 설　㉡: 이　　④ ㉠: 열　㉡: 역
⑤ ㉠: 세　㉡: 이

9. ㉠과 짜임이 같은 한자어는? [1점]

> 一萬二千峯, ㉠高低自不同.　　－ 성석린(成石璘) －

① 修身　　② 上陸　　③ 日出　　④ 聖人　　⑤ 前後

10. 글의 중심 내용으로 가장 알맞은 것은? [1점]

> 家若貧, 不可因貧而廢學, 家若富, 不可恃富而怠學.
> ＊恃(시): 믿다　　－『명심보감(明心寶鑑)』－

① 安貧　　② 勸善　　③ 儉素　　④ 勸學　　⑤ 致富

11. 글의 내용과 가장 가까운 것은?

> 父母, 養其子而不教, 是不愛其子也, 雖教而不嚴, 是亦不愛其子也.　　－『고문진보(古文眞寶)』－

① 不恥下問　　② 昏定晨省　　③ 日就月將
④ 斷機之戒　　⑤ 教學相長

12. 글의 내용과 가장 관계있는 것은? [1점]

> ○ 까마귀 날자 배 떨어진다.
> ○ 오해 받을 일은 하지 말아야 한다.

① 隨友適江南　　　　② 陰地轉 陽地變
③ 積功之塔 豈毀乎　　④ 種瓜得瓜 種豆得豆
⑤ 瓜田不納履 李下不整冠

13. (가), (나)가 가리키는 곳을 지도에서 바르게 찾은 것은?

> (가) 白頭山之脈, 流至於此, 故又名頭流.
> 　－『신증동국여지승람(新增東國輿地勝覽)』－
> (나) 雄據嶺湖南二路之交, 高廣不知其
> 幾百里.　　　　　　－『청파집(青坡集)』－

① ㉠　　② ㉡　　③ ㉢
④ ㉣　　⑤ ㉤

[14~15] 다음 글을 읽고 물음에 답하시오.

> 伯兪有過, 其母笞之, 泣. 其母曰: "㉠他日笞, 子未嘗泣, 今泣㉡何也?" 對曰: 兪㉢得罪, 笞常㉣痛, 今母之力, 不能使痛, ㉤是以泣.
> 　　　　　　　　＊笞(태): 매질하다
> ＊伯兪(백유): 중국 한(漢)나라 사람　－『소학(小學)』－

14. ㉠~㉤의 풀이가 바르지 않은 것은? [1점]

① ㉠: 오늘　　　② ㉡: 어째서
③ ㉢: 잘못하다　④ ㉣: 아프다
⑤ ㉤: 이 때문에

15. 위 글의 내용과 관련이 깊은 것은?

① 塞翁之馬　　② 大器晩成　　③ 風樹之歎
④ 螢雪之功　　⑤ 雪上加霜

[16~17] 다음 글을 읽고 물음에 답하시오.

> 江陵俗, 敬老, 每値良辰, 請年七十以上, 會于㉠勝地, 以慰之, 名曰青春敬老會. 雖奴婢之賤, 登七旬者, 皆許赴會.
> 　　　　　　　－『동국세시기(東國歲時記)』－

16. ㉠과 같은 의미로 쓰인 것은?

① 勝敗　　　　② 勝利　　　　③ 必勝
④ 名勝古蹟　　⑤ 百戰百勝

17. 위 글을 통해 알 수 없는 것은?

① 좋은 날에 모임을 열었다.
② 노인을 공경하는 풍속이다.
③ 이 모임에서 단오가 유래하였다.
④ 70세 이상의 노인을 초청하였다.
⑤ 신분의 귀천에 상관없이 참석하였다.

[18~19] 다음 글을 읽고 물음에 답하시오.

> 無恒産而有恒心者, 惟士爲能, 若民則無恒産, 因無(㉠), 苟無恒心, 放辟邪侈, 無不爲已. 及陷㉡於罪然後, 從而刑之, 是罔民也.
> 　＊辟(벽): 편벽되다　＊侈(치): 무절제하다　－『맹자(孟子)』－

18. ㉠에 알맞은 것은?

① 恒産　　② 恒心　　③ 士
④ 民　　　⑤ 罔民

19. ㉡의 풀이로 알맞은 것은?

① ～에　　② ～와　　③ ～의
④ ～로써　⑤ ～하면

[20~21] 다음 글을 읽고 물음에 답하시오.

> 公主對曰: "大王常語, ㉠汝必爲溫達之婦, 今何故改前言乎? 匹夫猶不欲㉡食言, 況至尊乎? 故曰: '王者無戲言', 今大王之命, 謬矣. 妾不敢祇承."
> 　　＊謬(류): 그릇되다　＊祇(지): 공경하다
> 　＊溫達(온달): 고구려의 장수　－『삼국사기(三國史記)』－

20. ㉠이 가리키는 인물로 알맞은 것은?

① 公主　　② 大王　　③ 溫達
④ 匹夫　　⑤ 至尊

21. ㉡의 풀이로 알맞은 것은?

① 침착하게 말하다　　② 식사하는 중에 말하다
③ 음식에 대해 말하다　④ 말한 것을 지키지 않다
⑤ 입을 다물고 말하지 않다

[22~24] 다음 글을 읽고 물음에 답하시오.

> 王問衆女子曰: "何花最好?" 或言桃花, 或言牡丹花, ㉠所對不一. 貞純王后, 獨曰: "㉡綿花最好." 王問其故. 對曰: "他花, ㉢不過一時之好, 唯綿花, 衣被天下, 有防寒之功也."
>
> 　　　　　　　　　　　　*牡(모): 수컷　　*后(후): 왕비
>
> 　　*貞純王后(정순왕후): 영조의 비　-『대동기문(大東奇聞)』-

22. ㉠의 풀이 순서를 바르게 배열한 것은?

① 所 → 對 → 不 → 一　　② 所 → 一 → 對 → 不
③ 對 → 所 → 一 → 不　　④ 對 → 不 → 一 → 所
⑤ 對 → 所 → 不 → 一

23. ㉡의 이유로 가장 알맞은 것은?

① 객관성　　　② 토속성　　　③ 순수성
④ 심미성　　　⑤ 실용성

24. ㉢의 풀이로 알맞은 것은?

① ~하기 어렵다　　　② ~에 지나지 않다
③ ~의 시기를 놓치다　　　④ ~을(를) 탓하지 않다
⑤ ~을(를) 부정하지 않다

[25~27] 다음 글을 읽고 물음에 답하시오.

> 黃相國喜, ㉠微時行役, 憩于路上, 見㉡田夫駕二牛而耕者, 問曰: "二牛何者爲勝?" 田夫不對, 輟耕而至, 附耳㉢細語曰: "此牛勝." 公怪之. 田夫曰: "雖㉣畜物 其心與人同也 此勝則彼劣 使牛聞之 ㉮寧無不平之心乎" 公㉤大悟, 遂不復言人之長短云.　　*駕(가): 부리다　*輟(철): 그치다
>
> 　　*黃喜(황희): 조선 시대의 정승　-『지봉유설(芝峯類說)』-

25. ㉠~㉤의 풀이가 바르지 않은 것은?

① ㉠: 정오　　　② ㉡: 농부
③ ㉢: 작게 말함　　　④ ㉣: 짐승
⑤ ㉤: 크게 깨달음

26. ㉮와 문장의 형식이 같은 것은?

① 百聞不如一見　　　② 水至淸則無魚
③ 愛人者 人恒愛之　　　④ 豈可是己而非人
⑤ 不信乎朋友 不獲乎上矣

27. 위 글의 중심 내용에 가장 가까운 것은?

① 天無口 使人言　　　② 敏於事 而愼於言
③ 巧言令色 鮮矣仁　　　④ 學者所患 惟有立志不誠
⑤ 有無故而阿君者 君其愼之

[28~30] 다음 시를 읽고 물음에 답하시오.

> (가) 春雨細不滴, 夜中微有聲.
> 　　㉠雪盡南溪漲, 草芽多少生.
>
> 　　　*漲(창): 물 불어나다　- 정몽주(鄭夢周), 「춘흥(春興)」 -
>
> (나) 問余何事棲碧山, 笑而不答心自閑.
> 　　桃花流水杳然去, 別有天地非㉡人間.
>
> 　　　*棲(서): 살다　*杳(묘): 아득하다
> 　　　- 이백(李白), 「산중답속인(山中答俗人)」 -

28. ㉠, ㉡의 풀이가 모두 바른 것은?

① ㉠: 눈이 그치다　　㉡: 사람
② ㉠: 눈이 녹다　　㉡: 인간 세상
③ ㉠: 눈이 쌓이다　　㉡: 인간 세상
④ ㉠: 눈이 쌓이다　　㉡: 사람
⑤ ㉠: 눈이 녹다　　㉡: 사람

29. (가)에 대한 설명으로 바른 것은?

① 형식은 오언율시이다.
② 2구와 4구는 대우(對偶)이다.
③ 봄의 생명력을 노래하고 있다.
④ 꽃이 지는 모습을 묘사하였다.
⑤ 운자(韻字)는 滴, 聲, 生이다.

30. (나)에서 느낄 수 있는 주된 정서는?

① 허전함　　　② 애절함　　　③ 황량함
④ 처량함　　　⑤ 한적함

* 확인 사항
ㅇ 답안지의 해당란에 필요한 내용을 정확히 기입(표기)했는지 확인하시오.

2005학년도 수학능력시험

1	③	7	①	13	④	19	①	25	①
2	③	8	②	14	①	20	①	26	④
3	②	9	⑤	15	③	21	④	27	②
4	⑤	10	④	16	④	22	④	28	②
5	⑤	11	④	17	③	23	⑤	29	③
6	①	12	⑤	18	②	24	②	30	⑤

1. 한자 문제

㉠은 풀이 나는 모습에서 나온 한자이다. 그러니 ㉠의 뜻은 풀이 난다는 것과 관련되어야 한다. 따라서 ㉠은 '生'(날 생)이다. 네모 안 셋째 글자를 보면 '生'이라는 게 더욱 확실하다.

답: ③

2. 한자 문제

㉠은 '犬'(개 견)이다. '大'는 '큰 대'이다. ㉡은 '마'이다. '새 조'는 '鳥'이다. ㉢은 '바람'이다. '구름 운'은 '雲'이다.

답: ③

3. 한자 문제

① 白(흰 백)　　② 成(이룰 성)　　③ 多(많을 다)

④ 小(작을 소)　　⑤ 分(나눌 분)

답: ②

4. 한자어 문제

'남대문'의 다른 명칭을 몰라도 좋다. 명칭이 '예를 숭상한다'는 뜻을 담고 있단다. 거기다가 밑줄까지 쳐 놓았다. 따라서 답은 '崇禮門'(숭례문: 예를 숭상하는 문)이 된다.

답: ⑤

5. 사자성어 문제

① 表裏不同(표리부동): 겉과 속이 같지 않음. 마음이 음흉하여 겉과 속이 다름.

② 錦上添花(금상첨화): 비단 위에 꽃을 더함. 좋은 일에 또 좋은 일이 더해짐.

③ 甘言利說(감언이설): 달콤한 말과 이로워 보이는 말.

④ 發憤忘食(발분망식): 분을 내다 끼니를 잊음. 어떤 일에 열중하여 끼니까지 잊고 힘씀.

⑤ 見利思義(견리사의): 이익을 보면 의를 생각함.

글에 '이익'과 '의리'가 나왔으므로 '見利思義'를 고르지 않으려도 않을 수가 없다.

답: ⑤

6. 사자성어 문제

① 桑田碧海(상전벽해): 뽕나무밭이 변하여 푸른 바다가 됨. 세상 일이 덧없이 변천함이 심함.

② 牛耳讀經(우이독경): 소 귀에 경 읽기. 어떤 방법을 써도 아무 소용이 없음.

③ 指鹿爲馬(지록위마): 사슴을 가리켜 말이라고 함. 윗사람을 농락하여 권세를 마음대로 함.

④ 朝三暮四(조삼모사): 아침에 세 개, 저녁에 네 개. 간사한 꾀로 남을 속여 희롱함.

⑤ 結草報恩(결초보은): 풀을 묶어 은혜를 갚음. 죽어서도 은혜를 잊지 않고 갚음.

답: ①

7. 대구 문제

> 智者, 成之於順時, (㉠)者, 敗之於逆理.
> 지자　성지어순시　　자　패지어역리
> 지혜로운 사람은 순조로운 때에 그것을 이루고, ㉠한 사람은 이치를 거슬러 그것을 실패시킨다.

이 문장을 암기해서 풀라는 것이 아니다. 한문의 대구를 이용하여 ㉠과 ㉡을 결정하는 문제다. 문장을 보면 '成'(이룰 성)과 '敗'(질 패), '順'(순할 순)과 '逆'(거스를 역)이 반대되는 뜻이므로 ㉠은 '智'(지혜 지)와 반대되는 뜻의 한자일 것이다. 따라서 ㉠은 '愚'(어리석을 우)이다.

답: ①

8. 단문 문제

> 學而時習之, 不亦說乎?
> 학　이　시　습　지　　불　역　열　호
> 배우고 때때로 그것을 익히면 또한 즐겁지 아니한가?
> 破山中賊易, 破心中賊難.
> 파　산　중　적　이　　파　심　중　적　난
> 산중의 도적을 깨뜨리기는 쉽지만 마음 속의 도적을 깨뜨리기는 어렵다.

'說'은 각각 '말하다', '기쁘다', '달래다'라는 뜻으로 쓰일 때 '설', '열', '세'로 읽고, '易'은 각각 '바꾸다', '쉽다'라는 뜻으로 쓰일 때 '역', '이'로 읽는다. ㉠은 '기쁘다', ㉡은 '쉽다'로 해석되므로 음은 각각 '열', '이'이다.

답: ②

9. 짜임 문제

한자어의 짜임은 두 글자 이상의 한자로 이루어진 한자어가 어떻게 해석되는가를 나타내는 개념이다. 한자어의 짜임에는 '주술(주어+서술어)', '술목(서술어+목적어)', '술보(서술어+보어)', '수식', '병렬'의 다섯 가지가 있다.

一萬二千峯, 高低自不同.
일 만 이 천 봉 고 저 자 부 동
일만 이천 봉이 높고 낮음이 저마다 같지 않다.

㉠은 '높고 낮음'으로 해석되므로 그 짜임은 '병렬'이다.
① 修身(수신): 몸을 닦다. (술목)
② 上陸(상륙): 뭍에 오르다. (술보)
③ 日出(일출): 해가 뜨다. (주술)
④ 聖人(성인): 성스러운 사람. (수식)
⑤ 前後(전후): 앞뒤. (병렬)

답: ⑤

10. 단문 문제

家若貧, 不可因貧而廢學, 家若富, 不可恃富而
가 약 빈 불 가 인 빈 이 폐 학 가 약 부 불 가 시 부 이
怠學.
태 학
집안이 만약 가난하더라도 가난함 때문에 배움을 그만두어서
는 안 되고, 집안이 만약 부유하더라도 부유함을 믿고 배움을
게을리 하여서는 안 된다.

① 安貧(안빈): 가난을 편안하게 여기다.
② 勸善(권선): 선을 권하다.
③ 儉素(검소): 검소하다.
④ 勸學(권학): 학문을 권하다.
⑤ 致富(치부): 부유함에 이르다.

답: ④

11. 사자성어 문제

父母, 養其子而不教, 是不愛其子也,
부 모 양 기 자 이 불 교 시 불 애 기 자 야
부모가 그 자식을 기르며 가르치지 않으면 이는 그 자식을 사
랑하지 않는 것이고,

雖教而不嚴, 是亦不愛其子也.
수 교 이 불 엄 시 역 불 애 기 자 야
비록 가르치더라도 엄하지 않으면 이 또한 그 자식을 사랑하
지 않는 것이다.

① 不恥下問(불치하문): 아랫사람에게 묻는 것을 부끄러워하지 않음.
② 昏定晨省(혼정신성): 저녁에 (잠자리를) 정해 드리고 새벽에
살핌. 자식이 아침저녁으로 부모의 안부를 물어서 살핌.
③ 日就月將(일취월장): 날마다 나아가고 달마다 나아감.
④ 斷機之戒(단기지계): 베를 끊는 경계. 맹자가 수학 도중 집으
로 돌아왔을 때 그의 어머니가 짜던 베를 끊으며 학문을 중도에
서 그만둠은 이 베를 끊는 것과 같다고 경계하였다는 데에서 유래.
⑤ 教學相長(교학상장): 가르치고 배우며 서로 자람. 교사는 가르
치면서 더 잘 가르치고, 학생은 배우면서 견문이 넓어짐.
부모가 자식을 기름에 가르쳐야 하고, 또 가르침에 엄해야 한다
는 것이므로 글의 내용과 가장 가까운 것은 '斷機之戒'이다.

답: ④

12. 단문 문제

① 隨友適江南.
수 우 적 강 남
친구 따라 강남 간다.

② 陰地轉, 陽地變.
음 지 전 양 지 변
그늘도 구르고 양지도 변한다. (쥐구멍에도 볕들 날 있다.)

③ 積功之塔, 豈毁乎.
적 공 지 탑 기 훼 호
공을 쌓은 탑이 어찌 무너지겠는가?

④ 種瓜得瓜, 種豆得豆.
종 과 득 과 종 두 득 두
오이를 심으면 오이를 얻고, 콩을 심으면 콩을 얻는다.

⑤ 瓜田不納履, 李下不整冠.
과 전 불 납 리 리 하 부 정 관
오이밭에서 신을 신지 말고, 오얏나무 밑에서 갓을 가지런히
하지 말라.

답: ⑤

13. 단문 문제

白頭山之脈, 流至于此, 故又名頭流.
백 두 산 지 맥 류 지 우 차 고 우 명 두 류
백두산의 줄기가 흘러 이에 이르니 그러므로 또한 두류라고도
이름한다.

雄據嶺湖南二路之交, 高廣不知其幾百里.
웅 거 령 호 남 이 로 지 교 고 광 부 지 기 기 백 리
웅거령은 호남의 두 길의 교차하는 곳으로, 높고 넓음이 그 몇
백 리인지 알 수 없다.

(가)에서 백두산의 줄기가 흘러 이에 이른다고 한 것이 핵심 단
서이다. 가리키는 곳은 ㉣이다.

답: ④

[14~15] 우는 까닭

伯兪有過, 其母笞之, 泣.
백 유 유 과 기 모 태 지 읍
백유가 잘못이 있어 그 어머니가 그를 때리니 울었다.

其母曰: "他日笞, 子未嘗泣, 今泣何也?"
기 모 왈 타 일 태 자 미 상 읍 금 읍 하 야
그 어머니가 말하기를, "다른 날 때릴 때에는 네가 일찍이 울
지 않았거늘, 지금 우는 것은 어찌 된 것인가?"

對曰: "兪得罪, 笞常痛, 今母之力, 不能使痛,
대 왈 유 득 죄 태 상 통 금 모 지 력 불 능 사 통
是以泣."
시 이 읍
대답하여 말하기를, "백유가 죄를 얻어 때릴 때에는 늘 아팠는데,
지금 어머니의 힘이 아프게 할 수 없으니 이 이유로 웁니다."

14. 해석 문제

㉠은 '다른 날'로 해석된다.

답: ①

27

15. 사자성어 문제

① 塞翁之馬(새옹지마): 변방 노인의 말. 세상일은 변화가 많아서 인생의 길흉화복을 점칠 수 없음.

② 大器晩成(대기만성): 큰 그릇은 늦게 이루어짐.

③ 風樹之歎(풍수지탄): 바람과 나무의 탄식. 효도하고자 할 때 이미 부모를 여의고 효행을 다하지 못하는 자식의 슬픔.

④ 螢雪之功(형설지공): 반딧불이와 눈의 공. 고생을 하면서 꾸준히 공부하여 얻은 보람.

⑤ 雪上加霜(설상가상): 눈 위에 서리를 더함. 난처한 일이나 불행한 일이 잇따라 일어남.

답: ③

[16~17] 청춘경로회(靑春敬老會)

> 江陵俗, 敬老, 每値良辰, 請年七十以上, 會于
> 강릉속   경로   매치량신   청년칠십이상   회우
>
> 勝地, 以慰之, 名曰靑春敬老會.
> 승지   이위지   명왈청춘경로회
>
> 강릉 풍속에 노인을 공경하여 매번 좋은 때를 당하여 나이 칠십 이상을 청하여 경치 좋은 곳에 모여 그럼으로써 그들을 위로하는데, 이름하여 말하기를 청춘경로회라 하였다.
>
> 雖奴婢之賤, 登七旬者, 皆許赴會.
> 수노비지천   등칠순자   개허부회
>
> 비록 종의 천함도 칠순에 오른 사람이면 모두 모임에 나가는 것을 허락하였다.

16. 해석 문제

㉠은 '경치가 좋다'는 뜻으로 쓰였다. '名勝地'(명승지)의 '勝'이 이 뜻으로 쓰인 대표적인 한자어이다.

① 勝敗(승패): 이김과 짐.

② 勝利(승리): 이김.

③ 必勝(필승): 반드시 이김.

④ 名勝古蹟(명승고적): 이름난 경치와 옛 자취.

⑤ 百戰百勝(백전백승): 백 번 싸워 백 번 이김.

답: ④

17. 해석 문제

③ 이 모임에서 단오가 유래하였다는 것은 알 수 없다.

답: ③

[18~19] 항산(恒産)과 항심(恒心)

> 無恒産而有恒心者, 惟士爲能,
> 무항산이유항심자   유사위능
>
> 항산이 없고도 항심이 있는 것은 오직 선비가 할 수 있고
>
> 若民則無恒産, 因無(㉠),
> 약민즉무항산   인무
>
> 만약 백성이 항산이 없으면 그로 인하여 ㉠이 없고
>
> 苟無恒心, 放辟邪侈, 無不爲已.
> 구무항심   방벽사치   무불위이
>
> 진실로 항심이 없으면 방벽하고 사치함이 하지 않음이 없을 뿐이다.

> 及陷於罪然後, 從而刑之, 是罔民也.
> 급함어죄연후   종이형지   시망민야
>
> 죄에 빠짐에 미친 뒤에 그에 따라 그를 벌주면 이는 백성을 그물질하는 것이다.

18. 빈칸 문제

선비와 백성을 대조하며 '恒産'과 '恒心'을 이야기하고 있다. 그런데 이미 앞에서 '백성이 항산이 없으면~'이라고 운을 띄웠으므로 ㉠에는 '恒心'이 들어가야 할 것이다.

답: ②

19. 해석 문제

'陷於罪'는 '죄에 빠지다'로 해석된다. '죄를 저지른 지경에 이르다'는 정도의 뜻이다.

답: ①

[20~21] 온달전(溫達傳)

> 公主對曰: "大王常語, 汝必爲溫達之婦, 今何
> 공주대왈   대왕상어   여필위온달지부   금하
>
> 故改前言乎?
> 고개전언호
>
> 공주가 대답하여 말하기를, "대왕께서 너는 반드시 온달의 지어미가 될 것이라고 늘 말씀하시고서는 지금 무슨 까닭으로 앞에 하신 말씀을 고치시나이까?
>
> 匹夫猶不欲食言, 況至尊乎?
> 필부유불욕식언   황지존호
>
> 필부도 오히려 식언하고자 하지 않거늘, 하물며 지존이겠습니까?
>
> 故曰: '王者無戱言', 今大王之命, 謬矣.
> 고왈   왕자무희언   금대왕지명   류의
>
> 그러므로 말하기를, '임금된 자는 농담하는 말이 없다'라고 하였는데, 지금 대왕의 명은 그릇되었습니다.
>
> 妾不敢祗承."
> 첩불감지승
>
> 저는 감히 공경하고 받들지 못하겠습니다."

20. 해석 문제

㉠은 '公主'를 가리킨다.

답: ①

21. 해석 문제

㉡은 '말한 것을 지키지 않다'라는 뜻이다. 우리말에도 '식언하다'라는 표현이 있다.

답: ④

[22~24] 정순왕후(貞純王后)

> 王問衆女子曰: "何花最好?"
> 왕문중녀자왈   하화최호
>
> 왕이 여러 여자에게 물어 말하기를, "어떤 꽃이 가장 좋은가?"
>
> 或言桃花, 或言牧丹花, 所對不一.
> 혹언도화   혹언목단화   소대불일

누구는 복숭아꽃을 말하고, 누구는 모란꽃을 말하고, 대답하는
바가 하나가 아니었다.

貞純王后, 獨曰: "綿花最好."
정순왕후　　독왈　　면화최호

정순왕후가 홀로 말하기를, "면화가 가장 좋습니다."

王問其故. 對曰: "他花, 不過一時之好, 唯綿
왕문기고　대왈　　타화　불과일시지호　유면
花, 衣被天下, 有防寒之功也."
화　의피천하　유방한지공야

왕이 그 까닭을 물었다. 대답하여 말하기를, "다른 꽃은 한때의
좋음에 지나지 않으나, 오직 면화만이 천하를 입히고 덮으니
추위를 막는 공이 있습니다."

22. 해석 문제

㉠은 '대답하는 바가 하나가 아니다'로 해석되므로 풀이 순서는
'對 → 所 → 一 → 不'이다.

답: ③

23. 해석 문제

면화가 가장 좋은 까닭이 추위를 막는 공이 있기 때문이라고 대
답하였다. 따라서 그 이유는 '실용성'에 있다.

답: ⑤

24. 해석 문제

㉢은 '~에 지나지 않다'로 풀이된다. 한국어의 '~에 불과하다'라
는 표현도 이와 같다.

답: ②

〔25~27〕 황희 정승

黃相國喜, 微時行役, 憩于路上, 見田夫駕二牛
황상국희　미시행역　게우로상　견전부가이우
而耕者, 問曰: "二牛何者爲勝?"
이경자　문왈　　이우하자위승

황희 정승이 한미한(가난하고 지체가 변변하지 않은) 때에 길
을 다니다 길 위에서 쉬다가 농부가 두 소를 부려 밭가는 것
을 보고 물어 말하기를, "두 소에서 어느 것이 나은가?"

田夫不對, 輟耕而至, 附耳細語曰: "此牛勝."
전부부대　철경이지　부이세어왈　　차우승
公怪之.
공괴지

농부가 대답하지 않고 밭가는 것을 멈추고 이르러 귀에 대고
작은 말로 말하기를, "이 소가 낫습니다." 공이 그것을 괴이하
게 여겼다.

田夫曰: "雖畜物, 其心與人同也. 此勝則彼劣,
전부왈　　수축물　기심여인동야　차승즉피열
使牛聞之, 寧無不平之心乎?"
사우문지　녕무불평지심호

농부가 말하기를, "비록 가축이라도 그 마음은 사람과 같습니
다. 이가 나으면 저는 못하니 소가 그것을 듣게 한다면 어찌
불평하는 마음이 없겠습니까?"

公大悟, 遂不復言人之長短云.
공대오　수불부언인지장단운

공이 크게 깨닫고 마침내 다시는 남의 장점과 단점을 말하지
않았다고 한다.

25. 해석 문제

'微時'는 작은 때, 즉 한미한 때를 가리킨다.

답: ①

26. 문장 형식 문제

㉮는 '어찌 불평하는 마음이 없겠습니까?'로 해석되는 반어형 문
장이다.

① 百聞不如一見.
　백문불여일견
　백 번 듣는 것이 한 번 보는 것만 못하다. (비교형)

② 水至清則無魚.
　수지청즉무어
　물이 지극히 맑으면 고기가 없다. (가정형)

③ 愛人者, 人恒愛之.
　애인자　인항애지
　남을 사랑하는 사람은 남이 항상 그를 사랑한다. (평서형)

④ 豈可是己而非人.
　기가시기이비인
　어찌 자기가 옳고 남이 그르다고 할 수 있겠는가? (반어형)

⑤ 不信乎朋友, 不獲乎上矣.
　불신호붕우　불획호상의
　친구에게서 신뢰받지 못하면 임금에게서 (믿음을) 얻지 못한다.
　(가정형)

답: ④

27. 단문 문제

① 天無口, 使人言.
　천무구　사인언
　하늘은 입이 없어 사람이 말하게 한다.

② 敏於事, 而愼於言.
　민어사　이신어언
　일함에는 재빠르고 말함에는 신중하라.

③ 巧言令色, 鮮矣仁.
　교언영색　선의인
　교묘한 말과 꾸미는 얼굴빛은 어짊이 드물다.

④ 學者所患, 惟有立志不誠.
　학자소환　유유립지불성
　배우는 사람이 근심하는 바는 오직 뜻을 세움이 정성스럽지
　않음에 있다.

⑤ 有無故而阿君者, 君其愼之.
　유무고이아군자　군기신지
　까닭 없이 임금에게 아첨하는 자가 있으면 임금은 그를
　조심하여야 한다.

'말'과 가까운 것을 찾아보면 '말은 신중히 하여야 한다'는 ②가
가장 가깝다.

답: ②

[28~30] 정몽주, 춘흥(春興)

이　백, 산중답속인(山中答俗人)

春雨細不滴,　봄비가 가늘어 방울지지 않고
춘 우 세 부 적

夜中微有聲.　밤중에 작게 소리가 있다.
야 중 미 유 성

雪盡南溪漲,　눈이 다하여 남쪽 시내 불어나니
설 진 남 계 창

草芽多少生.　풀싹이 얼마나 났을까.
초 아 다 소 생

問余何事棲碧山,　내가 무슨 일로 푸른 산에 사느냐고 물으니
문 여 하 사 서 벽 산

笑而不答心自閑.　웃으며 답하지 않으니 마음이 저절로 한가하다.
소 이 부 답 심 자 한

桃花流水杳然去,　복숭아꽃이 흐르는 물에 아득하게 떠나가니
도 화 류 수 묘 연 거

別有天地非人間.　천지가 따로 있어 인간 세상이 아니구나.
별 유 천 지 비 인 간

28. 해석 문제

남쪽 시내가 불어나려면 '雪盡'은 '눈이 녹다'로 해석해야 하고, '人間'도 '사람'의 뜻으로 쓰이지 않은 것은 분명하다.

답: ②

29. 시의 형식 문제

① (가)는 다섯 글자씩 네 구이므로 오언절구이다.
② 두 구가 문법적 기능이 동일한 글자의 배열로 이루어져 있을 때 대우를 이룬다고 한다. 제2구와 제4구는 문법적 기능이 동일한 글자의 배열로 이루어져 있지 않으므로 대우를 이루지 않는다.
③ 제4구의 '풀싹이 얼마나 났을까'에서 봄의 생명력을 노래하였음을 알 수 있다.
④ 꽃이 지는 모습은 묘사하지 않았다.
⑤ 운자는 짝수 구의 마지막 글자에 오고, 첫째 구의 마지막 글자에 올 수 있다. '聲'(성), '生'(생)이 운자이므로 '滴'(적)은 운자가 아님을 알 수 있다.

답: ③

30. 이해와 감상 문제

허전함, 애절함, 황량함, 처량함 모두 (나)에서 느낄 수 있는 주된 정서라고는 할 수 없다.

답: ⑤

30

성명 [   ] 수험 번호 [   ] — [   ]

○ 자신이 선택한 과목의 문제지인지 확인하시오.
○ 문제지에 성명과 수험 번호를 정확히 써 넣으시오.
○ 답안지에 성명과 수험 번호를 써 넣고, 또 수험 번호와 답을 정확히 표시하시오.
○ 문항에 따라 배점이 다르니, 각 물음의 끝에 표시된 배점을 참고하시오. 1점 문항에만 점수가 표시되어 있습니다. 점수 표시가 없는 문항은 모두 2점입니다.

1. ㉠에 알맞은 것은? [1점]

① 本　② 木　③ 未　④ 禾　⑤ 朱

2. □에 공통으로 들어갈 수 있는 한자가 아닌 것은?

① 哦·甞 – 土　② □靑·蘩 – 言　③ 戽·夆 – 山
④ 明·星 – 日　⑤ □寸·靑 – 木

3. 한자의 공통점으로 바른 것은?

① 心·甚 – 뜻이 같다.　② 馬·貧 – 상형자이다.
③ 間·聞 – 부수가 같다.　④ 語·報 – 획수가 같다.
⑤ 到·徒 – 음이 같다.

4. 대화에서 찾고자 하는 한자는? [1점]

① 仕　② 使　③ 律　④ 佳　⑤ 待

5. ㉠과 짜임이 같은 한자어는?

一日之狗, 不知㉠畏虎.

① 年少　② 人心　③ 白衣　④ 作文　⑤ 往來

6. 청계천에 있었던 다리 이름 중 <보기>가 가리키는 것은? [1점]

<보 기>
○ 조선 세종 때 만든 돌다리.
○ 청계천에 흐르는 수량(水量)의 변화를 측정하던 다리.

① 廣通橋　② 河浪橋　③ 長通橋
④ 水標橋　⑤ 太平橋

7. □에 공통으로 들어가는 것은? [1점]

□政 · □防 · 親□ · 最□

① 國　② 愛　③ 善　④ 悲　⑤ 高

8. 밑줄 친 한자의 음이 같은 것은? [1점]

① 省略：反省　② 比率：率直　③ 說明：遊說
④ 平易：交易　⑤ 復舊：光復

9. ㉠에 알맞은 것은? [1점]

		背
結	草	報	㉠
		忘
		德

① 思　② 恩　③ 忠　④ 患　⑤ 惡

10. ㉠과 뜻이 서로 통하는 것은?

教學相㉠長

① 長短　② 長壽　③ 成長　④ 長點　⑤ 家長

11. ㉠~㉣에 들어갈 한자를 차례로 모으면 네 글자의 성어가 된다. 풀이로 알맞은 것은?

登龍(㉠) · (㉡)無後無 · 殺身(㉢)仁 · 夜(㉣)場

① 문하에서 배우는 제자
② 어떤 일의 전문가가 아닌 사람
③ 한 가지를 들으면 열 가지를 앎.
④ 문 앞이 시장을 이루다시피 붐빔.
⑤ 작은 것을 탐내다가 큰 것을 잃음.

12. 노래의 가사가 가리키는 것은? [1점]

① 牛島　② 獨島　③ 孤島　④ 紅島　⑤ 落島

13. 성어의 뜻이 바르지 <u>않은</u> 것은?

① 自强不息: 스스로 힘쓰며 쉬지 않음.
② 束手無策: 손이 묶인 것처럼 어쩔 도리 없음.
③ 刻舟求劍: 어떤 일이 이루어지길 몹시 기다림.
④ 指鹿爲馬: 윗 사람을 농락하여 멋대로 권세를 부림.
⑤ 莫上莫下: 우열을 가리기 어려울 만큼 차이가 거의 없음.

14. 글의 중심 내용으로 알맞은 것은?

> 乾處兒臥, 濕處母眠.

① 慈　② 信　③ 禮　④ 知　⑤ 義

15. ㉠, ㉡에 알맞은 것은? [1점]

> ○ 人之處世, (㉠)言行(㉡)本.
> ○ 사람이 세상을 사는 데, 언행을 근본으로 삼아야 한다.

① 見 - 於　② 以 - 所　③ 所 - 以
④ 爲 - 所　⑤ 以 - 爲

16. ㉠, ㉡, ㉢에 들어갈 숫자의 합은?

> ○ 紅(㉠)點
> ○ (㉡)面楚歌
> ○ (㉢)歲之習, 至于八十.

① 7　② 8　③ 9　④ 10　⑤ 11

17. 글의 중심 내용을 잘 나타낸 것은?

> 治病於未起之前,
> 不治於旣成之後.
>
> 『연암집(燕巖集)』

① 예방　② 보은　③ 변화　④ 통치　⑤ 성취

[18-19] 다음 글을 읽고 물음에 답하시오.

> 子曰: "㉠後生可畏, 焉知來者之不如今也? 四十五十而無聞焉,
> 斯亦不足畏也已."
>
> 『논어(論語)』

18. ㉠과 바꾸어 쓸 수 있는 것은? [1점]

① 後光　② 後任　③ 後方　④ 後學　⑤ 後日

19. 위 글의 내용과 관계있는 것은?

① 一擧兩得　② 馬耳東風　③ 事必歸正
④ 手不釋卷　⑤ 大同小異

[20-21] 다음 글을 읽고 물음에 답하시오.

> 不能舍己從人, 學者之大病. 天下之義理無窮, ㉠豈可是己而非人?
>
> 『퇴계전서(退溪全書)』

20. ㉠과 바꾸어 쓸 수 있는 것은? [1점]

① 勿　② 如　③ 何　④ 誰　⑤ 若

21. 위 글의 중심 내용과 관련이 깊은 것은?

① 청렴　② 강직　③ 용감　④ 정성　⑤ 겸허

[22-23] 다음 글을 읽고 물음에 답하시오.

> 下民至弱也, 不可以力劫之也. 至愚也, 不可以(㉠)欺之也.
> 得其心則服之, 不得其心則去之.
>
> *劫(겁): 위협하다.
> 『삼봉집(三峰集)』

22. ㉠에 알맞은 것은?

① 智　② 力　③ 兵　④ 事　⑤ 食

23. 위 글의 주제와 가장 가까운 것은?

① 백성은 약한 존재다.
② 백성을 속여서는 안된다.
③ 백성은 힘으로 누를 수 없다.
④ 백성의 마음을 얻는 것이 중요하다.
⑤ 백성의 마음은 언제나 변하지 않는다.

[24-25] 다음 글을 읽고 물음에 답하시오.

> 退溪先生, 僑居漢城, 隣家有栗樹, 數枝過墻, 子熟落庭, ㉠恐兒童取食, 拾而投之墻外.
>
> *僑(교): 타향에서 살다.
>
> 『사소절(士小節)』

24. ㉠의 풀이로 알맞은 것은?

① 의심하다　　　　② 기대하다
③ 염려하다　　　　④ 무서워하다
⑤ 제멋대로 하다

25. '退溪先生'의 태도로 알맞은 것은?

① 高潔　② 恭敬　③ 勤勉　④ 儉素　⑤ 寬大

[26~27] 다음 글을 읽고 물음에 답하시오.

> 巷間婦女, 用白板, 橫置藁枕上, 對踏兩端, 相昇㉠降而跳數尺許.
>
> *藁(고): 짚
>
> 『동국세시기(東國歲時記)』

26. ㉠과 음이 다른 것은?

① 降等　② 投降　③ 降雨　④ 霜降　⑤ 下降

27. 위 글이 가리키는 것은?

①

②

③

④

⑤

[28~30] 다음 시를 읽고 물음에 답하시오.

> (가) 日入投孤店, 山深不掩扉.
> 　　　鷄鳴問前路, 黃葉向人飛.
>
> 　　　*掩(엄): 닫다.　*扉(비): 사립문
>
> － 권필(權韠), 「도중(途中)」
>
> (나) 水國秋光暮, 驚寒雁陣高.
> 　　　憂心輾轉夜, 殘月照弓刀.
>
> 　　　*輾(전): 돌아 눕다.
>
> － 이순신(李舜臣), 「한산도야음(閑山島夜吟)」

28. (가)의 시상 전개에 따라 <보기>의 그림을 순서대로 바르게 배열한 것은?

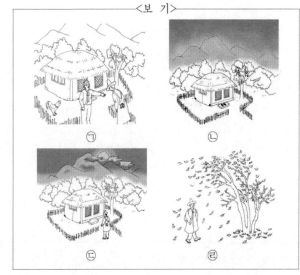

<보 기>

① ㉢ - ㉡ - ㉠ - ㉣
② ㉡ - ㉠ - ㉣ - ㉢
③ ㉢ - ㉣ - ㉠ - ㉡
④ ㉡ - ㉠ - ㉢ - ㉣
⑤ ㉡ - ㉢ - ㉠ - ㉣

29. (가), (나)의 계절적 배경과 관련이 깊은 것은?

① 百花滿發　　② 嚴冬雪寒　　③ 綠陰芳草
④ 落花流水　　⑤ 燈火可親

30. (나)에서 느낄 수 있는 주된 정서는?

① 아쉬움　　② 비장함　　③ 처량함
④ 허무함　　⑤ 그리움

* 확인 사항
○ 답안지의 해당란에 필요한 내용을 정확히 기입(표기)했는지 확인하시오.

2006학년도 6월 모의평가

1	①	7	③	13	③	19	④	25	①
2	⑤	8	⑤	14	①	20	③	26	②
3	⑤	9	②	15	⑤	21	⑤	27	③
4	②	10	③	16	②	22	①	28	①
5	④	11	④	17	①	23	④	29	⑤
6	④	12	②	18	④	24	③	30	②

1. 한자 문제

㉠은 네모 안 셋째 글자를 보면 '本'(근본 본)이라는 게 분명하다.

답: ①

2. 한사 문제

① '土'(흙 토)가 들어가면 각각 '城'(성 성), '堂'(집 당)이 된다.
② '言'(말씀 언)이 들어가면 각각 '請'(청할 청), '警'(경계할 경)이 된다.
③ '山'(뫼 산)이 들어가면 각각 '岸'(언덕 안), '峰'(봉우리 봉)이 된다. '峰'은 '峯'으로 쓰기도 한다.
④ '日'(날 일)이 들어가면 각각 '明'(밝을 명), '星'(별 성)이 된다.
⑤ '木'(나무 목)이 들어가면 첫째는 '村'(마을 촌)이 되지만 둘째는 없는 한자가 된다. □에 공통으로 들어갈 수 있는 한자의 하나로 '貝'(조개 패)를 들 수 있다. 이 때 각각 '財'(재물 재), '賣'(팔 매)가 된다.

답: ⑤

3. 한자 문제

① '心'(마음 심)과 '甚'(심할 심)은 뜻이 같지 않다. 공통점은 음이 같다는 것이다.
② '馬'(말 마)는 상형자이지만 '貧'(가난할 빈)은 형성자이다. 공통점은 보이지 않는다.
③ '問'(물을 문)의 부수는 '口'(입 구)이고 '聞'(들을 문)의 부수는 '耳'(귀 이)이다. 공통점은 음이 같다는 것이다.
④ '語'(말씀 어)는 14획, '報'(알릴 보)는 12획이다. 공통점은 보이지 않는다.
⑤ '到'(이를 도)와 '徒'(무리 도)는 음이 같다.

답: ⑤

4. 조건을 만족하는 문제

조건을 만족하는 한자를 찾는 문제에서는 먼저 한자의 음으로 ①~⑤ 가운데 음이 맞지 않은 한자를 소거하고, 나머지 조건으로 남은 한자 가운데 맞는 한자를 찾으면 된다.
　　① 仕(벼슬할 사)　　② 使(시킬 사)　　③ 律(법 률)
　　④ 佳(아름다울 가)　⑤ 待(기다릴 대)
①~⑤ 가운데 음이 '사'인 한자는 '仕', '使'이다. 이제 다른 조건을 살펴보면 부수가 '사람 인', 부수를 제외한 획은 6획이라고 하고 있다. '仕', '使' 모두 부수가 '사람 인'이므로 부수를 제외한 획수가 6획인 한자를 찾으면 답이 '使'임을 알 수 있다.

답: ②

5. 짜임 문제

一日之狗, 不知畏虎.
일 일 지 구　부 지 외 호
하룻강아지 범 무서운 줄 모른다.

한자어의 짜임은 두 글자 이상의 한자로 이루어진 한자어가 어떻게 해석되는가를 나타내는 개념이다. 한자어의 짜임에는 '주술(주어+서술어)', '술목(서술어+목적어)', '술보(서술어+보어)', '수식', '병렬'의 다섯 가지가 있다.
㉠은 '호랑이를 무서워하다'로 해석되므로 그 짜임은 '술목'이다.
① 年少(연소): 나이가 어리다. (주술)
② 人心(인심): 사람의 마음. (수식)
③ 白衣(백의): 흰 옷. (수식)
④ 作文(작문): 글을 짓다. (술목)
⑤ 往來(왕래): 가고 오다. (병렬)

답: ④

6. 한자어 문제

'조선 세종 때 만든 돌다리'라는 것으로는 다리 이름에 대해서 아무 것도 알 수 없다. 그러므로 '청계천에 흐르는 수량의 변화를 측정하던 다리'라는 것에서 다리 이름을 알아내야 한다. 그러면 답이 '水標橋'(수표교)임을 알 수 있다.

답: ④

7. 한자 문제

□에 '國'(나라 국)을 넣어 보면 '國政'(국정), '國防'(국방)은 가능하지만 '親國', '最國'은 불가능하다. 마찬가지로 '親愛'(친애), '最愛'(최애)는 가능하지만 '愛政', '愛防'은 불가능하다.
이제 '善'(좋을 선)을 넣어 보면 '善政'(선정), '善防'(선방), '親善'(친선), '最善'(최선)으로 모두 가능함을 알 수 있다.

답: ③

8. 독음 문제

① 省略(생략), 反省(반성)이므로 같지 않다.
② 比率(비율), 率直(솔직)이므로 같지 않다.
③ 説明(설명), 誘説(유세)이므로 같지 않다.
④ 平易(평이), 交易(교역)이므로 같지 않다.
⑤ 復舊(복구), 光復(광복)이므로 같다.

답: ⑤

9. 십자말풀이 문제

가로 열쇠는 '結草報恩'(결초보은: 풀을 묶어 은혜를 갚다), 세로 열쇠는 '背恩忘德'(배은망덕: 은혜를 저버리고 덕을 잊어버리다)이다. ㉠에 알맞은 것은 '恩'(은혜 은)이다. '思'는 '생각 사'이다.

답: ②

10. 한자 문제

'教學相長'(교학상장)은 '가르치고 배우며 서로 자라다'로 해석된다. ①~⑤에서 '長'은 각각 다음과 같이 해석된다.

① 長短(장단): 길고 짧음. (길다)
② 長壽(장수): 오래 살다. (길다)
③ 成長(성장): 자람을 이루다. (자라다)
④ 長點(장점): 잘하는 점. (잘하다)
⑤ 家長(가장): 집안의 어른. (어른)

답: ③

11. 사자성어 문제

순서대로 '登龍門'(등용문), '前無後無'(전무후무), '殺身成仁'(살신성인), '夜市場'(야시장)이므로 ㉠~㉣에 들어갈 한자로 만들어지는 성어는 '門前成市'(문전성시)이다. 이는 문 앞에 저자를 이루다, 세도가나 부잣집 문 앞에 방문객으로 저자를 이루다시피 함을 이른다.

답: ④

12. 한자어 문제

① 牛島(우도)　② 獨島(독도)　③ 孤島(고도)
④ 紅島(홍도)　⑤ 落島(낙도)

'울릉도 동남쪽 뱃길 따라 이백 리, 외로운 섬 하나, 새들의 고향. 그 누가 아무리 자기네 땅이라고 우겨도……'는 '독도는 우리 땅'의 가사이다.

답: ②

13. 사자성어 문제

③ 刻舟求劍(각주구검): (칼을 떨어뜨린 자리를) 배에 새기고 칼을 구함. 시대의 변화에 융통성 있게 대처하지 못하는 어리석음. 문제의 설명은 '鶴首苦待'(학수고대)의 뜻이다.

답: ③

14. 단문 문제

乾處兒臥, 濕處母眠.
건 처 아 와   습 처 모 면
마른 곳에 아이가 눕고, 축축한 곳에 어머니가 잔다.

① 慈(자): 사랑　② 信(신): 믿음　③ 禮(예): 예의
④ 知(지): 앎　⑤ 義(의): 옳음

답: ①

15. 빈칸 문제

'~로써 ~을 삼다', '~을 ~로 삼다'라는 구문은 '以 A 爲 B'이다.

답: ⑤

16. 빈칸 문제

순서대로
◦紅一點(홍일점)
◦四面楚歌(사면초가)
◦三歲之習, 至于八十. (삼세지습, 지우팔십)
이므로 ㉠, ㉡, ㉢에 들어갈 수의 합은 8이다.

답: ②

17. 단문 문제

治病於未起之前, 不治於旣成之後.
치 병 어 미 기 지 전   불 치 어 기 성 지 후
아직 그것이 일어나기 전에 병을 고쳐야지, 이미 그것이 이루어진 뒤에는 고칠 수 없다.

예방이 중요하다는 내용의 글이다.

답: ①

[18~19] 후생가외(後生可畏)

이 부분만 읽어서는 무슨 뜻으로 한 말인지 알기가 쉽지 않다. 후배들이 무섭게 치고 올라오니 열심히 공부하라는 이야기이다.

子曰: "後生可畏, 焉知來者之不如今也?
자 왈   후 생 가 외   언 지 래 자 지 불 여 금 야
공자가 말하기를, "뒤에 난 사람은 두려워할 만하니 어찌 올 사람이 지금(의 우리)만 못하다는 것을 알겠는가?
四十五十而無聞焉, 斯亦不足畏也已."
사 십 오 십 이 무 문 언   사 역 부 족 외 야 이
(나이가) 40, 50인데 (명성이) 들림이 없으면 이 또한 두려워하기 충분하지 않다."

18. 해석 문제

㉠은 '後學'(후학), '後輩'(후배)의 뜻이다.

답: ④

19. 사자성어 문제

① 一擧兩得(일거양득): 한 번 들어 둘을 얻음.
② 馬耳東風(마이동풍): 말 귀에 동풍. 남의 말을 귀담아 듣지 않고 곧 흘려 버림.
③ 事必歸正(사필귀정): 일은 반드시 바름으로 돌아감.
④ 手不釋卷(수불석권): 손에서 책을 놓지 않음.
⑤ 大同小異(대동소이): 크게 같고 작게 다름. 거의 비슷함.

답: ④

[20~21] 사기종인(舍己從人)

不能舍己從人, 學者之大病.
불 능 사 기 종 인   학 자 지 대 병
자기를 버리고 남을 따를 수 없는 것은 배우는 자의 커다란 병이다.
天下之義理無窮, 豈可是己非人?
천 하 지 의 리 무 궁   기 가 시 기 비 인
천하의 의리는 끝이 없는데, 어찌 내가 옳고 남이 틀렸다고 할 수 있는가?

20. 바꾸어 쓸 수 있는 한자 문제

㉠과 바꾸어 쓸 수 있는 한자는 '何'(하)이다. 이런 문제는 가장 쉬운 문제 가운데 하나이므로 꼭 풀도록 하자.

답: ③

21. 해석 문제

위 글의 중심 내용은 자기가 틀리고 남이 옳을 수 있으므로 자기를 버리고 남을 좇을 수 있어야 한다는 것이다.

답: ⑤

[22~23] 백성을 다스리는 방법

> 下民至弱也, 不可以力劫之也.
> 하민지약야　불가이력겁지야
> 아래 백성들이 지극히 약하지만 힘으로써 그들을 겁주어서는 안 된다.
>
> 至愚也, 不可以(㉠)欺之也.
> 지우야　불가이　　　기지야
> 지극히 어리석지만 ㉠으로써 그들을 속여서는 안 된다.
>
> 得其心則服之, 不得其心則去之.
> 득기심즉복지　부득기심즉거지
> 그 마음을 얻으면 그를 따르고 그 마음을 얻지 못하면 그를 떠나간다.

22. 빈칸 문제

㉠은 그것으로써 속이는 것이므로 '지혜'가 될 것이다.

답: ①

23. 해석 문제

위 글의 주제와 가장 가까운 것은 '백성의 마음을 얻는 것이 중요하다'이다.

답: ④

[24~25] 퇴계선생(退溪先生)

> 退溪先生, 僑居漢城, 鄰家有栗樹, 數枝過墻,
> 퇴계선생　교거한성　린가유율수　수지과장
> 子熟落庭, 恐兒童取食, 拾而投之墻外.
> 자숙락정　공아동취식　습이투지장외
> 퇴계 선생이 한성에서 타향살이할 때 이웃집에 밤나무가 있어 몇 가지가 담을 넘어 열매가 익어 뜰에 떨어졌는데, 어린아이가 취하여 먹을 것을 두려워하여 주워 그것을 담 밖으로 던졌다.

24. 해석 문제

위에서 '두려워하다'로 해석하였지만 이 때 '두려워하다'의 뜻은 '무서워하다'가 아닌 '염려하다'임을 누구라도 알 수 있을 것이다.

답: ③

25. 해석 문제

① 高潔(고결)　　② 恭敬(공경)　　③ 勤勉(근면)
④ 儉素(검소)　　⑤ 寬大(관대)

어린아이가 자기 것이 아닌 것에 손을 댈까 두려워하여 담 밖으로 던졌다는 것에서 퇴계 선생의 태도가 고결함을 알 수 있다.

답: ①

[26~27] 널뛰기

> 巷間婦女, 用白板, 橫置藁枕上, 對踏兩端, 相
> 항간부녀　용백판　횡치고침상　대답량단　상
> 昇降而跳數尺許.
> 승강이도수척허
> 항간의 부녀가 흰 널빤지를 써서 짚으로 만든 베개 위에 가로로 놓고 서로 오르고 내리며 여러 척쯤을 뛰었다.

26. 독음 문제

㉠은 '내려가다'는 뜻이므로 '강'으로 읽는다.
① 降等(강등)　　② 投降(투항)　　③ 降雨(강우)
④ 霜降(상강)　　⑤ 下降(하강)

답: ②

27. 해석 문제

위 글이 가리키는 것은 '널뛰기'이다.

답: ③

[28~30] 권 필, 「도중(途中)」
이순신, 「한산도야음(閑山島夜吟)」

> 日入投孤店,　해가 들어가 외로운 여관에 투숙하는데
> 일입투고점
> 山深不掩扉.　산이 깊어 사립문을 닫지 않는다.
> 산심불엄비
> 鷄鳴問前路,　닭이 울고 앞길을 묻는데
> 계명문전로
> 黃葉向人飛.　누런 잎이 사람을 향해 날아든다.
> 황엽향인비
>
> 水國秋光暮,　물나라에 가을빛이 저무니
> 수국추광모
> 驚寒雁陣高.　추위에 놀란 기러기 떼가 높이 있구나.
> 경한안진고
> 憂心輾轉夜,　근심하는 마음에 뒤척뒤척한 밤,
> 우심전전야
> 殘月照弓刀.　잔월이 활과 칼을 비추는구나.
> 잔월조궁도

28. 해석 문제

(가)를 해석하지 못했더라도 소재가 되는 한자에 집중하면 답을 찾을 수 있다. 제1구는 '日'(날 일)이 있으므로 ㉢, 제3구는 '鷄'(닭 계)가 있으므로 ㉠, 제4구는 '黃葉'(황엽: 누런 잎)이 있으므로 ㉣에 대응될 것이다. 따라서 나머지 ㉡이 제2구에 대응되고, 시상 전개에 따라 <보기>의 그림을 배열하면 ㉢ - ㉡ - ㉠ - ㉣가 된다.

답: ①

29. 사자성어 문제

(가), (나)의 계절적 배경은 가을이다. 일단 '百花滿發'(백화만발)은 봄, '嚴冬雪寒'(엄동설한)은 겨울, '綠陰芳草'(녹음방초)는 여름, '落花流水'(낙화유수)는 늦봄이므로 답이 될 수 없다. 따라서 답은 '燈火可親'(등화가친)이다. 등불을 가까이할 수 있다, 서늘한 가을밤은 등불을 가까이하여 글 읽기에 좋다는 뜻이다.

답: ⑤

30. 이해와 감상 문제

(나)에서 정서를 느끼기가 쉽지 않았을 것이다. 그럴 때에는 작자와 제목을 한 번씩 보자. 작자 이순신, 제목이 '한산도야음'(한산도에서 밤에 읊조리다)이다. 한산도는 이순신이 왜군과 싸웠던 장소이다. 아마 그 때 쓴 시가 아닐까? 여기까지 생각이 미치면, 답이 '비장함'임은 분명하다.

답: ②

성명 [   ]   수험 번호 [— 　　　]

○ 자신이 선택한 과목의 문제지인지 확인하시오.
○ 문제지에 성명과 수험 번호를 정확히 써 넣으시오.
○ 답안지에 성명과 수험 번호를 써 넣고, 또 수험 번호와 답을 정확히 표시하시오.
○ 문항에 따라 배점이 다르니, 각 물음의 끝에 표시된 배점을 참고하시오. 1점 문항에만 점수가 표시되어 있습니다. 점수 표시가 없는 문항은 모두 2점입니다.

1. ㉠에 알맞은 한자는? [1점]

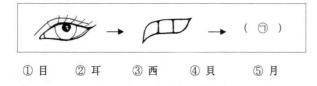

① 目　② 耳　③ 西　④ 貝　⑤ 月

2. 다음 한자의 공통 부분이 지닌 뜻은? [1점]

| 雲　電　霜　露 |

① 돌　② 비　③ 손　④ 옷　⑤ 흙

3. 화살표 방향으로 한자어를 만들 때 ㉠에 공통으로 들어갈 한자는? [1점]

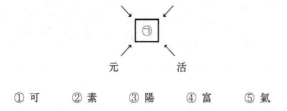

① 可　② 素　③ 陽　④ 富　⑤ 氣

4. 다음을 의미하는 한자어는? [1점]

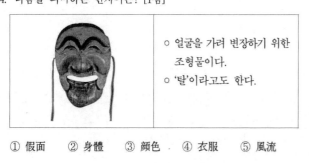

○ 얼굴을 가려 변장하기 위한 조형물이다.
○ '탈'이라고도 한다.

① 假面　② 身體　③ 顔色　④ 衣服　⑤ 風流

5. ㉠과 짜임이 같은 한자어는? [1점]

何處人家在, 遠林生㉠白煙.
　　　　　　　　　- 이숭인(李崇仁), 「신설(新雪)」 -

① 多少　② 古人　③ 道路　④ 長短　⑤ 朝夕

6. 그림과 관련된 고사성어는? [1점]

① 矛盾　② 白眉　③ 助長　④ 知音　⑤ 蛇足

7. ㉠, ㉡에 공통으로 들어갈 한자는? [1점]

家貧(㉠)思良妻 : 집이 가난하면 어진 아내를 생각한다.
國亂(㉡)思良相 : 나라가 혼란하면 어진 재상을 생각한다.
　　　　　　　　　- 『사기(史記)』 -

① 勿　② 則　③ 由　④ 敢　⑤ 雖

8. 한자어의 독음이 바르지 않은 것은?

① 便利 : 변리　② 安易 : 안이　③ 回復 : 회복
④ 省略 : 생략　⑤ 樂曲 : 악곡

9. ㉠에 공통으로 들어갈 한자는? [1점]

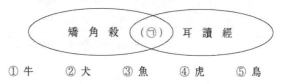

矯角殺 (㉠) 耳讀經

① 牛　② 犬　③ 魚　④ 虎　⑤ 鳥

10. 글의 내용과 가장 가까운 성어는? [1점]

세월이 흘러 어버이가 돌아가신 뒤에는, 인생이 한 번뿐이기에 그 은혜 갚을 길이 없게 되리라.
　　　　　　　　　- 『담헌서(湛軒書)』 -

① 見利思義　② 我田引水　③ 溫故知新
④ 風樹之歎　⑤ 浩然之氣

11. 글의 내용과 의미가 가장 가까운 것은? [1점]

> 智者千慮, 必有一失.　　　　　- 『사기(史記)』 -

① 천 리 길도 한 걸음부터.
② 낫 놓고 기역자도 모른다.
③ 아니 땐 굴뚝에 연기 날까.
④ 사공이 많으면 배가 산으로 올라간다.
⑤ 원숭이도 나무에서 떨어질 때가 있다.

12. 글의 내용과 가장 가까운 것은?

> 恥不知而不問, 終於不知而已. 以爲不知而必求之, 終能知之矣.　　　　　- 정자(程子) -

① 겉과 속이 서로 다르다.
② 하나를 들으면 열을 안다.
③ 입이 열 개라도 할 말이 없다.
④ 묻는 것을 부끄러워하지 않는다.
⑤ 민첩하게 행하고 신중하게 말한다.

13. 글의 내용과 가장 관계 있는 것은?

> 나에게 선한 자에게도 선하게 대하고, 나에게 악한 자에게도 선하게 대한다. 내가 먼저 남에게 악하지 않으면, 남도 나에게 악하지 않으리라.
> 　　　　　- 『명심보감(明心寶鑑)』 -

① 有志者 事竟成
② 附耳之言 勿聽焉
③ 愛人者 人恒愛之
④ 知彼知己 百戰不殆
⑤ 不登高山 不知天之高也

[14~16] 다음 글을 읽고 물음에 답하시오.

> 有一童, 夜於燈下讀書, 問其母曰: "物何以能有影? 影何以有大小?" 其母曰: "凡不透光之物, 置於燈前, 燈光㉠必爲物所蔽, 其所蔽之處, 卽爲(㉡). 物離燈光近, 則其影大. 物離燈光遠, 則其影小." ㉢童以手, 於燈前, 作影而試之, 果如其母所言.
> 　　　　　- 『소학한문독본(小學漢文讀本)』 -

14. ㉠에서 마지막으로 풀이되는 것은?

① 必　　② 爲　　③ 物　　④ 所　　⑤ 蔽

15. ㉡에 알맞은 한자는?

① 燈　　② 物　　③ 影　　④ 光　　⑤ 處

16. ㉢에 나타난 아이의 행동으로 알맞은 것은?

① 독서　　② 반성　　③ 인내　　④ 절약　　⑤ 탐구

[17~19] 다음 글을 읽고 물음에 답하시오.

> 子貢問㉠政. 子曰: "㉡足食足兵, 民信之矣." 子曰: "必不得㉢已而去, 於斯三者, 何㉣先?" 曰: "去兵." 子貢曰: "必不得已而㉤去, 於斯二者, 何先?" 曰: "去食. ㉥自古皆有死, 民無信, 不立."
> 　　　　　* 子貢(자공): 공자의 제자
> 　　　　　- 『논어(論語)』 -

17. ㉠~㉤의 풀이로 바르지 않은 것은?

① ㉠: 정치　　　　② ㉡: 넉넉하다
③ ㉢: 다스리다　　④ ㉣: 우선하다
⑤ ㉤: 버리다

18. ㉥과 같은 의미로 쓰인 것은?

① 自强不息　　② 自問自答　　③ 自手成家
④ 自畫自讚　　⑤ 自初至終

19. 글에서 강조한 내용을 중요한 것부터 순서대로 배열한 것은?

① 食－兵－信　　② 食－信－兵
③ 兵－信－食　　④ 信－食－兵
⑤ 信－兵－食

[20~22] 다음 글을 읽고 물음에 답하시오.

> 知恩 <중략> 不勝困苦, 就富家, 請賣身爲婢, 得米十餘石. 窮日行役於其家, 暮則作食歸養之. 如是三四日, 其母謂女子曰: "㉠向食麤而甘, 今則食雖好, ㉡味不如昔, 而肝心若以刀刃刺之者, 是何意耶?"
> 　　　　　* 麤(추): 거칠다　　* 知恩(지은): 사람 이름
> 　　　　　- 『삼국사기(三國史記)』 -

20. ㉠의 의미와 가까운 것은?

① 今日　　② 來日　　③ 終日　　④ 後日　　⑤ 前日

21. ㉡의 풀이로 바른 것은?

① 맛이 전과 같지 않다.
② 전과 같이 맛이 좋다.
③ 맛이 전보다 좋아졌다.
④ 먹어 본 것 중 제일 맛있다.
⑤ 먹어 보지 않아 맛을 모르겠다.

22. 글에 나타난 '지은'의 행동을 가장 적합하게 표현한 것은?

① 자애롭다　　② 충성스럽다　　③ 효성스럽다
④ 신의가 있다　　⑤ 절개가 있다

[23~24] 다음 글을 읽고 물음에 답하시오.

惟政入倭營, 賊衆列立數里. 惟政無怖色, 見清正, 從容談笑. 清正問曰: "㉠貴國有寶乎" 答曰: "我國無他寶, 唯以汝頭爲寶."

* 倭(왜): 나라 이름   * 怖(포): 두려워하다
* 惟政(유정): 조선의 승려   * 清正(청정): 왜의 장수
- 『지봉유설(芝峰類說)』-

23. ㉠과 문장 형식이 같은 것은?

① 上善若水
② 嗚呼 老矣
③ 汝之言 誠是矣
④ 漢陽中 誰最富
⑤ 己所不欲 勿施於人

24. 글의 중심 내용에 가장 가까운 것은?

① 보물의 중요성
② 유정의 대담함
③ 청정의 소심함
④ 왜적의 위압적 분위기
⑤ 유정과 청정의 친밀함

[25~27] 다음 글을 읽고 물음에 답하시오.

虎求百獸而食之. 得狐, 狐曰: "子無敢食我也. 天帝使我長百獸, 今子食我, 是㉠逆天帝命也. 子以我爲不信, 吾爲子先行, 子隨我後, 觀百獸之見我而敢不走乎." 虎以爲然. 故遂㉡與之行, 獸見之, 皆走. 虎不知獸畏己而走也, 以爲畏狐也.

* 狐(호): 여우   - 『전국책(戰國策)』-

25. ㉠의 뜻과 반대되는 한자는?

① 小   ② 外   ③ 反   ④ 順   ⑤ 遠

26. ㉡의 풀이에 가까운 한자어는?

① 同行   ② 直行   ③ 苦行   ④ 暗行   ⑤ 擧行

27. 글의 내용과 일치하는 것은?

① 여우는 호랑이를 잘 섬겼다.
② 호랑이는 여우를 잡아먹었다.
③ 호랑이는 자신이 속은 줄 몰랐다.
④ 동물들은 여우를 왕이라고 생각하였다.
⑤ 호랑이는 여우의 제안을 따르지 않았다.

[28~30] 다음 글을 읽고 물음에 답하시오.

(가) 有約來何晚, 庭梅欲謝時.
    忽聞枝上鵲, 虛畫鏡中眉.

* 鵲(작): 까치
- 이옥봉(李玉峯), 「규정(閨情)」-

(나) 慈親鶴髮在臨瀛, 身向長安獨去情.
    回首北村時一望, 白雲飛下暮山靑.

* 臨瀛(임영): 강릉의 옛 이름
- 신사임당(申師任堂), 「읍별자모(泣別慈母)」-

28. (가)의 주된 정서로 가장 적합한 것은?

① 초연함   ② 편안함   ③ 그리움
④ 즐거움   ⑤ 비장함

29. (나)의 시어 풀이로 바르지 않은 것은?

① 慈親 : 어머니   ② 鶴髮 : 흰머리
③ 獨 : 홀로   ④ 時 : 때때로
⑤ 暮山 : 험한 산

30. (가), (나)에 대한 설명으로 바른 것은?

① (가)는 '오언율시'이다.
② (가)의 계절적 배경은 봄이다.
③ (나)에는 대우(對偶)가 있다.
④ (나)의 운자(韻字)는 '望', '靑'이다.
⑤ (나)는 '기다리는 마음'을 노래하였다.

* 확인 사항
○ 답안지의 해당란에 필요한 내용을 정확히 기입(표기)했는지 확인하시오.

2006학년도 9월 모의평가

1	①	7	②	13	③	19	④	25	④
2	②	8	①	14	②	20	⑤	26	①
3	⑤	9	①	15	③	21	①	27	③
4	①	10	④	16	⑤	22	③	28	③
5	②	11	⑤	17	③	23	④	29	⑤
6	④	12	④	18	⑤	24	②	30	②

1. 한자 문제

㉠은 눈에서 나온 한자이다. 그러니 ㉠의 뜻은 눈과 관련되어야 한다. 따라서 ㉠은 '目'(눈 목)이다.

답: ①

2. 한자 문제

다음 한자들의 공통 부분은 '雨'이다. '雨'의 뜻은 '비'이다.

답: ②

3. 한자 문제

㉠에 '氣'(기운 기)를 넣으면 '生氣'(생기), '士氣'(사기), '元氣'(원기), '活氣'(활기)라는 한자어가 된다.

답: ⑤

4. 한자어 문제

다음은 '가면'이다. '가면'은 한자로 '假面'이다.

답: ①

5. 짜임 문제

한자어의 짜임은 두 글자 이상의 한자로 이루어진 한자어가 어떻게 해석되는가를 나타내는 개념이다. 한자어의 짜임에는 '주술(주어＋서술어)', '술목(서술어＋목적어)', '술보(서술어＋보어)', '수식', '병렬'의 다섯 가지가 있다.

> 何處人家在, 遠林生白煙.
> 하 처 인 가 재　 원 림 생 백 연
> 어느 곳에 인가가 있는가, 먼 숲에서 흰 연기 나는구나.

㉠은 '흰 연기'로 해석되므로 짜임이 '수식'인 한자어이다.
① 多少(다소): 많음과 적음. (병렬)
② 古人(고인): 옛 사람. (수식)
③ 道路(도로): 길. (병렬)
④ 長短(장단): 길고 짧음. (병렬)
⑤ 朝夕(조석): 아침과 저녁. (병렬)

답: ②

6. 고사성어 문제

그림과 관련된 고사성어는 '知音'(지음)이다. 백아가 거문고를 타면 종자기가 듣고 그 뜻을 알아맞혔다는 것에서 유래하였다. 관련된 사자성어로 '伯牙絶絃'(백아절현)이 있다.

① 矛盾(모순): 방패와 창. 말이나 행동 또는 사실의 앞뒤가 맞지 않음. 초나라 상인이 방패와 창을 팔면서 자신의 방패는 모든 창을 막고, 창은 모든 방패를 뚫는다고 자랑하자, 한 사람이 그 창으로 방패를 찌르면 어떻게 되냐고 묻는데 이에 답하지 못하였다는 데에서 유래.
② 白眉(백미): 흰 눈썹, 여럿 중에 가장 뛰어난 사람이나 물건. 한나라 마량의 다섯 형제가 다 재주가 있었는데 그 가운데 눈썹 속에 흰 털이 난 마량이 가장 뛰어났다는 데에서 유래.
③ 助長(조장): 자람을 도움. 바람직하지 않은 일을 부추김.. 어리석은 한 농부가 모가 잘 자라나지 않아 모를 뽑아 자라나는 것을 도우려 했다는 발묘조장(拔苗助長)에서 유래.
⑤ 蛇足(사족): 뱀의 발, 쓸데없는 군짓을 하여 도리어 일을 그르침. 뱀을 먼저 그리는 사람이 술을 마시는 내기에서 어떤 사람이 뱀을 다 그리고 시간이 남아 발까지 그리자 뱀은 발이 없다며 다른 사람이 술을 가로채 마신 것에서 유래.

답: ④

7. 빈칸 문제

㉠, ㉡에 공통으로 들어갈 한자는 '~이면'이라는 가정의 뜻을 나타낸다. 그런 한자는 '則'(즉)이다.

답: ②

8. 독음 문제

① '便利'는 '편리'로 읽는다. '便'을 '변'으로 읽는 때는 '便'이 '똥'이라는 뜻일 때이다.

답: ①

9. 사자성어 문제

'矯角殺牛'(교각살우) 또는 '牛耳讀經'(우이독경)에서 ㉠에 들어갈 한자가 '牛'(소 우)임을 안다.

답: ①

10. 사자성어 문제

부모님이 살아 계실 때 효도하라는 내용의 글이다.
① 見利思義(견리사의): 이익을 보면 의를 생각하라.
② 我田引水(아전인수): 제 논에 물 대기. 자기에게만 이롭게 하다.
③ 溫故知新(온고지신): 옛 것을 익혀 새 것을 안다. 여기에서 '溫'(온)은 '따뜻하다'의 뜻이 아닌 '익히다'의 뜻으로 쓰였다.
④ 風樹之歎(풍수지탄): 바람과 나무의 탄식. 효도하고자 할 때 이미 부모를 여의고 효행을 다하지 못하는 자식의 슬픔.
⑤ 浩然之氣(호연지기): 호연한 기운

답: ④

11. 단문 문제

> 智者千慮, 必有一失.
> 지 자 천 려　 필 유 일 실
> 지혜로운 사람이 천 번 생각하여도 반드시 한 번 실수가 있다.

글의 내용과 의미가 가장 가까운 것은 '원숭이도 나무에서 떨어질 때가 있다'이다.

답: ⑤

12. 단문 문제

> 恥不知而不問, 終於不知而已.
> 치 부 지 이 불 문 　 종 어 부 지 이 이
> 알지 못함을 부끄러워하여 묻지 않으면 알지 못함에서 끝나게 될 뿐이다.
> 以爲不知而必求之, 終能知之矣.
> 이 위 부 지 이 필 구 지 　 종 능 지 지 의
> 알지 못한다고 여겨 반드시 그것을 구하려고 한다면 끝내 그것을 알 수 있을 것이다.

글의 내용과 가장 가까운 것은 '묻는 것을 부끄러워하지 않는다'이다.

답: ④

13. 단문 문제

① 有志者, 事竟成.
　유 지 자 　 사 경 성
　뜻이 있는 사람은 일이 마침내 이루어진다.

② 附耳之言, 勿聽焉.
　부 이 지 언 　 물 청 언
　귀에 대고 하는 말은 듣지 말라.

③ 愛人者, 人恒愛之.
　애 인 자 　 인 항 애 지
　남을 사랑하는 사람은 남이 그를 항상 사랑한다.

④ 知彼知己, 百戰不殆.
　지 피 지 기 　 백 전 불 태
　저를 알고 나를 알면 백 번 싸워도 위태롭지 않다.

⑤ 不登高山, 不知天之高也.
　부 등 고 산 　 부 지 천 지 고 야
　높은 산에 오르지 않으면 하늘의 높음을 알지 못한다.

답: ③

[14~16] 그림자

> 有一童, 夜於燈下讀書, 問其母曰: "物何以能
> 유 일 동 　 야 어 등 하 독 서 　 문 기 모 왈 　 물 하 이 능
> 有影? 影何以有大小?"
> 유 영 　 영 하 이 유 대 소
> 한 아이가 있어 밤에 등불 아래에서 책을 읽다가 그 어머니에게 물어 말하기를, "사물은 어떤 이유로 그림자가 있을 수 있나요? 그림자는 어떤 이유로 크고 작음이 있나요?"
> 其母曰: "凡不透光之物, 置於燈前, 燈光必爲
> 기 모 왈 　 범 불 투 광 지 물 　 치 어 등 전 　 등 광 필 위
> 物所蔽, 其所蔽之處, 卽爲(ⓛ).
> 물 소 폐 　 기 소 폐 지 처 　 즉 위
> 그 어머니가 말하기를, "무릇 빛을 투과시키지 못하는 사물은 등불 앞에 놓으면 등불빛이 반드시 사물에 가려지는 바가 되니 그 가려지는 바의 곳이 곧 ⓛ이 된단다.
> 物離燈光近, 則其影大.
> 물 리 등 광 근 　 즉 기 영 대
> 사물이 등불빛으로부터 가까우면 그 그림자가 크지.

> 物離燈光遠, 則其影小."
> 물 리 등 광 원 　 즉 기 영 소
> 사물이 등불빛으로부터 멀면 그 그림자가 작지."
> 童以手, 於燈前, 作影而試之, 果如其母所言.
> 동 이 수 　 어 등 전 　 작 영 이 시 지 　 과 여 기 모 소 언
> 아이가 손으로써 등불 앞에서 그림자를 만들어 그것을 시험하였더니 과연 그 어머니가 말한 바와 같았다.

14. 해석 문제

㉠은 '반드시(必) 사물에(物) 가려지는(蔽) 바(所)가 되다(爲)'로 해석된다. '爲A所B'는 'A에게 B한 바가 되다'로 해석되는 피동형 구문이다. '爲A所B' 구문을 몰랐어도 마지막으로 풀이되는 것은 서술어이므로 ㉠에서 서술어가 될 만한 것은 '爲'밖에 없다.

답: ②

15. 빈칸 문제

그 가려지는 바의 곳은 곧 그림자가 된다.

답: ③

16. 해석 문제

ⓒ은 아이가 어머니가 말해 준 것을 실제로 시험해 보는 부분이다. 여기에 나타난 아이의 행동은 '탐구'이다.

답: ⑤

[17~19] 정치란 무엇인가

> 子貢問政. 子曰: "足食足兵, 民信之矣."
> 자 공 문 정 　 자 왈 　 족 식 족 병 　 민 신 지 의
> 자공이 정치를 물었다. 공자가 말하기를, "먹을 것을 족하게 하고 군사를 족하게 하며, 백성이 그것을 믿는 것이다."
> 子貢曰: "必不得已而去, 於斯三者, 何先?"
> 자 공 왈 　 필 불 득 이 이 거 　 어 사 삼 자 　 하 선
> 자공이 말하기를, "반드시 부득이하게 버려야 한다면, 이 세 가지 것에서 무엇이 먼저입니까?"
> 曰: "去兵."
> 왈 　 거 병
> 말하기를, "군사를 버려라."
> 子貢曰: "必不得已而去, 於斯二者, 何先?"
> 자 공 왈 　 필 부 득 이 이 거 　 어 사 이 자 　 하 선
> 자공이 말하기를 "반드시 부득이하게 버려야 한다면, 이 두 가지 것에서 무엇이 먼저입니까?"
> 曰: "去食. 自古皆有死, 民無信, 不立.."
> 왈 　 거 식 　 자 고 개 유 사 　 민 무 신 　 불 립
> 말하기를, "먹을 것을 버려라. 예로부터 모두 죽음이 있었으되, 백성이 믿지 않으면 서지 않는다."

17. 해석 문제

ⓒ의 '己'(이)는 '부득이'의 일부로 해석된다. 굳이 한 글자, 한 글자 해석한다면 '그칠 수 없다면'으로 해석할 수 있겠다. 그러나 정확하게 해석하지 못했더라도 '己'가 '다스리다'라는 뜻으로 쓰이지 않았다는 것은 분명하다. '己'에 '다스리다'라는 뜻이 없을 뿐만 아니라 문맥에도 맞지 않기 때문이다.

답: ③

18. 해석 문제

ⓑ은 '~부터'로 해석된다.

① 自強不息(자강불식): 스스로 힘써 쉬지 않다. (스스로)
② 自問自答(자문자답): 스스로 묻고 스스로 답하다. (스스로)
③ 自手成家(자수성가): 자기 손으로 집안을 이루다. (자기)
④ 自畫自讚(자화자찬): 자기가 그리고 자기가 칭찬하다. (자기)
⑤ 自初至終(자초지종): 처음부터 끝까지 (~부터)

답: ⑤

19. 해석 문제

글에서 강조한 내용을 중요한 것부터 순서대로 배열하면 '信 - 兵 - 食'이다.

답: ④

〔20~22〕 효녀 지은

> 知恩 <중략> 不勝困苦, 就富家, 請賣身爲婢,
> 지은　　　　　불승곤고　취부가　청매신위비
> 得米十餘石.
> 득미십여석
> 지은이 곤란함과 괴로움을 이기지 못하고 부유한 집에 나아가 몸을 팔아 여종이 되기를 청하여 쌀 10여 섬을 얻었다.
>
> 窮日行役於其家, 暮則作食歸養之.
> 궁일행역어기가　모즉작식귀양지
> 궁한 날에 그 집에서 일을 행하고 저물면 밥을 지어 돌아와 그(어머니)를 먹였다.
>
> 如是三四日, 其母謂女子曰: "向食麤而甘, 今
> 여시삼사일　기모위녀자왈　　향식추이감　금
> 則食雖好, 味不如昔, 而肝心若以刀刃刺之者,
> 즉식수호　미불여석　이간심약이도인자지자
> 是何意耶?"
> 시하의야
> 이와 같기를 3, 4일, 그 어머니가 딸을 일러 말하기를, "지난번에 먹는 것은 거칠었으나 달았지만, 지금은 먹는 것이 비록 좋지만 맛이 옛날과 같지 않고 간과 심장이 칼날로써 그것을 베는 것과 같으니 이 무슨 뜻인가?"

20. 해석 문제

㉠은 '지난번'이라는 뜻으로 쓰였다. '向'이 '지난번'이라는 뜻을 가지고 있다는 것을 몰라도 문맥상 과거 정도를 나타낸다는 것은 짐작할 수 있을 것이다.

① 今日(금일)　　② 來日(내일)　　③ 終日(종일)
④ 後日(후일)　　⑤ 前日(전일)

답: ⑤

21. 해석 문제

㉡은 '맛(味)이 옛날(昔)과 같지(如) 않다(不)'로 해석된다.

답: ①

22. 해석 문제

'지은'의 행동을 가장 적합하게 표현한 것은 '효성스럽다'이다.

답: ③

〔23~24〕 유정(惟政)

> 惟政入倭營, 賊衆列立數里.
> 유정입왜영　적중렬립수리
> 유정(사명대사)이 왜영에 들어가니 도적의 무리가 늘어서 서 있기가 수 리였다.
>
> 惟政無怖色, 見淸正, 從容談笑.
> 유정무포색　견청정　종용담소
> 유정은 두려워하는 빛이 없이 (가등)청정(가토 기요마사)을 보고 조용히 이야기하며 웃었다.
>
> *賊: 도적이라는 뜻이다. 원수라는 뜻의 적은 敵이다. 조상들이 왜군을 한낱 도적 따위로 생각했다는 것을 알 수 있다.
> *從容: 이 한자어가 발음이 변해서 오늘날의 '조용'이 되었다.
>
> 淸正問曰: "貴國有寶乎?"
> 청정문왈　귀국유보호
> 청정이 물어 말하기를, "귀국은 보물이 있는가?"
>
> 答曰: "我國無他寶, 唯以汝頭爲寶."
> 답왈　아국무타보　유이여두위보
> 답하여 말하기를, "우리나라에는 다른 보물이 없고, 오직 너의 머리를 보물로 여긴다."

23. 문장 형식 문제

㉠은 '귀국은 보물이 있는가?'로 해석되는 의문형 문장이다.

① 上善若水. 최고의 선은 물과 같다. (비교형)
　상선약수
② 嗚呼, 老矣! 아아, 늙음이여! (감탄형)
　오호　노의
③ 汝之言, 誠是矣. 너의 말이 진실로 옳다. (평서형)
　여지언　성시의
④ 漢陽中, 誰最富? 한양에서 누가 가장 부유한가? (의문형)
　한양중　수최부
⑤ 己所不欲, 勿施於人.
　기소불욕　물시어인
　자기가 하고자 하지 않는 바를 남에게 베풀지 말라. (금지형)

답: ④

24. 해석 문제

글의 중심 내용에 가장 가까운 것은 '유정의 대담함'이다. '유정과 청정의 친밀함'은 아니다…… 두 사람이 겉으로는 껄껄 웃어도 속으로는 칼을 갈고 있었을 것이다.

답: ②

〔25~27〕 호가호위(狐假虎威)

> 虎求百獸而食之.
> 호구백수이식지
> 호랑이는 온갖 짐승을 구하여 그것을 먹었다.
>
> 得狐, 狐曰: "子無敢食我也.
> 득호　호왈　자무감식아야
> 여우를 얻자, 여우가 말하기를, "그대는 감히 나를 먹어서는 안 된다.
>
> 天帝使我長百獸, 今子食我, 是逆天帝命也.
> 천제사아장백수　금자식아　시역천제명야
> 천제가 내가 온갖 짐승의 우두머리 노릇을 하게 하였으니, 지금 그대가 나를 먹으면 이는 천제의 명을 거스르는 것이다.

子以我爲不信, 吾爲子先行, 子隨我後, 觀百獸
자 이 아 위 불 신   오 위 자 선 행   자 수 아 후   관 백 수

之見我而敢不走乎."
지 견 아 이 감 불 주 호

그대가 나를 믿지 않는 것으로 여기면, 내가 그대를 위하여 앞
서 갈 테니 그대가 내 뒤를 따라 온갖 짐승이 나를 보고 감히
달아나지 않는지 보겠는가."

虎以爲然. 故遂與之行, 獸見之, 皆走.
호 이 위 연   고 수 여 지 행   수 견 지   개 주

호랑이가 그러하다고 여겼다. 그러므로 드디어 그것과 더불어
다니니 짐승들이 그것을 보고는 모두 달아났다.

虎不知獸畏己而走也, 以爲畏狐也.
호 부 지 수 외 기 이 주 야   이 위 외 호 야

호랑이가 짐승들이 자기를 두려워하여 달아난 것을 모르고 여
우를 두려워한다고 여겼다.

25. 해석 문제

㉠은 '거스르다'라는 뜻으로 쓰였다. ㉠의 뜻과 반대되는 한자는
'順'(순할 순)이다.

답: ④

26. 해석 문제

㉡은 '그것과 더불어 다니다'로 해석된다. 이와 가까운 한자어는
'同行'(동행: 같이 다니다)이다.

답: ①

27. 해석 문제

호랑이는 자신이 속은 줄 몰랐다.

답: ③

[28~30] 이 옥 봉, 「규정(閨情)」
신사임당, 「읍별자모(泣別慈母)」

有約來何晚,　　약속이 있는데 오는 게 어찌 늦으시나요,
유 약 래 하 만

庭梅欲謝時.　　뜰의 매화는 지고자 하는 때입니다.
정 매 욕 사 시

忽聞枝上鵲,　　홀연히 가지 위 까치를 듣고는
홀 문 지 상 작

虛畫鏡中眉.　　헛되이 거울 속 눈썹을 그립니다.
허 화 경 중 미

慈親鶴髮在臨瀛,　　자애로운 어머니 학발이 되어 강릉에 계시는데
자 친 학 발 재 림 영

身向長安獨去情.　　몸이 장안을 향해 홀로 가는 심정이여.
신 향 장 안 독 거 정

回首北村時一望,　　머리를 북촌으로 돌려 때때로 한 번 바라보니
회 수 북 촌 시 일 망

白雲飛下暮山青.　　흰 구름 나는 아래 저무는 산 푸르구나.
백 운 비 하 모 산 청

28. 해석 문제

(가)의 주된 정서는 '그리움'이다.

답: ③

29. 해석 문제

'暮山'(모산)은 '험한 산'이 아니라 '저무는 산'이다. '鶴髮'(학발)은
글자 그대로는 두루미의 털이라는 뜻인데, 두루미의 털이 희기에
흰머리를 뜻하게 되었다. 나머지는 어색하지 않다.

답: ⑤

30. 이해와 감상 문제

① (가)는 다섯 글자씩 네 구이므로 오언절구이다.
② (가)의 계절적 배경은 매화가 지는 때이므로 봄이다.
③ 두 구가 문법적 기능이 동일한 글자의 배열로 이루어져 있을
　때 대우를 이룬다고 한다. (나)에서는 대우를 찾을 수 없다.
④ 운자는 짝수 구의 마지막 글자에 오고, 첫째 구의 마지막 글
　자에 올 수 있다. 짝수 구의 마지막 글자가 '情'(정), '青'(청)이므
　로 '瀛'(영)도 운자임을 알 수 있다.
⑤ (나)는 '어머니와 헤어지는 슬픔'을 노래하였다.

답: ②

○ 자신이 선택한 과목의 문제지인지 확인하시오.
○ 문제지에 성명과 수험 번호를 정확히 써 넣으시오.
○ 답안지에 성명과 수험 번호를 써 넣고, 또 수험 번호와 답을 정확히 표시하시오.
○ 문항에 따라 배점이 다르니, 각 물음의 끝에 표시된 배점을 참고하시오. 1점 문항에만 점수가 표시되어 있습니다. 점수 표시가 없는 문항은 모두 2점입니다.

1. ㉠에 알맞은 한자는? [1점]

① 元   ② 牛   ③ 犬   ④ 天   ⑤ 光

2. <보기>와 같이 두 자를 합하여 한자를 만들 때 그 음이 바르지 <u>않은</u> 것은? [1점]

<보 기>
木 + 支 = (枝) : 지

① 人 + 主 = (   ) : 주   ② 口 + 乎 = (   ) : 평
③ 土 + 成 = (   ) : 성   ④ 日 + 靑 = (   ) : 청
⑤ 言 + 方 = (   ) : 방

3. ㉠에 알맞은 한자는? [1점]

① 上   ② 下   ③ 可   ④ 止   ⑤ 正

4. 다음이 가리키는 것은? [1점]

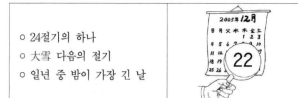

○ 24절기의 하나
○ 大雪 다음의 절기
○ 일년 중 밤이 가장 긴 날

① 立春   ② 夏至   ③ 秋分   ④ 冬至   ⑤ 小寒

5. ㉠, ㉡에 알맞은 것은? [1점]

○ (㉠)飛梨落 : 일이 공교롭게 같이 일어나 의심을 받음.
○ 緣木求(㉡) : 목적을 이루기 위해 취하는 수단이 잘못됨.

① ㉠:烏 ㉡:魚   ② ㉠:島 ㉡:貝
③ ㉠:象 ㉡:骨   ④ ㉠:鳴 ㉡:肉
⑤ ㉠:羊 ㉡:角

6. ㉠의 음과 풀이로 바른 것은? [1점]

衆㉠惡之, 必察焉, 衆好之, 必察焉.   - 『논어(論語)』 -

① 음 : 악, 풀이 : 슬퍼하다   ② 음 : 악, 풀이 : 미워하다
③ 음 : 오, 풀이 : 슬퍼하다   ④ 음 : 오, 풀이 : 기뻐하다
⑤ 음 : 오, 풀이 : 미워하다

7. 글의 풀이로 보아 ㉠에 가장 알맞은 것은?

學者所患, (㉠)在立志不誠. : 배우는 사람이 근심할 바는, 오직 뜻을 세움이 정성스럽지 못한 것에 있다.
   - 『학봉집(鶴峯集)』 -

① 安   ② 何   ③ 豈   ④ 惟   ⑤ 然

8. ㉠에 가장 알맞은 것은? [1점]

成功之難, 如登天.
↑   ↑
(㉠)之易, 如燒毛.   - 『공자가어(孔子家語)』 -

① 失敗   ② 勤勉   ③ 行動   ④ 教育   ⑤ 創作

9. 글의 내용과 가장 관계 있는 것은?

○ 己所不欲, 勿施於人.   - 『논어(論語)』 -
○ 남을 책망하는 마음으로 자신을 책망하고, 자신을 용서하는 마음으로 남을 용서하여야 한다.   - 『송사(宋史)』 -

① 推己及人   ② 朝三暮四   ③ 結草報恩
④ 大器晚成   ⑤ 我田引水

10. 글의 내용으로 보아 ㉠에 가장 알맞은 것은?

設有四分之二者, 繁而言之, 亦可爲八分之四, (㉠)而言之, 則二分之一也.   - 『구장산술(九章算術)』 -

① 加   ② 合   ③ 約   ④ 乘   ⑤ 博

45

11. 글의 내용으로 보아 ㉠에 해당하지 <u>않는</u> 것은?

> 大抵, 卜居之地, 地理爲上, 生利次之, 次則人心, 次則山水.
> ㉠四者缺一, 非樂土也.　　　　　　　- 『택리지(擇里志)』 -

① 卜居　② 地理　③ 生利　④ 人心　⑤ 山水

12. 글에서 말하고자 하는 주제로 가장 알맞은 것은?

> 人性之善也, 猶水之就下也. 人無有不善, 水無有不下.
> 　　　　　　　　　　　　　　　　　- 『맹자(孟子)』 -

① 선악의 대립　② 사람의 본성　③ 언행의 일치
④ 마음의 수양　⑤ 선행의 결과

13. 글로 보아 인물 ㉮가 그린 그림과 가장 가까운 것은?

> 人有求爲山水, 畫山不畫水. 人怪詰之, ㉮七七, 投筆起曰:
> "紙以外, 皆水也."　　　　　　　　　*詰(힐): 꾸짖다
> 　　　　　　*七七(칠칠): 조선시대 화가 최북(崔北)의 자(字)
> 　　　　　　　　　　　　　- 『이향견문록(里鄕見聞錄)』 -

①

②

③

④

⑤

14. 글의 내용과 관계 있는 풍속은? [1점]

> 安東俗, 每年正月十六日, 府內居民, 以中溪, 分爲左右, 投
> 石相戰, 以決勝負.　　　　　- 『동국세시기(東國歲時記)』 -

① 茶禮　② 歲拜　③ 石戰　④ 車戰　⑤ 踏橋

15. 글의 내용과 가장 가까운 것은?

> ○ 九層之臺, 起於累土.　　　　　　　- 『노자(老子)』 -
> ○ 천 리 길도 한 걸음부터.

① 難上之木, 勿仰.　　　② 無足之言, 飛于千里.
③ 月滿則缺, 物盛則衰.　④ 他人之宴, 曰梨曰栗.
⑤ 合抱之木, 生於毫末.

[16~17] 다음 글을 읽고 물음에 답하시오.

> 昔, 東海龍女, 病心, 醫言: "㉠得兎肝合藥, 則可療也." 然,
> 海中無兎, 不奈之何. 有一龜, 白龍王言: "㉡吾能得之." 遂登
> 陸.　　　　　　　　　　　　　　　　*療(료): 병을 고치다
> 　　　　　　　　　　　　　　　　- 『삼국사기(三國史記)』 -

16. ㉠과 문장의 형식이 같은 것은?

① 國亂, 則思良相.　　　② 積功之塔, 豈毁乎.
③ 天帝, 使我長百獸.　　④ 君子, 必愼其獨也.
⑤ 一日之狗, 不知畏虎.

17. 글의 내용으로 보아 ㉡이 가리키는 것은?

① 용왕의 딸　② 의원　③ 토끼
④ 거북　⑤ 용왕

[18~19] 다음 글을 읽고 물음에 답하시오.

> 夫讀書, 如遊山. 有登山未半而止者, 有歷遍而未知其趣者.
> 必也知其㉠山水之趣, 方可謂遊山.　　- 『한강집(寒岡集)』 -

18. ㉠과 짜임이 같은 한자어는? [1점]

① 日出　② 耕田　③ 黃土　④ 赤松　⑤ 草木

19. 글의 주제로 가장 알맞은 것은?

① 독서의 대상　　　② 독서의 영향
③ 독서하는 장소　　④ 독서하는 시기
⑤ 독서하는 방법

[20~21] 다음 글을 읽고 물음에 답하시오.

> 丞相趙高, 欲專權, 恐群臣㉠不聽, 乃先設驗, 持鹿獻於二世
> 曰: "(㉡)也." 二世笑曰: "丞相誤耶, 指鹿爲馬." 問左右, 或
> 默或言.　　　　　　　　　　　　　　*丞(승): 벼슬 이름
> 　　　　　　　　　　　*趙高(조고): 진(秦)나라의 승상
> 　　　　　　　　　　　　　　　- 『십팔사략(十八史略)』 -

20. ㉠의 풀이로 바른 것은?

① 보이지 않다　　　② 따르지 않다
③ 말하지 않다　　　④ 비웃지 않다
⑤ 싫어하지 않다

21. 글의 내용으로 보아 ㉡에 알맞은 것은?

① 群臣　② 鹿　③ 馬　④ 左右　⑤ 或

[22~24] 다음 글을 읽고 물음에 답하시오.

世宗十三年, 上曰: "太宗實錄垂成, ㉠予欲觀之." 右相㉮孟
思誠曰: "實錄所載, 皆當時之事, 以示後世, 皆實事也. 殿下見
之, 亦不得爲太宗更改. 今一見之, 後世人主效之, 史官㉡疑懼,
必失其職, 何以傳信將來?" 上從之.

　＊垂(수): 거의 　＊殿(전): 큰 집 　＊孟思誠(맹사성): 조선의 정승
　　　　　　　　　　　　　　　　　　－『연려실기술(燃藜室記述)』－

22. ㉠의 풀이로 바른 것은?

① 네가 원하면 볼 수 있다.
② 네가 가서 보기를 원한다.
③ 내가 그것을 미리 보았다.
④ 내가 그것을 보고자 한다.
⑤ 네가 보기 원하는 것을 안다.

23. 글의 내용으로 보아 인물 ㉮가 취한 행동을 가장 잘 표현한 것은?

① 曲學　② 直言　③ 助長　④ 順從　⑤ 過恭

24. ㉡의 독음으로 바른 것은?

① 의혹　② 미혹　③ 황송　④ 의구　⑤ 송구

[25~27] 다음 글을 읽고 물음에 답하시오.

崔茂宣, 性巧慧, 多方略, 喜談兵法. 嘗曰: "制倭船, ㉠莫若
火藥." 國人, 未有知者. 茂宣, 每見商客自江南來者, ㉡便問火
藥之法. 有一商, 以粗知對, 請置其家, 給養衣食, 累句詳問, 頗
得要領.　　　　　　＊倭(왜): 나라 이름　＊粗(조): 대강
　　　　　　　　　＊崔茂宣(최무선): 고려 말 조선 초의 인물
　　　　　　　　　　　　　　　　　　－『태조실록(太祖實錄)』－

25. ㉠의 풀이로 바른 것은?

① 화약을 구하기 어렵다.
② 화약과 같은 것이 있다.
③ 화약을 사용할 줄 모른다.
④ 화약보다 더 나은 것이 없다.
⑤ 화약만으로는 충분하지 않다.

26. 글의 내용으로 보아 ㉡에서 가장 마지막으로 풀이되는 것은?

① 便　② 問　③ 火藥　④ 之　⑤ 法

27. 글의 내용과 일치하지 않는 것은?

① 최무선은 병법 말하기를 좋아했다.
② 최무선은 왜선을 제압하고자 했다.
③ 국내 사람들은 화약 제조법을 몰랐다.
④ 최무선은 마침내 화약 제조법을 터득했다.
⑤ 최무선은 수군에게 화약 제조법을 가르쳤다.

[28~30] 다음 시를 읽고 물음에 답하시오.

(가) 四山圍獄雪㉠如海,
　　　衾寒如鐵夢如灰.
　　　㉡鐵窓猶有鎖不得,
　　　夜聞鐘聲㉢何處來.　　　　＊衾(금): 이불
　　　　　　　　　　　－ 한용운(韓龍雲), 「설야(雪夜)」 －

(나) 蒼茫歲暮天, 新雪㉣遍山川.
　　　鳥失山中木, 僧尋石上泉.
　　　飢烏啼野外, 凍柳臥㉤溪邊.
　　　何處人家在, 遠林生白煙.　　　＊啼(제): 울다
　　　　　　　　　－ 이숭인(李崇仁), 「신설(新雪)」 －

28. ㉠~㉤의 풀이로 바르지 않은 것은?

① ㉠: 바다와 같다
② ㉡: 쇠창살로 만든 창문
③ ㉢: 어디에서 오는가
④ ㉣: 산천에 두루 내렸다
⑤ ㉤: 고갯마루

29. (가), (나)에 나타나 있지 않은 소재는? [1점]

① 산　　　② 종소리　　　③ 농부
④ 스님　　　⑤ 연기

30. (가), (나)에 대한 설명으로 가장 적절한 것은?

① (가)의 공간적 배경은 감옥이다.
② (가)는 친구와의 우정을 회고하고 있다.
③ (나)의 형식은 5언 절구이다.
④ (나)의 운자(韻字)는 '木'과 '在'이다.
⑤ (나)의 제5구와 제7구는 대우(對偶)이다.

* 확인 사항
○ 답안지의 해당란에 필요한 내용을 정확히 기입(표기)했는지 확인하시오.

47

2006학년도 수학능력시험

1	③	7	④	13	③	19	⑤	25	④
2	②	8	①	14	③	20	②	26	②
3	②	9	①	15	⑤	21	①	27	⑤
4	④	10	③	16	①	22	④	28	⑤
5	①	11	①	17	④	23	②	29	③
6	⑤	12	②	18	⑤	24	④	30	①

1. 한자 문제

㉠은 개에서 나온 한자이다. 그러니 ㉠의 뜻은 개와 관련되어야 한다. 따라서 ㉠은 '犬'(개 견)이다.

답: ③

2. 한자 문제

① 人+主=住(살 주)　　② 口+乎=呼(부를 호)
③ 土+成=城(성 성)　　④ 日+青=晴(갤 청)
⑤ 言+方=訪(찾을 방)

답: ②

3. 십자말풀이 문제

가로 열쇠는 '不恥下問'(불치하문), 세로 열쇠는 '燈下不明'(등하불명)이다. 사자성어 가운데 세 글자를 제시하여 풀기 어렵지 않은 문제였다.

답: ②

4. 한자어 문제

'일 년 중 밤이 가장 긴 날'이 결정적인 단서다. 답은 '冬至'(동지)이다.

답: ④

5. 사자성어 문제

'일이 공교롭게 같이 일어나 의심을 받음'이라는 뜻의 사자성어는 '烏飛梨落'(오비이락: 까마귀 날자 배 떨어진다), '목적을 이루기 위해 취하는 수단이 잘못됨'이라는 뜻의 사자성어는 '緣木求魚'(연목구어: 나무에 올라 물고기를 구하다)이다.

답: ①

6. 대구 문제

衆惡之, 必察焉, 衆好之, 必察焉.
중 오 지　 필 찰 언　 중 호 지　 필 찰 언
여럿이 그것을 미워하면 반드시 살피고, 여럿이 그것을 좋아하면 반드시 살펴라.

'衆惡之, 必察焉'과 '衆好之, 必察焉'이 대구를 이루고 있으므로 ㉠은 '好'와 반대되는 뜻이어야 한다. 따라서 뜻은 '미워하다', 음은 '오'가 된다.

답: ⑤

7. 빈칸 문제

글의 풀이로 보아 ㉠에는 '오직'의 뜻을 가진 한자가 들어가야 한다. 따라서 ㉠은 '惟'이다. '惟'는 현대에는 '생각하다'라는 뜻으로 주로 쓰이고 '오직'이라는 뜻을 나타낼 때에는 '唯'를 쓰지만 과거에는 자주 '惟'로도 '오직'이라는 뜻을 나타냈다.

답: ④

8. 대구 문제

成功之難, 如登天. (㉠)之易, 如燒毛.
성 공 지 난　 여 등 천　 　　 지 이　 여 소 모
성공의 어려움은 하늘을 오르는 것과 같고, ㉠의 쉬움은 털을 태우는 것과 같다.

이 문장을 암기해서 풀라는 것이 아니다. 한문의 대구를 이용하여 ㉠을 결정하는 문제다. 문장을 보면 '難'(어려울 난)과 '易'(쉬울 이)가 반대되는 뜻이므로 ㉠은 '成功'(성공)과 반대되는 뜻의 한자일 것이다. 따라서 ㉠은 '失敗'(실패)이다.

답: ①

9. 사자성어 문제

己所不欲, 勿施於人.
기 소 불 욕　 물 시 어 인
자기가 하고자 하지 않는 바를 남에게 베풀지 말라.

① 推己及人(추기급인): 자기를 미루어 남에게 미침.
② 朝三暮四(조삼모사): 아침에 세 개, 저녁에 네 개. 간사한 꾀로 남을 속여 희롱함.
③ 結草報恩(결초보은): 풀을 묶어 은혜를 갚음. 죽어서도 은혜를 잊지 않고 갚음.
④ 大器晚成(대기만성): 큰 그릇은 늦게 이루어짐.
⑤ 我田引水(아전인수): 제 논에 물 대기. 자기에게만 이롭게 함.

답: ①

10. 빈칸 문제

設有四分之二者, 繁而言之, 亦可爲八分之四,
설 유 사 분 지 이 자　 번 이 언 지　 역 가 위 팔 분 지 사
(㉠)而言之, 則二分之一也.
　　 이 언 지　 즉 이 분 지 일 야
4분의 2라는 것이 있다고 할 때, 번거롭게 하여 그것을 말하면 또한 8분의 4가 될 수 있고, ㉠하여 그것을 말하면 2분의 1이다.

4분의 2를 약분하여 말하면 2분의 1이 될 것이다. '加'(더할 가)나 '合'(합할 합)은 덧셈을, '乘'(탈 승)은 곱셈을 나타내므로 답이 될 수 없다. '博'(넓을 박)도 약분과는 관계없다. '약분'의 '약'이 '略'인 줄 알았다면 이번에 바로 알고 넘어가자.

답: ③

48

11. 해석 문제

> 大抵, 卜居之地, 地理爲上, 生利次之, 次則人
> 대저 복거지지 지리위상 생리차지 차즉인
> 心, 次則山水.
> 심 차즉산수
> 무릇 살 땅을 점치는 데에는 지리를 위로 삼고 나는 이익이 그
> 다음이며 다음이 인심이며 다음이 산수이다.
>
> 四者缺一, 非樂土也.
> 사자결일 비락토야
> 네 가지에서 하나라도 모자라면 낙토가 아니다.

㉠은 '地理'(지리), '生利'(생리), '人心'(인심), '山水'(산수)이다. 따라서 ㉠에 해당하지 않는 것은 '卜居'(복거)이다.

답: ①

12. 단문 문제

> 人性之善也, 猶水之就下也.
> 인성지선야 유수지취하야
> 사람 본성의 선함은 물이 아래로 나아감과 같다.
>
> 人無有不善, 水無有不下.
> 인무유불선 수무유불하
> 사람은 선하지 않음을 가짐이 없으며 물은 내려가지 않음을
> 가짐이 없다.

글에서 말하고자 하는 주제는 '사람의 본성'이다.

답: ②

13. 단문 문제

> 人有求爲山水, 畫山不畫水.
> 인유구위산수 화산불화수
> 사람이 산수로 삼음을 구함이 있었는데 산은 그렸으나 물은
> 그리지 않았다.
>
> 人怪詰之, 七七, 投筆起曰: "紙以外, 皆水也."
> 인괴힐지 칠칠 투필기왈 지이외 개수야
> 사람이 그것을 괴이하게 여기고 꾸짖으니 칠칠이 붓을 던지고
> 일어나 말하기를, "종이 밖이 모두 물이다."

인물 ㉮가 그린 그림에는 물이 없음을 알 수 있다.

답: ③

14. 단문 문제

> 安東俗, 每年正月十六日, 府内居民, 以中溪,
> 안동속 매년정월십육일 부내거민 이중계
> 分爲左右, 投石相戰, 以決勝負.
> 분위좌우 투석상전 이결승부
> 안동 풍속에 매년 1월 16일에 마을 안에 사는 백성들이 가운
> 데 시내로써 나누어 좌우를 삼고 돌을 던져 서로 싸움으로써
> 승부를 결정했다.

돌을 던져 싸우는 풍속을 두 글자로 하면 '石戰'(석전)이 가장 어울린다.

답: ③

15. 단문 문제

> 九層之臺, 起於累土.
> 구층지대 기어누토
> 9층의 누대도 흙을 쌓는 것에서부터 일어났다.

① 難上之木, 勿仰.
　난상지목 물앙
　오르기 어려운 나무는 우러러보지 말라.

② 無足之言, 飛于千里.
　무족지언 비우천리
　발 없는 말이 천 리 간다.

③ 月滿則缺, 物盛則衰.
　월만즉결 물성즉쇠
　달이 차면 이지러지고, 사물이 성하면 쇠한다.

④ 他人之宴, 曰梨曰栗.
　타인지연 왈리왈률
　다른 사람의 잔치에 배를 말하고 밤을 말한다.

⑤ 合抱之木, 生於毫末.
　합포지목 생어호말
　아름드리 나무도 털끝에서 났다.

답: ⑤

〔16~17〕 토끼전

> 昔, 東海龍女, 病心, 醫言: "得兔肝合藥, 則可
> 석 동해용녀 병심 의언 득토간합약 즉가
> 療也."
> 료야
> 옛날에 동해 용왕의 딸이 마음을 병들어 의원이 말하기를, "토
> 끼의 간을 얻어 약을 만들면 고칠 수 있습니다."
>
> 然, 海中無兔, 不奈之何.
> 연 해중무토 불내지하
> 그러나 바닷속에 토끼가 없어 그것을 어찌할 수 없었다.
>
> 有一龜, 白龍王言: "吾能得之." 遂登陸.
> 유일귀 백용왕언 오능득지 수등륙
> 한 거북이 있어 용왕에게 아뢰어 말하기를, "제가 그것을 얻을
> 수 있습니다." 마침내 뭍에 올랐다.

16. 문장 형식 문제

㉠은 '토끼의 간을 얻어 약을 만들면 고칠 수 있습니다.'로 해석되는 가정형 문장이다.

① 國亂, 則思良相.
　국란 즉사량상
　나라가 어지러우면 좋은 재상을 생각한다. (가정형)

② 積功之塔, 豈毁乎.
　적공지탑 기훼호
　공을 쌓은 탑이 어찌 무너지겠는가? (반어형)

③ 天帝, 使我長百獸.
　천제 사아장백수
　천제가 내가 온갖 짐승의 우두머리 노릇을 하게 하였다. (사동형)

④ 君子, 必愼其獨也.
　군자 필신기독야
　군자는 반드시 그 홀로 있음을 삼가야 한다. (금지형)

⑤ 一日之狗, 不知畏虎.
　일일지구 부지외호
　하룻강아지 범 무서운 줄 모른다. (평서형)

답: ①

17. 해석 문제

ⓛ은 '거북'을 가리킨다.

답: ④

[18~19] 독서(讀書)

> 夫讀書, 如遊山.
> 부 독 서　여 유 산
> 무릇 책을 읽는 것은 산에 놀러 가는 것과 같다.
>
> 有登山未半而止者, 有歷遍而未知其趣者.
> 유 등 산 미 반 이 지 자　유 력 편 이 미 지 기 취 자
> 산에 오름이 아직 반이 되지 않아 그친 사람이 있고, 지나침이
> 두루 미치나 그 뜻을 아직 알지 못하는 사람이 있다.
>
> 必也知其山水之趣, 方可謂遊山.
> 필 야 지 기 산 수 지 취　방 가 위 유 산
> 반드시 그 산과 물의 흥취를 알아야 바야흐로 산에서 논다고
> 이를 수 있다.

18. 짜임 문제

한자어의 짜임은 두 글자 이상의 한자로 이루어진 한자어가 어떻게 해석되는가를 나타내는 개념이다. 한자어의 짜임에는 '주술(주어+서술어)', '술목(서술어+목적어)', '술보(서술어+보어)', '수식', '병렬'의 다섯 가지가 있다.

㉠은 '산과 물'로 해석되므로 짜임이 '병렬'인 한자어이다.

① 日出(일출): 해가 뜨다. (주술)
② 耕田(경전): 밭을 갈다. (술목)
③ 黃土(황토): 누런 흙. (수식)
④ 赤松(적송): 붉은 소나무. (수식)
⑤ 草木(초목): 풀과 나무. (병렬)

답: ⑤

19. 해석 문제

글의 주제는 '독서하는 방법'이다.

답: ⑤

[20~21] 지록위마(指鹿爲馬)

> 丞相趙高, 欲專權, 恐群臣不聽, 乃先設驗, 持
> 승 상 조 고　욕 전 권　공 군 신 불 청　내 선 설 험　지
> 鹿獻於二世曰: "(ⓛ)也."
> 록 헌 어 이 세 왈　　　　야
> 승상 조고가 전권하고자 하나 여러 신하들이 듣지 않을 것을
> 두려워하여 이에 먼저 시험을 하여 사슴을 잡고 2세에게 바치
> 며 말하기를, "ⓛ입니다."
>
> 二世笑曰: "丞相誤耶, 指鹿爲馬."
> 이 세 소 왈　승 상 오 야　지 록 위 마
> 2세가 웃으며 말하기를, "승상이 틀렸소, 사슴을 가리켜 말이라
> 고 하다니."
>
> 問左右, 惑默惑言.
> 문 좌 우　혹 묵 혹 언
> 왼쪽과 오른쪽의 신하들에게 물으니, 누구는 침묵하고 누구는
> 말하였다.

20. 해석 문제

㉠은 '(말을) 듣지 않다'로 해석해야 하므로 ①~⑤에서는 '따르지 않다'가 바르다.

답: ②

21. 빈칸 문제

ⓛ에 알맞은 것은 '馬'(말 마)이다.

답: ③

[22~24] 실록

> 世宗十三年, 上曰: "太宗實錄垂成, 予欲觀之."
> 세 종 십 삼 년　상 왈　태 종 실 록 수 성　여 욕 관 지
> 세종 13년에 임금이 말하기를, "태종실록이 거의 이루어졌으니
> 내가 그것을 보고자 한다."
>
> 右相孟思誠曰: "實錄所載, 皆當時之事, 以示
> 우 상 맹 사 성 왈　실 록 소 재　개 당 시 지 사　이 시
> 後世, 皆實事也.
> 후 세　개 실 사 야
> 우의정 맹사성이 말하기를, "실록에 싣는 바는 모두 당시의 일
> 로, 이로써 후세에 보이므로 모두 실제의 일입니다.
>
> 殿下見之, 亦不得爲太宗更改.
> 전 하 견 지　역 부 득 위 태 종 갱 개
> 전하께서 그것을 보시더라도 또한 태종실록을 다시 고친 것이
> 되게 할 수는 없습니다.
>
> 今一見之, 後世人主效之, 史官疑懼, 必失其
> 금 일 견 지　후 세 인 주 효 지　사 관 의 구　필 실 기
> 職, 何以傳信將來?" 上從之.
> 직　하 이 전 신 장 래　상 종 지
> 지금 한 번 그것을 보신다면 후세 사람의 임금이 그것을 본받
> 아 사관이 의심스럽고 두려워 반드시 그 직분을 잃을 것이니
> 무엇으로써 장래에 믿음을 전하겠습니까?" 임금이 그것을 따랐다.

22. 해석 문제

㉠은 '내가 그것을 보고자 한다'로 해석된다.

답: ④

23. 해석 문제

① 曲學(곡학): 학문을 왜곡함.
② 直言(직언): 바른 말.
③ 助長(조장): 자람을 도움. 바람직하지 않은 일을 부추김.
④ 順從(순종): 순순히 따름.
⑤ 過恭(과공): 지나치게 공손함.

답: ②

24. 독음 문제

ⓛ의 독음은 '의구'이다.

답: ④

[25~27] 화약을 만든 최무선

崔茂宣, 性巧慧, 多方略, 喜談兵法.
최무선 성교혜 다방략 희담병법

최무선은 성품이 교묘하고 지혜로우며 방략이 많고 병법을 말하는 것을 좋아하였다.

嘗曰: "制倭船, 莫若火藥."
상왈 제왜선 막약화약

일찍이 말하기를, "왜선을 제압하는 데에는 화약만한 것이 없다."

國人, 未有知者.
국인 미유지자

나라 사람 가운데에는 아직 아는 사람이 있지 않았다.

茂宣, 每見商客自江南來者, 便問火藥之法.
무선 매견상객자강남래자 변문화약지법

무선이 매번 상인으로서 강남에서 오는 사람을 보면 문득 화약의 방법을 물었다.

有一商, 以粗知對, 請置其家, 給養衣食, 累旬
유일상 이조지대 청치기가 급양의식 루순

詳問, 頗得要領.
상문 파득요령

한 상인이 있어 거칠게 아는 것으로써 대답하자 그 집에 머물 것을 청하고 옷을 주고 음식을 먹여 몇십 일 동안 자세히 물어 자못 요령을 얻었다.

25. 해석 문제

㉠은 '화약만한 것이 없다'로 해석되는데, 이는 화약보다 더 나은 것이 없다는 뜻이다.

답: ④

26. 해석 문제

㉡의 '便'이 어떻게 해석되는지 참 난감했을 것이다. 어떻게 읽는지도 그렇고…… 하지만 답을 찾는 데에는 무리가 없다. 마지막으로 해석되는 것은 서술어이고, ㉡은 '… 화약의 방법 … 물었다'로 해석되니까 말이다.

답: ②

27. 해석 문제

최무선이 수군에게 화약 제조법을 가르쳤다는 내용은 없다.

답: ⑤

[28~30] 한용운, 「설야(雪夜)」
이숭인, 「신설(新雪)」

四山圍獄雪如海,
사 산 위 옥 설 여 해
감옥을 둘러싼 네 산에 눈이 바다와 같고

衾寒如鐵夢如灰.
금 한 여 철 몽 여 회
이불이 춥기는 쇠와 같고 꿈은 재와 같구나.

鐵窓猶有鎖不得,
철 창 유 유 쇄 부 득
철창이 오히려 있으나 잠금이 얻어지지 않으니

夜聞鐘聲何處來.
야 문 종 성 하 처 래
밤에 들리는 종소리 어느 곳에서 오는가.

蒼茫歲暮天,
창 망 세 모 천
창망한 세밑의 하늘,

新雪遍山川.
신 설 편 산 천
신설이 산천에 두루 있네.

鳥失山中木,
조 실 산 중 목
새가 산중 나무에서 (길을) 잃고,

僧尋石上泉.
승 심 석 상 천
중은 돌 위의 샘을 찾는다.

飢烏啼野外,
기 오 제 야 외
굶주린 까마귀 들 밖에서 울고,

凍柳臥溪邊.
동 류 와 계 변
언 버드나무 시냇가에 누워 있네.

何處人家在,
하 처 인 가 재
어느 곳에 사람 (사는) 집이 있는가,

遠林生白煙.
원 림 생 백 연
먼 수풀에서 흰 연기가 나는구나.

28. 해석 문제

㉢은 '시냇가'로 해석된다. 도대체 어딜 보아서 '고갯마루'라는 건지 모르겠다. 이렇게 해도 틀리는 사람이 있으려나?

답: ⑤

29. 소재 문제

소재는 시에 언급된 명사를 가리키는 것이기 때문에 시를 해석하지 못했더라도 시에 언급된 명사를 찾으면 나타나 있지 않은 소재를 찾을 수 있다.

① (가)의 제1구에 '山'(뫼 산)이 있다.
② (가)의 제4구에 '鐘聲'(종성: 종소리)이 있다.
④ (나)의 제4구에 '僧'(중 승)이 있다.
⑤ (나)의 제8구에 '煙'(연기 연)이 있다.

답: ③

30. 이해와 감상 문제

① '獄'(옥), '鐵窓'(철창)이라는 표현에서 (가)의 공간적 배경이 감옥임을 알 수 있다.
② 친구와의 우정을 회고하고 있지 않다.
③ (나)는 다섯 글자씩 여덟 구이므로 형식은 오언율시이다.
④ 운자는 짝수 구의 마지막 글자에 오고, 첫째 구의 마지막 글자에 올 수 있다. '木'(목)과 '在'(재)는 음부터 맞지 않는다.
⑤ 두 구가 문법적 기능이 동일한 글자의 배열로 이루어져 있을 때 대우를 이룬다고 한다. 제5구와 제7구는 문법적 기능이 동일한 글자의 배열이 아니므로 대우를 이루지 않는다.

답: ①

제5교시 제2외국어/한문 영역(한문)

성명 [　　　] 수험 번호 [　｜　｜　｜　｜　—　｜　｜　｜　]

○ 자신이 선택한 과목의 문제지인지 확인하시오.
○ 문제지에 성명과 수험 번호를 정확히 써 넣으시오.
○ 답안지에 성명과 수험 번호를 써 넣고, 또 수험 번호와 답을 정확히 표시하시오.
○ 문항에 따라 배점이 다르니, 각 물음의 끝에 표시된 배점을 참고하시오. 1점 문항에만 점수가 표시되어 있습니다. 점수 표시가 없는 문항은 모두 2점입니다.

---

1. 아래의 동물을 본떠서 만든 한자는? [1점]

① 鴻
② 龜
③ 燕
④ 龍
⑤ 象

2. 대화에서 찾고자 하는 한자는? [1점]

① 盲　② 眼　③ 看　④ 直　⑤ 着

3. ㉠~㉢의 한자 표기가 바르지 않은 것은?

　내부와 외부가 따로 없는 ㉠입체는 없는지 생각해 보자. 내부와 외부를 ㉡경계 지을 수 없는 입체, 즉 뫼비우스의 입체를 상상해 보자. ㉢우주는 무한하고 끝이 없어 내부와 외부를 ㉣구분할 수 없을 것 같다. ㉤간단한 뫼비우스의 띠에 많은 진리가 숨어 있는 것이다.
　　　　－ 조세희(趙世熙), 『난장이가 쏘아 올린 작은 공』－

① ㉠立體　② ㉡境界　③ ㉢宇州
④ ㉣區分　⑤ ㉤簡單

4. 문맥상 한자 표기가 바른 것은? [1점]

① 가족 간의 화목(花木)이 제일이다.
② 한복(漢服)은 우리나라 고유의 옷이다.
③ 태권도는 우리나라 국기(國旗)의 하나이다.
④ 그녀는 아무런 긍정도 부정(否定)도 하지 않았다.
⑤ 학생들은 시험에 대비(對比)하여 열심히 공부하였다.

5. 성어의 속뜻으로 바르지 않은 것은?

① 東問西答 : 아주 엉뚱하게 대답함
② 苦盡甘來 : 고생 끝에 낙이 찾아옴
③ 塞翁之馬 : 사람의 앞날은 예측할 수 없음
④ 刻舟求劍 : 자기를 희생하려는 마음이 있음
⑤ 同病相憐 : 어려운 처지에 있는 사람끼리 동정함

6. 성어와 동물이 바르게 연결되지 않은 것은? [1점]

① 羊頭狗肉 – 개　　② 畫蛇添足 – 뱀
③ 指鹿爲馬 – 사슴　④ 牛耳讀經 – 소
⑤ 鶴首苦待 – 기린

7. 성어와 속담이 바르게 연결된 것은?

① 雪上加霜 : 가재는 게 편
② 草綠同色 : 제 논에 물대기
③ 積小成大 : 티끌 모아 태산
④ 我田引水 : 우물 안 개구리
⑤ 坐井觀天 : 엎친 데 덮친 격

8. ㉠과 짜임이 같은 한자어는? [1점]

少年易老學難成, 一寸㉠光陰不可輕.
　　　　　　　　　　　－「권학문(勸學文)」－

① 登校　　② 放火　　③ 花開
④ 大海　　⑤ 春秋

9. ㉠에 알맞은 한자는? [1점]

無道人之(㉠), 無說己之長.
　　　　　　　　　　　－『문선(文選)』－

① 善　② 短　③ 敏　④ 才　⑤ 智

10. 글의 중심 내용으로 알맞은 것은? [1점]

> 滿招損, 謙受益.
>
> 　　　　　　　　　　　　　- 『서경(書經)』 -

① 근면　② 정직　③ 겸손　④ 성실　⑤ 신의

11. ㉠에 알맞은 한자는? [1점]

> 生我者爲父母, 我之所生爲子女, 父之(㉠)爲祖, 子之子爲孫.
>
> 　　　　　　　　　　　　- 『계몽편(啓蒙篇)』 -

① 父　② 子　③ 兄　④ 孫　⑤ 弟

12. 글의 중심 내용을 가장 잘 나타낸 것은?

> 禍福無門, 惟人自召.
>
> 　　　　　　　　　　　- 『좌전(左傳)』 -

① 怨　② 愼　③ 窮　④ 愛　⑤ 疑

13. ㉠과 뜻이 통하는 한자는?

> 子貢曰 : “君子之過也, 如日月之食焉. 過也, 人皆見之. ㉠更也, 人皆仰之.”
>
> *子貢 : 공자의 제자　　　　　- 『논어(論語)』 -

① 改　② 便　③ 時　④ 又　⑤ 迎

14. 글의 내용으로 보아 ㉠에 알맞은 한자는?

> 登山則思學其(㉠), 臨水則思學其淸,
> 坐石則思學其堅, 看松則思學其貞.
>
> 　　　　　　　　　- 『매월당집(梅月堂集)』 -

① 平　② 高　③ 强　④ 樂　⑤ 貴

15. 인물 ㉠에 대한 평가로 알맞은 것은?

> 世有㉠伯樂然後, 有千里馬. 千里馬常有, 而伯樂不常有.
>
> *伯樂 : 사람 이름
>
> 　　　　　　　　　　　- 「잡설(雜說)」 -

① 안목이 있다.　　② 야심이 있다.
③ 고집이 있다.　　④ 재치가 있다.
⑤ 용기가 있다.

[16~17] 다음 글을 읽고 물음에 답하시오.

> 古之欲㉠明明德於天下者, 先㉡治其國. 欲治其國者, 先㉢齊其家. 欲齊其家者, 先㉣修其身. 欲修其身者, 先㉤正其心. 欲正其心者, 先㉥誠其意. 欲誠其意者, 先致其知.
>
> 　　　　　　　　　　　- 『대학(大學)』 -

16. ㉠의 풀이로 바른 것은?

① 밝고 밝은 덕　　　　② 내일의 큰 은혜
③ 큰 은혜를 입다.　　④ 밝은 덕을 밝히다.
⑤ 덕을 밝히고 밝히다.

17. ㉡~㉥의 풀이로 바르지 않은 것은?

① ㉡ : 그 나라를 다스림
② ㉢ : 그 집안을 가지런히 함
③ ㉣ : 그 몸을 닦음
④ ㉤ : 그 마음을 바르게 함
⑤ ㉥ : 그 뜻을 이룸

[18~20] 다음 글을 읽고 물음에 답하시오.

> 古之學者, 必有師. 師者, 所以傳道授業解惑也. 人非㉠生而知之者, 孰能無惑? 惑而不從師, 其爲惑也, 終不(㉡)矣. 生乎吾前, 其聞道也, ㉢固先乎吾, 吾從而師之. 生乎吾後, 其聞道也, 亦先乎吾, 吾從而師之.
>
> 　　　　　　　　　　　- 「사설(師說)」 -

18. ㉠의 풀이로 바른 것은?

① 인생을 아는 사람　　② 배워서 아는 사람
③ 생생하게 아는 사람　④ 나면서부터 아는 사람
⑤ 살아가면서 아는 사람

19. ㉡에 알맞은 한자는?

① 解　② 顧　③ 擇　④ 動　⑤ 存

20. ㉢의 풀이로 알맞은 것은?

① 모두　　② 진실로　　③ 이미
④ 오로지　　⑤ 다만

[21~23] 다음 글을 읽고 물음에 답하시오.

琴師金聖器, 學琴於王世基. 每遇新聲, 王輒秘不傳授. 聖器, 夜夜來附王家窓前竊聽, 明朝能傳寫不錯. 王固疑之. 乃夜彈琴, 曲未半, 瞥然拓窓, 聖器驚墮於地. 王乃大㉠奇之, 盡以所著授之.

*金聖器·王世基 : 조선후기의 음악인

*輒(첩) : 번번이   *竊(절) : 몰래   *瞥然(별연) : 갑자기

－『추재집(秋齋集)』－

21. 글의 내용과 관계 없는 그림은?

22. ㉠의 의미로 알맞은 것은?

① 기특하다   ② 기괴하다   ③ 기묘하다

④ 기민하다   ⑤ 기구하다

23. '김성기(金聖器)'의 태도로 알맞은 것은?

① 호의적   ② 열성적   ③ 회의적

④ 사교적   ⑤ 비관적

[24~27] 다음 글을 읽고 물음에 답하시오.

客亦知㉠夫水㉡與月乎? 逝者㉢如斯, 而未㉣嘗往也. 盈虛者如彼, 而㉤卒莫消長也. 蓋㉥將自其變者而觀之, 則天地㉦曾不能以一瞬, ㉧自其不變者而觀之, 則物與我皆無盡也, 而又何羨乎?

*逝(서) : 가다   *盈(영) : 차다   *羨(선) : 부러워하다

－「적벽부(赤壁賦)」－

24. ㉠~㉤의 풀이로 바르지 않은 것은?

① ㉠ : 저

② ㉡ : ~와(과)

③ ㉢ : ~와(과) 같다

④ ㉣ : 맛보다

⑤ ㉤ : 끝내

25. ㉥과 쓰임이 같은 것은? [1점]

① 將軍   ② 將卒   ③ 將次   ④ 將帥   ⑤ 將星

26. ㉦의 음과 풀이로 바른 것은? [1점]

① 회 : 마침   ② 회 : 모이다   ③ 회 : 할 수 있다

④ 증 : 더하다   ⑤ 증 : 일찍이

27. ㉧의 풀이로 바른 것은?

① 그 변하지 않는 것으로부터 본다면

② 스스로 그 변하지 않는 것을 본다면

③ 그 변하지 않는 사람으로부터 본다면

④ 스스로 그 변하지 않는 사람을 본다면

⑤ 그 자신을 바꾸지 않는 사람이 본다면

[28~30] 다음 시를 읽고 물음에 답하시오.

(가) 山僧貪月色,   ㉠并汲一瓶中.
　　　㉮到寺方應覺,   ㉡瓶傾月亦空.
　　　*并(병) : 아우르다   *汲(급) : 물 긷다   *瓶(병) : 병
　　　　　　　　－ 이규보(李奎報), 「영정중월(詠井中月)」－

(나) 洛陽城裏見秋風,   欲作㉢家書意萬重.
　　　復恐忽忽㉣說不盡,   行人臨發㉤又開封.
　　　*洛陽 : 지명   *忽忽(총총) : 바쁜 모양
　　　　　　　　－ 장적(張籍), 「추사(秋思)」－

28. ㉠~㉤의 시어 풀이로 바르지 않은 것은?

① ㉠ : 물을 길으면서 달빛을 함께 길음

② ㉡ : 병 속에 담아온 물을 부음

③ ㉢ : 집으로 보내는 편지

④ ㉣ : 두려움을 말로 다 표현할 수 없음

⑤ ㉤ : 다 써서 봉했던 편지를 다시 뜯어 봄

29. ㉮에서 가장 마지막으로 풀이되는 것은?

① 到   ② 寺   ③ 方   ④ 應   ⑤ 覺

30. (가), (나)에 대한 설명으로 바르지 않은 것은?

① (가)의 시간적 배경은 밤이다.

② (나)의 계절적 배경은 가을이다.

③ (가)의 운자(韻字)는 '中', '空'이다.

④ (나)의 운자(韻字)는 '風', '重', '封'이다.

⑤ (가)의 주제는 '변함없는 자연의 모습'이다.

* 확인 사항

ㅇ 답안지의 해당란에 필요한 내용을 정확히 기입(표기)했는지 확인하시오.

(한문)　　　　　제2외국어/한문 영역

2007학년도 6월 모의평가

1	②	7	③	13	①	19	①	25	③
2	③	8	⑤	14	②	20	②	26	⑤
3	③	9	②	15	①	21	③	27	①
4	④	10	③	16	④	22	①	28	④
5	④	11	①	17	⑤	23	②	29	④
6	⑤	12	②	18	④	24	④	30	⑤

1. 한자 문제
아래의 동물은 '거북'이므로 본떠서 만든 한자의 뜻은 거북과 관련이 있을 것이다. 따라서 답은 '龜'(거북 귀/구)이다.

답: ②

2. 한자 문제
부수가 '눈 목'이라고 하였으므로 이 한자는 '目'을 구성 요소로 가지고 뜻이 '눈'과 관련된 한자이어야 한다. 따라서 '盲'(눈멀 맹), '眼'(눈 안), '看'(볼 간)이 남는다. 이제 획수를 일일이 세어 보면 '看'이 9획임을 알 수 있다.

답: ③

3. 한자어 문제
'우주'의 한자 표기는 '宇宙'이다.

답: ③

4. 한자어 문제
① 花木 → 和睦　　② 漢服 → 韓服
③ 國旗 → 國技　　⑤ 對比 → 對備

답: ④

5. 사자성어 문제
④ 刻舟求劍(각주구검): (칼을 떨어뜨린 자리를) 배에 새기고 칼을 구함. 시대의 변화에 융통성 있게 대처하지 못하는 어리석음.

답: ④

6. 사자성어 문제
①~⑤의 사자성어에 나오는 동물은 다음과 같다.
① 狗: 개 구　　② 蛇: 뱀 사　　③ 鹿: 사슴 록
④ 牛: 소 우　　⑤ 鶴: 두루미 학

답: ⑤

7. 사자성어 문제
① 雪上加霜(설상가상): 눈 위에 서리를 더함. 엎친 데 덮친 격.
② 草綠同色(초록동색): 풀빛과 푸른빛은 같은 빛. 가재는 게 편.
③ 積小成大(적소성대): 작은 것을 쌓아 큰 것을 이룸. 티끌 모아 태산.
④ 我田引水(아전인수): 제 논에 물 대기. 자기에게만 이롭게 함.
⑤ 坐井觀天(좌정관천): 우물에 앉아 하늘을 봄. 우물 안 개구리.

답: ③

8. 짜임 문제
한자어의 짜임은 두 글자 이상의 한자로 이루어진 한자어가 어떻게 해석되는가를 나타내는 개념이다. 한자어의 짜임에는 '주술(주어+서술어)', '술목(서술어+목적어)', '술보(서술어+보어)', '수식', '병렬'의 다섯 가지가 있다.

> 少年易老學難成, 一寸光陰不可輕.
> 소 년 이 로 학 난 성　 일 촌 광 음 불 가 경
> 소년은 늙기 쉽고 배움은 이루기 어려우니 한 마디의 시간도 가벼이 여길 수 없다.

㉠은 '빛과 그늘'로 해석되므로 그 짜임은 '병렬'이다.
① 登校(등교): 학교에 가다. (술보)
② 放火(방화): 불을 놓다. (술목)
③ 花開(화개): 꽃이 피다. (주술)
④ 大海(대해): 큰 바다. (수식)
⑤ 春秋(춘추): 봄과 가을. (병렬)

답: ⑤

9. 빈칸 문제

> 無道人之(㉠), 無説己之長.
> 무 도 인 지　　　 무 설 기 지 장
> 남의 ㉠을 말하지 말고, 자기의 장점을 말하지 말라.

'無道人之(㉠)'과 '無説己之長'이 대구를 이루고 있고, '人'과 '己'가 반대되는 뜻의 한자이므로 ㉠은 '長'과 반대되는 뜻의 한자이어야 한다. 따라서 ㉠은 '短'이다.

답: ②

10. 단문 문제

> 滿招損, 謙受益.
> 만 초 손　 겸 수 익
> 교만함은 손해를 부르고, 겸손함은 이익을 받는다.

글의 중심 내용은 '겸손'이다.

답: ③

11. 빈칸 문제

> 生我者爲父母, 我之所生爲子女, 父之(㉠)爲
> 생 아 자 위 부 모　 아 지 소 생 위 자 녀　 부 지　　　 위
> 祖, 子之子爲孫.
> 조　 자 지 자 위 손
> 나를 낳은 사람은 부모가 되고, 내가 낳은 바는 자녀가 되며, 아버지의 ㉠은 할아버지가 되고, 아들의 아들은 손자가 된다.

아버지의 아버지가 할아버지이다. '子之子爲孫'과 대구를 이루므로 위와 같이 해석됨을 쉽게 알 수 있다.

답: ①

12. 단문 문제

> 禍福無門, 惟人自召.
> 화 복 무 문　 유 인 자 소
> 화복은 문이 없으니 오직 사람이 스스로 부른다.

길흉화복은 사람 손에 달려 있다는 내용이다. 그러나 ①~⑤ 가운데 썩 알맞은 것이 보이지 않는다. 이럴 때에는 알맞지 않은 것부터 지워 보자. 먼저 '怨'(원망할 원), '窮'(다할 궁), '愛'(사랑할 애), '疑'(의심할 의)는 답이 아니다. 그러니 '愼'(삼갈 신)이 답일 수밖에 없다. 아마도 위 글을 스스로 몸가짐을 삼가면 화를 부르지 않는다는 정도로 받아들인 모양이다.

답: ②

13. 바꾸어 쓸 수 있는 한자 문제

子貢曰: "君子之過也, 如日月之食焉.
자공왈　　군자지과야　 여일월지식언
자공이 말하기를, "군자의 잘못은 해와 달의 식(蝕)과 같다.
過也, 人皆見之. 更也, 人皆仰之."
과야　 인개견지　 경야　 인개앙지
잘못하면 사람들이 모두 그것을 본다. 고치면 사람들이 모두 그것을 우러른다."

㉠은 '고치다'라는 뜻이므로 '改'(고칠 개)와 뜻이 통한다. '便'은 '更'과 모양이 비슷하지만 '편하다'라는 뜻이다.

답: ①

14. 빈칸 문제

登山則思學其(㉠),
등산즉사학기
산에 오르면 그 ㉠을 배울 것을 생각하고
臨水則思學其淸,
림수즉사학기청
물에 임하면 그 맑음을 배울 것을 생각하며
坐石則思學其堅,
좌석즉사학기견
바위에 앉으면 그 견고함을 배울 것을 생각하며
看松則思學其貞.
간송즉사학기정
소나무를 보면 그 곧음을 배울 것을 생각한다.

㉠은 산의 속성이므로 '高'이다.

답: ②

15. 단문 문제

世有伯樂然後, 有千里馬.
세유백락연후　 유천리마
세상에 백락이 있은 뒤에야 천리마가 있었다.
千里馬常有, 而伯樂不常有.
천리마상유　 이백락불상유
천리마는 늘 있지만 백락은 늘 있지 않다.

㉠이 천리마를 알아본다는 것이므로 '안목이 있다'는 평가가 알맞다.

답: ①

〔16~17〕 8조목(八條目)

古之欲明明德於天下者, 先治其國.
고지욕명명덕어천하자　 선치기국
옛날의 밝은 덕을 천하에 밝히고자 하는 사람은 먼저 그 나라를 다스렸다.
欲治其國者, 先齊其家.
욕치기국자　 선제기가
그 나라를 다스리고자 하는 사람은 먼저 그 집안을 가지런히 하였다.
欲齊其家者, 先修其身.
욕제기가자　 선수기신
그 집안을 가지런히 하고자 하는 사람은 먼저 그 몸을 닦았다.
欲修其身者, 先正其心.
욕수기신자　 선정기심
그 몸을 닦고자 하는 자는 먼저 그 마음을 바르게 하였다.
欲正其心者, 先誠其意.
욕정기심자　 선성기의
그 마음을 바르게 하고자 하는 자는 먼저 그 뜻을 정성스럽게 하였다.
欲誠其意者, 先致其知.
욕성기의자　 선치기지
그 뜻을 정성스럽게 하고자 하는 자는 먼저 그 앎에 이르렀다.

16. 해석 문제

㉠은 '밝은 덕을 밝히다'로 해석된다.

답: ④

17. 해석 문제

㉫은 '그 뜻을 정성스럽게 하다'로 해석된다.

답: ⑤

〔18~20〕 사설(師說)

古之學者, 必有師.
고지학자　 필유사
옛날의 배우는 사람은 반드시 스승이 있었다.
師者, 所以傳道授業解惑也.
사자　 소이전도수업해혹야
스승이라는 것은 도를 전하고 배움을 주며 의혹을 풀어 주는 바의 것이다.
人非生而知之者, 孰能無惑?
인비생이지지자　 숙능무혹
사람이 나면서부터 아는 사람이 아니니, 누가 의혹이 없을 수 있겠는가?
惑而不從師, 其爲惑也, 從不(㉡)矣.
혹이부종사　 기위혹야　 종불　　 의
의혹됨에도 스승을 좇지 아니하면 그것이 바로 의혹이 되는 것이요, 끝내 풀지 못한다.
生乎吾前, 其聞道也, 固先乎吾, 吾從而師之.
생호오전　 기문도야　 고선호오　 오종이사지
나보다 앞에 났어도 그 도를 들음이 진실로 나보다 앞서면, 나는 그를 좇아 스승으로 삼을 것이다.
生乎吾後, 其聞道也, 亦先乎吾, 吾從而師之.
생호오후　 기문도야　 역선호오　 오종이사지
나보다 뒤에 났어도 그 도를 들음이 또한 나보다 앞서면 나는 그를 좇아 스승으로 삼을 것이다.

18. 해석 문제

㉠은 '나면서부터 아는 사람'으로 해석된다.

답: ④

19. 빈칸 문제

①~⑤의 한자를 넣어 보면 '끝내 풀지 못한다'로 해석되는 게 가장 자연스러우므로 ㉡에 알맞은 한자는 '解'(풀 해)이다.

답: ①

20. 해석 문제

㉢은 '진실로'로 해석된다.

답: ②

[21~23] 금사 김성기(琴師金聖器)

琴師金聖器, 學琴於王世基, 每遇新聲, 王輒祕
금 사 김 성 기   학 금 어 왕 세 기   매 우 신 성   왕 첩 비
不傳授.
불 전 수

금사(거문고를 가르치는 선생) 김성기는 거문고를 왕세기에게서 배웠는데, 매번 새로운 소리를 만날 때마다 왕세기가 번번이 비밀로 하고 전해주지 않았다.

聖器, 夜夜來附王家窓前竊聽, 明朝能傳寫不
성 기   야 야 래 부 왕 가 창 전 절 청   명 조 능 전 사 불
錯, 王固疑之.
착   왕 고 의 지

김성기가 밤에 몰래 와 왕세기의 집 창문 앞에 붙어 몰래 들어 다음날 아침에는 전하여 베껴 어긋나지 않을 수 있었는데 왕세기가 진실로 그것을 의심하였다.

乃夜彈琴, 曲未半, 瞥然拓窓, 聖器驚墮於地.
내 야 탄 금   곡 미 반   별 연 척 창   성 기 경 타 어 지

이에 밤에 거문고를 켜다가 곡이 아직 반이 안 되었을 때 갑자기 창문을 열어젖히자 김성기가 놀라 땅에 떨어졌다.

王乃大奇之, 盡以所著授之.
왕 내 대 기 지   진 이 소 저 수 지

왕세기가 이에 그것을 크게 기특하게 여기고 지은 바로써 다 하여 그것을 주었다.

21. 해석 문제

김성기가 밭을 갈았다는 내용은 없다.

답: ③

22. 해석 문제

왕세기가 김성기를 어떻게 생각했을까? 지은 바로써 다하여 그것을 주었다는 데에서 이를 짐작할 수 있다.

답: ①

23. 해석 문제

김성기의 태도는 '열성적'이다.

답: ②

[24~27] 적벽부(赤壁賦)

客亦知夫水與月乎?
객 역 지 부 수 여 월 호

손님은 또한 저 물과 달을 아는가?

逝者如斯, 而未嘗往也.
서 자 여 사   이 미 상 왕 야

가는 것이 이와 같으나 일찍이 간 적이 없다.

盈虛者如彼, 而卒莫消長也.
영 허 자 여 피   이 졸 막 소 장 야

차고 비는 것이 저와 같으나 끝내 사라지거나 자라남이 없다.

蓋將自其變者而觀之, 則天地曾不能以一瞬,
개 장 자 기 변 자 이 관 지   즉 천 지 증 불 능 이 일 순

무릇 장차 그 변하는 것으로부터 그것을 보면 천지가 일찍이 한 순간도 (변하지) 않을 수 없고

自其不變者而觀之, 則物與我皆無盡也, 而又
자 기 불 변 자 이 관 지   즉 물 여 아 개 무 진 야   이 우
何羨乎?
하 선 호

그 변하지 않는 것으로부터 그것을 본다면 사물과 내가 모두 다함이 없으니 또 어찌 부러워하겠는가?

해석을 해도 무슨 뜻인지 알기 어려운 지문이다. 그래도 문제를 푸는 데에는 아무런 문제가 없다.

24. 해석 문제

글 전체를 해석하지 못했더라도 풀이를 넣어 보면서 ㉠~㉤이 들어간 구를 어색하지 않게 해석해 보면 ㉣을 뺀 나머지는 그런대로 괜찮다. 그러나 ㉣을 '맛보다'로 해석하는 것은 어떻게 봐도 말이 안 된다.

답: ④

25. 해석 문제

㉢은 '장수', '장차', '나아가다' 등 여러 가지 뜻으로 쓰이는 한자이다. 그러나 해석을 하지 못했더라도 너무 걱정하지 말자. ①~⑤를 보는 것이 한 가지 방법이 될 수 있다.
'將軍'(장군), '將卒'(장졸), '將帥'(장수), '將星'(장성)의 '將'은 '장수'라는 뜻으로 쓰였다. 오직 '將次'(장차)만이 '將'이 '장차'라는 뜻으로 쓰인 경우이다. 따라서 ㉥과 쓰임이 같은 것은 '將次'이며 나아가 ㉥이 '장차'로 해석되어야 함도 알 수 있다.

답: ③

26. 해석 문제

Ⓐ은 '일찍 증'이다. '모일 회'는 '會'이고 '더할 증'은 '增'이다.

답: ⑤

27. 해석 문제

Ⓞ은 '그 변하지 않는 것으로부터 그것을 본다면'으로 해석된다.

답: ①

[28~30] 이규보, 「영정중월(詠井中月)」
　　　　 장　적, 「추사(秋思)」

山僧貪月色, 산 승 탐 월 색	산의 중이 달빛을 탐하여
并汲一瓶中. 병 급 일 병 중	한 병 속에 같이 길었다.
到寺方應覺, 도 사 방 응 각	절에 이르러 비로소 응당 깨달으리라.
瓶傾月亦空. 병 경 월 역 공	병을 기울이면 달 또한 빈다는 것을.

洛陽城裏見秋風,
낙 양 성 리 견 추 풍

　　　　　　　　　낙양성 안에서 가을 바람을 보고

欲作家書意萬重.
욕 작 가 서 의 만 중

　　　　　　　　집에 부칠 편지를 쓰고자 하니 뜻이 만 겹이라.

復恐忽忽説不盡,
부 공 총 총 설 부 진

　　　　　바빠 말했지만 다하지 못한 것이 있을까 다시 두려워

行人臨發又開封.
행 인 림 발 우 개 봉

　　　　　행인이 출발하려고 임했으나 다시 봉투를 열어 본다.

28. 해석 문제

㉠은 '같이 긷다', '물을 길으면서 달빛을 함께 긷다'라는 뜻이다.
㉡은 '병을 기울이다', '병 속에 담아온 물을 붓다'라는 뜻이다.
㉢은 '집의 글', '집으로 보내는 편지'이다.
㉣은 '말했지만 다하지 못하다'이므로 '두려움을 말로 다 표현할 수 없음'은 바르지 않다.
㉤은 '다시 봉투를 열다', '다 써서 봉했던 편지를 다시 뜯어 보다'라는 뜻이다.

　　　　　　　　　　　　　　　　　　답: ④

29. 해석 문제

'應'(응)을 어떻게 해석해야 좋을지 몰라 어려웠을 것이다. 여기에서 '應'은 '응당' 또는 '아마도' 정도로 해석한다. 그러면 ㉮는 '절에 이르러 비로소 응당 깨달으리라'로 해석되므로, 마지막으로 풀이되는 것은 '覺'(깨달을 각)이다.

　　　　　　　　　　　　　　　　　　답: ⑤

30. 이해와 감상 문제

① 달이 있으므로 (가)의 시간적 배경은 밤이다.
② (나)의 제1구에 '秋'(가을 추)라는 글자가 있다.
③ 운자는 짝수 구의 마지막 글자에 오고, 첫째 구의 마지막 글자에 올 수 있다. 따라서 '中'(중), '空'(공)이 운자이고 '色'(색)은 운자가 아님을 알 수 있다.
④ '重'(중), '封'(봉)이 운자이고 따라서 '風'(풍)도 운자이다.
⑤ (가)의 주제를 말로 표현하기는 어렵지만 '변함없는 자연의 모습'이라고 하기는 어렵다. 더구나 ①~④는 지당한 설명들이다.

　　　　　　　　　　　　　　　　　　답: ⑤

제5교시 **제2외국어/한문 영역(한문)**

성명 [   ]   수험 번호 [| | | | | — | | |]

○ 자신이 선택한 과목의 문제지인지 확인하시오.
○ 문제지에 성명과 수험 번호를 정확히 써 넣으시오.
○ 답안지에 성명과 수험 번호를 써 넣고, 또 수험 번호와 답을 정확히 표시하시오.
○ 문항에 따라 배점이 다르니, 각 물음의 끝에 표시된 배점을 참고하시오. 1점 문항에만 점수가 표시되어 있습니다. 점수 표시가 없는 문항은 모두 2점입니다.

---

1. ㉠에 알맞은 한자는? [1점]

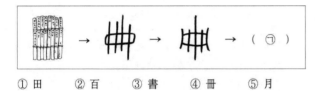

① 田   ② 百   ③ 書   ④ 冊   ⑤ 月

2. 다음 한자의 공통 부분이 지닌 뜻은? [1점]

情　　性　　恨

① 마음   ② 그릇   ③ 나무   ④ 향기   ⑤ 가죽

3. 자전에서 한자를 찾았을 때, ㉠에 알맞은 것은? [1점]

① 佐   ② 佳   ③ 住   ④ 作   ⑤ 仙

4. ㉠~㉢에 모두 알맞은 것은? [1점]

모양	음	뜻
(㉠)	광	빛
歌	(㉡)	노래
恩	은	(㉢)

① ㉠:光   ㉡:가   ㉢:생각
② ㉠:元   ㉡:곡   ㉢:생각
③ ㉠:元   ㉡:가   ㉢:은혜
④ ㉠:元   ㉡:곡   ㉢:은혜
⑤ ㉠:光   ㉡:가   ㉢:은혜

5. 끝말잇기를 할 때 ㉠, ㉡에 알맞은 것은?

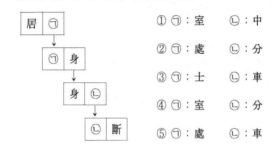

① ㉠:室   ㉡:中
② ㉠:處   ㉡:分
③ ㉠:士   ㉡:車
④ ㉠:室   ㉡:分
⑤ ㉠:處   ㉡:車

6. ㉠에 알맞은 한자는? [1점]

① 工   ② 攻   ③ 功   ④ 空   ⑤ 公

7. ㉠~㉢에 들어갈 숫자의 합은? [1점]

(㉠)方美人　　九牛(㉡)毛　　(㉢)里霧中

① 11   ② 12   ③ 13   ④ 14   ⑤ 15

8. ㉠과 음이 다른 것은?

子孝, 雙親㉠樂, 家和, 萬事成.　　　－『명심보감』

① 安樂   ② 苦樂   ③ 歡樂   ④ 快樂   ⑤ 聲樂

9. ㉠에 알맞은 것은? [1점]

① 發展
② 開業
③ 昇進
④ 結婚
⑤ 生辰

10. 성어들의 내용과 관련이 깊은 것은?

昏定晨省	望雲之情	出告反面

① 百年河淸
② 風樹之歎
③ 羊頭狗肉
④ 尾生之信
⑤ 敎學相長

11. 성어의 뜻이 바르지 <u>않은</u> 것은? [1점]

① 難兄難弟 : 서로 우열을 가리기 힘듦
② 千載一遇 : 좀처럼 만나기 어려운 기회
③ 螢雪之功 : 고생하며 공부하여 이룬 공
④ 三人成虎 : 남의 권세를 빌려 위세를 부림
⑤ 群鷄一鶴 : 많은 사람 가운데서 뛰어난 인물

12. ㉠에 알맞은 한자는? [1점]

> 智者千慮, 必有一<u>失</u>,
> ↕
> 愚者千慮, 必有一(㉠).
> － 『사기』

① 求
② 亡
③ 登
④ 受
⑤ 得

13. 글의 중심 내용으로 가장 알맞은 것은?

> 人一能之, 己百之, 人十能之, 己千之.
> － 『중용』

① 행복
② 절약
③ 노력
④ 건강
⑤ 화목

14. 글의 내용과 관련 있는 것은?

> ·隨友適江南.
> － 『순오지』
> ·숭어가 뛰니까 망둥이도 뛴다.

① 走馬看山
② 牛耳讀經
③ 目不識丁
④ 附和雷同
⑤ 一石二鳥

15. 그림과 관련 있는 것은?

① 坐井觀天
② 於異阿異
③ 矯角殺牛
④ 烏飛梨落
⑤ 馬耳東風

16. 글에서 가장 강조하는 것은?

> 不聞不若聞之, 聞之不若見之, 見之不若知之, 知之不若行之.
> － 『순자』

① 독서
② 근면
③ 실천
④ 신중
⑤ 협동

17. □에 공통으로 들어갈 것은?

> ·忠□逆於耳, 而利於行.
> － 『공자가어』
> ·□勿異於行, 行勿異於□.
> － 『지봉유설』

① 言
② 福
③ 義
④ 法
⑤ 實

[18~19] 글을 읽고 물음에 답하시오.

> 河津, 一名龍門, 水險不通, 魚鼈之屬, 莫能上. 江海㉠大魚, ㉡薄集龍門下數千, 不得上, 上則爲龍.
> * 河津(하진) : 지명　* 鼈(별) : 자라
> － 『후한서』

18. ㉠과 짜임이 같은 한자어는? [1점]

① 道路
② 善惡
③ 少年
④ 草木
⑤ 入學

19. ㉡의 의미로 알맞은 것은?

① 경솔한 행동
② 철저한 반성
③ 학문의 즐거움
④ 실패의 두려움
⑤ 성공의 어려움

[20~21] 글을 읽고 물음에 답하시오.

> 天地之間, 萬物之中, 唯人最貴, 所貴乎人者, 以其有五(㉠)也. 是故, 孟子曰 : "父子有親, 君臣有義, 夫婦有別, 長幼有序, 朋友有信." 人而不知有五常, 則㉡其違禽獸不遠矣.
> － 『동몽선습』

20. 글의 내용으로 보아 ㉠에 알맞은 것은?

① 感
② 倫
③ 色
④ 味
⑤ 行

21. ㉡의 의미로 알맞은 것은?

① 짐승과 다름없을 것이다.
② 짐승이 멀리 달아날 것이다.
③ 짐승을 학대해서는 안 된다.
④ 짐승은 쉽게 길들일 수 없다.
⑤ 짐승과 인간은 공존해야 한다.

[22~23] 글을 읽고 물음에 답하시오.

> 洪相國瑞鳳之大夫人, <중략> 一日, 遣婢買肉而來, 見肉色,
> 似有毒, 問婢曰 ：“所買之肉, ㉠有幾許塊耶” 乃賣首飾得錢,
> 使婢盡買其肉, 而埋于墻下, 恐他人之買食生病也.
>
> 　　＊洪瑞鳳(홍서봉) : 조선의 문신　　　　　　－『해동속소학』

22. ㉠과 문장 형식이 같은 것은?

① 天時 不如地利　　　　② 二牛 何者爲勝
③ 忠臣 不事二君　　　　④ 積功之塔 豈毁乎
⑤ 農者 天下之大本也

23. 글의 내용과 거리가 먼 것은?

① 　　　　　　② 　　　　　　③

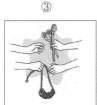

④ 　　　　　　⑤

[24~25] 글을 읽고 물음에 답하시오.

> 孟子之少也, ㉠旣學而歸. 孟母方績, 問曰 ：“學何所至矣”
> 孟子曰 ：“自若也.” 孟母㉮以刀斷其織. 孟子, 懼而問其㉡故.
> 孟母曰 ：“子之㉢廢學, ㉣若吾斷斯織也.” <중략> 孟子懼,
> ㉤旦夕, 勤學不息, 師事子思, 遂成天下之名儒.
>
> 　　　　　　　　　　　　　　　　　　　　　　－『열녀전』

24. ㉠~㉤의 풀이로 바르지 않은 것은?

① ㉠ : 앞으로　　② ㉡ : 까닭　　③ ㉢ : 그만두다
④ ㉣ : 같다　　⑤ ㉤ : 아침

25. ㉮에서 마지막으로 풀이되는 것은?

① 以　　② 刀　　③ 斷　　④ 其　　⑤ 織

[26~27] 글을 읽고 물음에 답하시오.

> 古記云：“昔有桓因庶子桓雄, 數㉠意天下, 貪求人世. 父知
> ㉡子意, 下視三危太伯, 可以弘益㉢人間, 乃授天符印三箇, 遣往
> ㉣理之. 雄㉤率徒三千, 降㉥於太伯山頂神壇樹下, 謂之神市,
> 是謂桓雄天王也.”
>
> 　　＊桓(환) : 굳세다　　＊箇(개) : 낱　　－『삼국유사』

26. ㉠~㉤의 풀이로 바르지 않은 것은?

① ㉠ : 뜻을 두다　　② ㉡ : 아들　　③ ㉢ : 인간 세상
④ ㉣ : 이해하다　　⑤ ㉤ : 거느리다

27. ㉥과 바꾸어 쓸 수 있는 것은?

① 而　　② 于　　③ 之　　④ 則　　⑤ 以

[28~30] 시를 읽고 물음에 답하시오.

> (가) 白頭山石㉠磨刀盡,　　豆滿江水㉡飮馬無.
> 　　　男兒二十未平國,　　後世誰稱大丈夫.
> 　　　　　　　　　　　　　－ 남이(南怡), 「북정(北征)」
>
> (나) ㉢林亭秋已晩,　　騷客意無窮.
> 　　　遠水連天碧,　　霜楓向日紅.
> 　　　山吐孤㉣輪月,　　江含萬里風.
> 　　　塞鴻何處去,　　聲斷㉤暮雲中.
> 　　　　　　　　　　　－ 이이(李珥), 「화석정(花石亭)」

28. ㉠~㉤의 풀이로 바르지 않은 것은?

① ㉠ : 칼을 차다　　　　② ㉡ : 말에게 먹이다
③ ㉢ : 숲 속 정자　　　　④ ㉣ : 둥근 달
⑤ ㉤ : 저녁 구름

29. (가)에서 느낄 수 있는 분위기는?

① 대륙의 광활함　　　　② 여행의 즐거움
③ 기상의 웅혼함　　　　④ 고향에 대한 그리움
⑤ 자식에 대한 애틋함

30. (가), (나)에 대한 설명으로 바르지 않은 것은?

① (가)의 형식은 7언 율시이다.
② (가)의 제1구와 제2구는 대우(對偶)이다.
③ (나)에는 색채의 대비가 나타난다.
④ (나)의 계절적 배경은 늦가을이다.
⑤ (나)의 운자(韻字)는 ‘窮’, ‘紅’, ‘風’, ‘中’이다.

＊ 확인 사항

ㅇ 답안지의 해당란에 필요한 내용을 정확히 기입(표기)했는지 확인
하시오.

2007학년도 9월 모의평가

1	④	7	④	13	③	19	⑤	25	③
2	①	8	⑤	14	④	20	②	26	④
3	③	9	④	15	②	21	①	27	②
4	⑤	10	②	16	③	22	②	28	①
5	②	11	④	17	①	23	②	29	③
6	⑤	12	⑤	18	③	24	①	30	①

1. 한자 문제
㉠은 '책'에서 나온 한자이다. 그러니 ㉠의 뜻은 '책'과 관련되어야 한다. 따라서 ㉠은 '冊'(책 책)이다. 네모 안 셋째 글자를 보면 ㉠이 '冊'임이 더욱 분명하다.

답: ④

2. 한자 문제
'情'(뜻 정), '性'(성품 성), '恨'(한스러울 한)의 공통 부분은 '忄'으로서 '心'(마음 심)의 변형이다.

답: ①

3. 조건을 만족하는 한자 문제
자전에서 ㉠에 들어갈 한자에 대한 여러 정보를 주고 있다. 부수는 '人'이고, 부수를 제외한 획수는 5획이며, 총획은 7획이고 뜻이 '살다', '멈추다'이다. 가장 쉽게 판단할 수 있는 것이 한자의 뜻이다. '살다', '멈추다'라는 뜻을 가지는 한자를 찾아보자.
① 佐(도울 좌)　　② 佳(아름다울 가)
③ 住(살 주)　　④ 作(지을 작)
⑤ 仙(신선 선)
답은 '住'이다. 획수는 셀 필요도 없었던 셈이다. 확인할 필요도 없지만, 획수까지 확인해 보면 확실하다.

답: ③

4. 한자 문제
㉠은 '빛 광'에 해당하는 한자이므로 '光'이다. '元'은 '으뜸 원'이다.
㉡은 '歌'의 음이므로 '가'이다. 뜻이 '노래'이고 음이 '곡'인 한자는 '曲'이다. '曲'은 '굽어 있다'라는 뜻으로 주로 쓰이지만 '악곡'이라는 뜻으로도 쓰인다.
㉢은 '恩'의 뜻이므로 '은혜'이다. 뜻이 '생각'이면서 '恩'과 모양이 비슷한 한자는 '思'이다.

답: ⑤

5. 한자어 문제
① '居室'(거실)은 가능하지만 '室身'이라는 한자어는 없다. 병이나 충격 따위로 정신을 잃다는 뜻의 '실신'은 '失神'으로 쓴다. 따라서 ④도 답이 아니다.
② '居處'(거처), '處身'(처신) 모두 가능하고, '身分'(신분), '分斷'(분단) 모두 가능하다.

③ '居士'(거사)는 가능하지만 '士身'이라는 한자어는 없다.
⑤ ㉠에 '處'는 들어갈 수 있지만 '身車', '車斷'이라는 한자어는 없다.

답: ②

6. 십자말풀이 문제
가로 열쇠는 '愚公移山'(우공이산), 세로 열쇠는 '先公後私'(선공후사)이다. 사자성어 가운데 세 글자를 제시하여 풀기 어렵지 않은 문제였다.

답: ⑤

7. 사자성어 문제
'八方美人'(팔방미인), '九牛一毛'(구우일모), '五里霧中'(오리무중)이므로 ㉠~㉢에 들어갈 수의 합은 14이다.

답: ④

8. 단문 문제

> 子孝, 雙親樂, 家和, 萬事成.
> 자효　쌍친락　가화　만사성
> 자식이 효도하면 쌍친이 즐겁고, 집이 화목하면 모든 일이 이루어진다.

㉠은 '즐겁다'는 뜻으로 해석되므로 '락'이라고 읽는다.
① 安樂(안락)　② 苦樂(고락)　③ 歡樂(환락)
④ 快樂(쾌락)　⑤ 聲樂(성악)

답: ⑤

9. 한자어 문제
① 發展(발전)　② 開業(개업)　③ 昇進(승진)
④ 結婚(결혼)　⑤ 生辰(생신)

답: ④

10. 사자성어 문제

> 昏定晨省(혼정신성): 저녁에 (잠자리를) 정하고 새벽에 (안부를) 살핌. 자식이 아침저녁으로 부모의 안부를 물어서 살핌.
> 望雲之情(망운지정): 구름을 바라보는 마음. 고향이나 어버이를 그리는 마음.
> 出告反面(출고반면): 나갈 때에는 고하고 돌아와서는 낯을 비춤.

① 百年河淸(백년하청): 백 년이 지난들 황허 강이 맑아질까. 중국의 황허 강이 늘 흐려 맑을 때가 없다. 아무리 기다려도 일이 이루어지기 어려움.
② 風樹之歎(풍수지탄): 바람과 나무의 탄식. 효도하고자 할 때 이미 부모를 여의고 효행을 다하지 못하는 자식의 슬픔.
③ 羊頭狗肉(양두구육): 양머리, 개고기. 양의 머리를 내어놓고 개고기를 팖. 겉으로는 훌륭하게 내세우나 속은 변변치 않음.
④ 尾生之信(미생지신): 미생의 신의. 우직하여 융통성이 없음.
⑤ 敎學相長(교학상장): 가르치고 배우며 서로 자람.

답: ②

11. 사자성어 문제

① 難兄難弟(난형난제): 누구를 형이라 하고 누구를 아우라 하기 어려움. 두 사물의 낫고 못함을 분간하기 어려움.
② 千載一遇(천재일우): 천 년에 한 번 만남. 좀처럼 만나기 어려운 기회.
③ 螢雪之功(형설지공): 반딧불이와 눈의 공. 고생을 하면서 꾸준히 공부하여 얻은 보람.
④ 三人成虎(삼인성호): 세 사람이면 호랑이를 이룸. 거짓말도 여러 사람이 하면 곧이들음.
⑤ 群鷄一鶴(군계일학): 여러 닭 가운데 하나의 학. 많은 사람 가운데서 뛰어난 한 사람.

성어의 뜻이 바르지 않은 것은 ④이다. '남의 권세를 빌려 위세를 부림'이라는 뜻의 성어는 '狐假虎威'(호가호위)이다.

답: ④

12. 대구 문제

> 智者千慮, 必有一失, 愚者千慮, 必有一(㉠).
> 자 자 천 려　필 유 일 실　우 자 천 려　필 유 일
> 지혜로운 사람이 천 번 생각하여도 반드시 한 번 실수가 있고, 어리석은 사람도 천 번 생각하면 반드시 한 번 ㉠이 있다.

이 문장을 암기해서 풀라는 문제가 아니다. 한문의 대구를 이용해서 빈칸에 알맞은 한자를 찾는 문제다. ㉠에는 '失'(잃을 실)과 비슷하거나 반대되는 뜻이 들어가야 한다. '智'(지혜 지)와 '愚'(어리석을 우)가 반대되는 뜻의 한자이므로 ㉠에는 '失'(잃을 실)과 반대되는 뜻의 한자가 들어가야 한다. 따라서 답은 '得'(얻을 득)이다.

답: ⑤

13. 단문 문제

> 人一能之, 己百之, 人十能之, 己千之.
> 인 일 능 지　기 백 지　인 십 능 지　기 천 지
> 남이 한 번에 그것을 할 수 있었으면 나는 백 번 그것을 하였으며, 남이 열 번에 그것을 할 수 있었으면 나는 천 번 그것을 하였다.

답: ③

14. 사자성어 문제

> 隨友適江南.
> 수 우 적 강 남
> 친구 따라 강남 간다.

① 走馬看山(주마간산): 달리는 말 위에서 산을 봄. 자세히 살피지 아니하고 대충대충 보고 지나감.
② 牛耳讀經(우이독경): 소 귀에 경 읽기. 어떤 방법을 써도 아무 소용이 없음.
③ 目不識丁(목불식정): 눈이 '丁'(고무래 정)을 알지 못함. 글자를 전혀 모름. 또는 그런 사람.
④ 附和雷同(부화뇌동): 일정한 주견이 없이 남의 의견에 따라 같이 행동함.
⑤ 一石二鳥(일석이조): 하나의 돌로 두 마리 새. 한 가지 일을 해서 두 가지 이익을 얻음.

답: ④

15. 사자성어 문제

① 坐井觀天(좌정관천): 우물에 앉아 하늘을 봄, 견문이 매우 좁음.
② 於異阿異(어이아이): 어 다르고 아 다름. 같은 내용의 말이라도 말하기에 따라 사뭇 달라짐.
③ 矯角殺牛(교각살우): 뿔을 바로잡다가 소를 죽임. 작은 결점을 고치려다가 수단이나 정도가 지나쳐 일을 그르침.
④ 烏飛利落(오비이락): 까마귀가 날자 배가 떨어짐. 일이 공교롭게 같이 일어나 의심을 받음.
⑤ 馬耳東風(마이동풍): 말 귀에 동풍. 남의 말을 귀담아 듣지 않고 곧 흘려 버림.

답: ②

16. 단문 문제

> 不聞不若聞之, 聞之不若見之, 見之不若知之,
> 불 문 불 약 문 지　　문 지 불 약 견 지　　견 지 불 약 지 지
> 知之不若行之.
> 지 지 불 약 행 지
> 듣지 않는 것은 그것을 듣는 것만 못하고, 그것을 듣는 것은 그것을 보는 것만 못하며, 그것을 보는 것은 그것을 아는 것만 못하고, 그것을 아는 것은 그것을 행하는 것만 못하다.

글에서 가장 강조하는 것은 마지막에 나온 '실천'이다.

답: ③

17. 빈칸 문제

> 忠□逆於耳, 而利於行.
> 충　　역 어 이　　이 리 어 행
> 충성스러운 □는 귀에 거슬리지만 행함에 이롭다.
> □勿異於行, 行勿異於□.
> 물 이 어 행　　행 물 이 어
> □는 행동과 다르지 말며, 행동은 □와 다르지 말라.

'忠□逆於耳, 而利於行.'이 결정적인 단서였다. □에 들어갈 한자는 '言'(말씀 언)이다.

답: ①

[18~19] 등용문(登龍門)

> 河津, 一名龍門, 水險不通, 魚鼈之屬, 莫能上.
> 하 진　일 명 용 문　수 험 불 통　어 별 지 속　막 능 상
> 하진은 일명 용문으로 물이 험하고 통하지 않아 물고기와 자라의 무리가 올라갈 수 없었다.
> 江海大魚, 薄集龍門下數千, 不得上, 上則爲龍.
> 강 해 대 어　박 집 용 문 하 수 천　부 득 상　상 즉 위 룡
> 강과 바다의 큰 물고기가 용문 아래에 수천이 모였으나 오를 수 없었고 오르면 용이 되었다.

18. 짜임 문제

한자어의 짜임은 두 글자 이상의 한자로 이루어진 한자어가 어떻게 해석되는가를 나타내는 개념이다. 한자어의 짜임에는 '주술(주어＋서술어)', '술목(서술어＋목적어)', '술보(서술어＋보어)', '수식',

'병렬'의 다섯 가지가 있다.

㉠은 '큰 물고기'로 해석되므로 그 짜임은 '수식'이다.

① 道路(도로): 길 (병렬)

② 善惡(선악): 착함과 악함 (병렬)

③ 少年(소년): 젊은 나이 (수식)

④ 草木(초목): 풀과 나무 (병렬)

⑤ 入學(입학): 학교에 들어가다 (술보)

답: ③

19. 해석 문제

㉡은 '강과 바다의 큰 물고기가 용문 아래에 수천이 모였으나 오를 수 없었다'로 해석되므로 '성공의 어려움'을 뜻한다.

답: ⑤

[20~21] 사람이 가장 귀하다

> 天地之間, 萬物之中, 唯人最貴, 所貴乎人者,
> 천 지 지 간　만 물 지 중　유 인 최 귀　소 귀 호 인 자
> 以其有五(㉠)也.
> 이 기 유 오　　　　야
>
> 천지 사이 만물 가운데 오직 사람이 가장 귀하니, 사람에게 귀한 바의 이유는 그 다섯 ㉠이 있기 때문이다.
>
> 是故, 孟子曰: "父子有親, 君臣有義, 夫婦有
> 시 고　맹 자 왈　 부 자 유 친　군 신 유 의　부 부 유
> 別, 長幼有序, 朋友有信."
> 별　장 유 유 서　붕 우 유 신
>
> 이 까닭으로 맹자가 말하기를, "아버지와 아들 사이에는 친함이 있어야 하고, 임금과 신하 사이에는 의가 있어야 하고, 남편과 아내 사이에는 구별이 있어야 하고, 어른과 어린아이 사이에는 순서가 있어야 하며, 벗 사이에는 믿음이 있어야 한다."
>
> 人而不知有五常, 則其違禽獸不遠矣.
> 인 이 부 지 유 오 상　즉 기 위 금 수 불 원 의
>
> 사람이 되어 오상(오륜)이 있음을 알지 못하면 그 금수로부터 벗어남이 멀지 않다.

20. 빈칸 문제

'父子有親'(부자유친), '君臣有義'(군신유의), '夫婦有別'(부부유별), '長幼有序'(장유유서), '朋友有信'(붕우유신)은 '오륜'(五倫)의 하나이다.

답: ②

21. 해석 문제

㉡은 '그 금수로부터 벗어남이 멀지 않다'로 해석되므로 '짐승과 다름없을 것이다'라는 뜻이다.

답: ①

[22~23] 진매부육(盡買腐肉)

> 洪相國瑞鳳之大夫人, <중략> 一日, 遣婢買
> 홍 상 국 서 봉 지 대 부 인　　　　　일 일　견 비 매
> 肉而來, 見肉色, 似有毒, 問婢曰: "所買之肉,
> 육 이 래　견 육 색　사 유 독　문 비 왈　소 매 지 육

有幾許塊耶?"
유 기 허 괴 야

홍서봉 재상의 어머니가 하루는 여종이 고기를 사 오게 하여 고기의 색을 보니 독이 있음과 같아 여종에게 물어 말하기를, "산 곳의 고기가 몇 덩어리쯤 있느냐?"

> 乃賣首飾得錢, 使婢盡買其肉, 而埋于墻下, 恐
> 내 매 수 식 득 전　사 비 진 매 기 육　이 매 우 장 하　공
> 他人之買食生病也.
> 타 인 지 매 식 생 병 야

이에 머리 장식을 팔아 돈을 얻어 여종이 그 고기를 다 사게 하여 담 아래에 묻었으니, 다른 사람이 사 먹어 병이 날 것을 두려워하여서이다.

22. 문장 형식 문제

㉠은 '몇 덩어리쯤 있느냐?'로 해석되는 의문형 문장이다.

① 天時, 不如地利.
　천 시　불 여 지 리

하늘의 때는 땅의 이로움과 같지 않다. (비교형)

② 二牛, 何者爲勝?
　이 우　하 자 위 승

두 소 가운데에서 어느 것이 나은가? (의문형)

③ 忠臣, 不事二君.
　충 신　불 사 이 군

충신은 두 임금을 섬기지 않는다. (평서형)

④ 積功之塔, 豈毀乎?
　적 공 지 탑　기 훼 호

공을 쌓은 탑이 어찌 무너지겠는가? (반어형)

⑤ 農者, 天下之大本也.
　농 자　천 하 지 대 본 야

농사짓는 자는 천하의 큰 근본이다. (평서형)

답: ②

23. 해석 문제

⑤ 고기를 먹었다는 내용은 없다.

답: ⑤

[24~25] 맹모단기(孟母斷機)

> 孟子之少也, 旣學而歸.
> 맹 자 지 소 야　기 학 이 귀
>
> 맹자가 어릴 때 이미 배우고 돌아왔다.
>
> 孟母方績, 問曰: "學何所至矣?"
> 맹 모 방 적　문 왈　 학 하 소 지 의
>
> 맹자의 어머니가 마침 베짜다 묻기를, "배움이 어떤 바에 이르렀는가?"
>
> 孟子曰: "自若也."
> 맹 자 왈　자 약 야
>
> 맹자가 말하기를, "처음과 같습니다."
>
> 孟母以刀斷其織. 孟子, 懼而問其故.
> 맹 모 이 도 단 기 직　맹 자　구 이 문 기 고
>
> 맹자의 어머니가 칼로써 그 짠 것을 끊었다. 맹자가 두려워하며 그 까닭을 물었다.
>
> 孟母曰: "子之廢學, 若吾斷斯織也."
> 맹 모 왈　자 지 폐 학　약 오 단 사 직 야
>
> 맹자의 어머니가 말하기를, "그대가 배움을 폐함은 내가 이 짠 것을 끊음과 같다."

66

<중략> 孟子懼, 旦夕, 勤學不息, 師事子思,
　　　　맹자구　단석　근학불식　사사자사
遂成天下之名儒.
수성천하지명유
맹자가 두려워하여 아침저녁으로 부지런히 배워 쉬지 않고 자사를 스승으로 섬겨 드디어 천하의 유명한 선비가 되었다.

24. 해석 문제
㉠은 '앞으로'가 아니라 '이미'로 해석된다.

　　　　　　　　　　　　　　　　　　　　답: ①

25. 해석 문제
마지막으로 풀이되는 것은 서술어이다. ㉙는 '칼로써 그 짠 것을 끊다'로 해석되므로 마지막으로 풀이되는 것은 '斷'(끊을 단)이다.

　　　　　　　　　　　　　　　　　　　　답: ③

〔26~27〕 단군(檀君)

古記云: "昔有桓因庶子桓雄, 數意天下, 貪求
고기운　　석유환인서자환웅,　삭의천하,　탐구
人世.
인세
옛 기록에서 말하기를, "옛날에 환인의 서자 환웅이 있어 자주 하늘 아래에 뜻을 두고 사람 세상을 탐하고 구하였다.
父知子意, 下視三危太伯, 可以弘益人間, 乃授
부지자의,　하시삼위태백,　가이홍익인간,　내수
天符印三箇, 遣往理之.
천부인삼개,　견왕리지
아버지가 아들의 뜻을 알고는 삼위태백을 내려다보니 널리 인간을 이롭게 할 수 있어 이에 천부인 세 개를 주고 가 그곳을 다스리게 하였다.
雄率徒三千, 降於太伯山頂神壇樹下, 謂之神
웅솔도삼천,　강어태백산정신단수하,　위지신
市, 是謂桓雄天王也."
시,　시위환웅천왕야
환웅이 무리 삼천을 이끌고 태백산 꼭대기 신단수 아래에 내려와 그곳을 신시라 이르니 이가 환웅 천왕이라 이르는 것이다."

26. 해석 문제
④ '理'는 '이해하다'가 아니라 '다스리다'로 해석된다.

　　　　　　　　　　　　　　　　　　　　답: ④

27. 바꾸어 쓸 수 있는 한자 문제
㉣과 바꾸어 쓸 수 있는 한자는 '于'(우)이다. 이런 문제는 가장 쉬운 문제 가운데 하나이므로 꼭 풀도록 하자.

　　　　　　　　　　　　　　　　　　　　답: ②

〔28~30〕 남이, 북정(北征)
　　　　이이, 화석정(花石亭)

白頭山石磨刀盡, 　백두산 돌로 칼을 갈아 다하고
백두산석마도진
豆滿江水飮馬無. 　두만강 물로 말을 마시게 해 없앤다.
두만강수음마무
男兒二十未平國, 　남아가 이십에 나라를 평정하지 못하면
남아이십미평국
後世誰稱大丈夫. 　후세에 누가 대장부라 일컫겠는가.
후세수칭대장부

林亭秋已晩, 　수풀 정자에 가을이 이미 늦어
림정추이만
騷客意無窮. 　시인의 뜻이 끝이 없구나.
소객의무궁
遠水連天碧, 　먼 물이 하늘에 이어져 푸르고
원수련천벽
霜楓向日紅. 　서리 단풍이 해를 향해 붉구나.
상풍향일홍
山吐孤輪月, 　산은 외로운 둥근 달을 토하고
산토고륜월
江含萬里風. 　강은 만 리의 바람을 머금었다.
강함만리풍
塞鴻何處去, 　변방 기러기는 어느 곳으로 가는가,
새홍하처거
聲斷暮雲中. 　저무는 구름 속에서 소리가 끊어진다.
성단모운중

28. 해석 문제
㉠은 '칼을 갈다'로 해석된다.

　　　　　　　　　　　　　　　　　　　　답: ①

29. 이해와 감상 문제
전체적으로 '기상의 웅혼함'을 느낄 수 있다.

　　　　　　　　　　　　　　　　　　　　답: ③

30. 한시 문제
① (가)는 일곱 글자씩 네 구이므로 형식은 칠언절구이다. 너무나 명백한 오답이므로 여기에서 ①을 골라야 한다.
② (가)의 제1구와 제2구는 문법적 기능이 동일한 글자의 배열로 이루어져 있으므로 대우이다.
③ (나)의 '碧'(푸를 벽)과 '紅'(붉을 홍)에서 색채의 대비가 나타남을 알 수 있다.
④ '秋已晩'에서 (가)의 계절적 배경이 늦가을임을 알 수 있다.
⑤ 운자는 짝수 구의 마지막 글자에 오고 첫째 구의 마지막 글자에 올 수 있다. '窮'(궁), '紅'(홍), '風'(풍), '中'(중)이 운자이므로 '晩'(만)은 운자가 아님을 알 수 있다.

　　　　　　　　　　　　　　　　　　　　답: ①

○ 자신이 선택한 과목의 문제지인지 확인하시오.
○ 문제지에 성명과 수험 번호를 정확히 써 넣으시오.
○ 답안지에 성명과 수험 번호를 써 넣고, 또 수험 번호와 답을 정확히 표시하시오.
○ 문항에 따라 배점이 다르니, 각 물음의 끝에 표시된 배점을 참고하시오. 1점 문항에만 점수가 표시되어 있습니다. 점수 표시가 없는 문항은 모두 2점입니다.

1. ㉠에 알맞은 한자는? [1점]

① 光　　② 合　　③ 谷　　④ 昌　　⑤ 高

2. ㉠~㉢에 모두 알맞은 것은? [1점]

모양	음	뜻
(㉠)	의	옷
食	(㉡)	먹다
住	주	(㉢)

	㉠	㉡	㉢		㉠	㉡	㉢
①	衣	식	살다	②	衣	음	살다
③	衣	식	가다	④	意	음	살다
⑤	意	음	가다				

3. 한자의 공통된 뜻으로 바르지 <u>않은</u> 것은? [1점]

① 宅, 屋 – 집　　② 行, 來 – 오다
③ 紅, 赤 – 붉다　　④ 思, 念 – 생각
⑤ 談, 話 – 말하다

4. ㉠~㉤과 한자의 연결이 바른 것은? [1점]

① ㉠:窓　② ㉡:柱　③ ㉢:瓦　④ ㉣:門　⑤ ㉤:階

5. 성어의 속뜻으로 알맞은 것은? [1점]

① 朝三暮四 : 치열한 경쟁
② 烏飛梨落 : 과감한 행동
③ 結草報恩 : 무례한 요구
④ 愚公移山 : 부단한 노력
⑤ 鷄卵有骨 : 신중한 판단

6. ㉠에 알맞은 것은? [1점]

① 旦　　② 夜　　③ 雨　　④ 夏　　⑤ 雪

7. 인체의 부분을 가리키는 한자가 들어 있지 <u>않은</u> 것은? [1점]

① 有口無言　　　　② 手不釋卷
③ 千辛萬苦　　　　④ 孤掌難鳴
⑤ 脣亡齒寒

8. 글의 내용과 가장 관계 있는 것은? [1점]

> 대나무의 뿌리는 단단하다. 군자는 그 뿌리를 보고 뜻을 굳게 세워 어떠한 시련에도 뽑히지 않을 것을 생각한다.
>
> - 『고문진보(古文眞寶)』 -

① 不恥下問　　　　② 百折不屈
③ 守株待兔　　　　④ 燈下不明
⑤ 種豆得豆

9. ㉠에 가장 알맞은 것은? [1점]

> 用人, 當用其所長,
> ↕
> 教人, 當教其所(㉠).
>
> - 허형(許衡) -

① 外　　② 甘　　③ 私　　④ 短　　⑤ 和

10. 글의 내용으로 보아 ㉠에 알맞은 것은?

> 夫大氏者, 何人也? 乃高句麗之人也. 其所有之地, 何(㉠)也?
> 乃高句麗之地也.
> *大氏(대씨): 발해의 건국자 대조영
> ―「발해고서(渤海考序)」―

① 夫　　② 人　　③ 乃　　④ 之　　⑤ 地

[11~12] 다음 글을 읽고 물음에 답하시오.

> ○ 天下難得者, 兄弟. ㉠易求者, 田地.
> 　　　　　　　　　　　―『북사(北史)』―
> ○ 兄弟, 同氣之人, 骨肉至親, 尤當(㉡).
> 　　　　　　　　　　　―『동몽선습(童蒙先習)』―

11. ㉠의 음과 풀이로 바른 것은?

	음	풀이		음	풀이
①	역	쉽다	②	이	쉽다
③	역	바꾸다	④	이	바꾸다
⑤	역	다스리다			

12. 위 글의 내용으로 보아 ㉡에 가장 알맞은 것은?

① 立志　　② 分別　　③ 友愛　　④ 完全　　⑤ 節約

[13~14] 다음 글을 읽고 물음에 답하시오.

> 李舜臣, 創智㉠造船, 上設板蓋, 形如伏龜, 謂之龜船.
> 　　　　　　　*李舜臣(이순신): 조선 시대 인물
> 　　　　　　　―『지봉유설(芝峯類說)』―

13. ㉠의 독음으로 바른 것은?

① 군함　　② 전함　　③ 승선　　④ 조선　　⑤ 상선

14. 위 글의 내용으로 보아 '이순신'의 특성으로 알맞은 것은?

① 감수성　　　② 도덕성　　　③ 창의성
④ 근면성　　　⑤ 용맹성

[15~16] 다음 글을 읽고 물음에 답하시오.

> 以人視物, ㉠人貴而物賤. 以物視人, 物貴而人賤. ㉡自天而
> 視之, 人與物, 均也.
> 　　　　　　　　　　　―『담헌서(湛軒書)』―

15. ㉠에서 마지막으로 풀이되는 것은?

① 人　　② 貴　　③ 而　　④ 物　　⑤ 賤

16. ㉡의 풀이로 알맞은 것은?

① 처음　　　② 따로　　　③ 저절로
④ ~보다　　⑤ ~로부터

[17~18] 다음 글을 읽고 물음에 답하시오.

> ㉠楚人有鬻盾與矛者, 譽之曰: "吾盾之堅, 莫能陷也." 又譽
> 其矛曰: "吾矛之利, 於物, 無不陷也." 或曰: "以子之矛, 陷
> 子之盾, 何如?" 其人弗能㉡應也.
> 　　　　*楚(초): 나라 이름　　*鬻(육): 팔다
> 　　　　　　　　　　　―『한비자(韓非子)』―

17. 위 글에서 인물 ㉠과 관련된 설명으로 바른 것은?

① ㉠은 무기의 제작법을 설명하였다.
② ㉠의 말은 분명하고 조리가 있었다.
③ ㉠은 자신의 창과 방패를 자랑하였다.
④ ㉠은 자신의 창으로 방패를 뚫어 보았다.
⑤ ㉠의 창과 방패를 사람들이 다투어 사들였다.

18. ㉡의 풀이로 알맞은 것은?

① 응답하다　　② 응원하다　　③ 응용하다
④ 사용하다　　⑤ 구원하다

[19~20] 다음 글을 읽고 물음에 답하시오.

> 仁, 人心也. 義, 人路也. ㉠舍其路而不由, 放其心而不知求,
> 哀哉! 人有鷄犬放, 則知求之, 有放心而不知求. 學問之道, 無
> 他. (㉡)其放心而已矣.　　　　　―『맹자(孟子)』―

19. 위 글의 내용으로 보아 ㉠의 의미로 바른 것은?

① 仁을 행한다.　　　　② 義를 따른다.
③ 仁을 행할 수 없다.　④ 義를 따르지 않는다.
⑤ 仁과 義를 중시한다.

20. 위 글의 내용으로 보아 ㉡에 알맞은 것은?

① 求　　② 哀　　③ 有　　④ 問　　⑤ 道

[21~22] 다음 글을 읽고 물음에 답하시오.

> 李澄, 幼登樓而習畵, 家㉠失其所在, 三日乃得. 父怒而笞之,
> 泣, 引淚而成鳥. 此可謂忘㉡榮辱於畵者也.
> 　*李澄(이징): 조선 시대 인물　*笞(태): 매질하다
> 　　　　　　　　　　　―『연암집(燕巖集)』―

21. ㉠의 풀이로 바른 것은?

① 그는 어찌할 줄을 몰랐다.
② 그가 어디에 있는지 몰랐다.
③ 그가 그림 도구를 잃어버렸다.
④ 그는 그림 둔 곳을 잊어버렸다.
⑤ 그는 집으로 가는 길을 잃어버렸다.

22. ㉡과 짜임이 같은 한자어는?

① 入學　　② 老少　　③ 良藥　　④ 黃土　　⑤ 植木

[23~24] 다음 글을 읽고 물음에 답하시오.

> 景文大王, 登位, 王耳忽長如驢耳. 王后及宮人, 皆未知, 唯幞頭匠一人知之. 然生平不向人說. 其人將死, 入道林寺竹林中無人處, 向竹唱云 : "㉠吾君耳如驢耳." 其後風吹, 則竹聲云 : "吾君耳如驢耳."
>
> *景文大王(경문대왕) : 신라의 임금　　*驢(려) : 당나귀
> *王后(왕후) : 왕비　　*幞頭匠(복두장) : 두건 만드는 장인
> － 『삼국유사(三國遺事)』 －

23. ㉠과 문장 형식이 같은 것은?

① 上善若水.　　② 君子不器.
③ 月滿則缺.　　④ 愼是護身之符.
⑤ 春月色令人喜.

24. 위 글의 내용과 일치하는 것은?

① 　②

③ 　④

⑤

[25~27] 다음 글을 읽고 물음에 답하시오.

> 金正浩, 自號古山子. 素多巧藝, 癖於輿地之學, 博考廣蒐, 嘗作地球圖. 又作大東輿地圖, 能畫能刻, 印布㉠于世, 詳細精密, 古今㉡無比.
>
> *金正浩(김정호) : 조선 시대 인물
> *癖(벽) : 버릇　*蒐(수) : 모으다
> － 『이향견문록(里鄉見聞錄)』 －

25. ㉠과 바꾸어 쓸 수 있는 것은?

① 又　② 也　③ 矣　④ 於　⑤ 則

26. ㉡과 의미가 가장 가까운 한자어는?

① 無雙　② 無害　③ 無限　④ 無情　⑤ 無識

27. 위 글의 내용과 일치하지 않는 것은?

① 김정호는 지구도를 만들었다.
② 김정호는 본래 재주가 많았다.
③ 김정호는 대동여지도를 만들었다.
④ 김정호는 지도를 잘 그리고 잘 새겼다.
⑤ 김정호는 지도를 몰래 만들어 숨겨 두었다.

[28~30] 다음 시를 읽고 물음에 답하시오.

> (가) 江㉠碧鳥逾白,　　山青花欲然.
> 　　　今春看又㉡過,　　何日是歸年.
>
> 　　　　　　　　　　　　　*逾(유) : 더욱
> 　　　　　　　　　　－ 두보(杜甫), 「절구(絶句)」 －
>
> (나) 雨歇長堤草色㉢多,　　送君南浦動悲歌.
> 　　　大同江水何時㉣盡,　　別淚年年㉤添綠波.
>
> 　　　　　　　　　　　　　*歇(헐) : 그치다
> 　　　　　　　　　　－ 정지상(鄭知常), 「송인(送人)」 －

28. (가), (나)에 공통으로 나타나 있는 소재는? [1점]

① 강　② 새　③ 산　④ 비　⑤ 둑

29. ㉠~㉤의 풀이로 바르지 않은 것은?

① ㉠ : 푸르다　　② ㉡ : 잘못하다
③ ㉢ : 짙다　　④ ㉣ : 마르다
⑤ ㉤ : 보태다

30. (가), (나)에 대한 설명으로 바르지 않은 것은?

① (가)는 색채의 대비가 뚜렷하다.
② (가)의 운자(韻字)는 '然'과 '年'이다.
③ (가)의 제1구와 제3구는 대우(對偶)이다.
④ (나)는 과장된 표현을 사용하였다.
⑤ (나)는 이별을 슬퍼하는 마음을 담았다.

> * 확인 사항
> ○ 답안지의 해당란에 필요한 내용을 정확히 기입(표기)했는지 확인하시오.

제2외국어/한문 영역

2007학년도 수학능력시험

1	⑤	7	③	13	④	19	④	25	④
2	①	8	②	14	③	20	①	26	①
3	②	9	④	15	⑤	21	②	27	⑤
4	④	10	⑤	16	⑤	22	②	28	①
5	④	11	②	17	③	23	①	29	②
6	⑤	12	③	18	①	24	③	30	③

1. 한자 문제

셋째 글자에서 ㉠이 '高'(높을 고)임이 너무나도 분명하다.

답: ⑤

2. 한자 문제

'옷 의'는 '衣'이다. '食'의 음은 '식'이다. '住'의 뜻은 '살다'이다.

답: ①

3. 한자 문제

① 宅(집 택), 屋(집 옥) – 집
② 行(다닐 행), 末(끝 말) – 공통된 뜻이 없다.
③ 紅(붉을 홍), 赤(붉을 적) – 붉다
④ 思(생각할 사), 念(생각할 념) – 생각하다
⑤ 談(말할 담), 話(말할 화) – 말하다

답: ②

4. 한자 문제

㉠은 '柱'(기둥 주) ㉡은 '窓'(창 창), ㉢은 '階'(섬돌 계), ㉣은 '門'(문 문), ㉤은 '礎'(주춧돌 초)이다.

답: ④

5. 사자성어 문제

① 朝三暮四(조삼모사): 아침에 세 개, 저녁에 네 개. 간사한 꾀로 남을 속여 희롱함.
② 烏飛梨落(오비이락): 까마귀가 날자 배가 떨어짐. 일이 공교롭게 같이 일어나 의심을 받음.
③ 結草報恩(결초보은): 풀을 묶어 은혜를 갚음. 죽어서도 은혜를 잊지 않고 갚음.
④ 愚公移山(우공이산): 우공이 산을 옮김. 어떤 일이든 끊임없이 노력하면 반드시 이루어짐.
⑤ 鷄卵有骨(계란유골): 달걀에도 뼈가 있음. 운이 없는 사람은 모처럼 좋은 기회를 만나도 역시 일이 잘 되지 않음.

답: ④

6. 십자말풀이 문제

가로 열쇠는 '螢雪之功'(형설지공: 고생을 하면서 꾸준히 공부하여 얻은 보람), 세로 열쇠는 '雪上加霜'(설상가상: 난처한 일이나 불행한 일이 잇따라 일어나다)이다. 사자성어 가운데 세 글자를 제시하여 풀기 어렵지 않은 문제였다.

답: ⑤

7. 한자 문제

① 有口無言(유구무언): '口'(입 구)
② 手不釋卷(수불석권): '手'(손 수)
③ 千辛萬苦(천신만고): 없다.
④ 孤掌難鳴(고장난명): '掌'(손바닥 장)
⑤ 脣亡齒寒(순망치한): '脣'(입술 순), '齒'(이 치)

답: ③

8. 사자성어 문제

① 不恥下問(불치하문): 아랫사람에게 묻는 것을 부끄러워하지 않음.
② 百折不屈(백절불굴): 백 번 꺾여도 굽히지 않음.
③ 守株待兔(수주대토): 그루터기를 지키며 토끼를 기다림. 한 가지 일에만 얽매여 발전을 모르는 어리석은 사람.
④ 燈下不明(등하불명): 등잔 밑이 어두움.
⑤ 種豆得豆(종두득두): 콩을 심으면 콩을 얻음. 원인에 따라 결과가 생김.

답: ②

9. 대구 문제

用人, 當用其所長,
용 인 당 용 기 소 장
사람을 쓸 때에는 마땅히 그 잘하는 바를 쓰고,
教人, 當教其所(㉠).
교 인 당 교 기 소
사람을 가르칠 때에는 마땅히 그 ㉠하는 바를 가르쳐라.

이 문장을 암기해서 풀라는 문제가 아니다. 한문의 대구를 이용해서 빈칸에 알맞은 한자를 찾는 문제다. 따라서 ㉠에는 '長'(길장)과 비슷하거나 반대되는 뜻이 들어가야 한다. ①~⑤에 '長'(길 장)과 비슷한 뜻의 한자가 없으므로 ㉠에는 반대되는 뜻의 한자 '短'(짧을 단)이 들어가야 한다.

답: ④

10. 대구 문제

夫大氏者, 何人也? 乃高句麗之人也.
부 대 씨 자 하 인 야 내 고 구 려 지 인 야
무릇 대씨라는 자는 어떤 사람인가? 곧 고구려 사람이다.
其所有之地, 何(㉠)也? 乃高句麗之地也.
기 소 유 지 지 하 야 내 고 구 려 지 지 야
그 가진 바의 땅은 어떤 ㉠인가? 곧 고구려 땅이다.

두 문장이 대구를 이루고 있고, 뒤에 '地'가 나오므로 ㉠에는 '地'(땅 지)가 와야 한다.

답: ⑤

제2외국어/한문 영역 (한문)

[11~12] 형제는 우애로워야

天下難得者, 兄弟. 易求者, 田地.
천 하 난 득 자 형 제 이 구 자 전 지
천하에 얻기 어려운 것은 형제이다. 구하기 쉬운 것은 밭이다.

兄弟, 同氣之人, 骨肉至親, 尤當(㉠).
형 제 동 기 지 인 골 육 지 친 우 당
형제는 기운을 함께한 사람이니 뼈와 살이 지극히 친하고 더욱 마땅히 ㉠해야 한다.

11. 해석 문제
두 문장이 같은 구조로 되어 있으므로 '難'(어려울 난)에서 ㉠은 '쉽다'는 뜻이고 음은 '이'임을 알 수 있다.

답: ②

12. 빈칸 문제

① 立志(입지) ② 分別(분별) ③ 友愛(우애)
④ 完全(완전) ⑤ 節約(절약)

해석을 하지 못했더라도 ①~⑤ 가운데 형제와 관계있는 것이 '友愛'뿐이라는 것에서 답을 찾을 수 있다.

답: ③

[13~14] 거북선

李舜臣, 創智造船, 上設板蓋, 形如伏龜, 謂之
이 순 신 창 지 조 선 상 설 판 개 형 여 복 귀 위 지
龜船.
구 선
이순신이 지혜를 내어 배를 만드니 위에 널빤지 덮개를 만들어 모양이 엎드린 거북과 같아 그것을 거북선이라고 일렀다.

13. 독음 문제
㉠의 독음은 '조선'이다.

답: ④

14. 해석 문제
'이순신'의 특성은 '창의성'이다.

답: ③

[15~16] 의산문답(醫山問答)

以人視物, 人貴而物賤.
이 인 시 물 인 귀 이 물 천
사람으로서 사물을 보면 사람이 귀하고 사물이 천하다.

以物視人, 物貴而人賤.
이 물 시 인 물 귀 이 인 천
사물로서 사람을 보면 사물이 귀하고 사람이 천하다.

自天而視之, 人與物, 均也.
자 천 이 시 지 인 여 물 균 야
하늘에서 그것을 보면 사람과 사물이 고르다.

15. 해석 문제
㉠은 '사람이 귀하고 사물이 천하다'로 해석되므로 마지막으로 풀이되는 것은 '賤'이다.

답: ⑤

16. 해석 문제
㉡은 '~로부터'로 해석된다. 그 밖에 '自'에는 '자신', '스스로', '저절로' 등의 뜻이 있다.

답: ⑤

[17~18] 모순(矛盾)

楚人有鬻盾與矛者, 譽之曰: "吾盾之堅, 莫能
초 인 유 육 순 여 모 자 예 지 왈 오 순 지 견 막 능
陷也."
함 야
초나라 사람에 방패와 창을 파는 사람이 있어 그것을 자랑하여 말하기를, "내 방패의 굳음은 뚫을 수 없다."

又譽其矛曰: "吾矛之利, 於物, 無不陷也."
우 예 기 모 왈 오 모 지 리 어 물 무 불 함 야
또 그 창을 자랑하여 말하기를, "내 창의 날카로움은 사물에 뚫리지 않음이 없다."

或曰: "以子之矛, 陷子之盾, 何如?" 其人弗能
혹 왈 이 자 지 모 함 자 지 순 하 여 기 인 불 능
應也.
응 야
누군가가 말하기를, "그대의 창으로써 그대의 방패를 뚫는다면 어떠한가?" 그 사람이 응할 수 없었다.

17. 해석 문제
㉠은 자신의 창과 방패를 자랑하였다.

답: ③

18. 해석 문제
㉡은 ①~⑤에서 '응답하다'로 해석하는 것이 가장 자연스럽다.

답: ①

[19~20] 학문(學問)

仁, 人心也. 義, 人路也.
인 인 심 야 의 인 로 야
인은 사람의 마음이다. 의는 사람의 길이다.

舍其路而不由, 放其心而不知求, 哀哉!
사 기 로 이 불 유 방 기 심 이 부 지 구 애 재
그 길을 버리고 말미암지 않고, 그 마음을 놓고 구함을 알지 못하니 슬프도다!

人有鷄犬放, 則知求之, 有放心而不知求.
인 유 계 견 방 즉 지 구 지 유 방 심 이 부 지 구
사람은 닭과 개가 풀려남이 있으면 알고 그것을 구하는데 놓은 마음은 있어도 구함을 알지 못한다.

學問之道, 無他. (㉡)其放心而已矣.
학 문 지 도 무 타 기 방 심 이 이 의
배우고 묻는 길도 다르지 않다. 그 놓은 마음을 ㉡하는 것일 뿐이다.

19. 해석 문제
'義'가 '사람의 길'이라고 했으므로 ㉠은 '舍其路'에서 '義를 따르지 않는다'라는 의미임을 알 수 있다.

답: ④

20. 빈칸 문제

그 놓은 마음을 구하지 않는다고 하므로 배우고 묻는 길은 그 놓은 마음을 구하는 것이다.

답: ①

[21~22] 이징(李澄)

李澄, 幼登樓而習畵, 家失其所在, 三日乃得.
이 징　유 등 루 이 습 화　가 실 기 소 재　삼 일 내 득

이징이 어려 다락에 올라 그림을 익히니 집에서 그가 있는 바를 잃고 사흘이 되어서야 얻었다.

父怒而笞之, 泣, 引淚而成鳥. 此可謂忘榮辱於
부 노 이 태 지 지　읍　인 루 이 성 조　차 가 위 망 영 욕 어

畵者也.
화 자 야

아버지가 노하여 그를 매질하자 울면서 눈물을 끌어 새를 이루었다. 이는 그림에 영예와 치욕을 잊은 사람이라 이를 만하다.

21. 해석 문제

㉠은 '그가 있는 바를 잃다'로 해석되므로 '그가 어디에 있는지 몰랐다'라는 뜻이다.

답: ②

22. 짜임 문제

한자어의 짜임은 두 글자 이상의 한자로 이루어진 한자어가 어떻게 해석되는가를 나타내는 개념이다. 한자어의 짜임에는 '주술(주어＋서술어)', '술목(서술어＋목적어)', '술보(서술어＋보어)', '수식', '병렬'의 다섯 가지가 있다.

㉡은 '영예와 치욕'으로 해석되므로 그 짜임은 '병렬'이다.

① 入學(입학): 학교에 들어가다. (술보)
② 老少(노소): 늙은이와 젊은이 (병렬)
③ 良藥(양약): 좋은 약 (수식)
④ 黃土(황토): 누런 흙 (수식)
⑤ 植木(식목): 나무를 심다. (술목)

답: ②

[23~24] 임금님 귀는 당나귀 귀

景文大王, 登位, 王耳忽長如驢耳.
경 문 대 왕　등 위　왕 이 홀 장 여 려 이

경문대왕이 자리에 오르자 왕의 귀가 갑자기 당나귀 귀처럼 길어졌다.

王后及宮人, 皆未知, 唯幞頭匠一人知之.
왕 후 급 궁 인　개 미 지　유 복 두 장 일 인 지 지

왕후 및 궁 사람들이 모두 알지 못하고 오직 두건 만드는 장인 한 사람이 그것을 알았다.

然生平不向人説.
연 생 평 불 향 인 설

그러나 살며 평생 남을 향하여 말하지 않았다.

其人將死, 入道林寺竹林中無人處, 向竹唱云:
기 인 장 사　입 도 림 사 죽 림 중 무 인 처　향 죽 창 운

"吾君耳如驢耳."
오 군 이 여 려 이

그 사람이 죽음에 나아가자, 도림사 대나무숲 속 사람이 없는 곳에 들어가 대나무를 향하여 노래하며 말하기를, "우리 임금님 귀는 당나귀 귀와 같다."

其後風吹, 則竹聲云: "吾君耳如驢耳."
기 후 풍 취　즉 죽 성 운　　오 군 이 여 려 이

그 뒤로 바람이 불면 대나무가 소리내어 말하기를, "우리 임금님 귀는 당나귀 귀와 같다."

23. 문장 형식 문제

㉠은 '우리 임금님 귀는 당나귀 귀와 같다'로 해석되는 비교형 문장이다.

① 上善若水.
　上 善 若 水
최고의 선은 물과 같다. (비교형)

② 君子不器.
　君 子 不 器
군자는 그릇이 아니다. (군자는 한 가지 재능에만 얽매이지 않고 두루 살피고 원만하다. (부정형)

③ 月滿則缺.
　月 滿 則 缺
달이 차면 이지러진다. (가정형)

④ 愼是護身之符.
　愼 是 護 身 之 符
삼감은 몸을 지키는 부적이다. (평서형)

⑤ 春月色令人喜.
　春 月 色 令 人 喜
봄의 달빛이 사람을 기쁘게 한다. (사동형)

답: ①

24. 해석 문제

③ 두건 만드는 장인은 대나무숲에서 "우리 임금님 귀는 당나귀 귀와 같다."라고 말하였다.

답: ③

[25~27] 대동여지도(大東輿地圖)

金正浩, 自號古山子.
김 정 호　자 호 고 산 자

김정호는 자호가 고산자이다.

素多巧藝, 癖於輿地之學, 博考廣蒐, 嘗作地球圖.
소 다 교 예　벽 어 여 지 지 학　박 고 광 수　상 작 지 구 도

평소에 교묘한 기예가 많았는데 땅의 학문에 집착하여 널리 살피고 넓게 모아 일찍이 지구의 그림을 만들었다.

又作大東輿地圖, 能畵能刻, 印布于世, 詳細精
우 작 대 동 여 지 도　능 화 능 각　인 포 우 세　상 세 정

密, 古今無此.
밀　고 금 무 차

또한 대동여지도를 만들어 그릴 수 있고 새길 수 있어 인쇄하여 세상에 배포하니 상세하고 정밀함이 고금에 이러함이 없었다.

25. 바꾸어 쓸 수 있는 한자 문제

㉠과 바꾸어 쓸 수 있는 한자는 '於'(어)이다. 이런 문제는 가장 쉬운 문제 가운데 하나이므로 꼭 풀도록 하자.

답: ④

26. 한자어 문제

ⓒ은 '이러함이 없다'로 해석되므로 '無雙'(무쌍: 짝이 없다)이 ⓒ과 의미가 가장 가깝다.

답: ①

27. 해석 문제

⑤ 김정호는 지도를 몰래 만들어 숨겨 두지 않고 인쇄하여 세상에 배포하였다.

답: ⑤

[28~30] 두　보, 「절구(絕句)」
　　　　 정지상, 「송인(送人)」

江碧鳥逾白, 강 벽 조 유 백	강이 푸르니 새가 더욱 희고
山靑花欲然. 산 청 화 욕 연	산이 푸르고 꽃은 불타고자 한다.
今春看又過, 금 춘 간 우 과	이번 봄도 또 지나가는 것을 보니
何日是歸年. 하 일 시 귀 년	어느 날이 돌아가는 해일까.
雨歇長堤草色多, 우 헐 장 제 초 색 다	비 그친 긴 둑에 풀빛이 많은데
送君南浦動悲歌. 송 군 남 포 동 비 가	그대를 남포에서 보내면서 슬픈 노래 부른다.
大同江水何時盡, 대 동 강 수 하 시 진	대동강 물 어느 때 다할까,
別淚年年添綠波. 별 루 년 년 첨 록 파	이별의 눈물 해마다 푸른 물결에 더하는데.

28. 소재 문제

(가), (나)에 공통으로 나타나 있는 소재는 '강'이다. 이런 문제는 한시를 해석하지 못해도 두 한시에 공통으로 나와 있는 글자 '江'만 확인할 수 있어도 풀 수 있는 문제니 꼭 풀도록 하자.

답: ①

29. 해석 문제

ⓒ은 '잘못하다'가 아니라 '지나가다'로 해석된다.

답: ②

30. 한시 문제

① (가)의 제1구에서 '碧'(푸를 벽)과 '白'(흰 백)의 색채의 대비가 뚜렷하다. 제2구의 '然'(연)도 '불타다'는 뜻이기 때문에 제2구에도 색채의 대비가 있다.
② 운자는 짝수 구의 마지막 글자에 오고, 첫째 구의 마지막 글자에 올 수 있다. (가)의 짝수 구의 마지막 글자는 '然'(연), '年'(년)이므로 '白'(백)은 운자가 아님을 알 수 있다.
③ (가)의 제1구와 제3구는 문법적 기능이 동일한 글자의 배열로 이루어져 있지 않으므로 대우가 아니다.
④ (나)는 대동강 물이 이별 눈물로 마르지 않는다는 과장된 표현이 사용하였다.
⑤ (나)는 이별을 슬퍼하는 마음을 담았다.

답: ③

| 성명 | | 수험 번호 | | | | | — | | | |

○ 자신이 선택한 과목의 문제지인지 확인하시오.
○ 문제지의 해당란에 성명과 수험 번호를 정확히 쓰시오.
○ 답안지의 해당란에 성명과 수험 번호를 쓰고, 또 수험 번호와 답을 정확히 표시하시오.
○ 문항에 따라 배점이 다르니, 각 물음의 끝에 표시된 배점을 참고하시오. 1점 문항에만 점수가 표시되어 있습니다. 점수 표시가 없는 문항은 모두 2점입니다.

1. 그림에 나타나지 <u>않은</u> 것은? [1점]

① 水
② 牛
③ 石
④ 松
⑤ 鶴

2. 한자의 공통점으로 바른 것은? [1점]

| 朱 東 栽 植 |

① 뜻이 같다.　　② 독음이 같다.
③ 부수가 같다.　　④ 만들어진 원리가 같다.
⑤ 부수를 제외한 획수가 같다.

3. 화살표 방향으로 한자어를 만들 때, ㉠에 들어갈 것은? [1점]

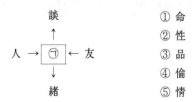

① 命
② 性
③ 品
④ 倫
⑤ 情

4. ㉠에 알맞은 것은? [1점]

① 同　② 有　③ 疾　④ 動　⑤ 遠

5. 그림의 내용으로 유추할 수 있는 절기는? [1점]

① 春分　② 立夏　③ 大雪　④ 小滿　⑤ 處暑

6. □에 동일한 한자가 들어가지 <u>않는</u> 것은? [1점]

① 右□左□(우왕좌왕)　　② 此□彼□(차일피일)
③ 以□傳□(이심전심)　　④ 易□思□(역지사지)
⑤ 非□似□(비몽사몽)

7. 성어와 관계 <u>없는</u> 색은? [1점]

| 白眉　紅一點　近墨者黑　青出於藍 |

① 흰색　② 푸른색　③ 붉은색　④ 검은색　⑤ 노란색

8. 성어의 속뜻으로 알맞은 것은? [1점]

① 自强不息 : 안락한 생활
② 手不釋卷 : 부단한 독서
③ 不恥下問 : 거만한 자세
④ 三人成虎 : 용감한 행동
⑤ 克己復禮 : 안이한 대처

9. 글의 내용과 관련된 것은?

| 久安, 則必危也. | - 『열상방언(洌上方言)』 - |

① 難上之木, 勿仰.
② 鳥久止, 必帶矢.
③ 陰地轉, 陽地變.
④ 突不燃, 不生煙.
⑤ 種瓜得瓜, 種豆得豆.

77

10. ㉠에 알맞은 것은?

> 財旺, 則國(㉠).
> ↕　　　↕
> 財渴, 則國亡.
>
> *旺(왕): 성하다　　-『위암문고(韋庵文稿)』-

① 少　② 空　③ 破　④ 興　⑤ 敗

11. 글의 내용과 관계 있는 성어는? [1점]

> 山, 吾仁者所樂也, 見山, 則存吾仁.
> 水, 吾智者所樂也, 見江, 則存吾智.　-『목은집(牧隱集)』-

① 山高水長　② 山戰水戰　③ 山紫水明
④ 背山臨水　⑤ 樂山樂水

12. 글의 내용과 거리가 먼 것은?

> 禍之爲禍, 禍之爲福, 化不可極, 深不可測也.
> 　　　　　　　　　　-『회남자(淮南子)』-

① 변화는 끝이 없다.
② 아는 것은 실천해야 한다.
③ 복이 재앙이 될 수도 있다.
④ 재앙이 복이 될 수도 있다.
⑤ 사람의 일은 미리 알 수 없다.

[13~14] 다음 글을 읽고 물음에 답하시오.

> 子曰: "君子食無求飽, 居無求(㉠), ㉡敏於事而愼於言,
> 就有道而正焉, 可謂好學也已."　-『논어(論語)』-

13. 글의 내용으로 보아 ㉠에 알맞은 것은?

① 交　② 代　③ 走　④ 安　⑤ 登

14. ㉡에서 마지막으로 풀이되는 것은?

① 敏　② 事　③ 而　④ 愼　⑤ 言

[15~16] 다음 글을 읽고 물음에 답하시오.

> 客曰: "旣辨邪正, 得人而爲政, 則㉠政將何先."
> ㉡主人曰: "先革弊法, 以救民生. 欲革弊法, 則當廣言路,
> 　　　　以集善策."　　-『율곡전서(栗谷全書)』-

15. ㉠과 문장의 형식이 같은 것은?

① 無友不如己者.　　② 孝, 百行之本也.
③ 漢陽中, 誰最富.　　④ 天帝使我長百獸.
⑤ 好憎人者, 亦爲人所憎.

16. ㉡이 말한 내용이 아닌 것은?

① 변방을 지킨다.
② 언로를 넓힌다.
③ 민생을 구제한다.
④ 낡은 법을 고친다.
⑤ 좋은 계책을 모은다.

[17~19] 다음 글을 읽고 물음에 답하시오.

> 萬德者, 姓金, 耽羅良家女也. <중략> 其才, 長㉠於殖貨,
> ㉡能時物之貴賤, 以廢以居, 至數十年, 頗以積㉢著名.
> 　*耽羅(탐라): 제주도의 옛 이름　*殖(식): 불리다
> 　　　　　　　　-『번암집(樊巖集)』-

17. ㉠과 바꾸어 쓸 수 있는 것은?

① 與　② 乎　③ 所　④ 其　⑤ 唯

18. ㉡의 의미로 알맞은 것은?

① 값비싼 물건을 모아 들였다.
② 때때로 새로운 물건을 만들었다.
③ 필요 없는 물건은 나누어 주었다.
④ 이윤을 적게 남기고 물건을 많이 팔았다.
⑤ 시세에 맞추어서 물건을 사두거나 팔았다.

19. ㉢의 독음으로 바른 것은?

① 착명　② 자명　③ 저명　④ 유명　⑤ 간명

[20~21] 다음 글을 읽고 물음에 답하시오.

> 策之不以其道, 食之不能盡其材, 鳴之不能通其意, 執策而臨
> 之曰: "天下無㉠良馬." 嗚呼! 其眞無馬耶? 其眞不識馬耶?
> 　　　　　　　　-『고문진보(古文眞寶)』-

20. ㉠이 비유하고 있는 것은?

① 人才　② 匹夫　③ 美聲　④ 法典　⑤ 恩惠

21. 글의 내용과 일치하지 않는 것은?

① 좋은 말이 울어도 그 이유를 모른다.
② 사람들은 좋은 말이 없다고 생각한다.
③ 좋은 말은 먹이를 충분히 주어야 한다.
④ 좋은 말은 함부로 채찍질해서는 안 된다.
⑤ 세상에는 좋은 말을 찾는 사람이 드물다.

[22~24] 다음 글을 읽고 물음에 답하시오.

> 母, 以橘二枚, 授二子, ㉠幼子, 置不食.
> 母問: "何故?" 曰: "頃者, 兄有㉡過, 父親, 禁勿食也."
> 父適入聞之, 喜曰: "兒能不欺爾母, 可以食橘矣."
> *橘(귤): 귤   *枚(매): 낱개   *爾(이): 너
> – 『몽학한문초계(蒙學漢文初階)』 –

22. ㉠의 태도로 알맞은 것은?

① 우호   ② 근면   ③ 정직   ④ 진취   ⑤ 겸손

23. ㉡과 쓰임이 같은 것을 <보기>에서 고른 것은?

> ───────< 보 기 >───────
> ㄱ. 過失   ㄴ. 過信   ㄷ. 過誤   ㄹ. 過多

① ㄱ, ㄴ   ② ㄱ, ㄷ   ③ ㄴ, ㄷ   ④ ㄴ, ㄹ   ⑤ ㄷ, ㄹ

24. 글의 내용과 일치하는 것은?

①
②
③
④
⑤

[25~27] 다음 글을 읽고 물음에 답하시오.

> 許生, 居墨積洞, ㉠直抵南山下, ㉡井上有古杏樹, 柴扉㉢向樹而開, 草屋㉣數間, ㉮不蔽風雨. 然, 許生好㉯讀書, 妻㉰爲人縫刺以糊口.
> *杏(행): 살구   *柴扉(시비): 사립문
> *縫(봉): 꿰매다   *糊(호): 풀칠하다
> – 『연암집(燕巖集)』 –

25. ㉠~㉰의 풀이로 바르지 않은 것은?

① ㉠: 곧장   ② ㉡: 우물가   ③ ㉢: 향하다
④ ㉣: 몇 차례   ⑤ ㉰: 위하다

26. ㉮의 의미와 가까운 것은?

① 發展   ② 災害   ③ 反省   ④ 出入   ⑤ 貧困

27. ㉯와 짜임이 같은 것은?

① 修身   ② 希望   ③ 無限   ④ 前後   ⑤ 晚秋

[28~30] 다음 시를 읽고 물음에 답하시오.

> (가) 百里無㉠人響,   山深但鳥啼.
>   逢僧問前路,   僧過路㉡還迷.
>   *啼(제): 울다
>   – 강백년(姜柏年), 「금강도중(金剛道中)」 –
>
> (나) 渭城㉢朝雨浥輕塵,   客舍靑靑柳色新.
>   ㉣勸君更盡一杯酒,   西出陽關無㉤故人.
>   *渭城(위성): 중국의 지명
>   *浥(읍): 적시다   *塵(진): 티끌
>   – 왕유(王維), 「송원이사안서(送元二使安西)」 –

28. (가), (나)에 나타나지 않은 소재는? [1점]

① 강   ② 산   ③ 새   ④ 비   ⑤ 술

29. ㉠~㉤의 풀이로 바르지 않은 것은?

① ㉠: 사람 소리   ② ㉡: 다시 헷갈리다
③ ㉢: 아침에 내린 비   ④ ㉣: 임금에게 권하다
⑤ ㉤: 친구

30. (가), (나)에 대한 설명으로 바른 것은?

① (가)와 (나)의 형식은 율시이다.
② (가)는 대화의 형식으로 되어 있다.
③ (가)는 적막한 분위기가 두드러진다.
④ (나)의 운자(韻字)는 '新', '酒', '人'이다.
⑤ (나)는 재회를 기뻐하는 마음을 담고 있다.

* 확인 사항
○ 답안지의 해당란에 필요한 내용을 정확히 기입(표기)했는지 확인하시오.

2008학년도 6월 모의평가

1	②	7	⑤	13	④	19	③	25	④
2	③	8	②	14	④	20	①	26	⑤
3	⑤	9	②	15	③	21	⑤	27	①
4	①	10	④	16	①	22	③	28	①
5	③	11	⑤	17	②	23	②	29	④
6	④	12	②	18	⑤	24	①	30	③

1. 한자 문제

① 水(물 수)   ② 牛(소 우)   ③ 石(돌 석)

④ 松(소나무 송)   ⑤ 鶴(두루미 학)

답: ②

2. 한자 문제

朱(붉을 주)	東(동녘 동)	栽(심을 재)	植(심을 식)

① 위에서 뜻이 같지 않음을 알 수 있다.

② 위에서 독음이 같지 않음을 알 수 있다.

③ 부수는 한자의 구성 요소 가운데 뜻과 관련된 부분 정도로 생각하면 된다. 네 한자의 부수가 모두 '木'(나무 목)이므로 부수가 같다. '朱' 또는 '東'의 부수가 '木'이라는 확신이 없다면 일단 다른 것을 먼저 보자.

④ '朱'는 두 글자가 합쳐져 만들어진 한자가 아닌 것이 분명하고 '植'은 '木'과 '直'이 합쳐져 만들어진 한자가 분명하다. 따라서 두 한자가 만들어진 원리가 같을 수는 없다.

⑤ 부수가 확실한 '栽'와 '植'의 부수를 제외한 획수를 세어 보면 각각 6획과 8획으로 다르다.

답: ③

3. 한자어 문제

㉠에 '情'(뜻 정)을 넣으면 '人情'(인정), '友情'(우정), '情談'(정담), '情緖'(정서) 모두 말이 된다.

답: ⑤

4. 십자말풀이 문제

가로 열쇠는 '附和雷同'(부화뇌동), 세로 열쇠는 '同病相憐'(동병상련)이다. 사자성어 가운데 세 글자를 제시하여 풀기 어렵지 않은 문제였다.

답: ①

5. 한자어 문제

그림의 사람이 "눈이 많이 내리네."라고 한 데에서 절기를 유추하면 '大雪'(대설: 크게 눈이 내리다)이다. 나머지도 24절기의 하나로서 각각 '春分'(춘분), '立夏'(입하), '小滿'(소만), '處暑'(처서)이다.

답: ③

6. 사자성어 문제

① 右往左往(우왕좌왕): 오른쪽으로 갔다가 왼쪽으로 감. 이리저리 왔다 갔다 하며 종잡지 못함. 이랬다저랬다 갈팡질팡함.

② 此日彼日(차일피일): 이날, 저날. 자꾸 약속이나 기일 등을 미룸.

③ 以心傳心(이심전심): 마음으로써 마음을 전함.

④ 易地思之(역지사지): 처지를 바꾸어 그것을 생각함.

⑤ 非夢似夢(비몽사몽): 꿈이 아닌 듯, 꿈인 듯. 깊이 잠들지도 깨지도 않은 어렴풋한 상태.

답: ④

7. 성어 문제

白眉(백미): 흰 눈썹, 여럿 가운데 가장 뛰어난 사람이나 물건. (흰색)

紅一點(홍일점): 붉은 한 점, 많은 남자 사이에 끼어 있는 한 사람의 여자. (붉은색)

近墨者黑(근묵자흑): 먹을 가까이하는 사람은 검다. 나쁜 사람과 사귀면 물들기 쉽다. (검은색)

青出於藍(청출어람): 푸른빛은 쪽에서 나온다. 제자가 스승보다 뛰어나다. (푸른색)

답: ⑤

8. 사자성어 문제

① 自強不息(자강불식): 스스로 힘쓰며 쉬지 않음.

② 手不釋卷(수불석권): 손이 책을 놓지 않음.

③ 不恥下問(불치하문): 아랫사람에게 묻는 것을 부끄러워하지 않음.

④ 三人成虎(삼인성호): 세 사람이면 호랑이를 이룸. 거짓말도 여러 사람이 하면 곧이들음.

⑤ 克己復禮(극기복례): 자기를 이기고 예로 돌아감.

답: ②

9. 단문 문제

久安, 則必危也.
구 안   즉 필 위 야
오래도록 편안하면 반드시 위태롭다.

① 難上之木, 勿仰. 오르기 어려운 나무는 우러러보지 말라.
난 상 지 목   물 앙

② 鳥久止, 必帶矢. 새가 오래 머무르면 반드시 화살을 두른다.
조 구 지   필 대 시

③ 陰地轉, 陽地變. 그늘도 구르고 양지도 변한다.
음 지 전   양 지 변

④ 突不燃, 不生煙. 굴뚝이 불타지 않으면 연기가 나지 않는다.
돌 불 연   불 생 연

⑤ 種瓜得瓜, 種豆得豆.
종 과 득 과   종 두 득 두
오이를 심으면 오이를 얻고, 콩을 심으면 콩을 얻는다.

'鳥久止, 必帶矢.'와 '陰地轉, 陽地變.' 사이에서 고민했다면 '鳥久止, 必帶矢.'야말로 오래도록 편안하면 반드시 위태로워진다는 뜻이고 '陰地轉, 陽地變.'은 그 순서에서도 드러나듯이 부정적인 상황이 긍정적으로 변할 수 있다는 뜻이다.

답: ②

10. 대구 문제

財旺, 則國(㉠). 財渴, 則國亡.
재 왕　즉 국　　　　　재 갈　즉 국 망

재물이 왕성하면 나라가 ㉠한다. 재물이 마르면 나라가 망한다.

이 문장을 암기해서 풀라는 문제가 아니다. 한문의 대구를 이용해서 빈칸에 알맞은 한자를 찾는 문제다. 따라서 ㉠에는 '亡'(망할 망)과 비슷하거나 반대되는 뜻이 들어가야 한다. '旺'(성할 왕)과 '渴'(목마를 갈)이 반대되는 뜻이므로 ㉠에는 반대되는 뜻의 한자 '興'(흥할 흥)이 들어가야 한다.

답: ④

11. 단문 문제

山, 吾仁者所樂也, 見山, 則存吾仁.
산　오 인 자 소 요 야　견 산　즉 존 오 인

산은 우리 어진 사람이 좋아하는 바로 산을 보면 우리의 어짊이 보존된다.

水, 吾智者所樂也, 見江, 則存吾智.
수　오 지 자 소 요 야　견 강　즉 존 오 지

물은 우리 지혜로운 사람이 좋아하는 바로 강을 보면 우리의 지혜가 보존된다.

① 山高水長(산고수장): 산은 높고 물은 긺. 인자나 군자의 덕행이 높고 한없이 오래 전해져 내려옴.
② 山戰水戰(산전수전): 산에서 싸우고 물에서 싸움. 세상살이를 하면서 온갖 어려운 일을 다 겪음.
③ 山紫水明(산자수명): 산은 자줏빛이고 물은 밝음. 산수의 경치가 썩 좋음.
④ 背山臨水(배산임수): 산을 등지고 물에 임함.
⑤ 樂山樂水(요산요수): 산을 좋아하고 물을 좋아함.

답: ⑤

12. 단문 문제

福之爲禍, 禍之爲福, 化不可極, 深不可測也.
복 지 위 화　화 지 위 복　화 불 가 극　심 불 가 측 야

복이 화가 되고 화가 복이 되며 변화는 다할 수 없고 깊음은 잴 수 없다.

'아는 것은 실천해야 한다'는 글의 내용은 거리가 멀다.

답: ②

[13~14] 군자(君子)

子曰: "君子食無求飽, 居無求(㉠), 敏於事
자 왈　군 자 식 무 구 포　거 무 구　　　　　민 어 사

而愼於言, 就有道而正焉, 可謂好學也已.
이 신 어 언　취 유 도 이 정 언　가 위 호 학 야 이

공자가 말하기를, "군자는 먹음에 배부름을 구하지 말고, 삶에 ㉠을 구하지 말며, 일에 재빠르고 말에 신중하며 도가 있음에 나아가 그것을 바로잡으면 배움을 좋아한다고 이를 수 있다."

13. 빈칸 문제

먹음에 배부름을 구하지 말라고 했으므로 삶에 편안함을 구하지 말아야 할 것이다.

답: ④

14. 해석 문제

㉡은 '일에 재빠르고 말에 신중하다'로 해석되므로 마지막으로 풀이되는 것은 '愼'이다.

답: ④

[15~16] 정치를 어떻게 해야 하는가

客曰: "旣辨邪正, 得人而爲政, 則政將何先."
객 왈　기 변 사 정　득 인 이 위 정　즉 정 장 하 선

손님이 말하기를, "이미 간사함과 바름을 분별하고 사람을 얻고 정치를 한다면 정치는 장차 무엇이 먼저입니까."

主人曰: "先革弊法, 以救民生. 欲革弊法, 則
주 인 왈　선 혁 폐 법　이 구 민 생　욕 혁 폐 법　즉

當廣言路, 以集善策."
당 광 언 로　이 집 선 책

주인이 말하기를, "먼저 해진 법을 고침으로써 민생을 구제하라. 해진 법을 고치고자 하면 마땅히 언로를 넓힘으로써 좋은 계책을 모아야 한다."

15. 문장 형식 문제

㉠은 '정치는 장차 무엇이 먼저입니까?'로 해석되는 의문형 문장이다.

① 無友不如己者.
무 우 불 여 기 자
자기와 같은 사람과 벗하지 말라. (금지형)

② 孝, 百行之本也.
효　백 행 지 본 야
효는 온갖 행실의 근본이다. (평서형)

③ 漢陽中, 誰最富?
한 양 중　수 최 부
한양 가운데에서 누가 가장 부유한가? (의문형)

④ 天帝使我長百獸.
천 제 사 아 장 백 수
천제가 내가 온갖 짐승의 우두머리 노릇을 하게 하였다. (사동형)

⑤ 好憎人者, 亦爲人所憎.
호 증 인 자　역 위 인 소 증
남을 미워하기 좋아하는 사람은 또한 남이 미워하는 바가 된다. (피동형)

답: ③

16. 해석 문제

㉡은 변방을 지키라는 말은 하지 않았다.

답: ①

〔17~19〕만덕(萬德)

> 萬德者, 姓金, 耽羅良家女也.
> _{만 덕 자 성 김 탐 라 양 가 녀 야}
> 만덕이라는 사람은 성이 김으로 탐라 양민 집의 딸이다.
>
> <중략> 其才, 長於殖貨, 能時物之貴賤, 以廢
> _{기 재 장 어 식 화 능 시 물 지 귀 천 이 폐}
> 以居, 至數十年, 頗以積著名.
> _{이 거 지 수 십 년 파 이 적 저 명}
> 그 재주가 재물을 불리는 데 잘하여 때맞추어 물건의 귀하고
> 천함으로써 폐하고 가질 수 있었고 수십 년에 이르니 자못 쌓
> 음으로써 이름이 드러났다.

17. 바꾸어 쓸 수 있는 한자 문제

㉠과 바꾸어 쓸 수 있는 한자는 '乎'(호)이다. 이런 문제는 가장
쉬운 문제 가운데 하나이므로 꼭 풀도록 하자.

답: ②

18. 해석 문제

㉡은 '때맞추어 물건의 귀하고 천함으로써 폐하고 가질 수 있었
다'로 해석되므로 그 의미는 '시세에 맞추어서 물건을 사두거나
팔았다'이다.

답: ⑤

19. 독음 문제

㉢의 독음은 '저명'이다.

답: ③

〔20~21〕천리마(千里馬)

> 策之不以其道, 食之不能盡其材, 鳴之不能通
> _{책 지 불 이 기 도 사 지 불 능 진 기 재 명 지 불 능 통}
> 其意, 執策以臨之曰: "天下無良馬."
> _{기 의 집 책 이 림 지 왈 천 하 무 량 마}
> 그것을 채찍질함에 그 도로써 하지 않고, 그것을 먹임에 그 재
> 주를 다할 수 없게 하며, 그것을 울림에 그 뜻을 통할 수 없게
> 하면서 채찍을 잡고 그것에 임하여 말하기를, "천하에 좋은 말
> 이 없다."
>
> 鳴呼! 其眞無馬耶? 其眞不識馬耶?
> _{오 호 기 진 무 마 야 기 진 불 식 마 야}
> 아아! 그 정말로 말이 없는 것인가? 그 정말로 말을 알아보지
> 못하는 것인가?

20. 해석 문제

㉠이 비유하고 있는 것은 '人才'(인재)이다. 이를 모르더라도 ㉠
이 '匹夫'(필부)나, '美聲'(미성), '法典'(법전), '恩惠'(은혜)를 비유
하고 있는 것이 아니라는 것에서 답을 찾을 수 있다.

답: ①

21. 해석 문제

세상에 좋은 말을 찾는 사람이 드물다는 내용은 없다.

답: ⑤

〔22~24〕귤을 먹지 않는 이유

> 母, 以橘二枚, 授二子, 幼子, 置不食.
> _{모 이 귤 이 매 수 이 자 유 자 치 불 식}
> 어머니가 귤 두 개로써 두 아들에게 주니 어린 아들이 두고
> 먹지 않았다.
>
> 母問: "何故?"
> _{모 문 하 고}
> 어머니가 묻기를, "무슨 까닭인가?"
>
> 曰: "頃者, 兒有過, 父親, 禁勿食也."
> _{왈 경 자 아 유 과 부 친 금 물 식 야}
> 말하기를, "요사이 제가 잘못이 있어 아버지께서 먹는 것을 금
> 하셨습니다."
>
> 父適入聞之, 喜曰: "兒能不欺爾母, 可以食橘矣."
> _{부 적 입 문 지 희 왈 아 능 불 기 이 모 가 이 식 귤 의}
> 아버지가 때마침 들어와 그것을 듣고 기뻐하며 말하기를, "너
> 는 네 어머니를 속이지 않을 수 있었으니 귤을 먹을 수 있다."

22. 해석 문제

㉠의 태도는 정직하다.

답: ③

23. 해석 문제

㉡은 '잘못'이라는 뜻으로 쓰였다.

ㄱ. 過失(과실): 잘못 (잘못)
ㄴ. 過信(과신); 지나친 믿음 (지나치다)
ㄷ. 過誤(과오): 잘못 (잘못)
ㄹ. 過多(과다): 지나치게 많다 (지나치다)

'잘못'이라는 뜻으로 쓰인 것은 ㄱ, ㄷ이다.

답: ②

24. 해석 문제

글의 내용과 일치하는 것은 어머니가 두 아들에게 귤을 주는 그
림이다.

답: ①

〔25~27〕허생전(許生傳)

> 許生, 居墨積洞, 直抵南山下, 井上有古杏樹,
> _{허 생 거 묵 적 동 직 저 남 산 하 정 상 유 고 행 수}
> 柴扉向樹而開, 草屋數間, 不蔽風雨.
> _{시 비 향 수 이 개 초 옥 수 간 불 폐 풍 우}
> 허생은 묵적동에 살았는데 곧장 남산 아래에 다다르면 우물
> 위에는 오래된 살구나무가 있고 사립문이 나무를 향하여 열려
> 있으며 초가집 몇 칸이 바람과 비를 가릴 수 없었다.
>
> 然, 許生好讀書, 妻爲人縫刺以糊口.
> _{연 허 생 호 독 서 처 위 인 봉 자 이 호 구}
> 그러나 허생은 책을 읽기를 좋아하여 아내가 남을 위하여 바
> 느질하는 것으로써 입을 풀칠하였다.

25. 해석 문제

㉣은 '여러 차례'라는 뜻이 아니라 '몇 칸'이라는 뜻이다.

답: ④

26. 해석 문제

㉮는 '바람과 비를 가리지 못하다'로 해석되므로 이와 의미가 가까운 것은 '貧困'(빈곤)이다.

답: ⑤

27. 짜임 문제

한자어의 짜임은 두 글자 이상의 한자로 이루어진 한자어가 어떻게 해석되는가를 나타내는 개념이다. 한자어의 짜임에는 '주술(주어＋서술어)', '술목(서술어＋목적어)', '술보(서술어＋보어)', '수식', '병렬'의 다섯 가지가 있다.
㉯는 '책을 읽다'로 해석되므로 그 짜임은 '술목'이다.

① 修身(수신): 몸을 닦다. (술목)
② 希望(희망): 바라고 바라다. (병렬)
③ 無限(무한): 한계가 없다. (술보)
④ 前後(전후): 앞뒤 (병렬)
⑤ 晩秋(만추): 늦은 가을 (수식)

답: ①

[28~30] 강백년, 「금강도중(金剛道中)」
왕 유, 「송원이사안서(送元二使安西)」

百里無人響,　백 리에 사람 소리가 없고,
백 리 무 인 향

山深但鳥啼.　산은 깊고 다만 새가 운다.
산 심 단 조 제

逢僧問前路,　중을 만나 앞길을 물었는데,
봉 승 문 전 로

僧過路還迷.　중이 지나가니 길이 다시 헷갈린다.
승 과 로 환 미

渭城朝雨浥輕塵,　위성의 아침 비가 가벼운 먼지를 적시니
위 성 조 우 읍 경 진

客舍青青柳色新.　객사는 푸르고 푸르며 버드나무 빛이 새롭다.
객 사 청 청 류 색 신

勸君更盡一杯酒,　그대에게 다시 한 잔 술을 다할 것을 권하네,
권 군 갱 진 일 배 주

西出陽關無故人.　서쪽으로 양관을 나가면 벗도 없을 것이니.
서 출 양 관 무 고 인

28. 이해와 감상 문제

(가), (나)에 나타나지 않은 소재는 '강'이다. 이런 문제는 한시를 해석하지 못해도 두 한시에 나와 있는 글자 '山'(뫼 산), '鳥'(새 조), '雨'(비 우), '酒'(술 주)만 확인할 수 있어도 풀 수 있는 문제니 꼭 풀도록 하자.

답: ①

29. 해석 문제

㉣은 '임금에게 권하다'가 아니라 '그대에게 권하다'로 해석된다. 여기에서 '君'은 '임금'의 뜻이 아니라 '그대'라는 뜻으로 쓰였다. '君'이 '그대'라는 뜻으로 쓰일 수 있다는 것을 몰랐더라도 전체적으로 친구를 보내는 내용의 한시이므로 갑자기 '임금'이 튀어나오는 것은 어색하다.

답: ④

30. 이해와 감상 문제

① (가)는 다섯 글자씩 네 구이므로 오언절구, (나)는 일곱 글자씩 네 구이므로 칠언절구이다.
② (가)에서 시적 화자가 아닌 사람의 발언으로 보이는 부분은 없다.
③ (가)는 '사람 소리가 없다', '산은 깊고 다만 새가 운다'라는 표현에서 적막한 분위기가 두드러짐을 알 수 있다.
④ 운자는 짝수 번째 구의 마지막 글자에 오고 제1구의 마지막 글자에 올 수 있다. '酒'는 제3구의 마지막 글자이므로 운자가 아니다.
⑤ (나)는 송별을 슬퍼하는 마음을 담고 있으므로 설명과 정반대이다.

답: ③

제2외국어/한문 영역(한문)

성명 [   ]   수험 번호 [— [   ]

○ 자신이 선택한 과목의 문제지인지 확인하시오.
○ 문제지의 해당란에 성명과 수험 번호를 정확히 쓰시오.
○ 답안지의 해당란에 성명과 수험 번호를 쓰고, 또 수험 번호와 답을 정확히 표시하시오.
○ 문항에 따라 배점이 다르니, 각 물음의 끝에 표시된 배점을 참고하시오. 1점 문항에만 점수가 표시되어 있습니다. 점수 표시가 없는 문항은 모두 2점입니다.

1. 두 자를 합하여 하나의 한자를 만들 때, ▨에 공통으로 들어 갈 수 있는 것은? [1점]

① 刀   ② 口   ③ 土   ④ 火   ⑤ 玉

2. ㉠에 들어갈 한자와 같은 원리로 만들어진 것은? [1점]

走 馬 看 ㉠ (他 / 之 / 石)

① 上
② 好
③ 林
④ 門
⑤ 花

3. 'ㅣ'와 결합하였을 때, 그 음이 달라지는 것을 <보기>에서 고른 것은?

<보 기>

ㄱ. 工   ㄴ. 也   ㄷ. 原   ㄹ. 由

① ㄱ, ㄴ   ② ㄱ, ㄷ   ③ ㄴ, ㄷ   ④ ㄴ, ㄹ   ⑤ ㄷ, ㄹ

4. 두 조건을 모두 만족하는 한자는? [1점]

① 烈   ② 思   ③ 泰   ④ 慕   ⑤ 悅

5. 화살표 방향으로 한자어를 만들 때, ㉠에 알맞은 것은? [1점]

① 行
② 俗
③ 面
④ 美
⑤ 術

6. □에 공통으로 들어가는 것은?

○ 下□ : 높은 곳에서 낮은 곳으로 내려옴
○ □伏 : 자신이 패한 것을 인정하고 상대방에게 굴복함

① 向   ② 昇   ③ 降   ④ 高   ⑤ 野

7. □에 들어갈 한자가 나머지 넷과 다른 것은? [1점]

① 鳥足□血   ② 塞翁□馬   ③ 溫故□新
④ 螢雪□功   ⑤ 漁父□利

8. ㉠에 알맞은 절기는? [1점]

오늘은 찬 이슬이 맺힌다는 (㉠)인데요. 그 때문인지 아침부터 기온이 뚝 떨어졌습니다.

① 寒露   ② 小滿   ③ 雨水   ④ 立夏   ⑤ 淸明

9. □에 동일한 한자가 들어가지 않는 것은? [1점]

① □□北女 : 남남북녀   ② □□相從 : 유유상종
③ □□交換 : 물물교환   ④ □□不答 : 묵묵부답
⑤ □□大海 : 망망대해

10. 성어의 속뜻으로 알맞지 않은 것은? [1점]

① 目不識丁 : 무식   ② 累卵之勢 : 위태
③ 昏定晨省 : 효도   ④ 一擧兩得 : 협동
⑤ 日就月將 : 발전

11. 글의 내용으로 보아 ⊙에 알맞은 것은?

> 齒以剛折, 舌以柔存, 柔能勝剛, (⊙)能勝强.
> 　　　　　　　　　　　　　　　－『노자(老子)』－

① 弱　　② 重　　③ 實　　④ 量　　⑤ 廣

12. 글의 공통 내용으로 알맞은 것은?

> ○ 事欲速成, 必敗也.　　－『열상방언(冽上方言)』－
> ○ 三日之程, 一日往, 十日臥.　　－『순오지(旬五志)』－

① 모든 일은 시작이 반이다.
② 일은 급히 서두르면 안 된다.
③ 일은 하려고 하면 끝이 없다.
④ 모든 일은 끝맺음이 중요하다.
⑤ 일의 실패를 두려워해서는 안 된다.

13. ⊙에 알맞은 것은?

> 爲善者, 天報之以(⊙),
> ↕　　　　↕
> 爲不善者, 天報之以禍.　　－『순자(荀子)』－

① 社　　② 神　　③ 視　　④ 福　　⑤ 禮

14. 글의 내용과 관계 있는 것은?

> 　여러 사람들이 함께 말을 만들어 내면 물에 가라앉아야 할 돌이 떠다니게 되고, 떠 있어야 할 나무는 가라앉게 된다. 또한 곧은 것도 굽은 것으로 만들고, 흰 것도 검은 것으로 만든다.　　－『신어(新語)』－

① 草綠同色　　② 不問曲直　　③ 近墨者黑
④ 緣木求魚　　⑤ 三人成虎

[15~16] 다음 글을 읽고 물음에 답하시오.

> 子曰: "學而時習之, 不亦⊙說乎? 有朋, 自遠方來, 不亦ⓛ樂乎? ⓒ人不知而不慍, 不亦君子乎?"
> 　　　　　*慍(온): 성내다　　－『논어(論語)』－

15. ⊙, ⓛ의 풀이가 모두 바른 것은?

	⊙	ⓛ		⊙	ⓛ
①	기쁘다	즐겁다	②	달래다	즐겁다
③	말하다	즐겁다	④	기쁘다	좋아하다
⑤	달래다	좋아하다			

16. ⓒ의 의미와 유사한 것은?

① 無道人之短.
② 不患人之不己知.
③ 以責人之心, 責己.
④ 人一能之, 己百之.
⑤ 己所不欲, 勿施於人.

[17~18] 다음 글을 읽고 물음에 답하시오.

> 　⊙百結先生, 不知何許人. 居狼山下, 家ⓛ極貧, 衣百結, 若懸鶉, 時人, 號爲東里百結先生.
> 　　*狼山(낭산): 산 이름　　*鶉(순): 메추라기
> 　　　　　　　　　　　　－『삼국사기(三國史記)』－

17. 주인공을 ⊙이라 부른 이유는? [1점]

① 복장　　② 얼굴　　③ 신분　　④ 성격　　⑤ 이름

18. ⓛ과 짜임이 같은 한자어는?

① 登校　　② 復活　　③ 夜深　　④ 前後　　⑤ 希望

[19~20] 다음 글을 읽고 물음에 답하시오.

> 司馬光, 生七歲, 凜然如成人. 聞講左氏春秋, 愛之, 退爲家人講, 卽了其大指. 自是, 手不釋⊙書, ⓛ至不知飢渴寒暑.
> 　　*凜(름): 늠름하다　　*左氏春秋(좌씨춘추): 책 이름
> 　　　　　　　　　　　　－『송사(宋史)』－

19. 의미상 ⊙과 바꾸어 쓸 수 있는 것은?

① 硯　　② 權　　③ 車　　④ 宴　　⑤ 卷

20. ⓛ의 의미와 가까운 것은?

① 명석　　② 순박　　③ 우둔　　④ 몰입　　⑤ 검소

[21~22] 다음 글을 읽고 물음에 답하시오.

> 古之聖人, 其⊙出人也, 遠矣, 猶且從師而問焉. 今之衆人, 其下聖人也, 亦遠矣, 而恥學於師. 是故, 聖益聖, ⓛ愚益愚.
> 　　　　　　　　　　－『한창려집(韓昌黎集)』－

21. ⊙과 같은 의미로 쓰인 것을 <보기>에서 모두 고른 것은?

> ＜보 기＞
> ㄱ. 出衆　　ㄴ. 外出　　ㄷ. 出發　　ㄹ. 特出

① ㄱ, ㄷ　　② ㄱ, ㄹ　　③ ㄴ, ㄷ
④ ㄱ, ㄷ, ㄹ　　⑤ ㄴ, ㄷ, ㄹ

22. 위 글의 내용으로 보아 ⓛ의 이유로 알맞은 것은?

① 스승보다 적게 배워서
② 스승을 공경하지 않아서
③ 스승을 좇아 가르침을 구해서
④ 훌륭한 스승을 만나지 못해서
⑤ 스승에게 배우기를 부끄러워해서

[23~24] 다음 글을 읽고 물음에 답하시오.

> 東海濱, 有延烏郎細烏女, 夫婦而居. 一日, 延烏歸海採藻,
> ㉠忽有一巖, 負歸日本. 國人見之曰: "此非㉡常人也." 乃立爲
> 王. 細烏怪㉢夫不來, 歸尋之, 見夫脫鞋, 亦㉣上其巖, 巖亦負歸
> 如前. 其國人驚訝, 奏獻於王, 夫婦相會, ㉤立爲貴妃.
>
> *濱(빈): 물가　　　*延烏(연오)·細烏(세오): 인명
> *藻(조): 해조류　　*鞋(혜): 신　　*訝(아): 놀라다
> *奏(주): 아뢰다　　　　　　　- 『삼국유사(三國遺事)』-

23. ㉠~㉤의 풀이로 바르지 않은 것은?

① ㉠: 갑자기　　② ㉡: 항상　　③ ㉢: 남편
④ ㉣: 오르다　　⑤ ㉤: 세우다

24. <보기>의 그림을 글의 전개에 따라 순서대로 배열한 것은?

<보 기>

① ㉮ - ㉯ - ㉰ - ㉱ - ㉲　　② ㉮ - ㉱ - ㉰ - ㉯ - ㉲
③ ㉱ - ㉮ - ㉯ - ㉰ - ㉲　　④ ㉮ - ㉲ - ㉯ - ㉱ - ㉰
⑤ ㉱ - ㉰ - ㉮ - ㉲ - ㉯

[25~27] 다음 글을 읽고 물음에 답하시오.

> 季札之初使, 北過徐君, 徐君好季札劍, 口弗敢言. 季札心知之,
> 爲使上國, 未獻. 還至徐, 徐君已死. 於是, 乃解其㉠寶劍, 繫之
> 徐君家樹而去. 從者曰: "徐君已死, 尙誰予乎?" 季子曰: "不
> 然. 始吾心已許之, ㉡豈以死倍吾心哉."
>
> 　　　　　　*季札(계찰): 중국 춘추 시대의 인물
> *徐(서): 나라 이름　　*繫(계): 매다　　*冢(총): 무덤
> 　　　　　　　　　　　- 『사기(史記)』-

25. ㉠의 독음으로 바른 것은? [1점]

① 진검　② 실험　③ 점검　④ 위험　⑤ 보검

26. ㉡과 문장 형식이 같은 것은?

① 嗚呼, 哀哉.　　　　② 難上之木, 勿仰.
③ 割鷄, 焉用牛刀.　　④ 天帝, 使我長百獸.
⑤ 農者, 天下之大本也.

27. 위 글의 내용으로 보아 '계찰'의 생각을 바르게 표현한 것은?

① 강압에 의해 맺어진 약속은 그 효력이 없다.
② 타인과의 약속만큼이나 자신과의 약속도 중요하다.
③ 국가 간에 맺은 약속은 개인 간의 약속보다 우선한다.
④ 겉으로 표현하지 않은 약속은 약속으로서의 의미가 없다.
⑤ 남의 이목 때문에 어쩔 수 없이 지켜야 하는 약속도 있다.

[28~30] 다음 시를 읽고 물음에 답하시오.

> (가) ㉠旅夢啼鳥喚,　　歸思繞春樹.
> 　　落花滿空山,　　㉡何處故鄕路.
>
> 　　　　　　　　　　*啼(제): 울다
> *喚(환): 부르다　　*繞(요): 두르다
> 　　　　　- 홍현주(洪顯周), 「우음(偶吟)」-
>
> (나) ㉢故人西辭黃鶴樓,　　煙花三月下揚州.
> 　　孤帆遠影㉣碧空盡,　　惟見長江㉤天際流.
>
> 　　　　　*黃鶴樓(황학루): 누각 이름
> *揚州(양주): 지명　　*帆(범): 돛단배
> - 이백(李白), 「황학루송맹호연지광릉(黃鶴樓送孟浩然之廣陵)」-

28. ㉠~㉤의 풀이로 바르지 않은 것은?

① ㉠: 나그네의 꿈　　　② ㉡: 어느 곳
③ ㉢: 옛날 사람　　　　④ ㉣: 푸른 하늘
⑤ ㉤: 하늘 끝

29. (가), (나)에서 각각 느낄 수 있는 주된 정서는?

	(가)	(나)
①	처량함	편안함
②	허무함	비장함
③	그리움	아쉬움
④	외로움	즐거움
⑤	허전함	애절함

30. (가), (나)의 공통점에 대한 설명으로 바른 것은?

① 운자(韻字)는 3개이다.
② 시의 형식은 율시이다.
③ 색채의 대비가 뚜렷하다.
④ 제1구와 제2구가 대우(對偶)이다.
⑤ 제2구에 계절적 배경이 드러나 있다.

---

* 확인 사항

ㅇ 답안지의 해당란에 필요한 내용을 정확히 기입(표기)했는지 확인
하시오.

2008학년도 9월 모의평가

1	②	7	③	13	④	19	⑤	25	⑤
2	④	8	①	14	⑤	20	④	26	③
3	①	9	①	15	①	21	②	27	②
4	⑤	10	④	16	②	22	⑤	28	③
5	④	11	①	17	①	23	②	29	③
6	③	12	②	18	②	24	③	30	⑤

1. 한자 문제

'口'(입 구)를 넣으면 禾+口=和(화할 화), 士+口=吉(길할 길), 口+未=味(맛 미)이다.

답: ②

2. 십자말풀이 문제

가로 열쇠는 '走馬看山'(주마간산), 세로 열쇠는 '他山之石'(타산지석)이다. 따라서 ㉠에 들어갈 한자는 '山'(뫼 산)이다. '山'은 '상형(象形)'의 원리로 만들어진 한자이다.

① 上(위 상): 기준선(一) 위에 점(丶)을 찍어 '위'라는 뜻을 나타낸 지사자이다.

② 好(좋을 호): '女'(계집 녀)가 '子'(아들 자)를 안고 좋아하는 모습을 나타낸 회의자이다.

③ 林(수풀 림): '木'(나무 목) 두 개를 합하여 나무가 많은 수풀을 나타낸 회의자이다.

④ 門(문 문): 문의 모양을 본뜬 상형자이다.

⑤ 花(꽃 화): '艸'(풀 초)로 뜻을, '化'(될 화)로 음을 나타낸 형성자이다.

답: ④

3. 한자 문제

ㄱ. 氵+工(장인 공)=江(강 강)

ㄴ. 氵+也(어조사 야)=池(못 지)

ㄷ. 氵+原(근원 원)=源(근원 원)

ㄹ. 氵+由(말미암을 유)=油(기름 유)

답: ①

4. 한자 문제

부수가 '마음 심', 총획이 10획인 한자를 찾는 문제이다. 획수를 세기 싫으므로 부수부터 살펴보자. 부수는 한자의 구성 요소에서 뜻과 관련된 부분 정도로 생각하면 된다.

① 烈(세찰 렬): 부수가 '火(灬)'(불 화)이다.

② 思(생각할 사): 부수가 '心'(마음 심)이다.

③ 泰(클 태): 부수가 '水(氺)'(물 수)이다.

④ 慕(그리워할 모): 부수가 '心(忄)'(마음 심)이다.

⑤ 悅(기쁠 열): 부수가 '心(忄)'이다.

이제 가능성은 '思', '慕', '悅'로 좁혀졌다. 여기에서 '慕'는 획수가 너무 많아 보이므로 '思', '悅'만 세어 보면 각각 9획, 10획이다. 따라서 두 조건을 모두 만족하는 한자는 '悅'이다.

답: ⑤

5. 한자어 문제

㉠에 '美'(아름다울 미)를 넣으면 '美德'(미덕), '美容'(미용), '美觀'(미관)이다.

답: ④

6. 한자 문제

① '下向'(하향)은 가능하지만 '向伏'은 가능하지 않다.

② '下昇'은 가능하지 않고 '昇伏'은 가능한 듯하지만 '납득하여 따르다'라는 뜻의 '승복'은 '承服'이다.

③ '下降'(하강)과 '降伏'(항복) 모두 가능하다. '降'이 '내릴 강'과 '항복할 항'으로 쓰인다는 것을 아는지 묻는 문제였다.

④ '下高', '高伏' 모두 가능하지 않다.

⑤ '下野'(하야)라는 한자어는 있지만 '높은 곳에서 낮은 곳으로 내려옴'이라는 뜻은 아니다. 또 '野伏'도 가능하지 않다.

답: ③

7. 사자성어 문제

① 鳥足之血(조족지혈): 새 발의 피. 극히 적은 분량.

② 塞翁之馬(새옹지마): 변방 늙은이의 말. 모든 일은 변화가 많아서 인생의 길흉화복을 예측할 수 없다.

③ 溫故知新(온고지신): 옛 것을 익혀 새 것을 알다.

④ 螢雪之功(형설지공): 반딧불이와 눈의 공. 고생을 하면서 꾸준히 공부하여 얻은 보람.

⑤ 漁父之利(어부지리): 고기잡는 사람의 이익. 두 사람이 이해관계로 서로 싸우는 사이에 엉뚱한 사람이 애쓰지 않고 가로챈 이익.

답: ③

8. 한자어 문제

'찬 이슬이 맺힌다는 (㉠)'이므로 ㉠에 알맞은 절기는 '寒露'(한로)이다. 나머지도 24절기의 하나로서 각각 '小滿'(소만), '雨水'(우수), '立夏'(입하), '淸明'(청명)이다.

답: ①

9. 사자성어 문제

① 南男北女(남남북녀): 남쪽의 남자, 북쪽의 여자. 첫째 □는 '北'(북녘 북)과 대응되므로 '南'(남녘 남)일 것이고, 둘째 □는 '女'(계집 녀)와 대응되므로 '男'(사내 남)일 것이다.

② 類類相從(유유상종): 비슷한 무리끼리 서로 좇다.

③ 物物交換(물물교환): 물건과 물건의 교환.

④ 默默不答(묵묵부답): 침묵하고 답하지 않다.

⑤ 茫茫大海(망망대해): 아득하니 큰 바다.

답: ①

10. 사자성어 문제

① 目不識丁(목불식정): 눈이 '丁'(고무래 정)을 알지 못함. 글자를 전혀 모름. 또는 그런 사람.

② 累卵之勢(누란지세): 알을 쌓은 형세. 매우 위태로운 형세.

③ 昏定晨省(혼정신성): 저녁에 (잠자리를) 정해 드리고 새벽에 살피다. 자식이 아침저녁으로 부모의 안부를 물어서 살피다.

④ 一擧兩得(일거양득): 한 번 들어 둘로 얻다.

⑤ 日就月將(일취월장): 날마다 나아가고 달마다 나아가다.

답: ④

11. 빈칸 문제

齒以剛折, 舌以柔存, 柔能勝剛, (㉠)能勝强.
치 이 강 절　설 이 유 존　유 능 승 강　　　능 승 강

이는 단단해서 부러지고 혀는 부드러워서 남으니 부드러움이 단단함을 이길 수 있고 ㉠이 강함을 이길 수 있다.

'柔能勝剛'과 '(㉠)能勝强'이 같은 구조이고, '柔'(부드러울 유)와 '剛'(굳셀 강)이 반대되는 뜻의 한자이므로 ㉠에는 '强'(강할 강)과 반대되는 뜻의 한자가 와야 한다. 따라서 ㉠에 알맞은 한자는 '弱'(약할 약)이다.

답: ①

12. 단문 문제

事欲速成, 必敗也.
사 욕 속 성　필 패 야

일이 빠르게 이루어지고자 하면 반드시 실패한다.

三日之程, 一日往, 十日臥.
삼 일 지 정　일 일 왕　십 일 와

사흘의 노정을 하루에 가면 열흘을 몸져눕는다.

글의 공통 내용으로 알맞은 것은 '일은 급히 서두르면 안 된다.'이다.

답: ②

13. 대구 문제

爲善者, 天報之以(㉠),
위 선 자　천 보 지 이

선을 행하는 사람은 하늘이 그것을 ㉠으로써 갚고,

爲不善者, 天報之以禍.
위 불 선 자　천 보 지 이 화

선하지 않음을 행하는 사람은 하늘이 그것을 화로써 갚는다.

이 문장을 암기해서 풀라는 문제가 아니다. 한문의 대구를 이용해서 빈칸에 알맞은 한자를 찾는 문제다. 따라서 ㉠에는 '禍'(재앙 화)와 비슷하거나 반대되는 뜻이 들어가야 한다. '善'(착할 선)과 '不善'(불선)이 반대되는 뜻이므로 ㉠에는 반대되는 뜻의 한자 '福'(복 복)이 들어가야 한다.

답: ④

14. 사자성어 문제

① 草綠同色(초록동색): 풀빛과 푸른빛은 같은 빛. 같은 처지의 사람과 어울림.

② 不問曲直(불문곡직): 굽고 곧음을 묻지 않음. 옳고 그름을 가리지 않고 함부로 일을 처리함.

③ 近墨者黑(근묵자흑): 먹을 가까이하는 사람은 검어짐. 나쁜 사람과 사귀면 물들기 쉬움.

④ 緣木求魚(연목구어): 나무에 올라 물고기를 구함. 도저히 불가능한 일을 하려고 함.

⑤ 三人成虎(삼인성호): 세 사람이면 호랑이를 이룸. 거짓말도 여러 사람이 하면 곧이들음.

답: ⑤

[15～16] 학이편(學而篇)

子曰: "學而時習之, 不亦説乎?
자 왈　　학 이 시 습 지　불 역 열 호

공자가 말하기를, "배우고 때때로 그것을 익히면 또한 기쁘지 않은가?

有朋, 自遠方來, 不亦樂乎?
유 붕　자 원 방 래　불 역 락 호

벗이 있어 먼 곳에서 오면 또한 즐겁지 않은가?

人不知而不愠, 不亦君子乎?"
인 부 지 이 불 온　불 역 군 자 호

남이 알아주지 않더라도 성내지 않으면 또한 군자가 아닌가?"

15. 해석 문제

㉠은 '説'이 '기쁘다'는 뜻으로 해석되는 대표적인 예이다. ㉡은 '즐겁다'는 뜻으로 해석된다.

답: ①

16. 해석 문제

① 無道人之短.
　　무 도 인 지 단

남의 단점을 말하지 말라.

② 不患人之不己知.
　　불 환 인 지 부 기 지

남이 자기를 알아주지 않음을 근심하지 말라.

③ 以責人之心, 責己.
　　이 책 인 지 심　책 기

남을 꾸짖는 마음으로써 자기를 꾸짖어라.

④ 人一能之, 己百之.
　　인 일 능 지　기 백 지

남이 한 번에 그것을 할 수 있었으면 나는 백 번 그것을 하였다.

⑤ 己所不欲, 勿施於人.
　　기 소 불 욕　물 시 어 인

자기가 하고자 하지 않는 바를 남에게 베풀지 말라.

답: ②

[17～18] 백결 선생(百結先生)

百結先生, 不知何許人.
백 결 선 생　부 지 하 허 인

백결 선생은 어떤 사람쯤인지 알지 못한다.

居狼山下, 家極貧, 衣百結, 若懸鶉, 時人, 號
거 낭 산 하　가 극 빈　의 백 결　약 현 순　시 인　호

爲東里百結先生.
위 동 리 백 결 선 생

낭산 아래에 사는데 집이 극도로 가난하여 옷이 백 번 기웠는데 메추라기를 매달아 놓은 것과 같아 당시 사람들이 동리 백결 선생이라고 불렀다.

17. 해석 문제

주인공을 ㉠이라 부른 이유는 복장 때문이다.

답: ①

18. 짜임 문제

한자어의 짜임은 두 글자 이상의 한자로 이루어진 한자어가 어떻게 해석되는가를 나타내는 개념이다. 한자어의 짜임에는 '주술(주어＋서술어)', '술목(서술어＋목적어)', '술보(서술어＋보어)', '수식', '병렬'의 다섯 가지가 있다.

㉡은 '극도로 가난하다'로 해석되므로 그 짜임은 '수식'이다.

① 登校(등교): 학교에 가다. (술보)
② 復活(부활): 다시 살아나다. (수식)
③ 夜深(야심): 밤이 깊다. (주술)
④ 前後(전후): 앞뒤. (병렬)
⑤ 希望(희망): 기대하고 바라다. (병렬)

답: ②

[19~20] 수불석권(手不釋卷)

> 司馬光, 生七歲, 凜然如成人.
> 사　마　광　생　칠　세　늠　연　여　성　인
> 사마광은 태어나서 일곱 살에 늠름함이 어른과 같았다.
>
> 聞講左氏春秋, 愛之, 退爲家人講, 卽了其大指.
> 문　강　좌　씨　춘　추　애　지　퇴　위　가　인　강　즉　료　기　대　지
> 좌씨춘추를 읽는 것을 듣고 그것을 사랑하여 물러나 집안 사람에게 배우니 곧 그 큰 뜻을 깨달았다.
>
> 自是, 手不釋書, 至不知飢渴寒暑.
> 자　시　수　불　석　서　지　부　지　기　갈　한　서
> 이에 손에서 책을 놓지 않아 배고픔과 목마름, 춥고 더움을 알지 못함에 이르렀다.

19. 바꾸어 쓸 수 있는 한자 문제

㉠은 '책'으로 해석되므로 바꾸어 쓸 수 있는 한자는 '卷'(권)이다. '卷'은 책을 세는 단위로도 쓰인다.

답: ⑤

20. 해석 문제

㉡은 '배고픔과 목마름, 춥고 더움을 알지 못함에 이르다'로 해석되므로 그 의미와 가까운 것은 '몰입'이다.

답: ④

[21~22] 배움의 자세

> 古之聖人, 其出人也, 遠矣, 猶且從師而問焉.
> 고　지　성　인　기　출　인　야　원　의　유　차　종　사　이　문　언
> 옛날의 성인은 그 사람보다 뛰어남이 먼데도 오히려 또 스승을 좇고 물었다.
>
> 今之衆人, 其下聖人也, 亦遠矣, 而恥學於師.
> 금　지　중　인　기　하　성　인　야　역　원　의　이　치　학　어　사
> 오늘날의 뭇 사람은 그 성인의 아래에 있음이 또한 먼데도 스승에게 배우는 것을 부끄러워한다.
>
> 是故, 聖益聖, 愚益愚.
> 시　고　성　익　성　우　익　우
> 이런 까닭으로 성인은 더욱 성스러워지고 어리석은 사람은 더욱 어리석어진다.

21. 해석 문제

㉠은 '뛰어나다'라는 뜻으로 쓰였다.
ㄱ. 出衆(출중): 여러 사람 가운데서 뛰어나다.
ㄴ. 外出(외출): 밖에 나가다.
ㄷ. 出發(출발): 출발하다.
ㄹ. 特出(특출): 특별히 뛰어나다.
여기에서 '뛰어나다'라는 뜻으로 쓰인 것은 ㄱ, ㄹ이다.

답: ②

22. 해석 문제

㉡의 이유는 '스승에게 배우기를 부끄러워해서'이다.

답: ⑤

[23~24] 연오랑 세오녀

> 東海濱, 有延烏郞細烏女, 夫婦而居.
> 동　해　빈　유　연　오　랑　세　오　녀　부　부　이　거
> 동해 물가에 연오랑 세오녀가 있어 부부로 살았다.
>
> 一日, 延烏歸海採藻, 忽有一巖, 負歸日本.
> 일　일　연　오　귀　해　채　조　홀　유　일　암　부　귀　일　본
> 하루는 연오랑이 바다에 돌아가 해초를 캐는데 갑자기 한 바위가 있어 (연오랑을) 짊어지고 일본으로 돌아갔다.
>
> 國人見之曰: "此非常人也." 乃立爲王.
> 국　인　견　지　왈　차　비　상　인　야　내　립　위　왕
> 나라 사람들이 그것을 보고 말하기를, "이는 보통 사람이 아니다." 이에 세워 왕으로 삼았다.
>
> 細烏怪夫不來, 歸尋之, 見夫脫鞋, 亦上其巖,
> 巖亦負歸如前.
> 세　오　괴　부　불　래　귀　심　지　견　부　탈　혜　역　상　기　암
> 암　역　부　귀　여　전
> 세오녀가 남편이 오지 않음을 괴이하게 여겨 나가 그를 찾다가 남편이 벗은 신발을 보았는데 또한 그 바위에 올라타니 바위가 또 전과 같이 짊어지고 돌아갔다.
>
> 其國人驚訝, 奏獻於王, 夫婦相會, 立爲貴妃.
> 기　국　인　경　아　주　헌　어　왕　부　부　상　회　입　위　귀　비
> 그 나라 사람들이 놀라 왕에게 아뢰고 바치니 부부가 서로 만나 세워 귀비로 삼았다.

23. 해석 문제

㉡은 '항상'이 아니라 '보통', '평범한'으로 해석된다.

답: ②

24. 해석 문제

㉣ 바위가 연오랑을 짊어지고 일본으로 돌아갔다.
㉤ 사람들이 연오랑을 세워 왕으로 삼았다.
㉢ 세오녀가 남편이 벗은 신발을 보았다.
㉮ 바위가 세오녀를 짊어지고 일본으로 돌아갔다.
㉯ 부부가 서로 만났다.

답: ③

〔25~27〕 계찰지검(季札之劍)

> 季札之初使, 北過徐君, 徐君好季札劍, 口弗敢言.
> 계찰지초사　북과서군　서군호계찰검　구불감언
> 계찰이 처음 사신으로 감에 북으로 서나라 임금을 지나게 되었는데, 서나라 임금이 계찰의 칼을 좋아하였으나 입으로 감히 말하지 않았다.
>
> 季札心知之, 爲使上國, 未獻.
> 계찰심지지　위사상국　미헌
> 계찰의 마음이 그것을 알았으나 상국의 사신이 되어 바치지 않았다.
>
> 還至徐, 徐君已死.
> 환지서　서군이사
> 돌아와 서나라에 이르니 서나라 임금이 이미 죽었다.
>
> 於是, 乃解其寶劍, 繫之徐君家樹而去.
> 어시　내해기보검　계지서군총수이거
> 이에 그 보검을 풀어 서나라 임금의 무덤에 자란 나무에 그것을 걸고 갔다.
>
> 從者曰: "徐君已死, 尚誰予乎?"
> 종자왈　서군이사　상수여호
> 따르는 사람이 말하기를, "서나라 임금이 이미 죽었는데 오히려 누구에게 주십니까?"
>
> 季子曰: "不然. 始吾心已許之, 豈以死倍吾心哉."
> 계자왈　불연　시오심이허지　기이사배오심재
> 계찰이 말하기를, "그렇지 않다. 처음에 내 마음이 이미 그것을 허락하였으니, 어찌 죽음으로써 나의 마음을 배신하겠는가."

25. 독음 문제
㉠의 독음은 '보검'이다.

답: ⑤

26. 문장 형식 문제
㉡은 '어찌 죽음으로써 나의 마음을 배신하겠는가.'로 해석되는 반어형 문장이다.

① 嗚呼, 哀哉.
　오호　애재
　　아아, 슬프도다. (감탄형)

② 難上之木, 勿仰.
　난상지목　물앙
　　오르기 어려운 나무는 우러러보지 말라. (금지형)

③ 割鷄, 焉用牛刀.
　할계　언용우도
　　닭을 가름에 어찌 소 잡는 칼을 쓰겠는가. (반어형)

④ 天帝, 使我長百獸.
　천제　사아장백수
　　천제가 내가 온갖 짐승의 우두머리 노릇을 하게 하였다. (사동형)

⑤ 農者, 天下之大本也.
　농자　천하지대본야
　　농사짓는 자는 천하의 큰 근본이다. (평서형)

답: ③

27. 해석 문제
위 글의 내용으로 보아 '계찰'의 생각을 바르게 표현한 것은 '타인과의 약속만큼이나 자신과의 약속도 중요하다.'이다.

답: ②

〔28~30〕 홍현주, 「우음(偶吟)」
이백, 「황학루송맹호연지광릉(黃鶴樓送孟浩然之廣陵)」

> 旅夢啼鳥喚, 　나그네 꿈을 우는 새가 깨우니
> 여몽제조환
> 歸思繞春樹. 　돌아갈 생각이 봄 나무를 둘렀다.
> 귀사요춘수
> 落花滿空山, 　떨어지는 꽃이 빈 산에 가득한데
> 낙화만공산
> 何處故鄕路. 　어느 곳이 고향 길인가.
> 하처고향로
>
> 故人西辭黃鶴樓, 　오랜 벗과 황학루 서쪽에서 헤어지고
> 고인서사황학루
> 煙花三月下揚州. 　연화 3월에 양주로 내려간다.
> 연화삼월하양주
> 孤帆遠影碧空盡, 　외로운 돛단배 먼 그림자가 푸른 하늘로 사라지니
> 고범원영벽공진
> 惟見長江天際流. 　오직 장강이 하늘 끝까지 흘러가는 것만 보이네
> 유견장강천제류

28. 해석 문제
㉢은 '옛날 사람'이 아니라 '오랜 벗'으로 해석된다.

답: ③

29. 해석 문제
(가)에서 느낄 수 있는 주된 정서는 '고향에 대한 그리움'이고, (나)에서 느낄 수 있는 주된 정서는 '벗과의 이별에 대한 아쉬움'이다.

답: ③

30. 이해와 감상 문제
① 운자는 짝수 구의 마지막 글자에 오고, 첫째 구의 마지막 글자에 올 수 있다. (가)의 운자는 '樹'(수), '路'(로)이므로 '喚'(환)은 운자가 아님을 알 수 있다. 따라서 운자가 3개라는 것은 (가), (나)의 공통점이 아니다.
② 네 구로 이루어진 한시를 절구, 여덟 구로 이루어진 한시를 율시라고 한다. (가), (나)는 모두 네 구로 이루어져 있으므로 시의 형식은 절구이다.
③ (가)에는 색채어가 전혀 쓰이지 않았다.
④ 두 구가 문법적 기능이 동일한 글자의 배열로 이루어져 있을 때 대우라고 한다. (가), (나) 모두 제1구와 제2구가 문법적 기능이 동일한 글자의 배열로 이루어져 있지 않으므로 대우를 이루고 있지 않다.
⑤ (가)는 제2구의 '春'(봄 춘)이, (나)는 제2구의 '三月'(삼월)이 계절적 배경을 드러내고 있다.

답: ⑤

○ 자신이 선택한 과목의 문제지인지 확인하시오.

○ 문제지의 해당란에 성명과 수험 번호를 정확히 쓰시오.

○ 답안지의 해당란에 성명과 수험 번호를 쓰고, 또 수험 번호와 답을 정확히 표시하시오.

○ 문항에 따라 배점이 다르니, 각 물음의 끝에 표시된 배점을 참고하시오. 1점 문항에만 점수가 표시되어 있습니다. 점수 표시가 없는 문항은 모두 2점입니다.

---

1. 그림의 모습을 나타내는 한자는? [1점]

① 坐
② 耕
③ 飮
④ 漁
⑤ 讀

2. ㉠에 들어갈 한자와 같은 원리로 만들어진 것은? [1점]

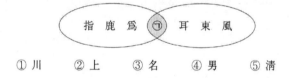

指 鹿 爲 ㉠ 耳 東 風

① 川　　② 上　　③ 名　　④ 男　　⑤ 淸

3. 한자의 공통점으로 바른 것은? [1점]

| 鳥　　鳳　　鷄 |

① 음이 같다.　　　　② 뜻이 같다.
③ 부수가 같다.　　　④ 총획이 같다.
⑤ 만들어진 원리가 같다.

4. '木'과 결합하였을 때, 그 음이 변하지 않는 것을 <보기>에서 모두 고른 것은? [1점]

―<보 기>―
ㄱ. 寸　　ㄴ. 公　　ㄷ. 主　　ㄹ. 幾

① ㄱ, ㄴ　　　② ㄱ, ㄷ　　　③ ㄴ, ㄹ
④ ㄱ, ㄷ, ㄹ　　⑤ ㄴ, ㄷ, ㄹ

5. ㉠에 알맞은 한자는? [1점]

【㉠】
부수 : 肉
총획 : 9
독음 : 배

① 胃
② 背
③ 削
④ 朔
⑤ 期

6. 화살표 방향으로 한자어를 만들 때, ㉠에 알맞은 것은? [1점]

計 ← ㉠ → 成
(活 위, 存 아래)

① 生
② 快
③ 保
④ 設
⑤ 達

7. '십이지(十二支)'에 속하는 동물이 들어 있지 않은 것은? [1점]

① 九牛一毛　　② 羊頭狗肉　　③ 守株待兎
④ 畫蛇添足　　⑤ 緣木求魚

8. 다음 한자 카드를 이용하여 만들 수 있는 사자성어의 속뜻은?

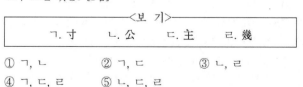

恩　結　恥　報　者　草

① 차이가 거의 없음
② 남의 은혜를 저버림
③ 죽어서도 은혜를 잊지 않고 갚음
④ 자기가 저지른 일은 자기가 해결해야 함
⑤ 자기만 못한 사람에게 묻는 것을 부끄러워하지 않음

9. 그림의 내용으로 유추할 수 있는 성어는? [1점]

보신각 제야의 종소리를 들으면서 새해를 맞이하시기 바랍니다.

① 百年佳約　　② 送舊迎新　　③ 類類相從
④ 燈火可親　　⑤ 種豆得豆

10. 그림에 제시된 나이와 관련이 <u>없는</u> 것은? [1점]

성명	나이	관계
○○○	70	조부
○○○	60	조모
○○○	40	부
○○○	15	본인

① 古稀　② 不惑　③ 志學　④ 耳順　⑤ 而立

11. 글의 내용과 관련 있는 것은?

　구불구불한 쑥도 곧은 삼 속에서 자라면 저절로 곧게 되듯 성격이 비뚤어진 사람도 바른 사람들과 어울려 사귀면 바른 사람이 된다.

① 不問曲直　② 多多益善　③ 三遷之教
④ 同病相憐　⑤ 青出於藍

12. ㉠에 알맞은 것은?

天下, 兼相愛則治,
　　↕　　↕
交相惡則(㉠).　　　　－『묵자(墨子)』－

① 安　② 好　③ 屈　④ 浮　⑤ 亂

13. ㉠, ㉡에 공통으로 들어갈 한자어는?

○ 不信乎(㉠), 不獲乎上矣.　　－『중용(中庸)』－
○ 吾日三省吾身, 爲人謀而不忠乎?
　與(㉡)交而不信乎? 傳不習乎?　－『논어(論語)』－

① 君臣　② 父子　③ 夫婦　④ 朋友　⑤ 長幼

14. 의미가 통하는 것끼리 바르게 연결된 것은?

① 突不燃, 不生煙. - 산 사람 입에 거미줄 치랴.
② 難上之木, 勿仰. - 닭 쫓던 개 지붕 쳐다본다.
③ 陰地轉, 陽地變. - 쥐구멍에도 볕 들 날 있다.
④ 積功之塔, 豈毀乎. - 웃는 얼굴에 침 못 뱉는다.
⑤ 三歲之習, 至于八十. - 낫 놓고 기역 자도 모른다.

15. 글에서 강조하는 내용은?

行必先人, 言必後人.　　　　－ 증자(曾子)－

① 실천　② 박식　③ 협동　④ 절약　⑤ 용서

[16~17] 다음 글을 읽고 물음에 답하시오.

　有民兄弟偕行, 弟得黃金二錠, 以其一㉠與兄. 至孔巖津, 同舟而㉡濟, 弟忽投金於水. 兄怪而問之, 答曰: "吾平日, 愛兄篤, 今而㉢分金, 忽萌忌兄之心. 此乃不祥之物, 不(㉮)投諸江而忘之." 兄曰: "㉣汝之言, 誠㉤是矣." 亦投金於水.

　*偕(해): 함께　*錠(정): 덩이　*萌(맹): 싹트다
　*孔巖津(공암진): 나루 이름
　　　－『신증동국여지승람(新增東國輿地勝覽)』－

16. ㉠~㉤의 풀이로 바르지 <u>않은</u> 것은?

① ㉠: 주다　② ㉡: 건너다
③ ㉢: 나누다　④ ㉣: 너
⑤ ㉤: 이것

17. 위 글의 내용으로 보아 ㉮에 알맞은 것은?

① 但　② 若　③ 要　④ 能　⑤ 常

[18~20] 다음 글을 읽고 물음에 답하시오.

　虎求百獸而食之, 得狐, 狐曰: "子無敢食我也. ㉠天帝使我長百獸, 今子食我, 是, 逆天帝命也. 子㉡以我爲不信, 吾爲子先行, 子隨我後, 觀百獸之見我而敢不走乎." 虎以爲然, 故遂與之行, 獸見之, 皆走. 虎不知獸畏己而走也, 以爲畏狐也.

　*狐(호): 여우
　　　－『전국책(戰國策)』－

18. ㉠과 문장 형식이 같은 것은?

① 秋月色, 令人悲.
② 養子息, 知親力.
③ 己所不欲, 勿施於人.
④ 王侯將相, 寧有種乎.
⑤ 國之語音, 異乎中國.

19. ㉡에서 마지막으로 풀이되는 것은?

① 以　② 我　③ 爲　④ 不　⑤ 信

20. 위 글에서 얻을 수 있는 교훈으로 적절한 것은?

① 호랑이를 잡으려면 호랑이굴에 들어가야 한다.
② 남에게 의심받을 만한 행동을 하지 말아야 한다.
③ 우연한 행운을 늘 있는 것으로 여겨서는 안 된다.
④ 남의 권세를 빌려 우쭐대는 사람의 실체를 알아야 한다.
⑤ 작은 일을 바로잡으려 하다보면 도리어 큰일을 그르친다.

[21~22] 다음 글을 읽고 물음에 답하시오.

> 今欲使農者, 得田, 不爲農者, 不得之, 則行閭田之法, 而㉠吾志可遂也. <중략> 用力多者, 得糧高, 用力㉡寡者, 得糧廉, 其有不盡力以覩其高者乎?　　*閭(려): 마을　*覩(도): 기대하다
>
> － 『여유당전서(與猶堂全書)』 －

21. 위 글의 내용으로 보아 ㉠이 가리키는 것은?

① 농기구를 널리 보급한다.
② 효율적인 농사법을 개발한다.
③ 황무지를 개간하여 토지를 만든다.
④ 농사짓는 사람들에게 토지를 준다.
⑤ 농사와 관련된 학문을 발전시킨다.

22. 의미상 ㉡과 바꾸어 쓸 수 있는 것은?

① 大　　② 少　　③ 柔　　④ 衆　　⑤ 實

[23~24] 다음 글을 읽고 물음에 답하시오.

> 若民則無恒産, 因無恒心. 苟無㉠恒心, 放辟邪侈, 無不爲已, 及陷於罪然後, 從而刑之, 是, 罔民也. 焉有仁人在位, 罔民而可爲也?　　*辟(벽): 편벽되다　*侈(치): 사치하다
>
> － 『맹자(孟子)』 －

23. ㉠의 의미로 알맞은 것은?

① 근심하는 마음　② 슬퍼하는 마음　③ 변함없는 마음
④ 질투하는 마음　⑤ 과시하는 마음

24. 위 글의 내용과 일치하는 것은?

① 백성들은 생업에 얽매여서는 안 된다.
② 위정자는 백성들을 엄히 다스려야 한다.
③ 백성들이 생업을 갖게 되면 방탕해진다.
④ 어진 위정자는 죄인들을 용서해야 한다.
⑤ 어진 위정자는 백성들의 생업을 보장해야 한다.

[25~27] 다음 글을 읽고 물음에 답하시오.

> 儒理王, 旣定六部, 中分爲二, 使王女二人, 各㉠率部內女子, 分朋造黨, 自秋七月旣望, ㉮每日早集大部之庭, ㉡績麻, 乙夜而㉢罷. 至八月十五日, ㉣考其功之多少, 負者置酒食, 以㉤謝勝者. 於是, 歌舞百戲皆作, 謂之嘉俳.
>
> 　　*儒理王(유리왕): 신라의 임금　*嘉俳(가배): 한가위
>
> － 『삼국사기(三國史記)』 －

25. ㉠~㉤의 풀이로 바른 것은?

① ㉠: 시키다　　　　② ㉡: 쌓다
③ ㉢: 모이다　　　　④ ㉣: 헤아리다
⑤ ㉤: 사양하다

26. ㉮와 짜임이 같은 한자어는?

① 日沒　② 修身　③ 商人　④ 道路　⑤ 强弱

27. 위 글의 내용과 일치하지 않는 것은?

 ①  ②  ③

 ④　⑤

[28~30] 다음 시를 읽고 물음에 답하시오.

> (가) 春雨細不㉠滴, 夜中微有聲.
> 　　雪㉡盡南溪漲, 草芽多少㉢生.
>
> 　　　　*漲(창): 불어나다
> 　　－ 정몽주(鄭夢周), 「춘(春)」 －
>
> (나) 白日依山盡, 黃河入海流.
> 　　欲窮千㉣里目, 更㉤上一層樓.
>
> 　　－ 왕지환(王之渙), 「등관작루(登鸛雀樓)」 －

28. ㉠~㉤의 풀이로 바르지 않은 것은?

① ㉠: 방울져 떨어지다　　② ㉡: 녹다
③ ㉢: 돋아나다　　　　　　④ ㉣: 마을
⑤ ㉤: 오르다

29. (가), (나)에 나타나 있지 않은 소재는? [1점]

① 꽃　② 산　③ 개울　④ 바다　⑤ 누각

30. (가), (나)의 공통점에 대한 설명으로 바른 것은?

① 공간적 배경이 같다.
② 시의 형식은 오언절구이다.
③ 제1구와 제2구가 대우(對偶)이다.
④ 제1구에 계절적 배경이 드러나 있다.
⑤ 제2구에 청각적 이미지가 두드러진다.

> * 확인 사항
>
> ○ 답안지의 해당란에 필요한 내용을 정확히 기입(표기)했는지 확인하시오.

2008학년도 수학능력시험

1	②	7	⑤	13	④	19	③	25	④
2	①	8	③	14	③	20	④	26	③
3	③	9	②	15	①	21	④	27	⑤
4	④	10	⑤	16	⑤	22	②	28	④
5	②	11	③	17	②	23	③	29	①
6	①	12	⑤	18	①	24	⑤	30	②

1. 한자 문제

그림은 밭을 가는 모습이므로 이를 나타내는 한자는 '耕'(밭갈 경)이다.

답: ②

2. 사자성어 문제

'指鹿爲馬'(지록위마), '馬耳東風'(마이동풍)에서 ㉠에 들어갈 한자는 '馬'(말 마)이다. '馬'는 말의 모양을 본뜬 상형자이다.
① 川(시내 천): 흐르는 시내의 모습을 본뜬 상형자이다.
② 上(위 상): 기준선(一) 위에 점(ㆍ)을 찍어 '위'라는 뜻을 나타낸 지사자이다.
③ 名(이름 명): '夕'(저녁 석)과 '口'(입 구)를 합하여 저녁(夕)이 되어 어두우면 입(口)으로 자신임을 알리는 것이 이름임을 나타낸 회의자이다.
④ 男(사내 남): '田'(밭 전)과 '力'(힘 력)을 합하여 밭(田)에서 힘쓰는(力) 사내를 나타낸 회의자이다.
⑤ 淸(맑을 청): 'ㆍ'(물 수)로 뜻을, '靑'(푸를 청)으로 음을 나타낸 형성자이다.

답: ①

3. 한자 문제

① 음이 순서대로 '조', '봉', '계'이므로 같지 않다.
② 뜻이 순서대로 '새', '봉황', '닭'이므로 같지 않다.
③ 부수가 모두 '鳥'(새 조)이므로 같다. 부수는 한자의 구성 요소 가운데 뜻과 관련된 부분 정도로 생각하면 된다.
④ 총획이 순서대로 11획, 14획, 21획이므로 같지 않다.
⑤ '鳥'는 새의 모양을 본뜬 상형자, '鳳'은 '鳥'로 뜻을, '凡'(무릇 범)으로 음을 나타낸 형성자, '鷄'는 '鳥'로 뜻을, '奚'(어찌 해)로 뜻을 나타낸 형성자이다.

답: ③

4. 합자 문제

ㄱ. '寸'(마디 촌)이 '木'과 결합하면 '村'(마을 촌)이 된다.
ㄴ. '公'(공변될 공)이 '木'과 결합하면 '松'(소나무 송)이 된다.
ㄷ. '主'(주인 주)가 '木'과 결합하면 '柱'(기둥 주)가 된다.
ㄹ. '幾'(몇 기)가 '木'과 결합하면 '機'(틀 기)가 된다.
음이 변하지 않는 것은 ㄱ, ㄷ, ㄹ이다.

답: ④

5. 조건을 만족하는 한자 문제

부수와 총획, 독음으로 ㉠에 알맞은 한자를 찾는 문제이다. 독음으로 찾는 게 가장 쉬우므로 독음으로 후보를 줄여 보자.
① 胃(밥통 위)　　② 背(등 배)　　③ 削(깎을 삭)
④ 朔(초하루 삭)　　⑤ 期(기약할 기)
①~⑤에서 독음이 '배'인 한자는 '背'뿐이다.

답: ②

6. 한자어 문제

㉠에 '生'(날 생)을 넣으면 '生活'(생활), '生成'(생성), '生存'(생존), '生計'(생계)로 모두 가능하다.

답: ①

7. 한자 문제

십이지에 속하는 동물은 쥐(子), 소(丑), 호랑이(寅), 토끼(卯), 용(辰), 뱀(巳), 말(午), 양(未), 원숭이(申), 닭(酉), 개(戌), 돼지(亥)이다. 60갑자에서 두 번째에 들어가는 한자이다.
① 九牛一毛(구우일모): 소　　② 羊頭狗肉(양두구육): 양
③ 守株待兎(수주대토): 토끼　　④ 畫蛇添足(화사첨족): 뱀
⑤ 緣木求魚(연목구어): 물고기

답: ⑤

8. 카드 문제

그림의 한자로 만들 수 있는 사자성어를 찾는 문제이다. 이런 문제에서는 그림의 한자를 훑어본 다음, ①~⑤를 보면서 그림의 한자로 ①~⑤의 의미를 가지는 사자성어를 생각해 보면 된다.
① 차이가 거의 없음
　☞ 사자성어가 떠오르지 않는다.
② 남의 은혜를 저버림
　☞ 背恩忘德(배은망덕)
③ 죽어서도 은혜를 잊지 않고 갚음
　☞ 結草報恩(결초보은)
④ 자기가 저지른 일은 자기가 해결해야 함
　☞ 結者解之(결자해지)
⑤ 자기만 못한 사람에게 묻는 것을 부끄러워하지 않음
　☞ 不恥下問(불치하문)

답: ③

9. 사자성어 문제

① 百年佳約(백년가약): 백 년의 아름다운 약속. 젊은 남녀가 결혼하여 평생을 함께할 것을 다짐하는 아름다운 약속.
② 送舊迎新(송구영신): 묵은해를 보내고 새해를 맞음.
③ 類類相從(유유상종): 비슷한 무리끼리 서로 좋음.
④ 燈火可親(등화가친): 등불을 가까이할 수 있음. 서늘한 가을밤은 등불을 가까이하여 글 읽기에 좋음.
⑤ 種豆得豆(종두득두): 콩을 심으면 콩을 얻음. 원인에 따라 결과가 생김.

답: ②

10. 한자어 문제

① 古稀(고희): 일흔 살　　② 不惑(불혹): 마흔 살

③ 志學(지학): 열다섯 살　④ 耳順(이순): 예순 살

⑤ 而立(이립): 서른 살

답: ⑤

11. 사자성어 문제

① 不問曲直(불문곡직): 굽고 곧음을 묻지 않음. 옳고 그름을 가리지 않고 함부로 일을 처리함.

② 多多益善(다다익선): 많으면 많을수록 더욱 좋음.

③ 三遷之敎(삼천지교): 세 번 옮긴 가르침. 맹자의 어머니가 맹자를 가르치기 위해 집을 세 번 옮긴 일.

④ 同病相憐(동병상련): 같은 병을 앓는 사람끼리 서로 가엾게 여김. 어려운 처지에 있는 사람끼리 서로 동정하고 도움.

⑤ 靑出於藍(청출어람): 푸른빛은 쪽풀에서 나옴. 제자가 스승보다 뛰어남.

답: ③

12. 대구 문제

天下, 兼相愛則治, 交相惡則(㉠).
천하, 겸상애즉치, 교상오즉

천하가 겸하여 서로 사랑하면 다스려지고 서로 미워하면 ㉠해진다.

이 문장을 암기해서 풀라는 문제가 아니다. 한문의 대구를 이용해서 빈칸에 알맞은 한자를 찾는 문제다. 따라서 ㉠에는 '治'(다스릴 치)와 비슷하거나 반대되는 뜻이 들어가야 한다. '愛'(사랑할 애)와 '惡'(미워할 오)가 반대되는 뜻의 한자이므로 ㉠에는 '治'와 반대되는 뜻의 한자가 들어가야 한다. 따라서 답은 '亂'(어지러울 란)이다.

답: ⑤

13. 빈칸 문제

不信乎(㉠), 不獲乎上矣.
불신호　　　　　불획호상의

㉠에게 신뢰받지 못하면 임금에게 (믿음을) 얻지 못한다.

吾日三省吾身, 爲人謀而不忠乎? 與(㉡)交
오일삼성오신, 위인모이불충호? 여　　교

而不信乎? 傳不習乎?
이불신호? 전불습호?

나는 날마다 내 자신을 세 가지로 살피니, 남을 위하여 꾀함에 충성스럽지 않았는가? ㉡과 더불어 사귐에 미덥지 않았는가? 익히지 않은 것을 전하지 않았는가?

'사귀다'라는 말이 뒤에 이어지는 것으로 보아 ㉡에 들어갈 한자어는 '朋友'(붕우)이다.

답: ④

14. 속담 문제

① 突不燃, 不生煙.
　돌 불 연, 불 생 연

굴뚝이 불타지 않으면 연기가 나지 않는다.

② 難上之木, 勿仰.
　난 상 지 목, 물 앙

오르기 어려운 나무는 우러러보지 말라.

③ 陰地轉, 陽地變.
　음 지 전, 양 지 변

그늘도 구르고 양지도 변한다.

④ 積功之塔, 豈毀乎.
　적 공 지 탑, 기 훼 호

공을 쌓은 탑이 어찌 무너지겠는가?

⑤ 三歲之習, 至于八十.
　삼 세 지 습, 지 우 팔 십

세 살 버릇이 여든에 이른다.

답: ③

15. 단문 문제

行必先人, 言必後人.
행 필 선 인, 언 필 후 인

행함은 반드시 남보다 앞서고 말함은 반드시 남보다 뒤져라.

글에서 강조하는 내용은 '실천'이다.

답: ①

[16~17] 형제투금(兄弟投金)

有民兄弟偕行, 弟得黃金二錠, 以其一與兄.
유민형제해행, 제득황금이정, 이기일여형

어떤 백성 형제가 같이 가다가 아우가 황금 두 덩어리를 얻어 그 하나로써 형에게 주었다.

至孔巖津, 同舟而濟, 弟忽投金於水.
지공암진, 동주이제, 제홀투금어수

공암진에 이르러 함께 배타고 건너는데 아우가 갑자기 금을 물에 던졌다.

兄怪而問之, 答曰: "吾平日, 愛兄篤, 今而分
형괴이문지, 답왈: 오평일, 애형독, 금이분

金, 忽萌忌兄之心.
금, 홀맹기형지심

형이 괴이하게 여기고 그것을 묻자 답하여 말하기를, "내가 평소에는 형을 사랑함이 도타웠는데 지금 금을 나누니 갑자기 형을 꺼리는 마음이 싹텄습니다.

此乃不祥之物, 不(㉮)投諸江而忘之."
차내불상지물, 불　　　투저강이망지

이는 곧 상서롭지 못한 물건이니 그것을 강에 던져 그것을 잊어버림과 ㉮하지 않습니다."

兄曰: "汝之言, 誠是矣." 亦投金於水.
형왈: 여지언, 성시의. 역투금어수

형이 말하기를, "너의 말이 정말로 옳다." 또한 금을 물에 던졌다.

16. 해석 문제

㉯은 '이것'이 아니라 '옳다'로 해석된다.

답: ⑤

17. 빈칸 문제

비교형 문장을 만들어야 하므로 ㉮에는 '若'(같을 약)이 들어가야 한다.

답: ②

[18~20] 호가호위(狐假虎威)

虎求百獸而食之, 得狐, 狐曰: "子無敢食我也.
호 구 백 수 이 식 지　 득 호　 호 왈　 자 무 감 식 아 야
호랑이는 온갖 짐승을 구하여 그것을 먹었는데, 여우를 얻자 여우가 말하기를, "그대는 감히 나를 먹어서는 안 된다.

天帝使我長百獸, 今子食我, 是, 逆天帝命也.
천 제 사 아 장 백 수　 금 자 식 아　 시　 역 천 제 명 야
천제가 내가 온갖 짐승의 우두머리 노릇을 하게 하였으니, 지금 그대가 나를 먹으면 이는 천제의 명을 거스르는 것이다.

子以我爲不信, 吾爲子先行, 子隨我後, 觀百獸
자 이 아 위 불 신　 오 위 자 선 행　 자 수 아 후　 관 백 수
之見我而敢不走乎."
지 견 아 이 감 불 주 호
그대가 나를 믿지 않는 것으로 여기면, 내가 그대를 위하여 앞서 갈 테니 그대가 내 뒤를 따라 온갖 짐승이 나를 보고 감히 달아나지 않는지 보겠는가?

虎以爲然, 故遂與之行, 獸見之, 皆走.
호 이 위 연　 고 수 여 지 행　 수 견 지　 개 주
호랑이가 그러하다고 여겨 그러므로 드디어 그것과 더불어 다니니 짐승들이 그것을 보고는 모두 달아났다.

虎不知獸畏己而走也, 以爲畏狐也.
호 부 지 수 외 기 이 주 야　 이 위 외 호 야
호랑이가 짐승들이 자기를 두려워하여 달아난 것을 모르고 여우를 두려워한다고 여겼다.

18. 문장 형식 문제

㉠은 '천제가 내가 온갖 짐승의 우두머리 노릇을 하게 하였다.'라고 해석되는 사동형 문장이다.

① 秋月色, 令人悲.
　 추 월 색　 령 인 비
　 가을 달빛이 사람을 슬프게 한다. (사동형)

② 養子息, 知親力.
　 양 자 식　 지 친 력
　 자식을 기르면 부모의 노력을 안다. (가정형)

③ 己所不欲, 勿施於人.
　 기 소 불 욕　 물 시 어 인
　 자기가 하고자 하지 않는 바를 남에게 베풀지 말라. (금지형)

④ 王侯將相, 寧有種乎.
　 왕 후 장 상　 녕 유 종 호
　 왕후장상이 어찌 씨가 있겠는가. (반어형)

⑤ 國之語音, 異乎中國.
　 국 지 어 음　 이 호 중 국
　 나라의 말과 소리가 중국과 다르다. (평서형)

답: ①

19. 해석 문제

㉡은 '나로써 믿지 않음을 삼으면'으로 해석되므로 마지막으로 풀이되는 것은 '爲'이다.

답: ③

20. 해석 문제

위 글에서 얻을 수 있는 교훈으로 적절한 것은 '남의 권세를 빌려 우쭐대는 사람의 실체를 알아야 한다.'이다.

답: ④

[21~22] 여전론(閭田論)

今欲使農者, 得田, 不爲農者, 不得之, 則行閭
금 욕 사 농 자　 득 전　 불 위 농 자　 부 득 지　 즉 행 려
田之法, 而吾志可遂也.
전 지 법　 이 오 지 가 수 야
지금 농사를 하려는 사람은 밭을 얻고, 농사를 하지 않는 사람은 그것을 얻지 못하게 하고자 하는데 여전의 법을 시행하면 나의 뜻이 이루어질 수 있다.

<중략> 用力多者, 得糧高, 用力寡者, 得糧
　　　　 용 력 다 자　 득 량 고　 용 력 과 자　 득 량
廉, 其有不盡力以賭其高者乎?
렴　 기 유 부 진 력 이 도 기 고 자 호
힘을 씀이 많은 사람은 식량을 얻음이 높고, 힘을 씀이 적은 사람은 식량을 얻음이 적을 것이니 그 힘을 다하지 않고 그 높은 것을 기대함이 있겠는가?

21. 해석 문제

위 글의 내용으로 보아 ㉠이 가리키는 것은 '농사짓는 사람들에게 토지를 준다.'이다.

답: ④

22. 바꾸어 쓸 수 있는 한자 문제

의미상 ㉡과 바꾸어 쓸 수 있는 것은 '少'(적을 소)이다. 이런 문제는 가장 쉬운 문제 가운데 하나이므로 꼭 풀도록 하자.

답: ②

[23~24] 항산(恒産)과 항심(恒心)

若民則無恒産, 因無恒心.
약 민 즉 무 항 산　 인 무 항 심
만약 백성이 항산이 없으면 그로 인하여 항심이 없다.

苟無恒心, 放辟邪侈, 無不爲己, 及陷於罪然
구 무 항 심　 방 벽 사 치　 무 불 위 이　 급 함 어 죄 연
後, 從而刑之, 是, 罔民也.
후　 종 이 형 지　 시　 망 민 야
진실로 항심이 없으면 방벽하고 사치함이 하지 않음이 없을 뿐이니 죄에 빠짐에 미친 뒤에 그에 따라 그를 벌주면 이는 백성을 그물질하는 것이다.

焉有仁人在位, 罔民而可爲也?
언 유 인 인 재 위　 망 민 이 가 위 야
어찌 어진 사람이 자리에 있음이 있으면서 백성을 그물질하는 것이 할 수 있는 것이겠는가?

23. 해석 문제

㉠의 의미로 알맞은 것은 한자의 뜻으로 보나 글의 내용으로 보나 '변함없는 마음'이다.

답: ③

24. 해석 문제

위 글의 내용과 일치하는 것은 '어진 위정자는 백성의 생업을 보장해야 한다'이다.

답: ⑤

[25~27] 가배(嘉俳)

儒理王, 旣定六部, 中分爲二, 使王女二人, 各
유 리 왕　기 정 육 부　중 분 위 이　사 왕 녀 이 인　각
率部内女子, 分朋造黨, 自秋七月旣望, 每日早
솔 부 내 녀 자　분 붕 조 당　자 추 칠 월 기 망　매 일 조
集大部之庭, 績麻, 乙夜而罷.
집 대 부 지 정　적 마　을 야 이 파

유리왕이 이미 육부를 정하고 가운데로 나누어 둘로 만들어 왕녀 두 사람이 각자 부내 여자를 거느리고 무리를 나누어 무리를 만들어 가을 7월 16일부터 매일 일찍 대부의 뜰에 모여 베를 짜고 을야(오후 10시)에 파하였다.

至八月十五日, 考其功之多少, 負者置酒食, 以
지 팔 월 십 오 일　고 기 공 지 다 소　부 자 치 주 식　이
謝勝者.
사 승 자

8월 15일에 이르러 그 공의 많고 적음을 헤아려 진 사람은 술과 음식을 둠으로써 이긴 사람을 사례하였다.

於是, 歌舞百戲皆作, 謂之嘉俳.
어 시　가 무 백 희 개 작　위 지 가 배

이에 노래와 춤, 온갖 놀이가 모두 행해졌는데 그것을 일러 가배라 하였다.

25. 해석 문제

㉠: 시키다 → 거느리다　　㉡: 쌓다(積) → 짜다(績)
㉢: 모이다 → 파하다(그만두다)　㉣: 사양하다 → 사례하다

답: ④

26. 짜임 문제

한자어의 짜임은 두 글자 이상의 한자로 이루어진 한자어가 어떻게 해석되는가를 나타내는 개념이다. 한자어의 짜임에는 '주술(주어＋서술어)', '술목(서술어＋목적어)', '술보(서술어＋보어)', '수식', '병렬'의 다섯 가지가 있다.

㉮는 '매번의 날'로 해석되므로 그 짜임은 '수식'이다.

① 日沒(일몰): 해가 지다. (주술)
② 修身(수신): 몸을 닦다. (술목)
③ 商人(상인): 장사하는 사람. (수식)
④ 道路(도로): 길. (병렬)
⑤ 強弱(강약): 강함과 약함. (병렬)

답: ③

27. 해석 문제

시냇가에서 빨래를 했다는 내용은 없다.

답: ⑤

[28~30] 정몽주, 「춘(春)」
**　　　　　　왕지환, 「등관작루(登鸛雀樓)」**

春雨細不滴,　봄비가 가늘어 방울지지 않고
춘 우 세 부 적
夜中微有聲.　밤중에 작게 소리가 있다.
야 중 미 유 성
雪盡南溪漲,　눈이 다하여 남쪽 시내 불어나니
설 진 남 계 창
草芽多少生.　풀싹이 얼마나 났을까.
초 아 다 소 생

白日依山盡,　흰 해가 산에 기대어 저물고
백 일 의 산 진
黃河入海流.　황하는 바다로 들어가 흐른다.
황 하 입 해 류
欲窮千里目,　천 리를 보는 안목 다하고자
욕 궁 천 리 목
更上一層樓.　다시 한 층 누각을 올라간다.
갱 상 일 층 루

28. 해석 문제

㉣은 '마을'이 아니라 '리'라는 거리의 단위로 쓰였다.

답: ④

29. 소재 문제

소재는 시에 언급된 명사를 가리키는 것이기 때문에 시를 해석하지 못했더라도 시에 언급된 명사를 찾으면 나타나 있지 않은 소재를 찾을 수 있다.

① 꽃: (가), (나) 어디에도 '꽃'을 나타내는 한자는 찾을 수 없다.
② 산: (나)의 제1구에 '山'(뫼 산)이 있다.
③ 개울: (가)의 제3구에 '溪'(시내 계)가 있다.
④ 바다: (나)의 제2구에 '海'(바다 해)가 있다.
⑤ 누각: (나)의 제4구에 '樓'(다락 루)가 있다.

답: ①

30. 이해와 감상 문제

① (가)의 공간적 배경은 알 수 없고, (나)의 공간적 배경은 '누각'이다.
② (가), (나) 모두 다섯 글자씩 네 구이므로 오언절구이다.
③ 두 구가 문법적 기능이 동일한 글자의 배열로 이루어져 있을 때 대우라고 한다. (나)의 제1구와 제2구는 대우이지만 (가)의 제1구와 제2구는 대우가 아니다.
④ (가)의 제1구에는 '春'(봄 춘)에서 계절적 배경이 드러나 있지만 (나)의 제1구에는 계절적 배경이 드러나 있지 않다.
⑤ (가)의 제2구는 청각적 이미지가 두드러지지만 (나)의 제2구는 시각적 이미지가 두드러진다.

답: ②

제5교시 **제2외국어/한문 영역(한문)**

| 성명 | | 수험 번호 | | | | | — | | | | |

○ 자신이 선택한 과목의 문제지인지 확인하시오.

○ 문제지의 해당란에 성명과 수험 번호를 정확히 쓰시오.

○ 답안지의 해당란에 성명과 수험 번호를 쓰고, 또 수험 번호와 답을 정확히 표시하시오.

○ 문항에 따라 배점이 다르니, 각 물음의 끝에 표시된 배점을 참고하시오. 1점 문항에만 점수가 표시되어 있습니다. 점수 표시가 없는 문항은 모두 2점입니다.

1. 그림의 모습을 나타내는 한자는? [1점]

① 枕
② 臥
③ 射
④ 眠
⑤ 舞

2. 두 자를 합하여 하나의 한자를 만들 때, ㉠과 ㉡의 음이 모두 바른 것은? [1점]

○ 手 + 舍 = (㉠)   ○ 心 + 生 = (㉡)

　　㉠　㉡　　　　　㉠　㉡　　　　　㉠　㉡
① 사　생　　② 사　성　　③ 사　심
④ 수　심　　⑤ 수　성

3. ㉠에 알맞은 것은? [1점]

慶 세계육상선수권대회 (㉠)

① 走
② 迎
③ 信
④ 哀
⑤ 祝

4. 다음에서 찾고자 하는 한자는? [1점]

① 鳥
② 爲
③ 無
④ 滅
⑤ 煙

5. 글의 내용과 가장 관련 있는 것은? [1점]

> 내가 사람을 사랑해도 그가 나를 사랑하지 않으면 내가 어질었는지 되돌아보고, 내가 예로써 대해도 그가 나에게 답하지 않으면 내가 공경했는지 되돌아본다.
>
> - 『맹자(孟子)』 -

① 反省　② 正直　③ 立志　④ 自足　⑤ 勸善

6. 그림의 글자로 만들 수 있는 사자성어의 속뜻은?

① 좋은 일 위에 또 좋은 일이 더하여짐
② 난처한 일이나 불행한 일이 잇따라 일어남
③ 혼자의 힘만으로 어떤 일을 이루기 어려움
④ 나쁜 사람과 가까이 지내면 나쁜 버릇에 물들기 쉬움
⑤ 두 사물이 서로 비슷하여 낫고 못함을 정하기 어려움

7. 글의 내용과 가장 관련 있는 것은?

> 다음과 같은 옛 이야기가 전한다.
> 까마귀는 먹고 남은 고기를 묻어 놓고, 하늘 위에 떠 있는 구름으로 그곳을 기억해둔다. 그런데 구름은 수시로 변하기 때문에 까마귀는 결국 고기를 찾아낼 수 없다고 한다.
>
> - 『송남잡지(松南雜識)』 -

① 他山之石　　② 刻舟求劍　　③ 朝三暮四
④ 結草報恩　　⑤ 漁父之利

8. 그림의 내용으로 유추할 수 있는 성어는? [1점]

① 大器晩成　　② 小貪大失　　③ 不恥下問
④ 手不釋卷　　⑤ 竹馬故友

9. 글의 내용으로 보아 ㉠이 얻을 수 없는 것은?

> ㉠大德, 必得其位, 必得其祿, 必得其名, 必得其壽.
> — 『중용(中庸)』 —

① 녹봉　② 명예　③ 수명　④ 지위　⑤ 진리

10. ㉠에 알맞은 것은? [1점]

> 학생 : '불가능해 보이는 일도 노력하면 끝내 성공한다.'
> 　　　라는 의미의 속담에는 어떤 것이 있나요?
> 교사 : '무쇠공이도 삼 년 갈면 바늘이 된다.'라는 속담이
> 　　　있단다.
> 학생 : 사자성어는 없어요?
> 교사 : 　　㉠　　(이)라는 성어가 있지!

① 武陵桃源　② 指鹿爲馬　③ 愚公移山
④ 緣木求魚　⑤ 錦衣還鄕

11. 그림의 내용과 관련 있는 것은? [1점]

우리나라의 주권을 되찾은 것을 기념하기 위한 날

① 光復節　② 制憲節　③ 開天節　④ 端午日　⑤ 顯忠日

[12~13] 다음 글을 읽고 물음에 답하시오.

> ㉠屈己者, 能處重, 好勝者, 必遇(㉡).
> — 『명심보감(明心寶鑑)』 —

12. ㉠의 의미와 가장 관련 있는 것은?

① 겸손　② 과시　③ 봉사　④ 아집　⑤ 자존

13. ㉡에 알맞은 것은?

① 友　② 卒　③ 將　④ 輕　⑤ 敵

[14~15] 다음 글을 읽고 물음에 답하시오.

> ㉠鶴山守, 通國之善歌者也. ㉡入山肄, 每一闋, 拾沙投屐, 滿
> 屐乃歸.　　　* 鶴山守(학산수) : 조선 시대 인물의 별칭
> * 肄(이) : 익히다　* 一闋(일결) : 한 곡이 끝남　* 屐(극) : 나막신
> — 『연암집(燕巖集)』 —

14. ㉠의 태도와 관계있는 것은?

① 自强不息　② 見利思義　③ 易地思之
④ 眼下無人　⑤ 臨機應變

15. ㉡과 짜임이 같은 한자어는?

① 日沒　② 出入　③ 同行　④ 登頂　⑤ 養育

16. 글의 내용과 관련 있는 것은?

> 　어떤 요리사가 남의 집에서 요리를 할 때면 늘 물건을
> 훔쳐 왔다. 이런 버릇이 나중에는 습관이 되었다.
> 　하루는 자기 집에서 고기를 썰다가 고기 몇 덩어리를 몰
> 래 주머니에 담았다. 그의 아내가 이 모습을 보고 화를 내며
> 말하였다. "아니, 고기를 훔쳐서 누구에게 주려고 그래요?"
> 요리사가 마치 꿈속에서 깨어난 듯 멍한 표정으로 말하였
> 다. "그렇지! 당신이 말해주지 않았더라면, 내가 훔쳤다는
> 사실도 잊어버릴 뻔했소."
> — 『소부(笑府)』 —

① 吾鼻三尺.　　　　　② 隨友適江南.
③ 難上之木, 勿仰.　　④ 三歲之習, 至于八十.
⑤ 三日之程, 一日往, 十日臥.

[17~18] 다음 시를 읽고 물음에 답하시오.

> (가) 秋風惟苦吟, ㉠擧世少知音. 窓外三更雨, 燈前萬里心.
> — 최치원(崔致遠), 「추야우중(秋夜雨中)」 —
>
> (나) 有約郞何晩, 庭梅欲謝時. 忽聞枝上鵲, 虛畵鏡中眉.
> 　　　　　　　　　　　　　　　　* 鵲(작) : 까치
> — 이옥봉(李玉峯), 「규정(閨情)」 —

17. ㉠과 의미가 통하도록 할 때, ㉮에 알맞은 것은?

> 相識, 滿天下, (㉮)心, 能幾人.　— 『명심보감(明心寶鑑)』 —

① 本　② 生　③ 知　④ 私　⑤ 欲

18. (가), (나)에 대한 설명으로 바르지 않은 것은?

① (가)의 주된 정서는 고독감이다.
② (가)의 주제는 여행길의 험난함이다.
③ (나)의 시적 화자는 여성이다.
④ (나)의 계절적 배경은 봄이다.
⑤ (나)에는 임을 원망하는 마음이 나타나 있다.

[19~20] 다음 글을 읽고 물음에 답하시오.

> 　居士曰 : "鏡之明也, 妍者(㉠)之, 醜者忌之. 然, 妍者少,
> 醜者多, ㉡若一見, 必破碎後已, 不若爲塵所昏."
> 　* 妍(연) : 곱다　* 碎(쇄) : 부수다　* 塵(진) : 먼지
> — 『동국이상국집(東國李相國集)』 —

19. 위 글의 내용으로 보아 ㉠에 알맞은 것은?

① 責　② 悲　③ 喜　④ 惡　⑤ 驚

20. ㉡과 의미가 통하는 한자는?

① 如　② 何　③ 吾　④ 於　⑤ 速

[21~23] 다음 글을 읽고 물음에 답하시오.

芳碩變後, 太祖棄位, 奔于咸興. ㉠太宗屢遣中使, 問安.
太祖輒彎弓而待之, 前後相望之使, 未敢道達其情. 時, 問安使,
㉡無一得還者.　　　　　　　 * 芳碩(방석) : 조선 시대 인물
　　　　　　　　　　　　 * 中使(중사) : 왕명을 전하던 내시
　　　　　　　　　　　　 * 輒(첩) : 번번이　* 彎(만) : 당기다
　　　　　　　　　　　　 - 『축수편(逐睡篇)』 -

21. 위 글에서 유래한 성어는? [1점]
① 一罰百戒　　② 束手無策　　③ 咸興差使
④ 背水之陣　　⑤ 塞翁之馬

22. ㉠과 문장 형식이 같은 것은?
① 國亂, 則思良相.
② 忠臣, 不事二君.
③ 天帝, 使我長百獸.
④ 己所不欲, 勿施於人.
⑤ 王侯將相, 寧有種乎.

23. ㉡에서 마지막으로 풀이되는 것은?
① 無　　② 一　　③ 得　　④ 還　　⑤ 者

[24~25] 다음 글을 읽고 물음에 답하시오.

○ 齊景公, 問政於孔子, 孔子對曰 : "君㉠君, 臣臣, 父父, 子子."
○ 季康子, 問政於孔子, 孔子對曰 : "政者, 正也, 子㉡帥以正,
孰敢不正."
　　　　　　　　　　　　 - 『논어(論語)』 -

24. ㉠, ㉡의 풀이가 모두 바른 것은?
　　　　　㉠　　　㉡　　　　　　㉠　　　㉡
① 임금　　　장수　　　② 임금　　　거느리다
③ 임금답다　장수　　　④ 임금답다　거느리다
⑤ 그대　　　장수

25. 위 글에 대한 이해로 적절하지 <u>않은</u> 것은?

⑤ 정치는 법을 엄격히 시행하는 것이 중요하다고 하셨어.
① 공자는 같은 질문이라도 사람에 맞추어 달리 답변하셨어.
② 군신과 부자가 각자 제 역할을 다해야 한다고 하셨지.
③ 정치는 '바로잡는다'는 의미라고 하셨어.
④ 위정자가 모범을 보여야 한다고 하셨지.

[26~27] 다음 글을 읽고 물음에 답하시오.

(가) 昨日入城市, 歸來淚滿巾. 遍身羅綺者, 不是養蠶人.
　　　　　　　 * 巾(건) : 수건　* 綺(기) : 비단
　　　　　　　 - 장유(張兪), 「잠부(蠶婦)」 -

(나) 有國有家者, 不患寡而患不(㉠), 不患貧而患不安.
　　　　　　　　　　　　 - 『논어(論語)』 -

26. (가)의 시적 화자가 눈물을 흘린 이유는?
① 고향에 돌아가고 싶어서
② 부모의 사랑에 감격해서
③ 임금의 죽음을 슬퍼해서
④ 자신의 처지를 한탄해서
⑤ 친구와 재회하여 기뻐서

27. (나)를 (가)의 주제와 연관 지어 볼 때, ㉠에 알맞은 것은?
① 多　　② 均　　③ 空　　④ 退　　⑤ 賤

[28~30] 다음 글을 읽고 물음에 답하시오.

張保皐, 新羅人. <중략> 如唐, ㉠爲武寧軍小將, ㉡騎而用
槍, 無能敵者. 後, 保皐還國, ㉢謂大王曰 : "遍中國, 以吾人爲
㉮奴婢, 願得鎭淸海, 使賊不得㉢掠人西去." 淸海, 新羅海路之
要, 今謂之莞島. 大王與保皐萬人, 此後, 海上㉤無鬻鄕人者.
　　　　　　　 * 張保皐(장보고) : 신라 시대 인물
　　　　　　　 * 莞島(완도) : 섬 이름　* 槍(창) : 창　* 鬻(육) : 팔다
　　　　　　　 - 『삼국사기(三國史記)』 -

28. ㉠~㉤의 풀이로 바르지 <u>않은</u> 것은?
① ㉠ : ~이 되다　　　　② ㉡ : 말을 타다
③ ㉢ : 뵙다　　　　　　④ ㉣ : 노략질하다
⑤ ㉤ : ~마라

29. ㉮의 독음으로 바른 것은? [1점]
① 노비　② 노예　③ 여비　④ 여종　⑤ 우비

30. 위 글의 내용과 일치하지 <u>않는</u> 것은?
① 장보고는 신라인이다.
② 장보고는 당나라에 갔다.
③ 장보고는 신라로 다시 돌아왔다.
④ 청해는 당나라의 요새가 되었다.
⑤ 신라왕은 장보고에게 만 명을 주었다.

* 확인 사항
○ 답안지의 해당란에 필요한 내용을 정확히 기입(표기)했는지 확인하시오.

2009학년도 6월 모의평가

1	⑤	7	②	13	⑤	19	③	25	⑤
2	②	8	②	14	①	20	①	26	④
3	⑤	9	⑤	15	④	21	③	27	②
4	③	10	③	16	④	22	③	28	⑤
5	①	11	①	17	③	23	①	29	①
6	④	12	①	18	②	24	④	30	④

1. 한자 문제

① 枕(베개 침)　　② 臥(누울 와)　　③ 射(쏠 사)

④ 眠(잘 면)　　⑤ 舞(춤출 무)

답: ⑤

2. 합자 문제

手+舍=捨(버릴 사), 心+生=性(성품 성)이다.

답: ②

3. 한자 문제

왼쪽에 있는 한자는 '慶'(경사 경)이다.

① 走(달릴 주)　　② 迎(맞을 영)　　③ 信(믿을 신)

④ 哀(슬플 애)　　⑤ 祝(빌 축)

답: ⑤

4. 조건을 만족하는 한자 문제

부수와 총획으로 한자를 찾는 문제이다. 부수로 찾는 게 그나마 쉬우므로 부수로 후보를 줄여 보자.

① 鳥(새 조): 鳥부　　　　② 爲(할 위): 爪부

③ 無(없을 무): 火(灬)부　　④ 滅(멸망할 멸): 水(氵)부

⑤ 煙(연기 연): 火부

부수가 '火'인 한자는 '無', '煙'이다. 이제 어쩔 수 없으니 획수를 세어 보자. 그러면 순서대로 12획, 13획이므로 찾고자 하는 한자는 '無'이다.

답: ③

5. 한자어 문제

① 反省(반성)　　② 正直(정직)　　③ 立志(입지)

④ 自足(자족)　　⑤ 勸善(권선)

답: ①

6. 카드 문제

그림의 한자로 만들 수 있는 사자성어를 찾는 문제이다. 이런 문제에서는 그림의 한자를 훑어본 다음, ①~⑤를 보면서 그림의 한자로 ①~⑤의 의미를 가지는 사자성어를 생각해 보면 된다.

① 좋은 일 위에 또 좋은 일이 더하여짐

　☞ 錦上添花(금상첨화)

② 난처한 일이나 불행한 일이 잇따라 일어남

　☞ 雪上加霜(설상가상)

③ 혼자의 힘만으로 어떤 일을 이루기 어려움

　☞ 孤掌難鳴(고장난명)

④ 나쁜 사람과 가까이 지내면 나쁜 버릇에 물들기 쉬움

　☞ 近墨者黑(근묵자흑)

⑤ 두 사물이 서로 비슷하여 낫고 못함을 정하기 어려움

　☞ 難兄難弟(난형난제)

답: ④

7. 사자성어 문제

① 他山之石(타산지석): 다른 산의 돌. 본이 되지 않은 남의 말이나 행동도 자신의 지식과 인격을 수양하는 데에 도움이 됨.

② 刻舟求劍(각주구검): (칼을 떨어뜨린 자리를) 배에 새기고 칼을 구함. 시대의 변화에 융통성 있게 대처하지 못하는 어리석음.

③ 朝三暮四(조삼모사): 아침에 세 개, 저녁에 네 개. 간사한 꾀로 남을 속여 희롱함.

④ 結草報恩(결초보은): 풀을 묶어 은혜를 갚음. 죽어서도 은혜를 잊지 않고 갚음.

⑤ 漁父之利(어부지리): 어부의 이익. 두 사람이 이해관계로 서로 싸우는 사이에 엉뚱한 사람이 애쓰지 않고 가로챈 이익.

답: ②

8. 사자성어 문제

① 大器晚成(대기만성): 큰 그릇은 늦게 이루어짐.

② 小貪大失(소탐대실): 작은 것을 탐하다가 큰 것을 잃음.

③ 不恥下問(불치하문): 아랫사람에게 묻는 것을 부끄러워하지 않음.

④ 手不釋卷(수불석권): 손이 책을 놓지 않음.

⑤ 竹馬故友(죽마고우): 대말을 타고 놀던 벗. 어렸을 때부터 같이 놀며 친하게 지내 온 벗.

답: ②

9. 단문 문제

> 大德, 必得其位, 必得其祿, 必得其名, 必得其壽.
> 대 덕　필 득 기 위　필 득 기 록　필 득 기 명　필 득 기 수
> 큰 덕은 반드시 그 지위를 얻고 반드시 그 녹봉을 얻고 반드시 그 이름을 얻으며 반드시 그 수명을 얻는다.

답: ⑤

10. 사자성어 문제

① 武陵桃源(무릉도원): 이상향, 별천지.

② 指鹿爲馬(지록위마): 사슴을 가리켜 말이라고 함. 윗사람을 농락하여 권세를 마음대로 함.

③ 愚公移山(우공이산): 우공이 산을 옮김. 어떤 일이든 끊임없이 노력하면 반드시 이루어짐.

④ 緣木求魚(연목구어): 나무에 올라 물고기를 구함. 도저히 불가능한 일을 하려고 함.

⑤ 錦衣還鄉(금의환향): 비단옷으로 고향에 돌아옴. 출세하여 고향에 돌아옴.

답: ③

11. 한자어 문제

① 光復節(광복절)　② 制憲節(제헌절)　③ 開天節(개천절)
④ 端午日(단오일)　⑤ 顯忠日(현충일)

답: ①

[12~13] 굴기(屈己)

> 屈己者, 能處重, 好勝者, 必遇(㉡).
> 굴 기 자, 능 처 중, 호 승 자, 필 우
> 자기를 굽히는 사람은 중한 곳에 처할 수 있고, 이기기 좋아하는
> 사람은 반드시 ㉡을 만난다.

12. 해석 문제

㉠은 '자기를 굽히다'로 해석되므로 가장 관련 있는 것은 '겸손'이다.

답: ①

13. 빈칸 문제

이기기 좋아하는 사람이 반드시 만나는 것은 '적'이다.

답: ⑤

[14~15] 학산수(鶴山守)

> 鶴山守, 通國之善歌者也.
> 학 산 수, 통 국 지 선 가 자 야
> 학산수는 나라를 통해 노래를 잘하는 사람이다.
> 入山肆, 每一闋, 拾沙投屐, 滿屐乃歸.
> 입 산 이, 매 일 결, 습 사 투 극, 만 극 내 귀
> 산에 들어가 익힘에 매번 한 곡이 끝나면 모래를 집어 나막신에
> 던져 나막신을 채우면 돌아왔다.

14. 해석 문제

① 自強不息(자강불식): 스스로 힘쓰며 쉬지 않음.
② 見利思義(견리사의): 이익을 보면 의를 생각함.
③ 易地思之(역지사지): 처지를 바꾸어 그것을 생각함.
④ 眼下無人(안하무인): 눈 아래에 사람이 없음. 방자하고 교만하
여 남을 업신여김.
⑤ 臨機應變(임기응변): 그때그때 처한 사태에 맞추어 즉각 그
자리에서 결정하거나 처리함.

답: ①

15. 짜임 문제

한자어의 짜임은 두 글자 이상의 한자로 이루어진 한자어가 어떻
게 해석되는가를 나타내는 개념이다. 한자어의 짜임에는 '주술(주
어＋서술어)', '술목(서술어＋목적어)', '술보(서술어＋보어)', '수식',
'병렬'의 다섯 가지가 있다.
㉡은 '산에 들어가다'로 해석되므로 그 짜임은 '술보'이다.
① 日沒(일몰): 해가 지다. (주술)
② 出入(출입): 나가고 들어오다. (병렬)
③ 同行(동행): 같이 다니다. (수식)
④ 登頂(등정): 정상에 오르다. (술보)
⑤ 養育(양육): 먹이고 기르다. (병렬)

답: ④

16. 단문 문제

① 吾鼻三尺.
　오 비 삼 척
　내 코가 석 자.
② 隨友適江南.
　수 우 적 강 남
　친구 따라 강남 간다.
③ 難上之木, 勿仰.
　난 상 지 목, 물 앙
　오르기 어려운 나무는 우러러보지 말라.
④ 三歲之習, 至于八十.
　삼 세 지 습, 지 우 팔 십
　세 살 버릇 여든 간다.
⑤ 三日之程, 一日往, 十日臥.
　삼 일 지 정, 일 일 왕, 십 일 와
　사흘의 노정을 하루에 가면 열흘을 몸져눕는다.

답: ④

[17~18] 최치원, 「추야우중(秋夜雨中)」
이옥봉, 「규정(閨情)」

> 秋風惟苦吟,　가을 바람에 홀로 괴롭게 읊조리는데,
> 추 풍 유 고 음
> 擧世少知音.　온 세상에 지음이 적구나.
> 거 세 소 지 음
> 窓外三更雨,　창 밖 삼경에 비가 오니,
> 창 외 삼 경 우
> 燈前萬里心.　등불 앞 만 리 마음이여.
> 등 전 만 리 심
>
> 有約郎何晚,　약속이 있는데 낭군은 어찌 늦으시나요,
> 유 약 랑 하 만
> 庭梅欲謝時.　뜰의 매화는 지고자 하는 때입니다.
> 정 매 욕 사 시
> 忽聞枝上鵲,　홀연히 가지 위 까치를 듣고는
> 홀 문 지 상 작
> 虛畫鏡中眉.　헛되이 거울 속 눈썹을 그립니다.
> 허 화 경 중 미

17. 빈칸 문제

> 相識, 滿天下, (㉮)心, 能幾人.
> 상 식, 만 천 하, 심 능 기 인
> 서로 앎은 천하에 가득하지만, 마음을 ㉮함은 몇 사람일 것이다.

㉠과 의미가 통하도록 하려면 마음을 '알아줌'이 되어야 하므로
㉮에 알맞은 것은 '知'(알 지)이다.

답: ③

18. 이해와 감상 문제

① (가)의 주된 정서는 고독감이다.
② 여행길이 험난하다는 언급은 어디에도 없다.
③ '虛畫鏡中眉'에서 시적 화자가 여성임을 알 수 있다.
④ '庭梅欲謝時'에서 계절적 배경이 봄임을 알 수 있다.
⑤ '有約郎何晚'에 임을 원망하는 마음이 나타나 있다.

답: ②

〔19~20〕 거울

> 居士曰: "鏡之明也, 妍者(㉠)之, 醜者忌之.
> 거 사 왈　경 지 명 야　연 자　　　지　추 자 기 지
>
> 거사가 말하기를, "거울의 밝음은 고운 사람은 그것을 ㉠하고 못생긴 사람은 그것을 꺼려한다.
>
> 然, 妍者少, 醜者多, 若一見, 必破碎後已, 不若爲塵所昏."
> 연　연 자 소　추 자 다　약 일 견　필 파 쇄 후 이　불 약 위 진 소 혼
>
> 그러나 고운 사람은 적고 못생긴 사람은 많으니 만약 한 번 본다면 반드시 깨뜨려 부순 뒤에 그칠 것이니 먼지로 어두운 바가 됨만 못하다."

19. 빈칸 문제

'妍者(㉠)之'와 '醜者忌之'가 대구를 이루고 있고, '妍'(고울 연)과 '醜'(못생길 추)가 반대되는 뜻이므로 ㉠에는 '忌'(꺼릴 기)와 반대되는 뜻의 한자가 와야 한다. 따라서 ㉠에 알맞은 것은 '喜'(기쁠 희)이다.

답: ③

20. 의미가 통하는 한자 문제

㉡과 의미가 통하는 한자는 '如'(같을 여)이다. ㉡은 '같다'가 아니라 '만약'이라는 뜻으로 쓰였지만 ①~⑤에 '만약'이라는 뜻의 한자가 없으므로 다른 뜻인 '같다'로 찾았으면 큰 어려움은 없었을 것이다.

답: ①

〔21~23〕 함흥차사(咸興差使)

> 芳碩變後, 太祖棄位, 奔于咸興.
> 방 석 변 후　태 조 기 위　분 우 함 흥
>
> 방석의 변 뒤에 태조가 자리를 버리고 함흥으로 달려갔다.
>
> 太宗屢遣中使, 問安.
> 태 종 루 견 중 사　문 안
>
> 태종이 여러 번 중사(벼슬 이름)를 보내어 안부를 물었다.
>
> 太祖輒彎弓而待之, 前後相望之使, 未敢道達其情.
> 태 조 첩 만 궁 이 대 지　전 후 상 망 지 사　미 감 도 달 기 정
>
> 태조가 번번이 활을 당기고 그들을 기다려 앞뒤로 서로 바라보는 사신들이 감히 그 뜻을 말하여 전달하지 못하였다.
>
> 時, 問安使, 無一得還者.
> 시　문 안 사　무 일 득 환 자
>
> 이 때에 안부를 물은 사신은 하나도 돌아옴을 얻은 사람이 없었다.

21. 사자성어 문제

① 一罰百戒(일벌백계): 한 사람을 벌하여 백 사람을 경계함.
② 束手無策(속수무책): 손이 묶여 대책이 없음.
③ 咸興差使(함흥차사): 함흥에 보낸 사신. 심부름을 가서 깜깜무소식이거나 회답이 더딜 때의 비유.
④ 背水之陣(배수지진): 물을 등진 진. 어떤 일을 성취하기 위하여 더 이상 물러설 수 없음.

⑤ 塞翁之馬(새옹지마): 변방 늙은이의 말. 모든 일은 변화가 많아서 인생의 길흉화복을 예측할 수 없다.

답: ③

22. 문장 형식 문제

㉠은 '태종이 여러 번 중사를 보내어 안부를 물었다'로 해석되는 문장이다. 이는 사동형 문장에 가깝다.

① 國亂, 則思良相.
　국 란　즉 사 량 상
나라가 어지러우면 좋은 재상을 생각한다. (가정형)

② 忠臣, 不事二君.
　충 신　불 사 이 군
충신은 두 임금을 섬기지 않는다. (부정형)

③ 天帝, 使我長百獸.
　천 제　사 아 장 백 수
천제가 내가 모든 짐승의 우두머리 노릇을 하게 하였다. (사동형)

④ 己所不欲, 勿施於人.
　기 소 불 욕　물 시 어 인
자기가 하고자 하지 않는 바를 남에게 베풀지 말라. (금지형)

⑤ 王侯將相, 寧有種乎.
　왕 후 장 상　녕 유 종 호
왕후장상이 어찌 씨가 있겠는가. (반어형)

답: ③

23. 해석 문제

㉡은 '하나도 돌아옴을 얻은 자가 없었다'로 해석되므로 마지막으로 풀이되는 것은 '無'(없을 무)이다.

답: ①

〔24~25〕 정치란 무엇인가

> 齊景公, 問政於孔子, 孔子對曰: "君君, 臣臣, 父父, 子子."
> 제 경 공　문 정 어 공 자　공 자 대 왈　군 군　신 신　부 부　자 자
>
> 제경공이 공자에게 정치를 물으니, 공자가 대답하여 말하기를, "임금은 임금답고, 신하는 신하답고, 아버지는 아버지답고, 자식은 자식다운 것입니다."
>
> 季康子, 問政於孔子, 孔子對曰: "政者, 正也, 子帥以正, 孰敢不正."
> 계 강 자　문 정 어 공 자　공 자 대 왈　정 자　정 야　자 솔 이 정　숙 감 부 정
>
> 계강자가 공자에게 정치를 물으니, 공자가 대답하여 말하기를, "정치라는 것은 바른 것이니, 그대가 바름으로써 거느린다면 누가 감히 바르지 않겠습니까."

24. 해석 문제

'君君, 臣臣, 父父, 子子'는 처음 본다면 해석하기 쉽지 않았을 것이다. 이럴 때 ㉠에 제시된 해석이 길을 제시해 준다. ㉠은 '임금답다', ㉡은 '거느리다'로 해석된다.

답: ④

제2외국어/한문 영역 　(한문)

25. 해석 문제

① 제경공이 공자에게 정치를 물었을 때와 계강자가 공자에게 정치를 물었을 때의 대답이 서로 다르다.

② 임금은 임금답고, 신하는 신하답고, 아버지는 아버지답고, 자식은 자식다워야 한다는 것이 군신과 부자가 제 역할을 다해야 한다는 것이다.

③ '政者, 正也'의 '正'을 '바른 것'으로 해석하였지만 '바로잡는 것'으로 해석할 수도 있다. 이 시험이 '바른 것'과 '바로잡는 것'의 차이를 물을 단계의 것이 아님은 모두 잘 알고 있을 것이다.

④ '子帥以正, 孰敢不正?'으로 위정자가 모범을 보여야 한다고 한 것이다.

⑤ 법을 엄격히 시행하는 것이 중요하다는 내용은 없다. 이는 법가(法家)에서 주장한 것인데, 공자는 유가(儒家)의 시조이다.

답: ⑤

[26~27] 장유, 「잠부(蠶婦)」 / 논어(論語)

昨日入城市, 작 일 입 성 시	어제 성의 저자에 들어갔다가
歸來淚滿巾. 귀 래 루 만 건	돌아올 때 눈물이 수건에 가득했네.
遍身羅綺者, 편 신 라 기 자	온몸에 비단을 두른 사람이
不是養蠶人. 불 시 양 잠 인	누에를 기르는 사람이 아니네.

有國有家者, 不患寡而患不(㉠), 不患貧而患
유 국 유 가 자　불 환 과 이 환 불　　　　　 불 환 빈 이 환

不安.
불 안

나라가 있고 가정이 있는 사람은 적음을 근심하지 말고 ㉠하지 않음을 근심하고, 가난함을 근심하지 말고 편안하지 않음을 근심하라.

26. 이해와 감상 문제

①, ②, ③, ⑤는 어떻게 보아도 시적 화자가 눈물을 흘린 이유가 될 수 없다. 그러니 답이 ④일밖에……. 시적 화자가 누에를 기르는 사람인가 보다.

답: ④

27. 빈칸 문제

(나)를 (가)의 주제와 연관 지어 볼 때, ㉠에 알맞은 것을 고르라고 했다는 데 주의를 기울여야 한다. 즉, ㉠에 들어갈 한자는 (나)를 (가)의 주제와 연관 지어야 찾을 수 있다는 것이다.

(가)는 온몸에 비단을 두른 사람이 누에를 기르는 사람이 아니라는 것에서 작게는 '시적 화자의 신세 한탄', 크게는 '빈부 격차가 심한 사회에 대한 비판'으로도 읽을 수 있다.

그러면 (나)의 '나라가 있고 집안이 있는 사람'이 근심해야 할 것은 무엇일까? '(부의 분배가) 고르지 않음'을 근심하여야 할 것이다. 따라서 ㉠에 알맞은 것은 '均'(고를 균)이다.

답: ②

[28~30] 장보고(張保皐)

張保皐, 新羅人.
장 보 고　신 라 인

장보고는 신라 사람이다.

<중략> 如唐, 爲武寧軍小將, 騎而用槍, 無能
　　　　여 당　위 무 녕 군 소 장　기 이 용 창　무 능

敵者.
적 자

당에 가서 무녕군 소장이 되어 말을 타고 창을 씀이 대적할 수 있는 사람이 없었다.

後, 保皐還國, 謁大王曰: "遍中國, 以吾人爲
후　보 고 환 국　알 대 왕 왈　편 중 국　이 오 인 위

奴婢, 願得鎭淸海, 使賊不得掠人西去."
노 비　원 득 진 청 해　사 적 부 득 략 인 서 거

뒤에 장보고가 나라로 돌아와 대왕을 알현하여 말하기를, "두루 중국에 우리 사람으로써 노비를 삼으니 청해에 진을 얻어 도적들이 사람을 노략질하여 서쪽으로 갈 수 없게 하기를 원합니다."

淸海, 新羅海路之要, 今謂之莞島.
청 해　신 라 해 로 지 요　금 위 지 완 도

청해는 신라 바닷길의 요충지로 지금은 그것을 완도라고 이른다.

大王與保皐萬人, 此後, 海上無鬻鄕人者.
대 왕 여 보 고 만 인　차 후　해 상 무 육 향 인 자

대왕이 장보고에게 만 사람을 주어 이 뒤로 바다 위에 우리 사람을 파는 사람이 없었다.

28. 해석 문제

㉤은 '마라'가 아니라 '없다'로 해석된다.

답: ⑤

29. 독음 문제

㉮의 독음은 '노비'이다.

답: ①

30. 해석 문제

④ 청해는 신라에 있다.

답: ④

성명		수험 번호							─				

○ 자신이 선택한 과목의 문제지인지 확인하시오.

○ 문제지의 해당란에 성명과 수험 번호를 정확히 쓰시오.

○ 답안지의 해당란에 성명과 수험 번호를 쓰고, 또 수험 번호와 답을 정확히 표시하시오.

○ 문항에 따라 배점이 다르니, 각 물음의 끝에 표시된 배점을 참고하시오. 1점 문항에만 점수가 표시되어 있습니다. 점수 표시가 없는 문항은 모두 2점입니다.

1. 그림에 해당하는 한자는? [1점]

① 刀
② 戶
③ 矢
④ 旗
⑤ 劍

2. <보기>에서 음이 같은 한자를 고른 것은? [1점]

<보 기>
ㄱ. 掌   ㄴ. 當   ㄷ. 裳   ㄹ. 嘗

① ㄱ, ㄴ   ② ㄱ, ㄷ   ③ ㄴ, ㄷ
④ ㄴ, ㄹ   ⑤ ㄷ, ㄹ

3. 부수와 총획이 모두 바른 것은? [1점]

①	②	③	④	⑤
臨	財	無	苟	得
부수 臣 총 19획	부수 貝 총 10획	부수 火 총 11획	부수 口 총 9획	부수 日 총 11획

4. <보기>와 같이 두 자를 합하여 하나의 한자를 만들 때, 그 음이 바른 것은?

<보 기>
肉＋干 ＝ (肝) : 간

① 人＋山 ＝ ( ) : 산   ② 犬＋王 ＝ ( ) : 왕
③ 手＋支 ＝ ( ) : 지   ④ 心＋每 ＝ ( ) : 매
⑤ 水＋齊 ＝ ( ) : 제

5. 화살표 방향으로 성어를 만들 때, ㉠에 알맞은 것은? [1점]

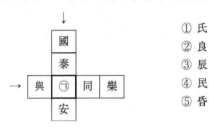

① 氏
② 良
③ 辰
④ 民
⑤ 昏

6. ㉠에 알맞은 것은? [1점]

① 共販場
② 乘車場
③ 野營場
④ 運動場
⑤ 講演場

7. 그림의 글자로 만들 수 있는 사자성어의 속뜻은?

① 몹시 애태우며 간절히 기다림
② 처음부터 끝까지 철저하게 함
③ 야단스럽게 시작하여 흐지부지 끝남
④ 여러 평범한 사람 속에 뛰어난 한 사람
⑤ 겉보기는 그럴듯하나 속은 변변치 못함

8. 그림의 내용으로 유추할 수 있는 성어는? [1점]

① 伯牙絕絃
② 見危授命
③ 指鹿爲馬
④ 厚顏無恥
⑤ 畫蛇添足

9. 그림의 내용과 관계있는 날은? [1점]

○ 오작교
○ 견우성
○ 직녀성

① 七夕　② 立春　③ 冬至　④ 白露　⑤ 初伏

10. ㉠~㉢에 공통으로 들어갈 한자는? [1점]

大器晩(㉠)　　殺身(㉡)仁　　語不(㉢)說

① 成　② 姓　③ 星　④ 城　⑤ 誠

11. ㉠에 알맞은 것은? [1점]

교사: '잘못을 저지른 사람은 반드시 벌을 받게 된다.'라는
　　　의미의 속담에는 어떤 것이 있을까요?
학생: '죄는 지은 데로 가고, 덕은 닦은 데로 간다.'입니다.
교사: 그러면 유사한 의미의 사자성어는 무엇일까요?
학생: ＿＿㉠＿＿(이)라는 성어가 있습니다.

① 一罰百戒　② 風前燈火　③ 事必歸正
④ 雪上加霜　⑤ 緣木求魚

12. 밑줄 친 부분의 의미와 관련지어 볼 때 ㉠, ㉡에 가장 알맞은
것은? [1점]

(　㉠　)에 해 뜨거-든 날 불러주 오

(　㉡　)에 달 뜨거-든 날 불러주 오 -

　　㉠　　㉡　　　　　　　㉠　　㉡
① 休憩所　檢問所　　② 國境線　水平線
③ 三角山　八公山　　④ 日出峯　月出峯
⑤ 遊園地　耕作地

13. 글의 내용과 가장 관계있는 것은?

좋은 사람과 사귀는 것은 마치 난초의 향기와 같아서 한
집에 심어도 두 집 모두 향기롭다. 반면 못된 사람과 사귀
는 것은 아이를 안고 담에 오르는 것과 같아 한 사람이 발
을 헛디뎌도 둘 다 재앙을 당하게 된다.

- 『明心寶鑑』 -

① 言出難更收.　　② 水至淸則無魚.
③ 人依善惡之友.　④ 勤爲無價之寶.
⑤ 好憎人者, 亦爲人所憎.

14. ㉠에 알맞은 것은?

(㉠)短於自見, 故以鏡觀面.　　-『韓非子』-

① 口　② 目　③ 耳　④ 舌　⑤ 鼻

15. ㉠에 알맞은 것은?

德勝才, 謂之君子,
　　　↕
才勝德, 謂之(㉠).　　　-『資治通鑑』-

① 小人　② 主人　③ 哲人　④ 聖人　⑤ 義人

16. ㉠~㉤의 행동 주체가 바르게 연결된 것은?

松下㉠問童子, ㉡言師採藥㉢去.
只㉣在此山中,　雲深㉤不知處.
　　　- 賈島(가도), 「尋隱者不遇」 -

① ㉠ - 師　　② ㉡ - 童子　　③ ㉢ - 童子
④ ㉣ - 童子　⑤ ㉤ - 師

[17~18] 다음 글을 읽고 물음에 답하시오.

人性之善也, 猶水之就(㉠)也, ㉡人無有不善, 水無有不下.
　　　　-『孟子』-

17. ㉠에 알맞은 것은?

① 上　② 天　③ 下　④ 外　⑤ 高

18. ㉡에서 마지막으로 풀이되는 것은?

① 人　② 無　③ 有　④ 不　⑤ 善

[19~20] 다음 글을 읽고 물음에 답하시오.

王延, 事親㉠色養, 夏則扇㉡枕席, 冬則以身㉢溫被, 隆冬
㉣盛寒, 體常無㉤全衣, 而親極滋味.
　　　*王延: 진(晉)나라의 인물
　　　*扇(선): 부채　　*滋(자): 맛있다
　　　-『小學』-

19. ㉠~㉤의 풀이로 바르지 않은 것은?

① ㉠: 두려운 기색　　② ㉡: 베개와 이부자리
③ ㉢: 이불을 따뜻하게 함　④ ㉣: 한창 심한 추위
⑤ ㉤: 온전한 옷

20. 위 글의 주제와 가장 관계있는 것은?

① 己所不欲, 勿施於人.　② 欲勝人者, 必先自勝.
③ 讀書千遍, 其義自見.　④ 忍一時之憤, 免百日之憂.
⑤ 古人一日養, 不以三公換.

21. ㉠이 가리키는 것은?

> 老人不辨細書, 以㉠此掩目則明.
> 　　　　　　＊掩(엄): 쓰다　－『通雅』－

① 　② 　③ 　④ 　⑤

[22~23] 다음 글을 읽고 물음에 답하시오.

> 父母之恩, ㉠如天無窮, ㉡若生而事之, 死而遂忘之, 豈孝子之心哉?
> 　　　　　　　　　　　　　　－『白湖集』－

22. 위 글의 내용과 관계있는 것은?

① 冠禮　　② 婚禮　　③ 祭禮
④ 朝禮　　⑤ 賀禮

23. ㉠, ㉡의 풀이가 모두 바른 것은?

	㉠	㉡		㉠	㉡
①	너	같다	②	만약	같다
③	가다	만약	④	같다	만약
⑤	만약	너			

[24~25] 다음 시를 읽고 물음에 답하시오.

> 興仁門外無名巷, 一帶沙川五柳斜.
> 墻北墻南花下路, 前三後七是吾家.
> 　　　　　　　　　－「別情人」－

24. 위 시에서 시인이 말하고 있는 것은?

① 집의 위치　　　② 마을의 행사
③ 인물의 품성　　④ 농촌의 일상
⑤ 가정의 분위기

25. 위 시에 관한 설명으로 바른 것을 <보기>에서 고른 것은?

> ＜보 기＞
> ㄱ. 형식은 칠언율시이다.
> ㄴ. 운자는 '斜'와 '家'이다.
> ㄷ. 제2구와 제3구가 대우를 이룬다.
> ㄹ. 시인의 정감이 직설적으로 드러나지 않았다.

① ㄱ, ㄴ　　　　② ㄱ, ㄷ
③ ㄴ, ㄷ　　　　④ ㄴ, ㄹ
⑤ ㄷ, ㄹ

[26~27] 다음 글을 읽고 물음에 답하시오.

> 於是, 囚㉠堤上, 問曰: "汝何竊遣汝國王子耶?" 對曰: "臣是鷄林之臣, 非倭國之臣. 今欲成吾君之志耳, ㉡何敢言於君乎" 倭王, 怒曰: "今汝已爲我臣, 而言鷄林之臣, 則必具五刑, 若言倭國之臣者, 必賞重祿." 對曰: "寧爲鷄林之犬豚, 不爲倭國之臣子."
> 　　　＊竊(절): 몰래　＊倭(왜): 왜국
> 　　　　　　　　－『三國遺事』－

26. ㉠의 행동과 가장 관계있는 것은?

① 無道人之短.　　　② 隨友適江南.
③ 騎馬欲率奴.　　　④ 愼是護身之符.
⑤ 忠臣不事二君.

27. ㉡과 문장 형식이 같은 것은?

① 施恩, 勿求報.　　　② 割鷄, 焉用牛刀.
③ 窮理, 莫先於讀書.　④ 農者, 天下之大本也.
⑤ 直不百步耳, 是亦走也.

[28~30] 다음 글을 읽고 물음에 답하시오.

> 李恒福, 居相位, 有㉮達官來謁, 皆坐而㉠受拜. 一日, 有報申訓導㉡在門, 公, 徒跣而出, 迎入㉢升堂, 俛受所言, ㉣應對甚恭. ㉤家人, 怪問之, 是, 公, 兒時, 所㉥受業者也. 翌日, 公, 往謝所館, 將綿布十餘端, 大米數石, 以供旅次之用, 其人曰: "行橐所需, 數斗米, 足矣."
> 　　＊跣(선): 맨발　＊俛(부): 숙이다
> 　　＊翌(익): 다음날　＊橐(탁): 전대
> 　　　　　　　－『大東奇聞』－

28. ㉠~㉥에서 ㉮와 짜임이 같은 것은?

① ㉠　　② ㉡　　③ ㉢　　④ ㉣　　⑤ ㉤

29. ㉣의 독음으로 바른 것은?

① 대답　② 대접　③ 상대　④ 응답　⑤ 응대

30. 위 글의 내용과 일치하지 <u>않는</u> 것은?

① 이항복은 정승의 지위에 있었다.
② 신훈도는 이항복의 집에서 묵었다.
③ 신훈도는 어릴 적 이항복의 스승이었다.
④ 신훈도는 필요 이상의 여비를 사양했다.
⑤ 이항복은 맨발로 뛰어나가 신훈도를 맞이했다.

> ＊ 확인 사항
> ○ 답안지의 해당란에 필요한 내용을 정확히 기입(표기)했는지 확인하시오.

2009학년도 9월 모의평가

1	④	7	①	13	③	19	①	25	④
2	⑤	8	④	14	②	20	⑤	26	⑤
3	②	9	①	15	①	21	③	27	②
4	⑤	10	①	16	②	22	③	28	④
5	④	11	③	17	③	23	④	29	⑤
6	②	12	④	18	②	24	①	30	②

1. 한자 문제

① 刀(칼 도)　　② 戶(지게 호)　　③ 矢(화살 시)

④ 旗(깃발 기)　　⑤ 劍(칼 검)

답: ④

2. 한자 문제

모양이 비슷한 한자를 구별할 수 있는지 묻는 문제이다.

ㄱ. 掌(손바닥 장)　　　　ㄴ. 當(마땅할 당)

ㄷ. 裳(치마 상)　　　　　ㄹ. 嘗(맛볼 상)

답: ⑤

3. 한자 문제

획수는 그냥 잘 세면 되고, 부수는 보통 한자의 뜻과 관련된 부분인 경우가 많다. 특히, 위치에 따라 모양이 달라지는 한자는 부수일 가능성이 높다. ①~⑤의 한자의 부수와 총획은 다음과 같다.

① 臨(임할 림): 부수 臣, 총 17획

② 財(재물 재): 부수 貝, 총 10획

③ 無(없을 무): 부수 火, 총 12획

④ 苟(진실로 구): 부수 草, 총 9획

⑤ 得(얻을 득): 부수 彳, 총 11획

답: ②

4. 합자 문제

① 人+山＝仙(신선 선)　　② 犬+王＝狂(미칠 광)

③ 手+支＝技(재주 기)　　④ 心+每＝悔(뉘우칠 회)

⑤ 水+齊＝濟(건널 제)

답: ⑤

5. 십자말풀이 문제

가로 열쇠는 '與民同樂'(여민동락: 백성과 더불어 즐거움을 함께 함), 세로 열쇠는 '國泰民安'(국태민안: 나라가 태평하고 백성이 편안함)이다.

답: ④

6. 한자어 문제

① 共販場(공판장)　② 乘車場(승차장)　③ 野營場(야영장)

④ 運動場(운동장)　⑤ 講演場(강연장)

답: ②

7. 카드 문제

그림의 한자로 만들 수 있는 사자성어를 찾는 문제이다. 이런 문제에서는 그림의 한자를 훑어본 다음, ①~⑤를 보면서 그림의 한자로 ①~⑤의 의미를 가지는 사자성어를 생각해 보면 된다.

① 몹시 애태우며 간절히 기다림

　　☞ 鶴首苦待(학수고대)

② 처음부터 끝까지 철저하게 함

　　☞ 사자성어가 떠오르지 않는다.

③ 야단스럽게 시작하여 흐지부지 끝남

　　☞ 龍頭蛇尾(용두사미)

④ 여러 평범한 사람 속에 뛰어난 한 사람

　　☞ 群鷄一鶴(군계일학)

⑤ 겉보기는 그럴듯하나 속은 변변치 못함

　　☞ 羊頭狗肉(양두구육)

답: ①

8. 사자성어 문제

① 伯牙絕絃(백아절현): 백아가 거문고 줄을 끊음. 자기를 알아주는 참다운 벗의 죽음을 슬퍼함.

② 見危授命(견위수명): 위태로움을 보고 목숨을 줌.

③ 指鹿爲馬(지록위마): 사슴을 가리켜 말이라고 함. 윗사람을 농락하여 권세를 마음대로 함.

④ 厚顏無恥(후안무치): 낯이 두꺼워 부끄러움이 없음.

⑤ 畫蛇添足(화사첨족): 뱀을 그리고 발을 더함. 쓸데없는 군짓을 하여 도리어 일을 그르침.

답: ④

9. 한자어 문제

'오작교', '견우성', '직녀성'과 관계있는 날은 '칠석(七夕)'이다. 나머지는 다음과 같다.

　② 立春(입춘)　　　　　③ 冬至(동지)

　④ 白露(백로)　　　　　⑤ 初伏(초복)

답: ①

10. 사자성어 문제

사자성어를 무려 세 개나 주고 ㉠~㉢에 공통으로 들어갈 한자를 고르라고 하고 있어 아주 쉬운 문제다. '大器晚成'(대기만성), '殺身成仁'(살신성인), '語不成說'(어불성설) 가운데 어느 하나만 알고 있어도 풀 수 있었다.

답: ①

11. 사자성어 문제

① 一罰百戒(일벌백계): 한 사람을 벌하여 백 사람을 경계함.

② 風前燈火(풍전등화): 바람 앞의 등불, 매우 위급한 처지.

③ 事必歸正(사필귀정): 일은 반드시 바름으로 돌아감.

④ 雪上加霜(설상가상): 눈 위에 서리를 더함. 난처한 일이나 불행이 잇따라 일어남.

⑤ 緣木求魚(연목구어): 나무에 올라 고기를 구하다, 도저히 불가능한 일을 하다.

답: ③

112

12. 한자어 문제

① 休憩所(휴게소) 檢問所(검문소)
② 國境線(국경선) 水平線(수평선)
③ 三角山(삼각산) 八公山(팔공산)
④ 日出峯(일출봉) 月出峯(월출봉)
⑤ 遊園地(유원지) 耕作地(경작지)

밑줄 친 부분의 의미와 관련지어 보면 답은 ④이다.

답: ④

13. 단문 문제

① 言出難更收. 말은 나오면 다시 거두기 어렵다.
  언 출 난 갱 수

② 水至淸則無魚. 물이 지극히 맑으면 고기가 없다.
  수 지 청 즉 무 어

③ 人依善惡之友. 사람은 좋고 나쁜 벗에 의지한다.
  인 의 선 악 지 우

④ 勤爲無價之寶. 부지런함은 값을 매길 수 없는 보물이다.
  근 위 무 가 지 보

⑤ 好憎人者, 亦爲人所憎.
  호 증 인 자 역 위 인 소 증
  남을 미워하기 좋아하는 사람은 또한 남이 미워하는 바가 된다.

답: ③

14. 빈칸 문제

(㉠)短於自見, 故以鏡觀面.
   단 어 자 견 고 이 경 관 면

㉠은 스스로를 보기에 모자라, 그러므로 거울로써 얼굴을 본다.

㉠은 보는 것을 담당하는 신체 부위이므로 답은 '目'(눈 목)이다.

답: ②

15. 대구 문제

德勝才, 謂之君子, 才勝德, 謂之(㉠).
덕 승 재 위 지 군 자 재 승 덕 위 지

덕이 재주를 이기면 그것을 일러 군자라 하고, 재주가 덕을 이기면 그것을 일러 ㉠이라 한다.

이 문장을 암기해서 풀라는 문제가 아니다. 한문의 대구를 이용해서 빈칸에 알맞은 한자를 찾는 문제다. 따라서 ㉠에는 '君子'(군자)와 비슷하거나 반대되는 뜻이 들어가야 한다. '德勝才'와 '才勝德'이 반대되는 뜻이므로 '小人'(소인)이 답임을 알 수 있다.

답: ①

16. 해석 문제

松下問童子, 소나무 아래에서 동자에게 물으니,
송 하 문 동 자

言師採藥去. 스승이 약초를 캐러 갔다고 말한다.
언 사 채 약 거

只在此山中, 다만 이 산중에는 있는데
지 재 차 산 중

雲深不知處. 구름이 깊어 있는 곳을 알지 못한다.
운 심 불 지 처

㉠~㉣의 행동 주체는 각각 순서대로 시적 화자, '童子', '師', '師', '童子'이다.

답: ②

〔17~18〕 성선설(性善說)

人性之善也, 猶水之就(㉠)也,
인 성 지 선 야 유 수 지 취   야
사람 본성의 선함은 물이 ㉠으로 나아감과 같고,

人無有不善, 水無有不下.
인 무 유 불 선 수 무 유 불 하
사람은 선하지 않음을 가짐이 없으며 물은 내려가지 않음을 가짐이 없다.

17. 빈칸 문제

㉠에 알맞은 것은 물이 나아가는 곳이다. 다음 줄 '水無有不下'에서도 답이 '下'임을 짐작할 수 있다.

답: ③

18. 서술어 문제

마지막으로 풀이되는 것은 서술어이다. ㉡은 '선하지 않음을 가짐이 없다'로 해석되므로 마지막으로 풀이되는 것은 '無'이다.

답: ②

〔19~20〕 왕연지효(王延之孝)

王延, 事親色養,
왕 연 사 친 색 양
왕연은 부모를 섬김에 얼굴빛으로 봉양하고

夏則扇枕席, 冬則以身溫被,
하 즉 선 침 석 동 즉 이 신 온 피
여름이면 베개와 자리에 부채질하고, 겨울이면 몸으로써 이불을 따뜻하게 하며

隆冬盛寒, 體常無全衣, 而親極滋味.
륭 동 성 한 체 상 무 전 의 이 친 극 자 미
융성한 겨울과 성한 추위에도 몸에 항상 온전한 옷이 없었지만 부모는 맛있는 맛을 다하게 누렸다.

19. 해석 문제

㉠은 '두려운 기색'이 아니라 '얼굴빛으로 봉양하다'라는 뜻이다. 여기에서 '色'(색)이 '얼굴빛'이라는 뜻도 있다는 사실을 알고 넘어가자. '巧言令色'(교언영색)은 '교묘한 말과 꾸미는 얼굴빛'으로 '色'이 '얼굴빛'이라는 뜻으로 쓰인 대표적인 예이다.

나머지는 어떻게든 문맥에 맞추면 그와 같이 해석할 수 있을 것 같은데 ㉠은 도무지 가당하지가 않다. 어디를 보아서 '두려운'이라는 말인가?

답: ①

20. 단문 문제

① 己所不欲, 勿施於人.
  기 소 불 욕 물 시 어 인
  자기가 하고자 하지 않는 바를 남에게 베풀지 말라.

② 欲勝人者, 必先自勝.
  욕 승 인 자 필 선 자 승
  남을 이기고자 하는 자는 반드시 먼저 스스로를 이겨야 한다.

③ 讀書千遍, 其義自見.
  독 서 천 편 기 의 자 현
  책을 읽음이 천 번이면 그 뜻이 스스로 나타난다.

④ 忍一時之憤, 免百日之憂.
인 일 시 지 분   면 백 일 지 우
한때의 분함을 참으면 백일의 근심을 면한다.

⑤ 古人一日養, 不以三公換.
고 인 일 일 양   불 이 삼 공 환
옛사람은 하루 봉양을 삼정승으로써도 바꾸지 않았다.

답: ⑤

21. 사물 문제

老人不辨細書, 以此掩目則明.
노 인 불 변 세 서   이 차 엄 목 즉 명
늙은이가 가는 글씨를 분별하지 못하여 이로써 눈에 쓰면 밝아
진다.

㉠은 '안경'이나 '돋보기'이다.

답: ③

〔22~23〕 제사의 의미

父母之恩, 如天無窮, 若生而事之, 死而遂忘
부 모 지 은   여 천 무 궁   약 생 이 사 지   사 이 수 망
之, 豈孝子之心哉?
지   기 효 자 지 심 재
부모의 은혜는 하늘과 같이 다함이 없는데, 만약 살아서는 그들
을 섬기지만 죽어서는 그들을 드디어 잊으면 어찌 효자의 마음
이겠는가?

22. 해석 문제
부모가 죽어서도 은혜를 잊지 말고 섬겨야 한다는 내용이다. 따
라서 관계있는 것은 '祭禮'(제례)이다.

답: ③

23. 해석 문제
㉠은 '같다', ㉡은 '만약'으로 풀이된다.

답: ④

〔24~25〕 별정인(別情人)

興仁門外無名巷, 홍 인 문 외 무 명 항	흥인문 밖 이름 없는 골목
一帶沙川五柳斜. 일 대 사 천 오 류 사	한 줄기 모래 시내 다섯 버드나무 비스듬합니다
墻北墻南花下路, 장 북 장 남 화 하 로	담 북쪽 담 남쪽 꽃 핀 아랫길
前三後七是吾家. 전 삼 후 칠 시 오 가	앞에서 세 번째 뒤에서 일곱 번째가 내 집입니다

24. 해석 문제
위 시에서 시인이 말하고 있는 것은 '집의 위치'이다.

답: ①

25. 한시 문제
ㄱ. 일곱 글자씩 네 구이므로 칠언절구이다.
ㄴ. 운자는 짝수 구의 마지막 글자에 오고, 첫째 구의 마지막 글
자에 올 수 있다. 짝수 구의 마지막 글자는 '斜'(사), '家'(가)이므
로 '巷'(항)은 운자가 아님을 알 수 있다.
ㄷ. 두 구가 문법적 기능이 동일한 글자의 배열로 이루어져 있을
때 대우를 이룬다고 한다. 제2구와 제3구는 문법적 기능이 동일
한 글자의 배열로 이루어져 있지 않으므로 대우를 이루지 않는다.
ㄹ. 시인의 정감이 직설적으로 드러난 부분은 없다.

답: ④

〔26~27〕 박제상(朴堤上)

於是, 囚堤上, 問曰: "汝何竊遣汝國王子耶?"
어 시   수 제 상   문 왈   여 하 절 견 여 국 왕 자 야
이에 제상을 가두고 물어 말하기를, "너는 어찌 너희 나라 왕
자를 몰래 보냈는가?"
對曰: "臣是鷄林之臣, 非倭國之臣.
대 왈   신 시 계 림 지 신   비 왜 국 지 신
대답하여 말하기를, "신은 계림의 신하이지 왜국의 신하가 아니다.
今欲成吾君之志耳, 何敢言於君乎?"
금 욕 성 오 군 지 지 이   하 감 언 어 군 호
지금 우리 임금의 뜻을 이루고자 함일 뿐이니 어찌 감히 그대
에게 말하겠는가?"
倭王, 怒曰: "今汝已爲我臣, 而言鷄林之臣,
왜 왕   노 왈   금 여 이 위 아 신   이 언 계 림 지 신
왜왕이 노하여 말하기를, "지금 너는 이미 나의 신하가 되었는
데도 계림의 신하를 말하니
則必具五刑, 若言倭國之臣者, 必常重祿."
즉 필 구 오 형   약 언 왜 국 지 신 자   필 상 중 록
반드시 오형을 갖추어야 하나 만약 왜국의 신하라고 말한다면
반드시 무거운 녹봉을 상으로 내리겠다."
對曰: "寧爲鷄林之犬豚, 不爲倭國之臣子."
대 왈   녕 위 계 림 지 견 돈   불 위 왜 국 지 신 자
대답하여 말하기를, "차라리 계림의 개돼지가 될지언정 왜국의
신하는 되지 않겠다."

26. 해석 문제
① 無道人之短.
무 도 인 지 단
남의 단점을 말하지 말라.
② 隨友適江南.
수 우 적 강 남
친구 따라 강남 간다.
③ 騎馬欲率奴.
기 마 욕 솔 노
말을 타면 종을 거느리고자 한다.
④ 愼是護身之符.
신 시 호 신 지 부
신중함은 몸을 지키는 부적이다.
⑤ 忠臣不事二君.
충 신 불 사 이 군
충신은 두 임금을 섬기지 않는다.

답: ⑤

27. 문장 형식 문제

ⓛ은 '어찌 감히 그대에게 말하겠는가?'로 해석되는 반어형 문장이다.

① 施恩, 勿求報.
시 은 물 구 보
은혜를 베풀고 갚음을 구하지 말라. (금지형)

② 割鷄, 焉用牛刀.
할 계 언 용 우 도
닭을 가름에 어찌 소 잡는 칼을 쓰겠는가. (반어형)

③ 窮理, 莫先於讀書.
궁 리 막 선 어 독 서
이치를 탐구함에는 책을 읽는 것보다 앞서는 것이 없다. (평서형)

④ 農者, 天下之大本也.
농 자 천 하 지 대 본 야
농사짓는 사람은 천하의 큰 근본이다. (평서형)

⑤ 直不百步耳, 是亦走也.
직 불 백 보 이 시 역 주 야
다만 백 보가 아닐 뿐이지, 이 또한 달아난 것이다. (평서형)

답: ②

[28~30] 이항복(李恒福)

李恒福, 居相位, 有達官來謁, 皆坐而受拜.
이 항 복 거 상 위 유 달 관 래 알 개 좌 이 수 배
이항복이 재상의 자리에 있을 때 영달한 관리가 와서 알현함이 있으면 모두 앉아 절을 받았다.

一日, 有報申訓導在門.
일 일 유 보 신 훈 도 재 문
하루는 신훈도가 문에 있다는 알림이 있었다.

公, 徒跣而出, 迎入升堂, 俛受所言, 應對其恭.
공 도 선 이 출 영 입 승 당 부 수 소 언 응 대 심 공
공이 다만 맨발로 나와 맞이하고 들어 마루에 올라 숙이고 말하는 바를 받으며 응대함이 심히 공손하였다.

家人, 怪問之, 是, 公, 兒時, 所受業者也.
가 인 괴 문 지 시 공 아 시 소 수 업 자 야
집안 사람들이 괴이하게 여겨 그것을 물으니 이는 공이 어릴 때 학업을 받은 바의 사람이었다.

翌日, 公, 往謝所館, 將綿布十餘端, 大米數石,
익 일 공 왕 사 소 관 장 면 포 십 여 단 대 미 수 석
以供旅次之用,
이 공 려 차 지 용
다음날 공이 묵는 곳에 가 사례하며 면포 십여 단과 쌀 여러 섬을 가지고 이로써 여행과 그 밖의 쓰임에 이바지하려 하니

其人曰: "行槖所需, 數斗米, 足矣."
기 인 왈 행 탁 소 수 수 두 미 족 의
그 사람이 말하기를, "행탁(전대)이 구하는 바는 몇 말의 쌀이면 충분하다."

28. 짜임 문제

한자어의 짜임은 두 글자 이상의 한자로 이루어진 한자어가 어떻게 해석되는가를 나타내는 개념이다. 한자어의 짜임에는 '주술(주어＋서술어)', '술목(서술어＋목적어)', '술보(서술어＋보어)', '수식', '병렬'의 다섯 가지가 있다.
㉮는 '영달한 관리'로 해석되므로 짜임이 '수식'인 한자어이다.

㉠ 受拜(수배): 절을 받다. (술목)

㉡ 在門(재문): 문에 있다. (술보)

㉢ 升堂(승당): 마루에 오르다. (술보)

㉣ 家人(가인): 집안 사람 (수식)

㉤ 受業(수업): 학업을 받음 (술목)

따라서 ㉮와 짜임이 같은 것은 ㉣이다.

답: ④

29. 독음 문제

㉯의 독음은 '응대'이다.

답: ⑤

30. 해석 문제

신훈도는 이항복의 집에서 묵지 않았다. 이는 '翌日, 公, 往謝所館'에서 알 수 있다.

답: ②

| 성명 | | 수험 번호 | | | | | | — | | | | |

○ 자신이 선택한 과목의 문제지인지 확인하시오.
○ 문제지의 해당란에 성명과 수험 번호를 정확히 쓰시오.
○ 답안지의 해당란에 성명과 수험 번호를 쓰고, 또 수험 번호와 답을 정확히 표시하시오.
○ 문항에 따라 배점이 다르니, 각 물음의 끝에 표시된 배점을 참고하시오. 1점 문항에만 점수가 표시되어 있습니다. 점수 표시가 없는 문항은 모두 2점입니다.

1. 그림의 내용으로 보아 가장 관계있는 것은? [1점]

① 文字圖
② 花鳥圖
③ 草蟲圖
④ 猛虎圖
⑤ 船遊圖

2. <보기>에서 음이 같은 한자를 고른 것은? [1점]

<보 기>
ㄱ. 濁   ㄴ. 燭   ㄷ. 獨   ㄹ. 觸

① ㄱ, ㄴ   ② ㄱ, ㄷ   ③ ㄴ, ㄷ   ④ ㄴ, ㄹ   ⑤ ㄷ, ㄹ

3. ㉠에 알맞은 것은? [1점]

은 행 Currency Exchange
환전 · (㉠)錢 $ ¥

① 金
② 換
③ 銀
④ 環
⑤ 還

4. 다음에서 찾고자 하는 한자는? [1점]

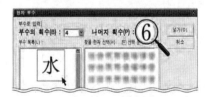

① 海
② 泉
③ 派
④ 泰
⑤ 涉

5. ㉠~㉢에 공통으로 들어갈 한자는? [1점]

見(㉠)如渴   勸(㉡)懲惡   改過遷(㉢)

① 合   ② 吉   ③ 吾   ④ 喜   ⑤ 善

6. 두 자를 합하여 하나의 한자를 만들 때, ㉠과 ㉡의 음이 모두 바른 것은? [1점]

○ 手＋寺 ＝ (㉠)   ○ 人＋谷 ＝ (㉡)

	㉠	㉡			㉠	㉡
①	사	곡		②	지	욕
③	지	곡		④	지	속
⑤	사	속				

7. ㉠에 알맞은 것은?

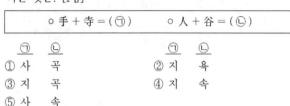

계 단 주 의
Warning;Steps ahead │ 階段(㉠)

① 主意   ② 朱衣   ③ 主義   ④ 周衣   ⑤ 注意

8. ㉠에 알맞은 것은? [1점]

아이, 추워 저곳이 따뜻하겠다. 저리로 들어가자.

(㉠)中

① 工事   ② 休業   ③ 消毒   ④ 修理   ⑤ 暖房

9. 화살표 방향으로 성어를 만들 때, ㉠에 알맞은 것은? [1점]

【세로 열쇠】
하늘을 놀라게 하고 땅을 뒤흔든다. 세상을 몹시 놀라게 함.

【가로 열쇠】
처지를 바꾸어 생각함.

① 支   ② 止   ③ 只   ④ 地   ⑤ 知

10. ㉠, ㉡에 공통으로 들어갈 한자어로 가장 적절한 것은?

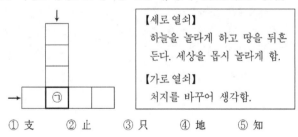

○ (㉠)在, 不遠遊, 遊必有方.   - 『논어(論語)』 -
○ (㉡)俱存, 兄弟無故, 一樂也.   - 『맹자(孟子)』 -

① 父母   ② 夫婦   ③ 朋友   ④ 主客   ⑤ 恩師

117

11. 그림의 내용으로 유추할 수 있는 성어는? [1점]

① 不恥下問　　② 日就月將　　③ 孤掌難鳴
④ 相扶相助　　⑤ 緣木求魚

12. 그림의 글자로 만들 수 있는 사자성어의 속뜻은?

① 고생을 하면서 공부하여 얻은 보람
② 윗사람을 농락하여 권세를 마음대로 함
③ 난처한 일이나 불행한 일이 잇따라 일어남
④ 인생의 길흉화복은 변화가 많아서 예측하기 어려움
⑤ 가까운 한쪽이 망하면 다른 한쪽도 온전하기 어려움

13. 글의 내용과 관계있는 성어는?

　　농사를 같이 지은 형제가 벼를 어떻게 나눌지 상의하였다.
형　：벼의 윗부분은 내가 가질 테니 너는 아랫부분을 가
　　　져라.
동생：불공평해. 싫어!
형　：내년에는 반대로 네가 윗부분을 가지면 되잖아.
동생：알았어.
　　　다음해가 되었다.
형　：올해는 벼를 심지 말고 감자를 심자구나.
동생：그러지 뭐.　　　　　　　　　- 『소림(笑林)』 -

① 近墨者黑　　② 朝三暮四　　③ 漁父之利
④ 錦上添花　　⑤ 矯角殺牛

14. ㉠~㉢에 공통으로 들어갈 한자는?

○ 欲修其身者, 先正其(㉠).　　　- 『대학(大學)』 -
○ 以責人之(㉡), 責己, 以恕己之(㉢), 恕人.
　　　　　　　　　　　　　　　　　　- 『송사(宋史)』 -

① 心　② 家　③ 氣　④ 國　⑤ 慾

15. 그림의 내용과 관계있는 것은?

① 己所不欲, 勿施於人.
② 不入虎穴, 不得虎子.
③ 春若不耕, 秋無所望.
④ 乾處兒臥, 濕處母眠.
⑤ 農夫餓死, 枕厥種子.

[16~17] 다음 글을 읽고 물음에 답하시오.

　　夫㉠天地者, ㉡萬物之逆旅, 光陰者, ㉢百代之㉣過客,
而㉤浮生若夢, 爲歡幾何? 古人秉燭夜遊, 良有以也.
　　　　　　　　　　　　　　　　　　*秉(병)：잡다
　　　　　　　　- 이백(李白), 「춘야연도리원서(春夜宴桃李園序)」-

16. 위 글에 대하여 잘못 설명한 것은?

① 인생의 덧없음에 대해서 느끼고 있다.
② 학문에 부지런히 힘쓰기를 권하고 있다.
③ 시간과 공간을 비유적으로 표현하고 있다.
④ 옛사람이 밤에 노닐던 행동을 이해하고 있다.
⑤ 서로 대(對)가 되는 글귀로 짝을 맞추고 있다.

17. ㉠~㉤ 중, 한자어의 짜임이 다른 하나는?

① ㉠　② ㉡　③ ㉢　④ ㉣　⑤ ㉤

[18~20] 다음 글을 읽고 물음에 답하시오.

　　安東俗, ㉠於每歲正月十六日, 金海, 於四月八日, 及端午日,
丁壯畢會, 分左右隊, ㉡投石以決勝負. 雖死傷, 不悔, 謂之石
戰. 征倭時, 募爲先鋒, 賊不敢前.
　　*倭(왜)：왜국　　*鋒(봉)：칼날　　- 『지봉유설(芝峯類說)』 -

18. 위 글의 '석전'에 대한 설명으로 바르지 않은 것은?

① 전쟁에도 이용되었다.
② 좌우로 편을 나누었다.
③ 남녀노소가 참여하였다.
④ 안동과 김해에서 행해졌다.
⑤ 부상을 입어도 아랑곳하지 않았다.

19. ㉠과 바꾸어 쓸 수 있는 것은?

① 于　② 自　③ 何　④ 所　⑤ 與

20. ㉡에서 마지막으로 풀이되는 것은?

① 投　② 石　③ 決　④ 勝　⑤ 負

21. 글의 내용과 가장 관계있는 것은?

> 床有鳴鐘, 報時不差.　　　　- 『담헌서(湛軒書)』 -

① ② ③ ④ ⑤

[22~23] 다음 시를 읽고 물음에 답하시오.

> (가) 日㉠入投孤店, 山深不掩扉.
>
> 　　　鷄鳴問前路, 黃葉向人飛.
>
> 　　　*掩(엄): 닫다　　*扉(비): 사립문
>
> 　　　　　　　　　- 권필(權韠),「도중(途中)」 -
>
> (나) 江碧鳥逾白, 山靑花欲㉡然.
>
> 　　　今春看又過, 何日是歸年.
>
> 　　　*逾(유): 더욱
>
> 　　　　　　　　　- 두보(杜甫),「절구(絶句)」 -

22. ㉠, ㉡의 풀이가 모두 바른 것은?

　　　㉠　　㉡　　　　　　㉠　　㉡
① 새다　그러하다　　② 지다　그러하다
③ 새다　불타다　　　④ 지다　불타다
⑤ 지다　떨어지다

23. (가), (나)에 대한 설명으로 바르지 <u>않은</u> 것은?

① (가)의 시적 화자는 객지를 여행하는 중이다.
② (가)의 제3구에는 시간적 배경이 드러나 있다.
③ (가)의 제4구를 통해 계절적 배경이 가을임을 알 수 있다.
④ (나)의 제1, 2구는 청각적 조화를 이루고 있다.
⑤ (나)의 제3, 4구에는 나그네의 애달픈 마음이 나타나 있다.

[24~25] 다음 글을 읽고 물음에 답하시오.

> 明君, 制民之産, 必使仰足以事父母, 俯足以畜妻子, 樂歲, 終身飽, 凶年, 免於死亡, 然後, 驅而之善. 故, 民之從之也㉠輕.
>
> 　　*俯(부): 숙이다　　- 『맹자(孟子)』 -

24. ㉠의 풀이로 바른 것은?

① 믿다　② 쉽다　③ 얕보다　④ 높이다　⑤ 바라다

25. 위 글에 대한 이해로 적절하지 <u>않은</u> 것은?

[26~27] 다음 글을 읽고 물음에 답하시오.

> (가) 天步西門遠, 東宮北地危. 孤臣憂國日, 壯士樹勳時.
>
> 　　　誓海魚龍動, 盟山草木知. 讐夷如盡滅, 雖死不爲辭.
>
> 　　　*勳(훈): 공　　*誓(서): 맹세하다　　*讐(수): 원수
>
> 　　　　　　　- 이순신(李舜臣),「진중음(陣中吟)」 -
>
> (나) 子曰: "知者不惑, 仁者不憂, 勇者不(㉠)."
>
> 　　　　　　　　　　　　- 『논어(論語)』 -

26. (가)에 관한 설명으로 바른 것을 <보기>에서 고른 것은?

> ───────<보 기>───────
> ㄱ. 형식은 오언율시이다.
> ㄴ. 운자는 '遠', '日', '動', '滅'이다.
> ㄷ. 나라를 구하려는 다짐이 나타나 있다.
> ㄹ. 제7구와 제8구가 대우(對偶)를 이룬다.

① ㄱ, ㄴ　② ㄱ, ㄷ　③ ㄴ, ㄷ　④ ㄴ, ㄹ　⑤ ㄷ, ㄹ

27. (나)를 (가)의 시적 화자의 태도와 연관 지어 볼 때, ㉠에 알맞은 것은?

① 念　② 敏　③ 會　④ 進　⑤ 懼

[28~30] 다음 글을 읽고 물음에 답하시오.

> 李之菡, 號, 土亭. <중략> ㉠拜牙山縣監, 聚民, 問㉮疾苦, 有以魚池爲苦. 蓋邑有養魚池, 使民輪回捉魚以㉡納, 民甚苦之. 之菡, 乃㉢塞其池, 永㉣絶後患. 公, 哀流民㉤弊衣乞食, 爲作巨室以館之.　　*聚(취): 모으다　*乞(걸): 빌다
>
> 　　*李之菡(이지함): 조선 시대 인물
>
> 　　　　　　　- 『연려실기술(燃藜室記述)』 -

28. ㉠~㉤의 풀이로 바르지 <u>않은</u> 것은?

① ㉠: 절하다　② ㉡: 들이다　③ ㉢: 메우다
④ ㉣: 없애다　⑤ ㉤: 헤지다

29. ㉮의 독음으로 바른 것은? [1점]

① 병고　② 병약　③ 질약　④ 질고　⑤ 질초

30. 이지함의 행동과 일치하지 <u>않는</u> 것은?

① 백성의 부담을 줄여 주었다.
② 떠돌아다니는 백성을 불쌍히 여겼다.
③ 백성도 물고기를 잡도록 허락하였다.
④ 백성에게 무엇이 고통스러운지 물었다.
⑤ 어려운 백성을 위하여 큰 집을 지어 주었다.

> * 확인 사항
> ㅇ 답안지의 해당란에 필요한 내용을 정확히 기입(표기)했는지 확인하시오.

2009학년도 수학능력시험

1	⑤	7	⑤	13	②	19	①	25	④
2	④	8	⑤	14	①	20	③	26	②
3	②	9	④	15	③	21	③	27	③
4	③	10	①	16	②	22	④	28	①
5	⑤	11	②	17	①	23	④	29	④
6	④	12	①	18	③	24	②	30	③

1. 그림 문제

① 文字圖(문자도): 글자를 그린 그림
② 花鳥圖(화조도): 꽃과 새를 그린 그림
③ 草蟲圖(초충도): 풀과 벌레를 그린 그림
④ 猛虎圖(맹호도): 사나운 호랑이를 그린 그림
⑤ 船遊圖(선유도): 뱃놀이를 그린 그림

답: ⑤

2. 한자 문제

ㄱ. 濁(흐릴 탁)　　　　ㄴ. 燭(촛불 촉)
ㄷ. 獨(홀로 독)　　　　ㄹ. 觸(닿을 촉)

답: ④

3. 한자어 문제

'換'(바꿀 환)과 '還'(돌아올 환)이 헷갈릴 수 있다. '換'은 '바꾼다'는 뜻이고 '還'은 '돌아온다'는 뜻이다. 둘을 확실하게 구별하자. 아울러 '環'은 '고리 환'이다.

답: ②

4. 부수 문제

부수와 나머지 획수로 한자를 찾는 문제이다. 그런데 ①~⑤의 한자는 모두 '水'(물 수)가 부수이다. '水'가 위치에 따라 'ⅰ', '氺' 등 다양한 형태로 변형된다는 것을 유념하자. 결국 부수로는 아무런 정보를 얻을 수 없으므로 나머지 획수를 세서 답을 찾아야 한다. 일일이 세어 보면 답이 '派'(물갈래 파)임을 알 수 있다.

답: ③

5. 사자성어 문제

사자성어를 무려 세 개나 주고 ㉠~㉢에 공통으로 들어갈 한자를 고르라고 하고 있어 아주 쉬운 문제다. '見善如渴'(견선여갈), '勸善懲惡'(권선징악), '改過遷善'(개과천선) 가운데 어느 하나만 알고 있어도 풀 수 있었다. '見善如渴'은 '선을 보기를 목마름과 같이 하라'라는 뜻이다.

답: ⑤

6. 합자 문제

手＋寺＝持(가질 지), 人＋谷＝俗(풍속 속)이다.

답: ④

7. 한자어 문제

어려운 문제다. 독음이 모두 '주의'여서 독음만으로는 아무 것도 알 수가 없다.
① 主意: 주된 요지. 중국에서는 생각이나 아이디어.
② 朱衣: 붉은 옷.
③ 主義: 체계화된 이론이나 학설.
④ 周衣: 두루마기.
⑤ 注意: 마음에 새겨 두어 조심함.

답: ⑤

8. 낭만적인 문제

아! 낭만적인 그림이다. 이걸 생각하고 푼 사람이 얼마나 될지는 모르겠지만…… 앞의 문제와 달리 독음만 읽으면 풀 수 있는 문제다.
① 工事(공사)　　② 休業(휴업)　　③ 消毒(소독)
④ 修理(수리)　　⑤ 暖房(난방)

답: ⑤

9. 사자성어 문제

가로 열쇠는 '易地思之'(역지사지), 세로 열쇠는 '驚天動地'(경천동지)이다. '易地思之'의 '地'와 '之'가 헷갈리는 사람에게 설명하자면, '易地思之'는 '처지(地)를 바꾸어(易) 그것을(之) 생각한다(思)'는 뜻이다.

답: ④

10. 빈칸 문제

첫 번째 문장은 본 적이 없었겠지만, 두 번째 문장은 유명하다. 맹자의 「군자삼락(君子三樂)」에 나오는 문장이므로 이것만 배운 사람이라도 맞힐 수 있다.

> (㉠)在, 不遠遊, 遊必有方.
> 　재　　불 원 유　유 필 유 방
> ㉠이 있으면 멀리 놀러가지 않고, 놀러가면 반드시 방향이 있어야 한다.
> (㉡)俱存, 兄弟無故, 一樂也.
> 　구 존　형 제 무 고　일 락 야
> ㉡이 함께 있고, 형제가 사고가 없는 것이 첫 번째 즐거움이다.

① 父母(부모)　　② 夫婦(부부)　　③ 朋友(붕우)
④ 主客(주객)　　⑤ 恩師(은사)

답: ①

11. 사자성어 문제

① 不恥下問(불치하문): 아랫사람에게 묻는 것을 부끄러워하지 않음.
② 日就月將(일취월장): 날마다 나아가고 달마다 나아가다.
③ 孤掌難鳴(고장난명): 외손뼉은 울기 어려움. 혼자서는 일을 이루기가 어려움. 맞서는 사람이 없으면 싸움이 일어나지 않음.
④ 相扶相助(상부상조): 서로 돕고 서로 돕다.
⑤ 緣木求魚(연목구어): 나무에 올라 고기를 구하다.

답: ②

12. 카드 문제

그림의 한자로 만들 수 있는 사자성어를 찾는 문제이다. 이런 문제에서는 그림의 한자를 훑어본 다음, ①~⑤를 보면서 그림의 한자로 ①~⑤의 의미를 가지는 사자성어를 생각해 보면 된다.

① 고생을 하면서 공부하여 얻은 보람
　　☞ 螢雪之功(형설지공)

② 윗사람을 농락하여 권세를 마음대로 함.
　　☞ 指鹿爲馬(지록위마)

③ 난처한 일이나 불행한 일이 잇따라 일어남.
　　☞ 雪上加霜(설상가상)

④ 인생의 길흉화복은 변화가 많아서 예측하기 어려움.
　　☞ 塞翁之馬(새옹지마)

⑤ 가까운 한쪽이 망하면 다른 한쪽도 온전하기 어려움.
　　☞ 脣亡齒寒(순망치한)

답: ①

13. 사자성어 문제

형이 교활한 건지, 동생이 어리석은 건지…… '朝三暮四'(조삼모사)는 원숭이의 어리석음이 아니라 꾀로 원숭이의 반발을 무마시킨 저공의 간사함을 비판하는 데 초점이 있다.

① 近墨者黑(근묵자흑): 먹을 가까이하는 사람은 검어짐. 나쁜 사람과 사귀면 물들기 쉬움.

② 朝三暮四(조삼모사): 아침에 세 개, 저녁에 네 개. 간사한 꾀로 남을 속여 희롱함.

③ 漁父之利(어부지리): 어부의 이익. 둘이 다투는 틈을 타서 엉뚱한 제3자가 이익을 가로챔.

④ 錦上添花(금상첨화): 비단 위에 꽃을 보탬. 좋은 일에 또 좋은 일이 더해짐.

⑤ 矯角殺牛(교각살우): 뿔을 바로잡다가 소를 죽임. 작은 결점을 고치려다가 수단이나 정도가 지나쳐 일을 그르침.

답: ②

14. 빈칸 문제

欲修其身者, 先正其(㉠).
욕 수 기 신 자　선 정 기
그 몸을 닦고자 하는 자는 먼저 그 ㉠을 바르게 해야 한다.

以責人之(㉡), 責己, 以恕己之(㉢), 恕人.
이 책 인 지　책 기　이 서 기 지　서 인
남을 꾸짖는 ㉡으로써 자기를 꾸짖고, 자기를 용서하는 ㉢으로써 남을 용서하라.

첫 번째 문장에 들어갈 한자는 조금 애매할 수 있지만, 두 번째 문장을 보면 ㉠~㉢에 공통으로 들어갈 한자가 '心'(마음 심)임이 명백하다.

답: ①

15. 단문 문제

① 己所不欲, 勿施於人.
　기 소 불 욕　물 시 어 인
자기가 하고자 하지 않는 바를 남에게 베풀지 말라.

② 不入虎穴, 不得虎子.
　불 입 호 혈　부 득 호 자
호랑이굴에 들어가지 않으면 호랑이 새끼를 얻지 못한다.

③ 春若不耕, 秋無所望.
　춘 약 불 경　추 무 소 망
봄에 밭갈지 않으면 가을에 바랄 바가 없다.

④ 乾處兒臥, 濕處母眠.
　건 처 아 와　습 처 모 면
마른 곳에 아이가 눕고, 축축한 곳에 어머니가 잔다.

⑤ 農夫餓死, 枕厥種子.
　농 부 아 사　침 궐 종 자
농부는 굶어죽더라도 그 씨를 벤다.
　1) 사람은 자신의 직업의식을 버리지 못함.
　2) 사람은 죽을 때까지 희망을 버리지 않고 앞날을 생각함.
　3) 어리석고 인색한 사람은 자신이 죽고 나면 재물도 소용이 없음을 모름.

답: ③

〔16~17〕 춘야연도리원서(春夜宴桃李園序)

아주 유명한 지문이다.

夫天地者, 萬物之逆旅,
부 천 지 자　만 물 지 역 려
무릇 천지라는 것은 만물의 여관이요,

光陰者, 百代之過客,
광 음 자　백 대 지 과 객
시간이라는 것은 백 대의 지나가는 손님인데,

而浮生若夢, 爲歡幾何?
이 부 생 약 몽　위 환 기 하
뜬 삶이 꿈과 같으니 기뻐함이 얼마인가?

古人秉燭夜遊, 良有以也.
고 인 병 촉 야 유　량 유 이 야
옛 사람이 촛불을 잡고 밤에 논 것은 진실로 이유가 있다.

16. 해석 문제

① '浮生'(부생)이라는 표현에서 인생의 덧없음을 느끼고 있음을 알 수 있다.

② 모든 한문이 학문에 부지런히 힘쓰기를 권하는 공자님 말씀 같은 내용이라는 고정관념을 가진 사람이 고르라고 만든 것이다.

③ '天地'라는 공간은 '萬物之逆旅'에, '光陰'이라는 시간은 '百代之過客'에 비유하고 있다.

④ '古人秉燭夜遊, 良有以也'에서 옛사람이 밤에 노닐던 행동을 이해하고 있음을 알 수 있다.

⑤ '天地者, 萬物之逆旅'와 '光陰者, 百代之過客'이 서로 대가 되는 글귀로 짝을 맞추고 있다.

답: ②

17. 짜임 문제

한자어의 짜임은 두 글자 이상의 한자로 이루어진 한자어가 어떻게 해석되는가를 나타내는 개념이다. 한자어의 짜임에는 '주술(주어＋서술어)', '술목(서술어＋목적어)', '술보(서술어＋보어)', '수식', '병렬'의 다섯 가지가 있다.

㉠ 天地: 하늘과 땅. (병렬)
㉡ 萬物: 온갖 사물. (수식)
㉢ 百代: 백 번째의 대. (수식)
㉣ 過客: 지나가는 손님. (수식)
㉤ 浮生: 뜬 삶. (수식)

답: ①

[18~20] 차전(車戰)

> 安東俗, 於每歲正月十六日, 金海, 於四月八日, 及端午日,
> 안동속 어매세정월십육일 김해 어사월팔일 급단오일
> 안동 풍속에 매년 1월 16일에, 김해는 4월 8일 및 단오날에
>
> 丁壯畢會, 分左右隊, 投石以決勝負.
> 정장필회 분좌우대 투석이결승부
> 장정이 다 모여 좌우로 무리를 나누고 돌을 던짐으로써 승부를 결정했다.
>
> 雖死傷, 不悔, 謂之石戰.
> 수사상 불회 위지석전
> 비록 죽고 다치더라도 뉘우치지 않고 그것을 석전이라고 일렀다.
>
> 征倭時, 募爲先鋒, 賊不敢前.
> 정왜시 모위선봉 적불감전
> 왜를 칠 때 모아 선봉으로 삼으니 도적이 감히 앞으로 가지 못했다.

18. 해석 문제

③ '丁壯畢會'라는 표현은 있지만 남녀노소가 참여했다는 것은 알 수 없다.

답: ③

19. 바꾸어 쓸 수 있는 한자 문제

㉠과 바꾸어 쓸 수 있는 한자는 '于'(우)이다. 이런 문제는 가장 쉬운 문제 가운데 하나이므로 꼭 풀도록 하자.

답: ①

20. 해석 문제

마지막으로 풀이되는 것은 서술어이다. '投石以決勝負'는 '돌을 던짐으로써 승부를 결정하다'이므로 마지막으로 풀이되는 것은 '決'이다.

답: ③

21. 사물 문제

> 床有鳴鐘, 報時不差.
> 상유명종 보시불차
> 상에 울리는 종이 있는데 시간을 알림에 어긋나지 않는다.

답: ③

[22~23] 권 필, 「도중(途中)」
두 보, 「절구(絕句)」

> 日入投孤店, 해가 들어가 외로운 여관에 투숙하는데
> 일입투고점
> 山深不掩扉. 산이 깊어 사립문을 닫지 않는다.
> 산심불엄비
> 鷄鳴問前路, 닭이 울고 앞길을 묻는데
> 계명문전로
> 黃葉向人飛. 누런 잎이 사람을 향해 날아든다.
> 황엽향인비
>
> 江碧鳥逾白, 강이 푸르니 새가 더욱 희고
> 강벽조유백
> 山青花欲然. 산이 푸르고 꽃은 불타고자 한다.
> 산청화욕연
> 今春看又過, 이번 봄도 또 지나가는 것을 보니
> 금춘간우과
> 何日是歸年. 어느 날이 돌아가는 해일까.
> 하일시귀년

22. 해석 문제

너무 어려운 문제다. 然이 燃으로 쓰였다는 걸 어떻게 알겠는가? 그래서 유명한 한시의 해석이 어려운 부분은 미리 익혀 두어야 한다.

답: ④

23. 이해와 감상 문제

① '投孤店'에서 (가)의 시적 화자가 객지를 여행함을 알 수 있다.
② (가)의 제3구의 '鷄鳴'이 시간적 배경을 드러나게 해 준다.
③ (가)의 제4구의 '黃葉'을 통해 시간적 배경이 가을임을 알 수 있다.
④ (나)의 제1, 2구는 '청각적' 조화가 아니라 '시각적' 조화를 이루고 있다.
⑤ (나)의 제3, 4구에는 나그네의 애달픈 마음이 나타나 있다.

답: ④

[24~25] 항산(恒産)과 항심(恒心)

> 明君, 制民之產, 必使仰足以事父母, 俯足以畜妻子,
> 명군 제민지산 필사앙족이사부모 부족이축처자
> 현명한 임금은 백성의 재산을 다스림에 반드시 우러러 어버이를 섬기기에 충분하고 굽어 아내와 자식을 먹임에 충분하게 해야 하니,
>
> 樂歲, 終身飽, 凶年, 免於死亡, 然後, 驅而之善.
> 낙세 종신포 흉년 면어사망 연후 구이지선
> 즐거운 해에는 몸을 다하도록 배부르게 해야 하며, 흉년에는 사망을 면하게 해야 하고, 그러한 뒤에 몰아 선함에 간다.
>
> 故, 民之從之也輕.
> 고 민지종지야경
> 그러므로 백성이 그것을 따르는 것이 가볍다.

24. 해석 문제

해석 문제는 가장 적절한/적절하지 않은 것을 골라야 한다. '輕'을 직역하여 '가볍다'로 해석한 것은 '가볍다'로 해석해도 문제가 없기 때문이지, 해석 문제가 나왔을 때 '가볍다'가 가장 적절한 것은 아니다. 가령 '가볍다'와 '쉽다'가 모두 선지로 제시되면 '쉽다'를 골라야 한다.

답: ②

25. 해석 문제

④는 이 글의 내용과 완전히 반대되는 내용이다.

답: ④

[26~27] 이순신, 「진중음(陳中吟)」 / 논어(論語)

天步西門遠 천 보 서 문 원	하늘의 걸음(임금의 행차)이 서쪽 문에서 멀어지고
東宮北地危. 동 궁 북 지 위	동궁과 북쪽 땅이 위태롭다.
孤臣憂國日, 고 신 우 국 일	외로운 신하가 나라를 근심하는 날이요,
壯士樹勳時. 장 사 수 훈 시	장사가 공을 세울 때이다.
誓海魚龍動, 서 해 어 룡 동	바다에 맹세하니 물고기와 용이 움직이고
盟山草木知. 맹 산 초 목 지	산에 맹세하니 풀과 나무가 안다.
讐夷如盡滅, 수 이 여 진 멸	원수 오랑캐가 멸함에 다함과 같으면
雖死不爲辭. 수 사 불 위 사	비록 죽더라도 사양하지 않겠다.

子曰: "知者不惑, 仁者不憂, 勇者不(㉠)."
자 왈　　지 자 불 혹　　인 자 불 우　　용 자 불

공자가 말하기를, "아는 자는 미혹되지 않고, 어진 자는 근심하지 않고, 용감한 자는 ㉠하지 않는다."

26. 한시 문제

ㄱ. 다섯 글자씩 여덟 구이므로 오언율시이다.
ㄴ. 운자는 짝수 구에 온다.
ㄷ. 제7, 8구에서 나라를 구하려는 다짐을 읽을 수 있다.
ㄹ. 두 구가 문법적 기능이 동일한 글자의 배열로 이루어져 있을 때 대우를 이룬다고 한다. 제7구와 제8구는 문법적 기능이 동일한 글자의 배열이 아니므로 대우를 이루지 않는다.

답: ②

27. 빈칸 문제

(가) 전체를 해석하지 못해도 풀 수 있는 문제다. 용감한 자는 어떠하지 않겠는가?
　① 念(생각할 념)　　② 敏(재빠를 민)　　③ 會(모일 회)
　④ 進(나아갈 진)　　⑤ 懼(두려워할 구)

답: ⑤

[28~30] 이지함(李之菡)

李之菡, 號, 土亭. <중략>
이 지 함　　호　　토 정

이지함의 호는 토정이다.

拜牙山縣監, 聚民, 問疾苦, 有以魚池爲苦.
배 아 산 현 감　　취 민　　문 질 고　　유 이 어 지 위 고

아산 현감 벼슬을 받아 백성을 모아 질고를 물으니 물고기의 못을 괴로움으로 여김이 있었다.

蓋邑有養魚池, 使民輪回捉魚以納, 民甚苦之.
개 읍 유 양 어 지　　사 민 륜 회 착 어 이 납　　민 심 고 지

대개 마을에 물고기를 기르는 못이 있어 백성들이 돌아가면서 물고기를 잡아 바치게 하니 백성들이 그것을 심히 괴로워했다.

之菡, 乃塞其池, 永絶後患.
지 함　　내 색 기 지　　영 절 후 환

지함이 이에 그 못을 막아 뒤의 근심을 영원히 끊었다.

公, 哀流民弊衣乞食, 爲作巨室以館之.
공　　애 류 민 폐 의 걸 식　　위 작 거 실 이 관 지

공이 돌아다니는 백성이 옷이 해지고 먹을 것을 비는 것을 슬퍼하여, 위하여 큰 집을 짓고 그들을 묵게 하였다.

28. 해석 문제

어려운 문제다. 拜에 '벼슬을 주다'는 뜻이 있다는 걸 안 사람은 별로 많지 않았을 것이다. 하지만 이 글에서 '절하다'가 얼마나 뜬금없는지 생각해 봐라. 수학능력시험은 한자의 모든 뜻을 알라고 요구하지 않는다. 전체적인 흐름을 아는가를 묻는 것이다.

답: ①

29. 독음 문제

㉮의 독음은 '질고'이다.

답: ④

30. 해석 문제

③ 백성도 물고기를 잡도록 허락한 것이 아니라 물고기를 잡는 연못을 메웠다.

답: ③

1. 그림에 나타나지 <u>않은</u> 것은? [1점]

① 弓　　② 車　　③ 馬　　④ 鹿　　⑤ 象

2. ㉠에 해당하는 것은? [1점]

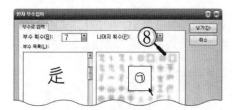

① 逸
② 逢
③ 趣
④ 踐
⑤ 踏

3. 다음 조건을 모두 만족하는 것은? [1점]

뜻은 '技'와 통해.
부수는 '手'와 같지.
음은 '裁'와 같아.

① 才　　② 再　　③ 拜　　④ 能　　⑤ 授

4. 다음 조건에 맞는 한자를 만들기 위해 필요한 것을 <보기>
에서 고른 것은? [1점]

> o '토'라고 읽는다.
> o '치다'라는 뜻을 가지고 있다.

<보 기>

ㄱ. 人　　ㄴ. 言　　ㄷ. 木　　ㄹ. 寸

① ㄱ, ㄴ　② ㄱ, ㄷ　③ ㄴ, ㄷ　④ ㄴ, ㄹ　⑤ ㄷ, ㄹ

5. ㉠에 알맞은 것은? [1점]

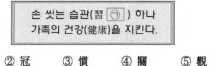

손 씻는 습관(習 ㉠) 하나
가족의 건강(健康)을 지킨다.

① 官　　② 冠　　③ 慣　　④ 關　　⑤ 觀

6. ㉠에 알맞은 한자를 그림으로 나타낸 것은? [1점]

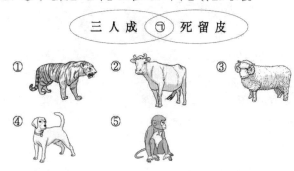

三 人 成 ㉠ 死 留 皮

7. ㉠에 알맞은 것은?

| 2009년 己丑年 6월 | 2010년 庚寅年 6월 | 2012년 (㉠)年 6월 |

① 丁亥　② 壬辰　③ 甲午　④ 辛未　⑤ 癸巳

8. ㉠~㉢에 공통으로 들어갈 것은? [1점]

(㉠)價紅裳　　大(㉡)小異　　草綠(㉢)色

① 冬　　② 同　　③ 洞　　④ 桐　　⑤ 童

9. ㉠에 가장 알맞은 것은?

자! '여름'하면 생각나는 것을 그려 보자.

음. 전부 야자수와 해변뿐이네.

그림들이 모두 (㉠)이로군. 창조적이지 못해!

① 千篇一律　　　② 目不識丁　　　③ 事必歸正
④ 刻舟求劍　　　⑤ 群鷄一鶴

10. 글의 교훈으로 가장 관계있는 것은?

> 그릇의 모양에 따라 물의 모양이 변하듯, 사람도 누구를
> 사귀는가에 따라 변하게 된다.　- 「명심보감(明心寶鑑)」-

① 水去不復回.　② 禍生於淸儉.　③ 人至察則無徒.
④ 無友不如己者.　⑤ 難測一丈人心.

11. 대화의 내용과 관계있는 것은?

① 他山之石　　② 束手無策　　③ 知行一致
④ 欲速不達　　⑤ 雪上加霜

12. 화살표 방향으로 성어를 만들 때, ㉠에 알맞은 것은?

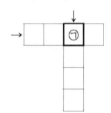

【가로 열쇠】 폐단의 근원을 아주 뽑아서 없애 버림.

【세로 열쇠】 인생의 길흉화복은 변화가 많아서 예측하기가 어려움.

① 世　　② 索　　③ 勢　　④ 塞　　⑤ 歲

13. 그림의 글자로 만들 수 있는 사자성어의 속뜻은?

① 옳고 그른 것을 묻지 않음.
② 가까이 있는 것이 도리어 알아내기 어려움.
③ 낮고 쉬운 것을 배워 깊고 어려운 이치를 깨달음.
④ 바른 길에서 벗어난 학문으로 세상 사람에게 아첨함.
⑤ 자기보다 못한 사람에게 묻는 것을 부끄러워하지 않음.

14. 그림의 내용으로 보아 관계가 없는 것은? [1점]

① 公演　② 重唱　③ 音響　④ 樂譜　⑤ 聽衆

15. 글의 의미로 알맞은 것은?

好憎人者, 亦爲人所憎.　　－「설원(說苑)」－

① 相扶相助　　② 孤掌難鳴　　③ 種豆得豆
④ 錦上添花　　⑤ 矯角殺牛

16. ㉠, ㉡에 공통으로 들어갈 것은?

○ 孫康, 家貧無油, 常映雪(㉠). －「몽구집주(蒙求集註)」－
○ 入道莫先於窮理, 窮理莫先乎(㉡).
　　　　　　　　　　　－「격몽요결(擊蒙要訣)」－

① 交遊　② 忠孝　③ 富貴　④ 報恩　⑤ 讀書

17. 대화의 내용과 가장 관계있는 것은?

① 九層之臺, 起於累土.　　② 月滿則缺, 物盛則衰.
③ 矢在弦上, 不可不發.　　④ 吹之恐飛, 執之恐陷.
⑤ 窮人之事, 飜亦破鼻.

[18~19] 다음 시를 읽고 물음에 답하시오.

慈親鶴髮㉠在臨瀛,
　身㉡向長安獨㉢去情.
㉣回首北村時一㉤望,
　白雲飛下暮山靑.　　　　＊臨瀛(임영): 지명

　　－ 신사임당(申師任堂),「읍별자모(泣別慈母)」－

18. ㉠~㉤ 중 행위의 주체가 나머지와 다른 하나는?

① ㉠　　② ㉡　　③ ㉢　　④ ㉣　　⑤ ㉤

19. 위 시에 대한 설명으로 바른 것을 <보기>에서 고른 것은?

＜보 기＞
ㄱ. 형식은 칠언율시이다.
ㄴ. 운자는 '情', '望', '靑'이다.
ㄷ. 제3구에는 심적 갈등이 나타나 있다.
ㄹ. 제4구에는 시간적 배경이 드러나 있다.

① ㄱ, ㄴ　　② ㄱ, ㄷ　　③ ㄴ, ㄷ
④ ㄴ, ㄹ　　⑤ ㄷ, ㄹ

[20~21] 다음 글을 읽고 물음에 답하시오.

金弘道, 生於東方近時. 自幼, 治繪事, ㉠無所不能, 至於
㉡人物山水仙佛花果蟲魚禽鳥, 皆入妙品.

*繪(회): 그리다　　　-「표암집(豹庵集)」-

20. ㉠과 의미가 통하는 것은?

① 不實　② 未熟　③ 如前　④ 通達　⑤ 進步

21. ㉡과 관계가 없는 것은? [1점]

①
②
③
④
⑤

[22~24] 다음 글을 읽고 물음에 답하시오.

子貢問政. 子曰:"足食足兵, 民信之矣." 子貢曰:"必不得已
而去, 於斯三者, ㉠何先?"曰:"去兵."子貢曰:"必不得已而去,
於㉡斯二者, 何先?"曰:"去食. 自古, 皆有死, ㉢民無信, 不立."

*子貢(자공): 공자의 제자　-「논어(論語)」-

22. ㉠의 풀이로 바른 것은?

① 누가　　　② 언제　　　③ 무엇을
④ 어찌하여　　⑤ 어디에서

23. ㉡이 가리키는 것을 <보기>에서 고른 것은?

<보 기>
ㄱ.政　ㄴ.食　ㄷ.兵　ㄹ.信

① ㄱ, ㄴ　② ㄱ, ㄷ　③ ㄴ, ㄷ　④ ㄴ, ㄹ　⑤ ㄷ, ㄹ

24. ㉢과 문장 형식이 같은 것은?

① 己所不欲, 勿施於人.　　② 衣莫若新, 人莫若故.
③ 父母之年, 不可不知矣.　④ 不信乎朋友, 不獲乎上矣.
⑤ 言勿異於行, 行勿異於言.

[25~27] 다음 글을 읽고 물음에 답하시오.

㉠吾聞見危致命, 臨難忘身者, (㉡)之志也. 夫一人致死, 當
百人, 百人致死, 當千人, 千人致死, 當萬人, 則可以橫行天下.
今國之賢相, 被㉢他國之拘執, 其可畏不犯難乎?

-「삼국사기(三國史記)」-

25. ㉠의 어조로 가장 알맞은 것은?

① 自滿　② 怨望　③ 悲壯　④ 感歎　⑤ 懷疑

26. ㉡에 알맞은 것은?

① 凡人　② 奇人　③ 烈士　④ 道人　⑤ 隱士

27. ㉢과 짜임이 같은 것은? [1점]

① 兄弟　② 吉夢　③ 夜深　④ 登校　⑤ 始終

[28~30] 다음 글을 읽고 물음에 답하시오.

昔, 黃喜, 微時行役, 憩于路上. 見田父駕二牛耕者, 問曰:
"二牛, 何者爲勝?" 田父不對, 輟耕而至, 附耳細語曰:"此牛
勝." 公怪之, 曰:"何以附耳相語?"田父曰:"雖畜物, 其心, 與
人同也. ㉠此勝則彼劣, 使牛聞之, (㉡)無不平之心乎?"公大悟,
遂不復言人長短云.

*駕(가): 멍에를 메우다, 부리다　*輟(철): 그치다
-「지봉유설(芝峯類說)」-

28. ㉠에서 마지막으로 풀이되는 것은?

① 此　② 勝　③ 則　④ 彼　⑤ 劣

29. ㉡에 알맞은 것은?

① 令　② 所　③ 苦　④ 故　⑤ 寧

30. 위 글의 내용과 일치하지 않는 것은?

① 농부는 소를 몰고 밭을 갈고 있었다.
② 황희는 농부에게 어느 소가 나은지 물었다.
③ 황희는 농부에게 귀에 대고 말하는 이유를 설명했다.
④ 농부는 가축의 마음도 사람의 마음과 같다고 대답했다.
⑤ 황희는 이후로 남의 장단점에 대해 말하지 않았다고 한다.

* 확인 사항

o 답안지의 해당란에 필요한 내용을 정확히 기입(표기)했는지 확인
하시오.

2010학년도 6월 모의평가

1	⑤	7	②	13	⑤	19	⑤	25	③
2	①	8	②	14	②	20	④	26	④
3	①	9	①	15	①	21	②	27	②
4	④	10	④	16	⑤	22	⑤	28	⑤
5	③	11	④	17	④	23	④	29	⑤
6	①	12	④	18	①	24	④	30	③

1. 한자 문제

① 弓(활 궁)　② 車(수레 거)　③ 馬(말 마)
④ 鹿(사슴 록)　⑤ 象(코끼리 상)

답: ⑤

2. 부수 문제

부수와 나머지 획수로 한자를 찾는 문제이다. '辵'(쉬엄쉬엄 갈 착)이 부수로 쓰이면 '辶'으로 변형된다. 따라서 ㉠으로 가능한 것은 '逸'(편안할 일), '逢'(만날 봉)뿐이다. 나머지 획수를 세어 보면 답이 '逸'임을 알 수 있다.

답: ①

3. 조건을 만족하는 한자 문제

조건을 만족하는 한자를 찾는 문제이다. 음으로 찾는 것이 가장 빠르므로 음이 '裁'(바느질할 재)와 같은 것을 찾아보자.

① 才(재주 재)　② 再(다시 재)　③ 拜(절 배)
④ 能(능할 능)　⑤ 授(줄 수)

따라서 답은 '才' 또는 '再'이다. 이제 뜻을 보면 '技'(재주 기)와 비슷한 건 아무래도 '才'이겠다.
부수가 '擧'(들 거)와 같다는 조건 때문에 약간 헷갈렸을 수도 있겠다. 그러나 음과 뜻으로 불가능한 것을 소거하다 보면 '才'를 골랐어야 했다. 사실 '才' 자체가 '手'(손 수)의 변형인 '扌'이다.

답: ①

4. 한자 문제

'칠 토'는 '討'이므로 이를 만들기 위해 필요한 것은 '言'과 '寸'이다.

답: ④

5. 한자어 문제

'습관'의 '관'은 '慣'(버릇 관)이다. 이를 몰랐더라도 '습관'이 '마음'과 관련되어 있다는 것에서 '慣'이 답일 가능성이 가장 높다.

① 官(벼슬 관)　② 冠(갓 관)　③ 慣(버릇 관)
④ 關(빗장 관)　⑤ 觀(볼 관)

답: ③

6. 사자성어 문제

왼쪽은 '三人成虎'(삼인성호), 오른쪽은 '虎死留皮'(호사류피)이다. 사자성어 가운데 세 글자를 제시하여 풀기 어렵지 않은 문제였다. '虎死留皮'는 다소 생소해도 '三人成虎'는 많이 들어 보았을 것이다. 따라서 ㉠에 알맞은 한자는 '虎'(범 호)이다.

답: ①

7. 간지 문제

10간과 12지가 독립적으로 순환하면서 해의 이름을 만든다.

10간	갑 甲	을 乙	병 丙	정 丁	무 戊	기 己	경 庚	신 辛	임 壬	계 癸
12지	자 子	축 丑	인 寅	묘 卯	진 辰	사 巳	오 午	미 未	신 申	유 酉	술 戌	해 亥

2009년이 己丑年(기축년)이므로 2010년은 庚寅年(경인년), 2011년은 辛卯年(신묘년), 2012년은 壬辰年(임진년)이다.

답: ②

8. 사자성어 문제

> 同價紅裳(동가홍상): 같은 값이면 다홍치마.
> 大同小異(대동소이): 크게 같고 작게 다름.
> 草綠同色(초록동색): 풀빛과 푸른빛은 같은 빛.

㉠~㉢에 공통으로 들어갈 한자는 '同'(같을 동)이다. 셋 가운데 하나만 알아도 풀 수 있는 쉬운 문제였다.

답: ②

9. 사자성어 문제

① 千篇一律(천편일률): 천 편이 한 음률이다. 사물이 모두 비슷해 변화가 없다.
② 目不識丁(목불식정): 눈이 '丁'(고무래 정)을 알지 못하다. 글자를 전혀 모름. 또는 그런 사람.
③ 事必歸正(사필귀정): 일은 반드시 바름으로 돌아간다.
④ 刻舟求劍(각주구검): (칼을 떨어뜨린 자리를) 배에 새기고 칼을 구하다, 시대의 변화에 융통성 있게 대처하지 못하다.
⑤ 群鷄一鶴(군계일학): 여러 닭 가운데 하나의 학. 많은 사람 가운데서 뛰어난 한 사람.

답: ①

10. 단문 문제

① 水去不復回. 물은 가면 다시 돌아오지 않는다.
　수 거 불 부 회
② 福生於淸儉. 복은 청렴함과 검소함에서 생긴다.
　복 생 어 청 검
③ 人至察則無徒. 사람이 지극히 살피면 따르는 무리가 없다.
　인 지 찰 즉 무 도
④ 無友不如己者. 자기만 못한 자를 벗하지 말라.
　무 우 불 여 기 자
⑤ 難測一丈人心. 한 길 사람 마음을 재기 어렵다.
　난 측 일 장 인 심

답: ④

11. 사자성어 문제

① 他山之石(타산지석): 다른 산의 돌. 본이 되지 않은 남의 말이나 행동도 자신의 지식과 인격을 수양하는 데에 도움이 됨.

② 束手無策(속수무책): 손이 묶여 대책이 없음.

③ 知行一致(지행일치): 앎과 행동이 하나로 이룸.

④ 欲速不達(욕속부달): 빠르고자 하면 이르지 못함.

⑤ 雪上加霜(설상가상): 눈 위에 서리를 더함. 난처한 일이나 불행이 잇따라 일어남.

답: ④

12. 사자성어 문제

가로 열쇠는 '拔本塞源'(발본색원), 세로 열쇠는 '塞翁之馬'(새옹지마)이다. '塞'는 '막다'라는 뜻으로 쓸 때에는 '색'으로 읽고, '변방'이라는 뜻으로 쓸 때에는 '새'로 읽는다.

답: ④

13. 카드 문제

① 옳고 그른 것을 묻지 않음.
　☞ 不問曲直(불문곡직)

② 가까이 있는 것이 도리어 알아내기 어려움.
　☞ 燈下不明(등하불명)

③ 낮고 쉬운 것을 배워 깊고 어려운 이치를 깨달음.
　☞ 登高自卑(등고자비) (그림에 글자가 하나도 없다!)

④ 바른 길에서 벗어난 학문으로 세상 사람에게 아첨함.
　☞ 曲學阿世(곡학아세)

⑤ 자기보다 못한 사람에게 묻는 것을 부끄러워하지 않음.
　☞ 不恥下問(불치하문)

답: ⑤

14. 한자어 문제

① 公演(공연)　② 重唱(중창)　③ 音響(음향)

④ 樂譜(악보)　⑤ 聽衆(청중)

답: ②

15. 단문 문제

> 好憎人者, 亦爲人所憎.
> 호 증 인 자 　역 위 인 소 증
> 남을 미워하기 좋아하는 자는 또한 남이 미워하는 바가 된다.

① 相扶相助(상부상조): 서로 돕고 서로 도움.

② 孤掌難鳴(고장난명): 외손뼉은 울기 힘듦. 혼자서는 일을 이루기가 어려움. 또는 맞서는 사람이 없으면 싸움이 일어나지 않음.

③ 種豆得豆(종두득두): 콩을 심으면 콩을 얻음. 원인에 따라 결과가 생김.

④ 錦上添花(금상첨화): 비단 위에 꽃을 더함. 좋은 일에 또 좋은 일이 더해짐.

⑤ 矯角殺牛(교각살우): 뿔을 바로잡다가 소를 죽임. 작은 결점을 고치려다가 수단이나 정도가 지나쳐 일을 그르침.

답: ③

16. 빈칸 문제

> 孫康, 家貧無油, 常映雪(㉠).
> 손 강 　가 빈 무 유 　상 영 설
> 손강은 집이 가난하여 기름이 없어 늘 눈에 비추어 ㉠하였다.
>
> 入道莫先於窮理, 窮理莫先乎(㉡).
> 입 도 막 선 어 궁 리 　궁 리 막 선 호
> 도에 드는 데에는 이치를 궁구하는 것보다 앞서는 것이 없고, 이치를 궁구함에도 ㉡보다 앞서는 것이 없다.

첫째 문장이 '螢雪之功'(형설지공)의 고사라는 게 핵심적인 단서이다. 눈에 비추어 무엇을 했겠는가?

① 交遊(교유)　② 忠孝(충효)　③ 富貴(부귀)

④ 報恩(보은)　⑤ 讀書(독서)

답: ⑤

17. 단문 문제

① 九層之臺, 起於累土.
　구 층 지 대 , 기 어 누 토
　9층의 누대도 흙을 쌓는 것에서부터 일어났다.

② 月滿則缺, 物盛則衰.
　월 만 즉 결 , 물 성 즉 쇠
　달이 차면 곧 이지러지고, 사물이 성하면 곧 쇠한다.

③ 矢在弦上, 不可不發.
　시 재 현 상 , 불 가 불 발
　화살이 활시위 위에 있으면 쏘지 않을 수 없다.

④ 吹之恐飛, 執之恐陷.
　취 지 공 비 , 집 지 공 함
　그것을 불면 날아갈까 두렵고, 그것을 쥐면 꺼질까 두렵다.

⑤ 窮人之事, 飜亦破鼻.
　궁 인 지 사 , 번 역 파 비
　궁한 사람의 일은 뒤로 넘어져도 또한 코가 깨진다.

답: ③

[18~19] 신사임당, 「읍별자모(泣別慈母)」

慈親鶴髮在臨瀛, 자 친 학 발 재 림 영	자애로운 어머니 학발이 되어 강릉에 계시는데
身向長安獨去情 신 향 장 안 독 거 정	몸이 장안을 향해 홀로 가는 심정이여.
回首北村時一望, 회 수 북 촌 시 일 망	머리를 북촌으로 돌려 때때로 한 번 바라보니,
白雲飛下暮山青. 백 운 비 하 모 산 청	흰 구름 나는 아래 저무는 산 푸르구나.

18. 해석 문제

㉠의 주체는 어머니이고, ㉡~㉣의 주체는 시적 화자이다.

답: ①

19. 한시 문제

ㄱ. 일곱 글자씩 네 구이므로 칠언절구이다.

ㄴ. 운자는 짝수 구의 마지막 글자에 오고 첫째 구의 마지막 글자에 올 수 있다. '望'(바랄 망)은 제3구의 마지막 글자이므로 운자가 아니다.

ㄷ. 제3구에는 심적 갈등이 나타나 있다.

ㄹ. 제4구의 '暮'(저물 모)가 시간적 배경을 드러내고 있다.

ㄱ, ㄴ은 시의 형식에 관한 설명으로 틀렸음을 알 수 있으므로 해석을 하지 못했더라도 풀 수 있는 문제이다.

답: ⑤

[20~21] 김홍도(金弘道)

金弘道, 生於東方近時.
김홍도 생어동방근시

김홍도는 동방 근대에 태어났다.

自幼, 治繪事, 無所不能, 至於人物山水仙佛花
자유 치회사 무소불능 지어인물산수선불화

果蟲魚禽鳥, 皆入妙品.
과충어금조 개입묘품

어려서부터 그리는 일을 익혀 할 수 없는 바가 없어 인물, 산수, 신선과 부처, 꽃과 과일, 벌레와 물고기, 날짐승과 새 그림에 이르기까지 모두 빼어난 물건에 들었다.

20. 해석 문제

㉠은 '할 수 없는 바가 없다'로 해석된다.

① 不實(부실)　② 未然(미연)　③ 如前(여전)
④ 通達(통달)　⑤ 進步(진보)

답: ④

21. 해석 문제

㉡은 '인물, 산수, 신선과 부처, 꽃과 과일, 벌레와 물고기, 날짐승과 새 그림'으로 해석된다.

① 인물 그림　② 건물 그림　③ 벌레 그림
④ 새 그림　⑤ 산수 그림

답: ②

[22~24] 정치란 무엇인가

子貢問政. 子曰: "足食足兵, 民信之矣."
자공문정 자왈 족식족병 민신지의

자공이 정치를 물었다. 공자가 말하기를, "먹을 것을 족하게 하고, 군사를 족하게 하며, 백성이 그것을 믿는 것이다."

子貢曰: "必不得已而去, 於斯三者, 何先?"
자공왈 필불득이이거 어사삼자 하선

자공이 말하기를, "반드시 부득이하게 버려야 한다면, 이 세 가지 것에서 무엇이 먼저입니까?"

曰: "去兵."
왈 거병

말하기를, "군사를 버려라."

子貢曰: "必不得已而去, 於斯二者, 何先?"
자공왈 필불득이이거 어사이자 하선

자공이 말하기를 "반드시 부득이하게 버려야 한다면, 이 두 가지 것에서 무엇이 먼저입니까?"

曰: "去食. 自古, 皆有死, 民無信, 不立."
왈 거식 자고 개유사 민무신 불립

말하기를, "먹을 것을 버려라. 예로부터 모두 죽음이 있었으되, 백성이 믿지 않으면 서지 않는다."

22. 해석 문제

㉠을 '무엇이'로 해석했지만, '무엇을 앞세웁니까?'로 해석할 수도 있다. 수학능력시험은 '무엇이'와 '무엇을'의 차이를 묻는 시험은 아니다.

답: ③

23. 해석 문제

㉡은 '食', '兵', '信'에서 '兵'을 버린 것이므로 '食', '信'을 가리킨다.

답: ④

24. 문장 형식 문제

㉢은 '백성이 믿음이 없으면 서지 않는다'로 해석되는 가정형 문장이다.

① 己所不欲, 勿施於人.
　기소불욕 물시어인

　자기가 하고자 하지 않는 바를 남에게 베풀지 말라. (금지형)

② 衣莫若新, 人莫若故.
　의막약신 인막약고

　옷은 새것과 같은 것이 없고, 사람은 옛것과 같은 것이 없다. (비교형)

③ 父母之年, 不可不知矣.
　부모지년 불가불지의

　어버이의 나이는 알지 않을 수 없다. (금지형)

④ 不信乎朋友, 不獲乎上矣.
　불신호붕우 불획호상의

　벗에게 신뢰받지 못하면 임금에게 (믿음을) 얻지 못한다. (가정형)

⑤ 言勿異於行, 行勿異於言.
　언물이어행 행물이어언

　말은 행동과 다르지 말고, 행동은 말과 다르지 말라. (금지형)

답: ④

[25~27] 견위치명(見危致命)

吾聞見危致命, 臨難忘身者, (㉡)之志也.
오문견위치명 림난망신자 　　지지야

내가 위태로움을 보면 목숨을 바치고 어려움이 임박하면 자신을 잊는 자가 ㉡의 뜻이라 들었다.

夫一人致死, 當百人, 百人致死, 當千人, 千人
부일인치사 당백인 백인치사 당천인 천인

致死, 當萬人, 則可以橫行天下.
치사 당만인 즉가이횡행천하

무릇 한 사람이 죽음에 이르면 백 사람을 당할 수 있고, 백 사람이 죽음에 이르면 천 사람을 당할 수 있으며, 천 사람이 죽음에 다하면 만 사람을 당할 수 있으니, 곧 천하를 가로지를 수 있다.

今國之賢相, 被他國之拘執, 其可畏不犯難乎?
금국지현상 피타국지구집 기가외불범난호

지금 나라의 현명한 재상이 다른 나라의 포로가 되었으니, 그것이 두렵기는 하지만 어려움을 범하지 않을 수 있겠는가?

25. 해석 문제

① 自滿(자만)　② 怨望(원망)　③ 悲壯(비장)
④ 感歎(감탄)　⑤ 懷疑(회의)

㉠의 어조는 '悲壯'(비장)이다.

답: ③

130

26. 빈칸 문제

①凡人(범인)　　②奇人(기인)　　③烈士(열사)

④道人(도인)　　⑤隱士(은사)

어려움에 임하여 자신을 잊는 자는 어떤 사람인가?

답: ③

27. 짜임 문제

한자어의 짜임은 두 글자 이상의 한자로 이루어진 한자어가 어떻게 해석되는가를 나타내는 개념이다. 한자어의 짜임에는 '주술(주어+서술어)', '술목(서술어+목적어)', '술보(서술어+보어)', '수식', '병렬'의 다섯 가지가 있다.

ⓒ은 '다른 나라'로 그 짜임이 '수식'이다.

① 兄弟(형제): 형과 아우. (병렬)

② 吉夢(길몽): 길한 꿈. (수식)

③ 夜深(야심): 밤이 깊다. (주술)

④ 登校(등교): 학교에 가다. (술보)

⑤ 始終(시종): 처음과 끝. (병렬)

답: ②

[28~30] 황희 정승

> 昔, 黃喜, 微時行役, 憩于路上.
> 석 황희 미시행역 게우로상
>
> 옛날에 황희가 한미한(가난하고 지체가 변변하지 않은) 때에 길을 다니다가 길 위에서 쉬었다.
>
> 見田父駕二牛耕者, 問曰: "二牛, 何者爲勝?"
> 견 전부가 이우경 자 문왈 이우 하자위승
>
> 농부가 두 소를 부려 밭가는 것을 보고 물어 말하기를, "두 소에서 어느 것이 나은가?"
>
> 田父不對, 輟耕而至, 附耳細語曰: "此牛勝."
> 전부부대 철경이지 부이세어왈 차우승
>
> 公怪之, 曰: "何以附耳相語?"
> 공괴지 왈 하이부이상어
>
> 농부가 대답하지 않고 밭가는 것을 멈추고 이르러 귀에 대고 작은 말로 말하기를, "이 소가 낫습니다." 공이 그것을 괴이하게 여기고 말하기를, "무슨 이유로 귀에 대고 말하는가?"
>
> 田父曰: "雖畜物, 其心, 與人同也. 此勝則彼
> 전부왈 수축물 기심 여인동야 차승즉피
>
> 劣, 使牛聞之, (ⓒ)無不平之心乎?"
> 렬 사우문지 무불평지심호
>
> 농부가 말하기를, "비록 가축이라도 그 마음은 사람과 같습니다. 이가 나으면 저는 못하니 소가 그것을 듣게 한다면 ⓒ 불평하는 마음이 없겠습니까?"
>
> 公大悟, 遂不復言人長短云.
> 공대오 수불부언인장단운
>
> 공이 크게 깨닫고 마침내 다시는 남의 장점과 단점을 말하지 않았다고 한다.

28. 해석 문제

㉠은 '이가 나으면 저는 못하다'로 해석되므로 마지막으로 풀이되는 것은 '劣'(못할 렬)이다.

답: ⑤

29. 빈칸 문제

ⓒ에 들어갈 한자는 반어형 문장을 만드는 한자이다. '寧'이 '편안하다'는 본뜻 외에 '차라리', '어찌'라는 뜻이 있다는 것을 알아야 풀 수 있는 문제이다.

답: ⑤

30. 해석 문제

황희가 농부에게 귀에 대고 말하는 이유를 설명한 게 아니라 농부가 황희에게 귀에 대고 말하는 이유를 설명했다.

답: ③

1. 그림의 제목으로 가장 알맞은 것은? [1점]

① 日月五峯
② 松林鶴鹿
③ 花鳥山水
④ 怪石草蟲
⑤ 柳下白馬

2. ㉠에 해당하는 것은? [1점]

① 刱
② 券
③ 到
④ 努
⑤ 助

3. 다음 조건을 모두 만족하는 것은? [1점]

부수는 '慕'와 같아.
음은 '哀'와/과 같지.
총획은 '楊'과 같네.

① 惑
② 愛
③ 著
④ 照
⑤ 蒙

4. 두 자를 합하여 하나의 한자를 만들 때, ㉠과 ㉡의 음이 모두 옳은 것은? [1점]

| ㅇ 水＋工＝(㉠) | ㅇ 人＋木＝(㉡) |

	㉠	㉡		㉠	㉡
①	공	체	②	공	휴
③	강	목	④	강	휴
⑤	강	체			

5. 다음 그림과 가장 관계있는 기능은? [1점]

① 防
② 植
③ 食
④ 浴
⑤ 耕

6. ㉠에 알맞은 것은? [1점]

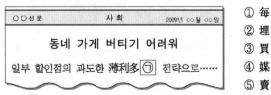

○○신문   사 회   2009년 ○○월 ○○일

동네 가게 버티기 어려워

일부 할인점의 과도한 薄利多㉠ 전략으로……

① 每
② 埋
③ 買
④ 媒
⑤ 賣

7. ㉠에 알맞은 것은? [1점]

ㅇ 問安 - 안녕하십니까?
ㅇ (㉠) - 고맙습니다!

① 不平　② 招請　③ 祝賀　④ 感謝　⑤ 稱讚

8. 영수증에 나타나지 않은 것은? [1점]

2009년 08월 도시가스 영수증			
주소 / 성명	○○동 ○○-○ ○○○ / ○○○		
사용내역	금월 지침	1,757m³	기본 요금	840원
	전월 지침	1,736m³	사용 요금	14,130원
	사 용 량	21m³	부 가 세	1,490원
	보정량	20.9643m³	가 산 금	1,260원
금 액				17,720원
발행일 2009. 09. 01.		사용량 비교	

① 使用量
② 附加稅
③ 納期日
④ 加算金
⑤ 發行日

9. ㉠에 알맞은 것은? [1점]

○○○ 여사 (㉠)宴

이제 칠순이 되셨네요, 어머니.

할머니! 건강하게 오래오래 사세요.

① 白壽　② 古稀　③ 回甲　④ 耳順　⑤ 弱冠

10. 글의 내용으로 보아 ㉠~㉢에 알맞은 것은? [1점]

『중용(中庸)』에서는 학문하는 방법과 순서를 5단계로 제시하고 있다. 즉, 널리 배우고, 자세히 물어보고, 신중하게 생각하고, 명확하게 분별하고, 독실하게 실천하는 것이다.

㉠ → 審問 → ㉡ → ㉢ → 篤行

	㉠	㉡	㉢		㉠	㉡	㉢
①	愼思	博學	明辨	②	明辨	愼思	博學
③	明辨	博學	愼思	④	博學	愼思	明辨
⑤	博學	明辨	愼思				

11. 대화의 내용으로 보아 ㉠과 ㉡의 한자 표기로 옳은 것은?

	㉠	㉡		㉠	㉡		㉠	㉡
①	家電	假傳	②	家電	家傳	③	假傳	家傳
④	家傳	家電	⑤	家傳	假傳			

12. 시의 내용과 가장 관계있는 성어는?

> 물결에 떠내려간 부평줄기
> 자리잡을 새도 없네
> 제자리로 돌아갈 날 있으랴마는!
> 괴로운 바다 이 세상의 사람인지라 돌아가리
>
> 고향을 잊었노라 하는 사람들
> 나를 버린 고향이라 하는 사람들
> 죽어서만은 天涯一方 헤매지 말고
> 넋이라도 있거들랑 고향으로 네 가거라
>
> 　　　　　　　　　　　　　- 김소월, 「고향」 -

① 事必歸正　　② 首丘初心　　③ 天長地久
④ 錦衣還鄕　　⑤ 殺身成仁

13. 화살표 방향으로 성어를 만들 때, ㉠에 알맞은 것은?

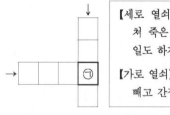

> 【세로 열쇠】 나무 그루터기에 부딪쳐 죽은 토끼를 우연히 얻은 후, 일도 하지 않고 그루터기만 지킴.
>
> 【가로 열쇠】 학의 목처럼 목을 길게 빼고 간절히 기다림.

① 代　　② 侍　　③ 待　　④ 持　　⑤ 對

14. ㉠에 알맞은 것은?

> 道吾善者, 是吾賊,
> 　　↕
> 道吾惡者, 是吾(㉠).　　- 『명심보감(明心寶鑑)』 -

① 師　　② 盜　　③ 敗　　④ 敵　　⑤ 禍

15. 그림의 글자로 만들 수 있는 사자성어의 속뜻은?

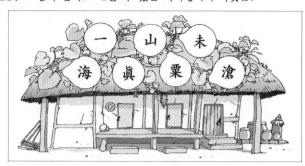

一　山　未
海　眞　粟　滄

① 미미함　② 세심함　③ 달콤함　④ 광활함　⑤ 푸짐함

16. (나)를 (가)와 뜻이 통하도록 할 때, ㉠에 알맞은 것은?

> (가) 寧測十丈水深, 難測一丈人心.
> (나) 水深(㉠)知, 人心難知.

① 不　　② 可　　③ 未　　④ 莫　　⑤ 豈

17. ㉠이 나타내는 의미로 알맞은 것은?

> 二人同心, 其利斷㉠金, 同心之言, 其臭如蘭.
> 　　　　　　　　　　　　　- 『주역(周易)』 -

① 진귀함　② 화려함　③ 차가움　④ 단단함　⑤ 무거움

18. 글의 내용과 가장 관계있는 것은?

> 채택(蔡澤)이 응후(應侯)에게 말했다.
> "그대는 정국을 안정시키고 난리를 평정하고 백성을 부유하게 하였습니다. 이로 인해 그대의 지위는 매우 높고 누구보다도 부유합니다. 바로 지금이 그대가 물러날 때입니다. 역사상 큰 공을 세우고도 비참한 최후를 맞은 이가 많았던 것은 바로 물러날 때에 물러나지 않았기 때문입니다. 부디 깊이 생각해 보시기 바랍니다."
> 　　　　　　　　　　　　　- 『사기(史記)』 -

① 突不燃, 不生煙.　　　　② 積功之塔, 豈毁乎.
③ 知足不辱, 知止不殆.　　④ 欲勝人者, 必先自勝.
⑤ 施恩勿求報, 與人勿追悔.

19. ㉠과 가장 관계있는 것은?

> 엄마 : 지난달에 산 문제집을 하나도 안 풀었네?
> 영수 : 네, 그 과목은 자신이 없어서인지 보기가 싫어요.
> 엄마 : 그래서 일부러 쉬운 것으로 샀잖아. ㉠쉬운 것부터 풀다보면 자신감이 생기고 실력도 점점 쌓일 거야.
> 영수 : 네, 열심히 해 볼게요.

① 三歲之習, 至于八十.　　② 九層之臺, 起於累土.
③ 他山之石, 可以攻玉.　　④ 月滿則缺, 物盛則衰.
⑤ 非禮勿視, 非禮勿聽.

[20~22] 다음 시를 읽고 물음에 답하시오.

> (가) 秋陰漠漠四山空,　　落葉㉠無聲滿地紅.
> 　　㉡立馬溪橋問歸路,　　㉢不知身在畫圖中.
> 　　　　　　　　　　　　　　　- 정도전,「방김거사야거(訪金居士野居)」-
>
> (나) 近來安否問如何,　　月白紗窓妾恨多.
> 　　若使㉣夢魂行有跡,　　門前石路已㉤成沙.
> 　　　　　　　　　　　　　　　*紗(사) : 비단
> 　　　　　　　　　　　　　　　- 이옥봉,「자술(自述)」-

20. ㉠~㉤ 중, 풀이 순서가 다른 하나는?

① ㉠　　② ㉡　　③ ㉢　　④ ㉣　　⑤ ㉤

21. 위 시에 대한 설명으로 옳은 것만을 <보기>에서 있는 대로 고른 것은?

> ─────<보 기>─────
> ㄱ. (가)의 형식은 칠언율시이다.
> ㄴ. (나)의 운자는 '何', '多', '沙'이다.
> ㄷ. (가)의 제1구와 제2구에는 계절적 배경이 드러나 있다.
> ㄹ. (나)의 제3구와 제4구는 대우(對偶)를 이룬다.

① ㄱ, ㄷ　　　② ㄱ, ㄹ　　　③ ㄴ, ㄷ
④ ㄱ, ㄷ, ㄹ　　⑤ ㄴ, ㄷ, ㄹ

22. (가)와 (나)에 대한 학생들의 이해로 적절하지 않은 것은?

① (가) : 전체적으로 시각적 심상이 두드러지는 시라고 생각해.
② (가) : 제3구를 보니 시적 화자가 있는 곳은 시냇가 다리로군.
③ (가) : 자신이 그림 속에 있는 듯하다고 하니 물아일체의 경지네.
④ (나) : 제2구에서 이 시의 시적 화자가 여성이라는 것을 알 수 있어.
⑤ (나) : 돌길이 닳도록 늘 만나면서 꿈에서도 그리워할 만큼 깊이 사랑하는군.

[23~24] 다음 글을 읽고 물음에 답하시오.

> 子曰 : "㉠後生可畏, ㉡焉知來者之不如今也. 四十五十而無聞焉, 斯亦不足畏也已."
> 　　　　　　　　　　　　　　　-「논어(論語)」-

23. 위 글의 내용으로 보아 ㉠의 이유로 옳은 것은?

① 결단력　② 설득력　③ 순발력　④ 인내력　⑤ 잠재력

24. ㉡과 바꾸어 쓸 수 있는 것은?

① 乎　　② 安　　③ 矣　　④ 哉　　⑤ 爲

[25~27] 다음 글을 읽고 물음에 답하시오.

> ㉠雄率徒三千, ㉡降於太伯山頂神壇樹下, 謂之神市, 是謂桓雄天王也. ㉢將風伯雨師雲師, 而主穀主命主病主刑主善惡.
> 　　　　　　　　　　　　　　　*桓(환) : 굳세다
> 　　　　　　　　　　　　　　　-「삼국유사(三國遺事)」-

25. ㉠이 관장한 것 중, 위 글에 나타나지 않은 것은?

① 곡식　② 형벌　③ 질병　④ 선악　⑤ 부귀

26. ㉡에서 마지막으로 풀이되는 것은?

① 降　　② 於　　③ 山　　④ 頂　　⑤ 下

27. ㉢의 풀이로 옳은 것은?

① 장수　　　② 장차　　　③ 받들다
④ 나아가다　⑤ 거느리다

[28~30] 다음 글을 읽고 물음에 답하시오.

> 野鼠, 欲爲其子, 擇高婚. <중략> 野鼠, 求之於風. 風曰 : "我雖能散雲, 惟田間石佛, 吹之不倒, 彼居吾上乎." 野鼠, 求之於石佛. 石佛曰 : "我雖不畏(㉠), 惟野鼠穿我足底, 則不免傾倒, 彼居吾上乎." 野鼠, 於是, 傲然自㉡說曰 : "天下之尊, 莫我若也." 遂婚於野鼠.
> 　　　　　　　*野鼠(야서) : 두더지　*穿(천) : 뚫다
> 　　　　　　　　　　　　　　　-「순오지(旬五志)」-

28. 위 글의 내용으로 보아 ㉠에 알맞은 것은?

① 野鼠　② 子　③ 風　④ 雲　⑤ 石佛

29. ㉡의 음과 풀이로 옳은 것은?

	음	풀이		음	풀이
①	설	베풀다	②	세	달래다
③	태	말하다	④	탈	벗어나다
⑤	열	기뻐하다			

30. 위 글의 내용과 일치하지 않는 것은?

① 두더지는 자신의 혼인 대상을 찾고 있다.
② 바람은 자신이 석불보다 못하다고 인정했다.
③ 바람은 자신이 구름을 흩어 버릴 수 있다고 말했다.
④ 두더지는 자신들보다 높은 것은 없다고 여기게 되었다.
⑤ 석불은 두더지가 자신을 쓰러뜨릴 수 있다고 생각한다.

> * 확인 사항
> ○ 답안지의 해당란에 필요한 내용을 정확히 기입(표기)했는지 확인 하시오.

2010학년도 9월 모의평가

1	②	7	④	13	③	19	②	25	⑤
2	①	8	③	14	①	20	④	26	①
3	②	9	②	15	①	21	③	27	②
4	④	10	④	16	②	22	⑤	28	③
5	①	11	⑤	17	④	23	⑤	29	⑤
6	⑤	12	②	18	③	24	②	30	①

1. 그림 문제
① 日月五峯(일월오봉): 해와 달, 다섯 봉우리
② 松林鶴鹿(송림학록): 소나무 숲, 학과 사슴
③ 花鳥山水(화조산수): 꽃과 새, 산과 물
④ 怪石草蟲(괴석초충): 이상한 돌, 풀과 벌레
⑤ 柳下白馬(유하백마): 버드나무 아래 흰 말

답: ②

2. 부수 문제
부수와 나머지 획수로 한자를 찾는 문제이다. '刀'(칼 도)가 부수로 쓰이면 '刂'로 변형된다. 따라서 ㉠으로 가능한 것은 '判'(판단할 판), '券'(문서 권), '到'(이를 도)이다. 총획을 세어 보면 답이 '判'임을 알 수 있다.

답: ①

3. 한자 문제
조건을 만족하는 한자를 찾는 문제이다. 문제에서는 한자의 음, 부수 그리고 총획을 알려 주고 있다. 음으로 찾는 게 가장 빠르므로 먼저 음을 읽어 보자.
① 惑(미혹할 혹) ② 愛(사랑할 애) ③ 著(나타날 저)
④ 照(비출 조) ⑤ 蒙(어두울 몽)
음이 '哀'(슬플 애)와 같은 것은 '愛'뿐이다.

답: ②

4. 합자 문제
水+工=江(강 강)이고 人+木=休(쉴 휴)이다.

답: ④

5. 한자 문제
① 防(막을 방) ② 植(심을 식) ③ 食(먹을 식)
④ 浴(목욕할 욕) ⑤ 耕(밭갈 경)

답: ①

6. 사자성어 문제
① 每(매양 매) ② 埋(묻을 매) ③ 買(살 매)
④ 媒(중매 매) ⑤ 賣(팔 매)
'박리다매'는 적은 이익으로 많이 '파는' 행위이다.

답: ⑤

7. 한자어 문제
'問安'은 '문안'이므로 ㉠에는 '감사'가 들어가야 한다.
① 不平(불평) ② 招請(초청) ③ 祝賀(축하)
④ 感謝(감사) ⑤ 稱讚(칭찬)

답: ④

8. 한자어 문제
① 使用量(사용량) ② 附加稅(부가세) ③ 納期日(납기일)
④ 加算金(가산금) ⑤ 發行日(발행일)

답: ③

9. 한자어 문제
① 白壽(백수): 99세 ② 古稀(고희): 70세
③ 回甲(회갑): 60세 ④ 耳順(이순): 60세
⑤ 弱冠(약관): 20세

답: ②

10. 한자어 문제
'자세히 묻다'와 '독실하게 실천하다'가 각각 '審問'(심문)과 '篤行'(독행)으로 나와 있으므로 ㉠~㉢에는 각각 '널리 배우다', '신중하게 생각하다', '명확하게 분별하다'에 해당하는 한자가 와야 한다. 따라서 ㉠은 '博學'(박학), ㉡은 '愼思'(신사), ㉢은 '明辨'(명변)이다.

답: ④

11. 동음이의어 문제
㉠은 '집안에 전해지다'라는 뜻의 '가전'이므로 '家傳'이다. ㉡은 '가상으로 지은 전기'라는 뜻의 '가전'이므로 '假傳'이다.

답: ⑤

12. 사자성어 문제
① 事必歸正(사필귀정): 일은 반드시 바름으로 돌아간다.
② 首丘初心(수구초심): 머리를 언덕으로 향하는 첫 마음. 고향을 그리워하는 마음.
③ 天長地久(천장지구): 하늘이 길고 땅이 길다. 하늘과 땅은 영구히 변함이 없다.
④ 錦衣還鄕(금의환향): 비단옷으로 고향에 돌아오다. 출세하여 고향에 돌아오다.
⑤ 殺身成仁(살신성인): 몸을 죽여 인을 이루다. 옳은 일을 위해 목숨을 버리다.

답: ②

13. 십자말풀이 문제
세로 열쇠는 '守株待兔'(수주대토), 가로 열쇠는 '鶴首苦待'(학수고대)이다. ㉠에 알맞은 것은 '待'(기다릴 대)이다.

답: ③

136

14. 대구 문제

> 道吾善者, 是吾賊,
> 　도 오 선 자　 시 오 적
> 나의 착함을 말하는 사람은 바로 나의 도적이고,
>
> 道吾惡者, 是吾(㉠).
> 　도 오 악 자　 시 오
> 나의 나쁨을 말하는 사람은 바로 나의 ㉠이다.

이 문장을 암기해서 풀라는 문제가 아니다. 한문의 대구를 이용해서 빈칸에 알맞은 한자를 찾는 문제다. 따라서 ㉠에는 '賊'(도적 적)과 비슷하거나 반대되는 뜻이 들어가야 한다. '善'(착할 선)과 '惡'(나쁠 악)이 반대되는 뜻의 한자이므로 ㉠에는 '賊'와 반대되는 뜻의 한자가 들어가야 한다. 따라서 답은 '師'(스승 사)이다.

답: ①

15. 사자성어 문제

그림의 글자로 만들 수 있는 사자성어는 '滄海一粟'(창해일속)이다. 속뜻은 '미미함'이다.

답: ①

16. 빈칸 문제

어려운 문장도 아니거니와 유명해서 많이 보았을 것이다.

> 寧測十丈水深, 難測一丈人心.
> 녕 측 십 장 수 심　 난 측 일 장 인 심
> 차라리 열 길 물의 깊이를 잴지언정 한 길 사람 마음을 재기는 어렵다.
>
> 水深(㉠)知, 人心難知.
> 수 심　　 지　 인 심 난 지
> 물의 깊이는 알 ㉠, 사람의 마음은 알기 어렵다.

(나)를 (가)와 뜻이 통하도록 하려면 물의 깊이는 알 '수 있다'라는 뜻이 되어야 하므로 ㉠에 알맞은 것은 '可'(가능할 가)이다.

답: ②

17. 단문 문제

> 二人同心, 其利斷金, 同心之言, 其臭如蘭.
> 이 인 동 심　 기 리 단 금　 동 심 지 언　 기 취 여 란
> 두 사람이 마음을 같이하면 그 날카로움이 쇠도 끊고, 마음을 같이한 말은 그 냄새가 난초와 같다.

'그 날카로움이 쇠도 끊는다'라고 했으므로 ㉠은 날카로움을 강조하기 위한 것이고, 나타내는 의미는 '단단함'이다.

답: ④

18. 속담 문제

① 突不燃, 不生煙.
　돌 불 연　 불 생 연
　굴뚝이 불타지 않으면 연기가 나지 않는다.

② 積功之塔, 豈毀乎.
　적 공 지 탑　 기 훼 호
　공을 쌓은 탑이 어찌 무너지겠는가?

③ 知足不辱, 知止不殆.
　지 족 불 욕　 지 지 불 태
　만족함을 알면 욕되지 않고, 그침을 알면 위태롭지 않다.

④ 欲勝人者, 必先自勝.
　욕 승 인 자　 필 선 자 승
　남을 이기고자 하는 자는 반드시 먼저 스스로를 이겨야 한다.

⑤ 施恩勿求報, 與人勿追悔.
　시 은 물 구 보　 여 인 물 추 회
　은혜를 베풀고 보답을 구하지 말고, 남에게 주고 후회를 좇지 말라.

답: ③

19. 속담 문제

① 三歲之習, 至于八十.
　삼 세 지 습　 지 우 팔 십
　세 살의 습관이 여든에 이른다.

② 九層之臺, 起於累土.
　구 층 지 대　 기 어 누 토
　9층의 누대도 흙을 쌓는 것에서부터 일어났다.

③ 他山之石, 可以攻玉.
　타 산 지 석　 가 이 공 옥
　다른 산의 돌도 구슬을 쫄 수 있다.

④ 月滿則缺, 物盛則衰.
　월 만 즉 결　 물 성 즉 쇠
　달이 차면 곧 이지러지고, 사물이 성하면 곧 쇠한다.

⑤ 非禮勿視, 非禮勿聽.
　비 례 물 시　 비 례 물 청
　예가 아니면 보지 말고, 예가 아니면 듣지 말라.

답: ②

[20~22] 정도전, 「방김거사야거(訪金居士野居)」
이옥봉, 「자술(自述)」

秋陰漠漠四山空,	가을 그늘 아득하고 사방 산은 비었는데,
落葉無聲滿地紅.	지는 잎은 소리 없이 땅에 가득 붉구나.
立馬溪橋問歸路,	시내 다리에 말 세우고 갈 길을 묻노라니,
不知身在畫圖中.	몸이 그림 속에 있음을 알지 못하네.
近來安否問如何,	근래에 안부가 무엇과 같은지 묻습니다.
月白紗窓妾恨多.	달은 흰데 비단으로 바른 창에 제 한이 많습니다.
若使夢魂行有跡,	만약 꿈의 넋이 다녀 자취가 있게 하면
門前石路已成沙.	문 앞 돌길이 이미 모래가 되었을 것입니다.

20. 해석 문제

㉠ '소리(聲)가 없다(無)'로 해석된다.

㉡ '말(馬)을 세우다(立)'로 해석된다.

㉢ '알지(知) 못하다(不)'로 해석된다.

㉣ '꿈(夢)의 넋(魂)'으로 해석된다.

㉤ '모래(沙)를 이루다(成)'로 해석된다.

답: ④

21. 한시 지식 문제

ㄱ. (가)는 일곱 글자씩 네 구이므로 형식은 칠언절구이다.

ㄴ. 운자는 짝수 구 마지막 글자에 오고, 첫째 구 마지막 글자에 올 수 있다. 짝수 구 마지막 글자가 '多'(다), '沙'(사)이므로 '何'(하)도 운자이다.

ㄷ. (가)의 제1구에는 '秋'가 있고, 제2구에는 '落葉'이 있다.

ㄹ. 두 구가 문법적 기능이 동일한 글자의 배열로 이루어져 있을 때 대우를 이룬다고 한다. (나)의 제3구와 제4구는 문법적 기능이 동일한 글자의 배열이 아니므로 대우를 이루지 않는다.

답: ③

22. 한시 감상 문제

감상 문제는 항상 절대로 허용할 수 없는 선지가 있게 마련이다.

⑤ 돌길이 닳도록 늘 만나는 것이 아니라 꿈의 넋이 다녀 자취가 있게 한다고 가정한다면 돌길이 닳으리라는 것이다.

답: ⑤

[23~24] 후생가외(後生可畏)

子曰: "後生可畏, 焉知來者之不如今也.
자왈   후생가외   언지래자지불여금야
공자가 말하기를 "뒤에 난 사람은 두려워할 만하니 어찌 올 사람이 지금(의 우리)만 못하다는 것을 알겠는가?

四十五十而無聞焉, 斯亦不足畏也已."
사십오십이무문언   사역부족외야이
(나이가) 40, 50인데 (명성이) 들림이 없으면 이 또한 두려워하기 충분하지 않다."

23. 해석 문제

㉠은 '뒤에 난 사람을 두려워하다'로 해석된다. 뒤에 난 사람을 두려워하는 이유는 지금(의 우리)만할 수 있기 때문이다.

답: ⑤

24. 바꾸어 쓸 수 있는 한자 문제

㉡은 '어찌'라는 뜻으로 쓰였다. ㉡과 바꾸어 쓸 수 있는 한자는 '安'이다. '安'도 '편안하다'라는 뜻 이외에 '어찌'라는 뜻이 있다.

답: ②

[25~27] 환웅(桓雄)

雄率徒三千, 降於太伯山頂神壇樹下, 謂之神
웅솔도삼천   강어태백산정신단수하   위지신
市, 是謂桓雄天王也."
시   시위환웅천왕야
환웅이 무리 삼천을 이끌고 태백산 꼭대기 신단수 아래에 내려와 그곳을 신시라 이르니 이를 환웅 천왕이라 일렀다."

將風伯雨師雲師, 而主穀主命主病主刑主善惡.
장풍백우사운사   이주곡주명주병주형주선악
풍백, 우사, 운사를 거느리고 곡식을 주관하고, 목숨을 주관하고, 병을 주관하고, 형벌을 주관하고, 선악을 주관하였다.

25. 해석 문제

위 글에서 ㉠이 관장한 것은 '곡식(穀)', '형벌(刑)', '질병(病)', '선악(善惡)'이다.

답: ⑤

26. 해석 문제

㉡은 '태백산 꼭대기 신단수 아래에 내려오다'로 해석되므로 마지막으로 풀이되는 것은 '降'(내릴 강)이다.

답: ①

27. 해석 문제

㉢은 '거느리다'로 해석된다.

답: ⑤

[28~30] 두더지의 혼처

野鼠, 欲爲其子, 擇高婚.
야서   욕위기자   택고혼
두더지가 그 아들을 위하여 높은 혼처를 고르고자 했다.

<중략> 野鼠, 求之於風.
야서   구지어풍
두더지는 그것을 바람에게서 구했다.

風曰: "我雖能散雲, 惟田間石佛, 吹之不倒,
풍왈   아수능산운   유전간석불   취지불도
彼居吾上乎."
피거오상호
바람이 말하기를, "나는 비록 구름을 흩을 수 있지만 오직 밭 사이의 돌부처는 그것을 불어도 넘어지지 않으니 저것이 내 위에 있을 것이다."

野鼠, 求之於石佛.
야서   구지어석불
두더지가 그것을 돌부처에게서 구하였다.

石佛曰: "我雖不畏(㉠), 惟野鼠穿我足底,
석불왈   아수불외   유야서천아족저
則不免傾倒, 彼居吾上乎."
즉불면경도   피거오상호
돌부처가 말하기를, "나는 비록 ㉠을 두려워하지 않지만 오직 두더지가 내 발 밑을 뚫으면 기울어 넘어짐을 면하지 못하니 저것이 내 위에 있을 것이다."

野鼠, 於是, 傲然自説曰: "天下之尊, 莫我若
야서   어시   오연자열왈   천하지존   막아약
也." 遂婚於野鼠.
야   수혼어야서
두더지가 이에 거만해져 스스로 기뻐하며 말하기를, "천하의 존귀함이 나와 같음이 없다." 마침내 두더지와 혼인하였다.

28. 빈칸 문제

앞에서 바람 이야기가 나왔으니 바람이 들어가야 한다.

답: ③

29. 해석 문제

'베풀 설', '말할 태', '벗어날 탈'은 '説'의 뜻과 음이 될 수 없으므로 ①, ③, ④는 답이 될 수 없다. 또 ㉡을 '달래다'로 해석하면 '거만해져 스스로 달래면서 말하기를'이 되어 어색하므로 ②도 답이 아니다. 따라서 답은 ⑤이다.

답: ⑤

30. 해석 문제

두더지는 자기의 아들을 위하여 (아들의) 혼처를 고르고 있다.

답: ①

1. 그림에 나타나지 않은 소재는? [1점]

① 石
② 寺
③ 牛
④ 冠
⑤ 橋

2. 그림과 그 주요 기능을 제시한 것으로 옳은 것은? [1점]

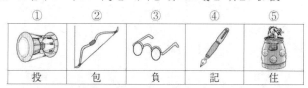

3. 다음 조건을 모두 만족하는 한자는? [1점]

음은 두 개야.
부수는 '泉'과 같지.
총획은 '客'과 같아.

① 泰
② 洞
③ 便
④ 海
⑤ 降

4. ㉠에 해당하는 한자는? [1점]

신종인플루엔자 예방수칙

가리고
버리고
씻고
㉠
신하라고

① 守
② 告
③ 洗
④ 捨
⑤ 蔽

5. 두 자를 합하여 하나의 한자를 만들 때, ㉠과 ㉡의 음이 모두 옳은 것은? [1점]

ㅇ 日 + 免 = (㉠)   ㅇ 心 + 鬼 = (㉡)

	㉠	㉡		㉠	㉡
①	만	괴	②	만	귀
③	면	괴	④	면	귀
⑤	면	혼			

6. 그림의 내용으로 보아 ㉠에 알맞은 것은? [1점]

책을 빌려 드립니다
童話 小說
漫畫 ㉠

① 茶器
② 時計
③ 雜誌
④ 郵票
⑤ 飮料

7. 다음 표지판에서 찾을 수 없는 곳은? [1점]

교무실 과학실 방송실 전산실 도서실

① 科學室
② 圖書室
③ 保健室
④ 敎務室
⑤ 電算室

8. 그림의 글자로 만들 수 있는 사자성어와 관계있는 것은?

相 同 夢 病 償 憐 異

① 너와 나는 처지가 달라.
② 노력해 봐, 꿈은 이루어져.
③ 난 단순한 색보다는 화려한 색이 좋아.
④ 내가 막상 겪어 보니 너의 심정을 알겠어.
⑤ 난 네가 내 편인 줄 알았는데, 내 착각이었어.

9. 화살표 방향으로 성어를 만들 때, ㉠에 알맞은 것은?

【세로 열쇠】 남의 말을 귀담아듣지 아니하고 지나쳐 흘려 버림.

【가로 열쇠】 효도를 다하지 못한 채 어버이를 여읜 자식의 슬픔.

① 言 ② 風 ③ 哀 ④ 聞 ⑤ 經

10. 시의 내용과 가장 관계있는 것은?

새해에 만나면 한 해를 축하하는데,
좋은 말로 축하하느라 하루가 떠들썩하네.
'과거에 합격해라', '승진해라',
'장수하고 복 받아라', '돈 많이 벌어라'……

- 홍석모 -

① 占術 ② 自責 ③ 反省 ④ 恭敬 ⑤ 德談

11. 비석에 쓰인 한자 중 ㉠에 해당하는 것은? [1점]

① 員　　② 過　　③ 此　　④ 皆　　⑤ 下

12. 대화의 내용과 관계있는 것은? [1점]

① 百年河淸　　② 事必歸正　　③ 草綠同色
④ 殺身成仁　　⑤ 愚公移山

13. ㉠에 알맞은 것은?

求則得之,
↓　　↓
舍則(㉠)之.　　　　　　　　　－『맹자』－

① 失　　② 安　　③ 休　　④ 居　　⑤ 宿

14. 글의 중심 내용으로 가장 알맞은 것은?

曉起, 思朝之所爲之事, 食後, 思晝之所爲之事, 就寢時,
思明日所爲之事.

－『율곡전서』－

① 計劃　　② 忍耐　　③ 配慮　　④ 努力　　⑤ 實行

15. 전자우편의 내용에 대한 답변으로 옳은 것은?

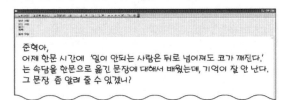

준혁아,
어제 한문 시간에 '일이 안되는 사람은 뒤로 넘어져도 코가 깨진다.'
는 속담을 한문으로 옮긴 문장에 대해서 배웠는데, 기억이 잘 안 난다.
그 문장 좀 알려 줄 수 있겠니?

① 滿招損, 謙受益.
② 始用升授, 還以斗受.
③ 窮人之事, 翩亦破鼻.
④ 矢在弦上, 不可不發.
⑤ 瓜田不納履, 李下不整冠.

16. 글의 내용으로 보아 ㉠~㉢에 알맞은 것은?

옛날에 밝은 덕을 천하에 밝히고자 하는 자
는 먼저 그 ㉠나라를 다스리고, 그 나라를 다스
리고자 하는 자는 먼저 그 집안을 가지런히 하
며, 그 집안을 가지런히 하고자 하는 자는 먼
저 그 ㉡몸을 닦고, 그 몸을 닦고자 하는 자는
먼저 그 마음을 바르게 하며, 그 마음을 바르
게 하고자 하는 자는 먼저 그 뜻을 성실하게
하고, 그 뜻을 성실하게 하고자 하는 자는 먼
저 그 ㉢지식을 지극히 하였으니, 지식을 지극
히 함은 사물의 이치를 궁구함에 있다.

	㉠	㉡	㉢		㉠	㉡	㉢
①	治國	修身	致知	②	治國	致知	修身
③	修身	致知	治國	④	修身	治國	致知
⑤	致知	修身	治國				

17. 그림의 내용과 가장 관계있는 것은?

① 出必告, 反必面.
② 養子息, 知親力.
③ 乾處兒臥, 濕處母眠.
④ 吹之恐飛, 執之恐陷.
⑤ 父母之年, 不可不知矣.

[18~19] 다음 글을 읽고 물음에 답하시오.

夫百車之載, 不及一㉠船, 陸行千里, 不㉡如舟行萬里之爲便
利也. 故通商者, 又必以水路爲貴.　　　　－『북학의』－

18. 위 글의 내용으로 보아 ㉠의 장점으로 옳은 것은?

① 희소성　　② 다목적　　③ 영구성　　④ 대용량　　⑤ 정확도

19. 의미상 ㉡과 바꾸어 쓸 수 있는 것은?

① 之　　② 勿　　③ 可　　④ 若　　⑤ 所

[20~21] 다음 글을 읽고 물음에 답하시오.

凡産於地, 益於民, 曰財. 天下至廣, 而産財各異, 其勢,
不能不㉠轉移流通, 此(㉡)所以作.　　　　－『곽우록』－

20. ㉠과 짜임이 다른 것은?

① 到達　　② 群雄　　③ 捕捉　　④ 援助　　⑤ 睡眠

21. 위 글의 내용으로 보아 ㉡에 알맞은 것은?

① 淺　　② 殘　　③ 踐　　④ 賤　　⑤ 錢

[22~24] 다음 시를 읽고 물음에 답하시오.

(가) ㉠一萬二千峯, 高低自不同.
　　　君看日輪上, 高處最先紅.
　　　　　　　　　　　　　　　- 성석린, 「송승지풍악(送僧之楓岳)」 -

(나) 　問余何意棲碧山, 　笑而不答心自閑.
　　　桃花流水杳然去, 　別有天地非人間.
　　　　　　*棲(서): 살다　　*杳(묘): 아득하다
　　　　　　　　　　　　　- 이백, 「산중답속인(山中答俗人)」 -

22. ㉠의 내용과 가장 가까운 것은?
　① 千篇一律　　　② 表裏不同　　　③ 各樣各色
　④ 多事多難　　　⑤ 雪上加霜

23. 위 시에 대한 설명으로 옳은 것만을 <보기>에서 있는 대로 고른 것은?

---<보 기>---
ㄱ. (가)의 형식은 오언율시이다.
ㄴ. (나)의 운자는 '山', '閑', '間'이다.
ㄷ. (가)의 제3구와 제4구는 대우(對偶)이다.
ㄹ. (나)의 제3구에는 계절적 배경이 드러나 있다.

　① ㄱ, ㄴ　　　② ㄱ, ㄷ　　　③ ㄴ, ㄹ
　④ ㄷ, ㄹ　　　⑤ ㄴ, ㄷ, ㄹ

24. (가)와 (나)에 대한 설명으로 옳지 않은 것은?
　① (가)의 '日輪'은 해를 의미하는 것이야.
　② (가)는 해가 질 무렵 붉은 노을을 잘 표현했어.
　③ (나)는 문답의 형식을 빌려서 구성한 것이야.
　④ (나)의 제2구에서 시적 화자의 한가로움이 느껴져.
　⑤ (가)와 (나)는 모두 산을 소재로 하고 있어.

[25~27] 다음 글을 읽고 물음에 답하시오.

　金先生, 善談笑. 嘗訪友人家, 主人設酌, 只佐蔬菜, 先謝曰: "家貧市遠, 絶無兼味, 惟㉠淡泊是愧耳." 適有群鷄, 亂啄庭除. 金曰: "大丈夫, 不(㉡)千金, 當斬吾馬, 佐酒." 主人曰: "斬一馬, 騎何物而還?" 金曰: "借鷄騎還." 主人, 大笑, 殺鷄餉之.
　　　　*啄(탁): 쪼다　　*斬(참): 베다　　*餉(향): 대접하다
　　　　　　　　　　　　　　　　　　- 『태평한화골계전』 -

25. ㉠의 독음으로 옳은 것은? [1점]
　① 담박　　② 담소　　③ 소박　　④ 순백　　⑤ 여백

26. 위 글의 내용으로 보아 ㉡에 가장 알맞은 것은?
　① 昔　　② 肯　　③ 散　　④ 惜　　⑤ 錯

27. 위 글의 내용과 일치하지 않는 것은?
　①　　　　②　　　　③

　④　　　　⑤

[28~30] 다음 글을 읽고 물음에 답하시오.

　梁惠王曰: "寡人之於國也, 盡心焉耳矣. 河內凶, 則移其民於河東, 移其粟於河內. 河東凶, 亦然. ㉮察鄰國之政, 無如寡人之用心者, 鄰國之民, 不加少, 寡人之民, 不加多, 何也?" 孟子對曰: "王好戰, 請以戰喩. 塡然鼓之, 兵刃旣㉠接, 棄㉡甲曳兵而走, 或百步而後㉢止, 或五十步而後止, 以五十步, 笑百步, 則何如?" 曰: "不可, ㉣直不百步耳." ㉤是亦走也." 曰: "王如知此, 則(　㉯　)"
　　　　*喩(유): 비유하다
　　　　*塡然(전연): 북 소리가 울리는 모양
　　　　*曳(예): 끌다
　　　　　　　　　　　　　　　- 『맹자』 -

28. ㉮에서 마지막으로 풀이되는 것은?
　① 察　　② 鄰　　③ 國　　④ 之　　⑤ 政

29. 문맥상 ㉠~㉤의 풀이로 옳은 것은?
　① ㉠: 끝나다　　② ㉡: 갑옷　　③ ㉢: 저지하다
　④ ㉣: 곧다　　⑤ ㉤: 옳다

30. 위 글의 흐름으로 보아 ㉯에 들어갈 말의 의미로 알맞은 것은?
　① 이웃 나라의 재해 대책을 본받을 필요가 있다.
　② 이웃 나라에 원조를 요청하는 것이 바람직하다.
　③ 이웃 나라로 도망가는 백성을 용서하지 말아야 한다.
　④ 이웃 나라에서 오는 백성에게 상을 주고 격려해야 한다.
　⑤ 이웃 나라보다 백성들이 더 많아지지 않는 것이 당연하다.

* 확인 사항
○ 답안지의 해당란에 필요한 내용을 정확히 기입(표기)했는지 확인하시오.

제2외국어/한문 영역

2010학년도 수학능력시험

1	②	7	③	13	①	19	④	25	①
2	④	8	④	14	①	20	②	26	④
3	②	9	②	15	③	21	⑤	27	⑤
4	③	10	⑤	16	①	22	④	28	①
5	①	11	⑤	17	①	23	③	29	②
6	③	12	④	18	④	24	②	30	⑤

1. 그림 문제

① 石(돌 석)　　② 寺(절 사)　　③ 牛(소 우)
④ 冠(갓 관)　　⑤ 橋(다리 교)

답: ②

2. 한자 문제

① 投(던질 투) → 鼓(두드릴 고)
② 包(쌀 포) → 射(쏠 사)
③ 負(질 부) → 視(볼 시)
④ 記(적을 기)
⑤ 住(살 주) → 報(알릴 보)

답: ④

3. 조건을 만족하는 한자 문제

조건을 만족하는 한자를 찾는 문제이다. 문제에서는 한자의 음, 부수 그리고 총획을 알려 주고 있다. 음으로 찾는 게 가장 빠르므로 먼저 음을 읽어 보자.

① 泰(클 태)　　　　② 洞(골 동/꿰뚫을 통)
③ 便(편할 편/똥 변)　　④ 海(바다 해)
⑤ 降(내릴 강/항복할 항)

음이 두 개인 한자는 '洞', '便', '降'이다. '泉'(샘 천)의 부수는 '水'(물 수)이므로 '泉'과 부수가 같은 한자는 '洞'이다.

답: ②

4. 한자 문제

① 守(지킬 수)　　② 告(알릴 고)　　③ 洗(씻을 세)
④ 捨(버릴 사)　　⑤ 蔽(덮을 폐)

답: ③

5. 합자 문제

日＋免＝晩(늦을 만), 心＋鬼＝愧(부끄러울 괴)이다.

답: ①

6. 한자어 문제

① 茶器(다기)　　② 時計(시계)　　③ 雜誌(잡지)
④ 郵票(우표)　　⑤ 飮料(음료)

답: ③

7. 한자어 문제

① 科學室(과학실)　　② 圖書室(도서실)　　③ 保健室(보건실)
④ 敎務室(교무실)　　⑤ 電算室(전산실)

답: ③

8. 카드 문제

그림의 한자로 만들 수 있는 사자성어를 찾는 문제이다. 이런 문제에서는 그림의 한자를 훑어본 다음, ①~⑤를 보면서 그림의 한자로 ①~⑤의 의미를 가지는 사자성어를 생각해 보면 된다.

① 너와 나는 처지가 달라.
　☞ 사자성어가 떠오르지 않는다.
② 노력해 봐, 꿈은 이루어져.
　☞ 사자성어가 떠오르지 않는다.
③ 난 단순한 색보다는 화려한 색이 좋아.
　☞ 同價紅裳(동가홍상)
④ 내가 막상 겪어 보니 너의 심정을 알겠어.
　☞ 同病相憐(동병상련)
⑤ 난 네가 내 편인 줄 알았는데, 내 착각이었어.
　☞ 同床異夢(동상이몽)

답: ④

9. 사자성어 문제

세로 열쇠는 '馬耳東風'(마이동풍), 가로 열쇠는 '風樹之歎'(풍수지탄)이다. ㉠에 알맞은 것은 '風'(바람 풍)이다.

답: ②

10. 한자어 문제

① 占術(점술)　　② 自責(자책)　　③ 反省(반성)
④ 恭敬(공경)　　⑤ 德談(덕담)

답: ⑤

11. 한자 문제

① 員(사람 원)　　② 過(지날 과)　　③ 此(이 차)
④ 皆(모두 개)　　⑤ 下(아래 하)

한자의 뜻만 알면 ㉠에 해당하는 한자가 '下'임을 알 수 있다.

답: ⑤

12. 사자성어 문제

① 百年河淸(백년하청): 백 년이 지난들 황허 강이 맑아질까. 중국의 황허 강이 늘 흐려 맑을 때가 없음. 아무리 기다려도 일이 이루어지기 어려움.
② 事必歸正(사필귀정): 일은 반드시 바름으로 돌아감.
③ 草綠同色(초록동색): 풀빛과 푸른빛은 같은 빛. 같은 처지의 사람끼리 어울림.
④ 殺身成仁(살신성인): 몸을 죽여 인을 이룸. 옳은 일을 위해 목숨을 버림.
⑤ 愚公移山(우공이산): 우공이 산을 옮김. 어떤 일이든 끊임없이 노력하면 반드시 이루어짐.

답: ④

13. 대구 문제

> 求則得之, 舍則(㉠)之.
> 구 즉 득 지　사 즉　　지
> 구하면 그것을 얻고, 버리면 그것을 ㉠한다.

이 문장을 암기해서 풀라는 문제가 아니다. 한문의 대구를 이용해서 빈칸에 알맞은 한자를 찾는 문제다. 따라서 ㉠에는 '得'(얻을 득)과 비슷하거나 반대되는 뜻이 들어가야 한다. '求'(구할 구)와 '舍'(버릴 사)가 반대되는 뜻의 한자이므로 ㉠에는 '得'(얻을 득)과 반대되는 뜻의 한자가 들어가야 한다. 따라서 답은 '失'(잃을 실)이다.

답: ①

14. 단문 문제

> 曉起, 思朝之所爲之事,
> 효 기　사 조 지 소 위 지 사,
> 새벽에 일어나서는 아침에 할 바의 일을 생각하고,
>
> 食後, 思晝之所爲之事,
> 식 후　사 주 지 소 위 지 사,
> 먹은 뒤에는 낮에 할 바의 일을 생각하고,
>
> 就寢時, 思明日所爲之事.
> 취 침 시　사 명 일 소 위 지 사
> 잠자리에 나아갈 때에는 내일 할 바의 일을 생각한다.
>
> ① 計劃(계획)　② 忍耐(인내)　③ 配慮(배려)
> ④ 努力(노력)　⑤ 實行(실행)

답: ①

15. 속담 문제

① 滿招損, 謙受益.
만 초 손　겸 수 익
교만함은 손해를 부르고 겸손함은 이익을 받는다.

② 始用升授, 還以斗受.
시 용 승 수　환 이 두 수
처음에 되로써 주고 돌아와 말로써 받는다.
*用: ~로써(以)

③ 窮人之事, 飜亦破鼻.
궁 인 지 사　번 역 파 비
궁한 사람의 일은 뒤로 넘어져도 또한 코가 깨진다.

④ 矢在弦上, 不可不發.
시 재 현 상　불 가 불 발
화살이 활시위 위에 있으면 쏘지 않을 수 없다.

⑤ 瓜田不納履, 李下不整冠.
과 전 불 납 리　리 하 부 정 관
오이밭에 신발을 들이지 않고, 오얏나무 아래에서 갓을 바로 잡지 않는다.

답: ③

16. 한자어 문제

㉠~㉢에 들어갈 한자어는 각각 '治國'(치국: 나라를 다스리다), '修身'(수신: 몸을 닦다), '致知'(치지: 앎에 이르다)이다.

답: ①

17. 단문 문제

① 出必告, 反必面.
출 필 고　반 필 면
나가면 반드시 알리고, 돌아오면 반드시 (얼굴을) 비추라.

② 養子息, 知親力.
양 자 식　지 친 력
자식을 기르면 어버이의 노력을 안다.

③ 乾處兒臥, 濕處母眠.
건 처 아 와　습 처 모 면
마른 곳에 아이가 눕고, 축축한 곳에 어머니가 잔다.

④ 吹之恐飛, 執之恐陷.
취 지 공 비　집 지 공 함
그것을 불면 날아갈까 두렵고, 그것을 쥐면 꺼질까 두렵다.

⑤ 父母之年, 不可不知矣.
부 모 지 년　불 가 불 지 의
어버이의 나이는 알지 않을 수 없다.

답: ①

[18~19] 통상혜공(通商惠工)

> 夫百車之載, 不及一船, 陸行千里, 不如舟行萬
> 부 백 거 지 재　불 급 일 선　륙 행 천 리　불 여 주 행 만
> 里之爲便利也.
> 리 지 위 편 리 야
> 무릇 백 수레의 실음은 한 배에 미치지 못하니, 육지로 천 리를 다님은 배가 만 리를 다니는 편리함만 못하다.
>
> 故通商者, 又必以水路爲貴.
> 고 통 상 자　우 필 이 수 로 위 귀
> 그러므로 상업을 통하는 자는 또한 반드시 물길로써 귀함을 삼아야 한다.

18. 해석 문제

위 글의 내용으로 보아 ㉠의 장점은 '대용량'이다.

답: ④

19. 바꾸어 쓸 수 있는 한자 문제

㉡은 '같다'로 해석되므로 의미상 ㉡과 바꾸어 쓸 수 있는 것은 '若'(같을 약)이다.

답: ④

[20~21] 전론(錢論)

> 凡産於地, 益於民, 曰財.
> 범 산 어 지　익 어 민　왈 재
> 무릇 땅에서 나고 백성에게 이로운 것을 재물이라고 말한다.
>
> 天下至廣, 而産財各異, 其勢, 不能不轉移流
> 천 하 지 광　이 산 재 각 이　기 세　불 능 불 전 이 류
> 通, 此(㉡)所以作.
> 통　차　　소 이 작
> 천하는 지극히 넓어 나는 재물이 각각 달라 그 형세가 구르고 옮겨 흘러 통하게 하지 않을 수 없으니 이는 ㉡이 만들어진 까닭이다.

20. 짜임 문제

한자어의 짜임은 두 글자 이상의 한자로 이루어진 한자어가 어떻게 해석되는가를 나타내는 개념이다. 한자어의 짜임에는 '주술(주어＋서술어)', '술목(서술어＋목적어)', '술보(서술어＋보어)', '수식', '병렬'의 다섯 가지가 있다.
㉠은 '구르고 옮기다'로 해석되므로 그 짜임은 '병렬'이다.

① 到達(도달): 이르다. (병렬)
② 群雄(군웅): 여러 영웅. (수식)
③ 捕捉(포착): 잡다. (병렬)
④ 援助(원조): 돕다. (병렬)
⑤ 睡眠(수면): 자다. (병렬)

답: ②

21. 빈칸 문제

① 淺(얕을 천)   ② 殘(잔인할 잔)   ③ 踐(밟을 천)
④ 賤(천할 천)   ⑤ 錢(돈 전)

재물을 구르고 옮겨 흘러 통하게 하는 것은 무엇일까? 바로 '錢'이다.

답: ⑤

[22~24] 성석린, 「송승지풍악(送僧之楓岳)」
이 백, 「산중답속인(山中答俗人)」

一萬二千峯,	일만 이천 봉,
高低自不同.	높고 낮음이 저마다 같지 않구나.
君看日輪上,	그대 태양이 올라가는 것을 보게나,
高處最先紅.	높은 곳이 가장 먼저 붉어지네.
問余何意棲碧山,	내가 무슨 뜻으로 푸른 산에 사느냐고 물으니
笑而不答心自閑.	웃으며 답하지 않으니 마음이 저절로 한가하다
桃花流水杳然去,	복숭아꽃이 흐르는 물에 아득하게 떠나가니
別有天地非人間.	천지가 따로 있어 인간 세상이 아니구나.

22. 해석 문제

㉠은 '일만 이천 봉이 높고 낮음이 저마다 같지 않다'로 해석된다.
① 千篇一律(천편일률): 천 편이 한 음률. 사물이 모두 비슷해 변화가 없음.
② 表裏不同(표리부동): 겉과 속이 같지 않음. 마음이 음흉하여 겉과 속이 다름.
③ 各樣各色(각양각색): 각기 다른 여러 가지 모양과 빛깔.
④ 多事多難(다사다난): 일도 많고 어려움도 많음.
⑤ 雪上加霜(설상가상): 눈 위에 서리가 더해짐. 난처한 일이나 불행한 일이 잇따라 일어남.

답: ③

23. 한시 문제

ㄱ. (가)는 다섯 글자씩 네 구이므로 오언절구이다.
ㄴ. 운자는 짝수 구의 마지막 글자에 오고, 첫째 구의 마지막 글자에 올 수 있다. 짝수 구의 마지막 글자가 '閑'(한가할 한), '間'(사이 간)이므로 '山'(뫼 산)도 운자이다.
ㄷ. 두 구가 문법적 기능이 동일한 글자의 배열로 이루어져 있을 때 대우를 이룬다고 한다. 그러나 (가)의 제3구와 제4구는 그렇지 않으므로 대우를 이루지 않는다.
ㄹ. (나)의 제3구의 '桃花'(복숭아꽃)가 계절적 배경을 드러내고 있다. '桃花'가 피는 계절을 모르더라도 계절적 배경을 드러낸다는 것만큼은 확실하다.

답: ③

24. 이해와 감상 문제

② (가)는 해가 질 무렵 노을을 표현한 것이 아니라 해가 뜰 무렵을 표현했다.

답: ②

[25~27] 차계기환(借鷄騎還)

金先生, 善談笑.
김 선생은 담소를 잘하였다.

嘗訪友人家, 主人設酌, 只佐蔬菜, 先謝曰:
일찍이 벗의 집을 방문하자 주인이 상자리를 베풀고 다만 채소로 도우면서(안주로 하면서) 먼저 사과하여 말하기를,

"家貧市遠, 絕無兼味, 惟淡泊是愧耳."
"집이 가난하고 시장이 멀어 겸할 맛(다른 음식)이 전혀 없고 오직 담박함이 부끄러울 뿐이다."

適有群鷄, 亂啄庭除.
때마침 여러 닭이 있어 어지럽게 뜰을 쪼았다.

金曰: "大丈夫, 不(㉡)千金, 當斬吾馬, 佐酒."
김이 말하기를, "대장부는 천금을 아끼지 않으니 마땅히 내 말을 베어 술을 돕겠다(안주를 차리겠다)."

主人曰: "斬一馬, 騎何物而還?"
주인이 말하기를, "하나뿐인 말을 베면 어떤 것을 타고 돌아가는가?"

金曰: "借鷄騎還." 主人, 大笑, 殺鷄餉之.
김이 말하기를, "닭을 빌려 타고 돌아간다." 주인이 크게 웃고 닭을 죽여 그를/그것을 대접했다.

*適(적): 때마침
**마지막 문장의 之는 지칭 대상이 모호하다. 시험에 나오지 않으니 묻지 말라는 거다.

25. 해석 문제

㉠의 독음은 '담박'이다.

답: ①

26. 빈칸 문제

① 昔(옛 석)　　② 肯(옳을 긍)　　③ 散(흩어질 산)

④ 惜(아낄 석)　　⑤ 錯(섞일 착)

말을 베어 안주로 하겠다는 말은 아끼지 않는다는 것이다.

답: ④

27. 해석 문제

김 선생은 주인이 닭을 대접하게 하기 위해 닭을 타고 가겠다고 말했을 뿐 실제로 닭을 타고 가지는 않았다.

답: ⑤

[28~30] 오십보백보(五十步百步)

> 梁惠王曰: "寡人之於國也, 盡心焉耳矣.
> 양 혜 왕 왈　과 인 지 어 국 야　진 심 언 이 의
>
> 양나라 혜왕이 말하기를, "과인이 나라에 대하는 것은 그것에 마음을 다할 뿐이다.
>
> 河內凶, 則移其民於河東, 移其粟於河內. 河東
> 하 내 흉　즉 이 기 민 어 하 동　이 기 속 어 하 내　하 동
> 凶, 亦然.
> 흉　역 연
>
> 하내가 흉년이 들면 그 백성을 하동에 옮기고, 그 곡식을 하내로 옮긴다. 하동이 흉년이 들어도 또한 그러하다.
>
> 察鄰國之政, 無如寡人之用心者, 鄰國之民, 不
> 찰 린 국 지 정　무 여 과 인 지 용 심 자　린 국 지 민　불
> 加少, 寡人之民, 不加多, 何也?"
> 가 소　과 인 지 민　불 가 다　하 야
>
> 이웃 나라의 정치를 살펴보면 과인이 마음을 씀과 같은 사람이 없는데 이웃 나라의 백성은 더함이 적어지지 않고 과인의 백성은 더함이 많아지지 않으니 어째서인가?"
>
> 孟子對曰: "王好戰, 請以戰喩.
> 맹 자 대 왈　왕 호 전　청 이 전 유
>
> 맹자가 대답하여 말하기를, "임금께서는 싸움을 좋아하니 싸움으로써 비유하기를 청하겠습니다.
>
> 塡然鼓之, 兵刃旣接, 棄甲曳兵而走, 或百步而
> 전 연 고 지　병 인 기 접　기 갑 예 병 이 주　혹 백 보 이
> 後止, 或五十步而後止, 以五十步, 笑百步, 則
> 후 지　혹 오 십 보 이 후 지　이 오 십 보　소 백 보　즉
> 何如?"
> 하 여
>
> 북 소리가 울리는 모양으로 그것을 두드리고 병기의 칼날이 이미 닿았는데, 갑옷을 버리고 병기를 끌고 달아나는데, 누구는 백 걸음을 하고 난 뒤에 멈추고, 누구는 오십 걸음을 하고 난 뒤에 멈추면서 오십 걸음으로써 백 걸음을 비웃는다면 어떠합니까?"
>
> *甲(갑): 갑옷(鉀)
>
> 曰: "不可, 直不百步耳, 是亦走也."
> 왈　불 가　직 불 백 보 이　시 역 주 야
>
> 말하기를, "옳지 않다, 다만 백 걸음이 아닐 뿐이지 이 또한 달아난 것이다."
>
> 曰: "王如知此, 則(　　㉯　　)."
> 왈　왕 여 지 차　즉
>
> 말하기를, "임금께서 이를 아셨다면 ㉯."

28. 해석 문제

㉮는 '이웃 나라의 정치를 살펴보면'으로 해석되므로 마지막으로 풀이되는 것은 '察'(살필 찰)이다.

답: ①

29. 해석 문제

㉠: 끝나다 → 닿다, (칼이) 부딪히다

㉡: 갑옷. '甲'은 원래 '갑옷'이라는 뜻이었지만 가차되면서 오늘날에는 갑옷이라는 뜻으로 '鉀'을 쓰고 있다.

㉢: 저지하다 → 멈추다

㉣: 곧다 → 다만

㉤: 옳다 → 이

답: ②

30. 빈칸 문제

위 글의 흐름으로 보아 ㉯에는 '이웃 나라보다 백성이 더 많아지지 않는 것이 당연하다'라는 뜻의 말이 들어가야 한다. 원문으로는 '無望民之多鄰國也.'(백성이 이웃 나라보다 많아짐을 바라지 말라.)이다.

답: ⑤

제 5 교시

제2외국어/한문 영역(한문)

1. ㉠에 알맞은 한자는? [1점]

① 東　② 果　③ 桑　④ 集　⑤ 樂

2. 두 자를 합하여 하나의 한자를 만들 때, ㉠과 ㉡의 음이 모두 옳은 것은? [1점]

○ 田 + 各 = (㉠)　　○ 心 + 靑 = (㉡)

	㉠	㉡		㉠	㉡
①	각	청	②	각	정
③	략	정	④	략	청
⑤	격	정			

3. 다음 조건을 모두 만족하는 한자는? [1점]

총획은 '馬'와 같아.
음은 '功'와/과 같지.
부수는 아래 부분에 있어.
뜻은 '敬'과 비슷해.

① 恭
② 恋
③ 哭
④ 息
⑤ 貢

4. 그림과 관계있는 한자가 아닌 것은? [1점]

① 走
② 昇
③ 板
④ 降
⑤ 跳

5. 그림의 내용에서 경계하고 있는 것은? [1점]

① 我執
② 愚弄
③ 過慾
④ 獨善
⑤ 自慢

6. 화살표 방향으로 성어를 만들 때, ㉠에 알맞은 것은? [1점]

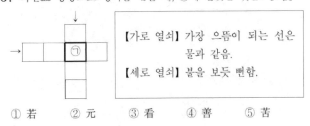

【가로 열쇠】 가장 으뜸이 되는 선은 물과 같음.
【세로 열쇠】 불을 보듯 뻔함.

① 若　② 元　③ 看　④ 善　⑤ 苦

7. 대화의 내용으로 보아 ㉠에 알맞은 것은? [1점]

벌써 표가 다 팔려서 사람이 꽉 찼대.
오늘은 영화 못 보고 그냥 가야겠다.
謝禮

① 早朝
② 百拜
③ 當選
④ 滿員
⑤ 割引

8. 그림의 내용으로 유추할 수 있는 성어는? [1점]

① 近墨者黑
② 老馬之智
③ 漁父之利
④ 無爲徒食
⑤ 切齒腐心

9. 그림의 글자로 만들 수 있는 사자성어와 관계있는 것은?

同　加　上　家　和　附　雷

① 너는 남이 한다고 무작정 따라서 하니?
② 식구들이 사이좋게 지내니 정말 좋구나.
③ 이왕이면 유통기한이 넉넉한 우유로 골라와.
④ 상을 받아 유명해졌는데, 후원금까지 받았어!
⑤ 건조하고 바람까지 세서 불길을 잡을 수 없어.

10. 글의 공통 주제로 알맞은 것은?

○ 以責人之心, 責己.　　　　　　　　-『명심보감』-
○ 欲勝人者, 必先自勝.　　　　　　-『여씨춘추』-
○ 破山中賊易, 破心中賊難.　　　　-『양명전서』-

① 修身　② 公利　③ 奉仕　④ 勇猛　⑤ 實踐

11. 대화의 내용으로 보아 ㉠, ㉡의 한자 표기로 옳은 것은? [1점]

① 不動　不凍　② 不動　浮動　③ 不凍　浮動
④ 不凍　不同　⑤ 浮動　不同

12. 글의 내용과 가장 관계있는 것은?

行則行, 止則止, 隨時而已.　　-『수당유집』-

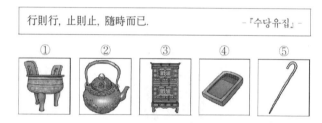

13. 글에 대한 이해로 알맞은 것은?

待有餘而後濟人, 必無濟人之日.　　-『여유당전서』-

① 不恥下問과 의미가 통해.
② 此日彼日하지 말라는 뜻이지.
③ 坐井觀天을 경계하는 말이야.
④ 그야말로 守株待兔하는 격이군.
⑤ 이런 경우를 多多益善이라 하지.

14. 대화의 내용과 가장 관계있는 것은?

① 吹之恐飛, 執之恐陷.　② 窮人之事, 飜亦破鼻.
③ 合抱之木, 生於毫末.　④ 三歲之習, 至于八十.
⑤ 寧爲鷄口, 勿爲牛後.

[15~16] 다음 글을 읽고 물음에 답하시오.

鴉含肉, 止樹上. 狐過而欲得之, 仰謂曰:"君軀旣壯, 而羽亦㉠澤. 吾㉡素聞君㉢善歌, 請奏一曲." 鴉㉣悅, ㉤張口欲鳴, 未發聲, 而肉已落, 狐疾取之.

　*鴉(아): 갈까마귀　　*狐(호): 여우
　*軀(구): 몸　　*奏(주): 연주하다

15. 위 글에서 얻을 수 있는 교훈과 관계있는 것은?

① 百聞, 不如一見.　② 道吾善者, 是吾賊.
③ 他人之宴, 曰梨曰栗.　④ 我腹旣飽, 不察奴飢.
⑤ 匹夫見辱, 拔劍而起.

16. ㉠~㉤의 풀이로 옳지 <u>않은</u> 것은?

① ㉠: 윤택하다　　② ㉡: 희다
③ ㉢: 잘하다　　④ ㉣: 기뻐하다
⑤ ㉤: 벌리다

[17~19] 다음 글을 읽고 물음에 답하시오.

　平岡王少女兒好啼. 王戲曰:"汝常啼, 聒我耳, 長必不得爲士大夫妻, 當㉠歸之愚溫達." 王㉡每言之. 及女年㉢二八, 欲下嫁㉣於上部高氏. 公主對曰:"大王常語, 汝必爲溫達之婦, 今何故, 改㉤前言乎? ㉮匹夫猶不欲食言, 況至尊乎? <중략>" 王怒曰:"汝不從我敎, 則固不得爲吾女也. 安用同居? ㉯宜從汝所適矣."

　*平岡王(평강왕): 고구려의 왕　　*啼(제): 울다
　*聒(괄): 시끄럽다　　*嫁(가): 시집가다
　　　　　　-『삼국사기』-

17. ㉠~㉤에 대한 설명으로 옳지 <u>않은</u> 것은?

① ㉠은 '시집보내다'는 뜻으로 쓰였어.
② ㉡은 '大王常語'의 '常'과 의미가 통해.
③ ㉢은 '스물여덟'이라는 뜻이야.
④ ㉣은 '~에게'라는 의미를 나타내.
⑤ ㉤은 '汝必爲溫達之婦'를 가리켜.

18. ㉮에서 강조하는 것은?

① 信義　② 勤勉　③ 慈愛　④ 孝誠　⑤ 忠直

19. ㉯의 의미로 알맞은 것은?

① 아비와 함께 살자꾸나.
② 아비의 뜻을 따르거라.
③ 남의 꾐에 빠지지 말거라.
④ 네 하고 싶은 대로 하거라.
⑤ 네 마음을 아비는 이해한단다.

[20~22] 다음 시를 읽고 물음에 답하시오.

(가) 春眠不覺曉, 　處處聞啼鳥.
　　夜來風雨聲, 　花落知多少. 　ㅡ 맹호연, 「춘효(春曉)」ㅡ

(나) 秋淨長湖碧玉流, 　　荷花深處㉠係蘭舟.
　　㉡逢郎隔水㉢投蓮子, 　㉣恐被人㉤知半日羞.
　　　*隔(격): 사이가 뜨다 　*羞(수): 부끄러워하다
　　　　　　　ㅡ 허난설헌, 「채련곡(採蓮曲)」ㅡ

20. (가)에 대한 이해로 알맞은 것은?

① 웅장한 어조 속에 시인의 쓸쓸한 감정을 연결하였다.
② 봄 풍경이 아름다울수록 더욱 깊어지는 근심을 표현하였다.
③ 방 안에서 청각에 와 닿는 소리로 바깥의 풍경을 형상화하였다.
④ 과장적 표현과 영탄의 반복을 통해 강개한 마음을 토로하였다.
⑤ 아름다운 봄에 고향을 그리워하는 나그네의 마음을 그렸다.

21. ㉠~㉤ 중 행위의 주체가 나머지와 다른 하나는?

① ㉠　　② ㉡　　③ ㉢　　④ ㉣　　⑤ ㉤

22. 위 시에 대한 설명으로 옳은 것만을 <보기>에서 있는 대로 고른 것은?

<보 기>
ㄱ. (가)의 형식은 오언절구이다.
ㄴ. (가)의 운자는 '曉', '鳥', '聲', '少'이다.
ㄷ. (나)에는 공간적 배경이 드러나 있다.
ㄹ. (나)의 제3구와 제4구는 대우(對偶)를 이룬다.

① ㄱ, ㄴ　　　② ㄱ, ㄷ　　　③ ㄴ, ㄹ
④ ㄱ, ㄴ, ㄷ　　⑤ ㄱ, ㄷ, ㄹ

23. 글의 주제와 가장 가까운 것은?

　판서 박서가 아이 적에 어떤 처녀와 혼인하기로 약속했는데, 그 처녀가 병으로 두 눈이 멀었다는 소문이 났다. 가족들은 다른 혼처를 구하자고 하였지만 박서가 말하였다.
　"병으로 눈이 먼 것은 하늘의 뜻이지 그 사람의 죄가 아닙니다. 사람이 신의가 없으면 존립할 수 없으니 혼처를 바꾸어서는 안 됩니다." 　ㅡ『송천필담』ㅡ

① 人無信, 不立.　　　② 巧言令色, 鮮矣仁.
③ 過而不改, 是謂過矣.　④ 人無遠慮, 必有近憂.
⑤ 有朋自遠方來, 不亦樂乎.

24. 대화의 내용으로 보아 ㉠에 알맞은 것은?

① 何先.　② 何物.　③ 何處.　④ 何謂也.　⑤ 何人也.

[25~27] 다음 글을 읽고 물음에 답하시오.

　朱悅, 字, 而和, 綾城縣人. 性抗直, 嫉惡如讐. 苟非其人, 雖㉠權貴, 不爲禮. 忠烈時, 嘗以事至相府, 宰相與言, 悅坐聽, 貌甚倨. 宰相使吏語曰: "宰相有言, ㉡宜伏地聽." 悅曰: "宰相之言, 伏地聽, 則君上之言, 當掘地聽乎?" 終不(㉢).
　　*綾城(능성): 지명　*嫉(질): 미워하다　*讐(수): 원수
　　*宰(재): 재상　*倨(거): 거만하다　*掘(굴): 파다
　　　　　　　　　　　　　　　ㅡ『낙하생집』ㅡ

25. ㉠과 짜임이 같은 것은? [1점]

① 夜深　② 登校　③ 讀書　④ 骨折　⑤ 草木

26. 의미상 ㉡과 바꾸어 쓸 수 있는 것은?

① 苟　　② 雖　　③ 嘗　　④ 甚　　⑤ 當

27. 글의 흐름으로 보아 ㉢에 가장 알맞은 것은?

① 坐　　② 祈　　③ 屈　　④ 臥　　⑤ 得

[28~30] 다음 글을 읽고 물음에 답하시오.

　日警嚴訊曰: "汝何故, 執旗而喜樂耶?" 女兒答曰: "吾有失物之㉠復得者, 故喜爾." 日警曰: "汝失何物乎?" 女兒曰: "我大韓民族世傳之三千里錦繡江山也." 日警厲聲曰: "汝, 小兒, 何知而樂此耶?" 女兒, ㉡更以溫言, 答之曰: "爾, 實無知識矣. 向日, 吾母失一小針, 覓至半日, ㉮乃得而喜形於色, 況三千里錦繡江山, ㉢復爲我有, 何樂如之?" 日警, 亦爲之感而落淚云.
　　*訊(신): 묻다　*爾(이): 어조사, 너　*繡(수): 수놓다
　　*厲(려): 사납다　*覓(멱): 찾다
　　　　　　　　　　　　　　　ㅡ『박은식전서』ㅡ

28. ㉠~㉢의 음이 모두 옳은 것은?

　　　㉠ ㉡ ㉢
① 복 경 복　　② 부 갱 부　　③ 부 경 복
④ 복 갱 부　　⑤ 부 갱 복

29. ㉮에서 마지막으로 풀이되는 것은?

① 乃　② 得　③ 喜　④ 形　⑤ 色

30. 위 글의 내용과 일치하지 않는 것은?

① 일본 경찰은 여자 아이가 기뻐한 이유를 처음에는 몰랐다.
② 여자 아이는 일본 경찰에게 기뻐했던 이유를 설명하였다.
③ 일본 경찰은 여자 아이가 잃어 버린 물건에 대해 물었다.
④ 여자 아이는 자기가 작은 바늘을 잃어 버렸다고 대답했다.
⑤ 일본 경찰은 여자 아이의 답변에 감동하여 눈물을 흘렸다.

* 확인 사항

○ 답안지의 해당란에 필요한 내용을 정확히 기입(표기)했는지 확인하시오.

(한문) 제2외국어/한문 영역

2011학년도 6월 모의평가

1	④	7	④	13	②	19	④	25	⑤
2	③	8	⑤	14	⑤	20	③	26	⑤
3	①	9	①	15	②	21	⑤	27	③
4	①	10	①	16	②	22	②	28	②
5	③	11	②	17	③	23	①	29	④
6	①	12	⑤	18	①	24	④	30	④

1. 한자 문제

이런 유형의 문제 치고는 쉽지 않다. ㉠은 새가 나무 위에 앉은 모습에서 나온 한자이다. 그러니 ㉠의 뜻은 새가 나무 위에 앉은 것과 관련되어야 한다. 그러나 '東'(동녘 동), '果'(과일 과), '桑'(뽕나무 상), '集'(모일 집), '樂'(풍류 악) 가운데 뜻이 새가 나무 위에 앉은 것과 관련된 것은 생각하기 어렵다.
셋째 글자를 보고 가장 비슷한 것을 찾아보면 다들 비슷비슷하지만 '集'이 가장 비슷한 듯하다. 그러고 보니 '隹'가 새와 관련된 뜻을 가진 한자에 많이 보였던 것 같기도 하다. 실제로 '集'(모일 집)은 새가 나무 위에 모여 앉은 모습을 본떠 만들어진 글자이다. 그리고 '隹'는 '새 추'이다. 답은 '集'이다.

답: ④

2. 합자 문제

田＋各＝略(생략할 략), 心＋青＝情(뜻 정)이다.

답: ③

3. 조건을 만족하는 한자 문제

조건을 만족하는 한자 문제이다. 문제에서는 한자의 뜻과 음, 부수 그리고 총획을 알려 주고 있다. 음으로 찾는 게 가장 빠르므로 먼저 음을 읽어 보자.
　① 恭(공손할 공)　② 恣(방자할 자)　③ 哭(울 곡)
　④ 息(쉴 식)　⑤ 貢(바칠 공)
①~⑤에서 음이 '공'인 한자는 '恭'과 '貢'뿐이다. 이제 뜻이 '敬'과 비슷하다고 했으므로 답은 '恭'이다.

답: ①

4. 한자 문제

　① 走(달릴 주)　② 昇(오를 승)　③ 板(널빤지 판)
　④ 降(내릴 강)　⑤ 跳(뛸 도)
그림과 관계 없는 한자는 '走'이다. '跳'는 '뛸 도'인데, 여기의 '뛰다'는 '달리다'라는 뜻이 아니라 '도약하다'라는 뜻이다.

답: ①

5. 한자어 문제

　① 我執(아집)　② 愚弄(우롱)　③ 過慾(과욕)
　④ 獨善(독선)　⑤ 自慢(자만)

답: ③

6. 십자말풀이 문제

가로 열쇠는 '上善若水'(상선약수), 세로 열쇠는 '明若觀火'(명약관화)이다. 가로 열쇠나 세로 열쇠에 해당하는 성어를 모르더라도 두 성어에 공통적으로 '~와 같음', '~듯'으로 풀이되는 부분이 있으므로 이런 뜻으로 쓰이는 한자를 찾으면 ㉠에 알맞은 것이 '若'(같을 약)임을 알 수 있다.

답: ①

7. 한자어 문제

① 早朝(조조): 이른 아침.
② 百拜(백배): 백 번 절을 함.
③ 當選(당선): 선거에서 뽑힘.
④ 滿員(만원): 정한 인원이 다 참.
⑤ 割引(할인): 일정한 값에서 얼마를 깎아 줌.

답: ④

8. 사자성어 문제

① 近墨者黑(근묵자흑): 먹을 가까이하는 자는 검어짐. 나쁜 사람과 사귀면 물들기 쉬움.
② 老馬之智(노마지지): 늙은 말의 지혜. 저마다 한 가지 지혜는 가짐.
③ 漁父之利(어부지리): 어부의 이익. 둘이 다투는 틈을 타서 엉뚱한 제3자가 이익을 가로챔.
④ 無爲徒食(무위도식): 하는 것 없이 다만 먹음.
⑤ 切齒腐心(절치부심): 이를 갈고 마음을 썩임.

답: ⑤

9. 카드 문제

① 너는 남이 한다고 무작정 따라서 하니?
　☞ 附和雷同(부화뇌동)
② 식구들이 사이좋게 지내니 정말 좋구나.
　☞ 떠오르는 사자성어가 없다.
③ 이왕이면 유통기한이 넉넉한 우유로 골라 와.
　☞ 同價紅裳(동가홍상)
④ 상을 받아 유명해졌는데, 후원금까지 받았어!
　☞ 錦上添花(금상첨화)
⑤ 건조하고 바람까지 세서 불길을 잡을 수 없어.
　☞ 雪上加霜(설상가상)

답: ①

10. 단문 문제

以責人之心, 責己.
이 책 인 지 심　책 기
남을 꾸짖는 마음으로써 나를 꾸짖어라.

欲勝人者, 必先自勝.
욕 승 인 자　필 선 자 승
남을 이기고자 하는 자는 반드시 먼저 스스로를 이겨야 한다.

破山中賊易, 破心中賊難.
파 산 중 적 이 　 파 심 중 적 난
산속의 도적을 깨뜨리기는 쉽지만 마음속의 도적을 깨뜨리기
는 어렵다.

　① 修身(수신)　　② 公利(공리)　　③ 奉仕(봉사)
　④ 勇猛(용맹)　　⑤ 實踐(실천)

답: ①

11. 한자어 문제

선거의 '부동층'은 언제나 '浮動層'을 뜻한다. '부동층'을 '不動層'
으로 알고 있었으면 이번에 바로 알고 가자.

　不動(부동): 움직이지 않음.　　不凍(부동): 얼지 않음.
　浮動(부동): 떠서 움직임.　　不同(부동): 같지 않음.

답: ②

12. 사물 문제

行則行, 止則止, 隨時而已.
행 즉 행 　 지 즉 지 　 수 시 이 이
가면 가고, 멈추면 멈추고, 때에 따를 뿐이다.

가면 가고 멈추면 멈추는 사물이라고 할 만한 것은 지팡이밖에
없다.

답: ⑤

13. 단문 문제

待有餘而後濟人, 必無濟人之日.
대 유 여 이 후 제 인 　 필 무 제 인 지 일
여유가 있기를 기다린 뒤에 남을 구제한다고 하면 반드시 남
을 구제할 날이 없다.

① 不恥下問(불치하문): 아랫사람에게 묻는 것을 부끄러워하지 않음.
② 此日彼日(차일피일): 이날, 저날. 이날, 저날 하고 자꾸 약속이
나 기일 등을 미룸.
③ 坐井觀天(좌정관천): 우물에 앉아 하늘을 봄. 견문이 매우 좁음.
④ 守株待兔(수주대토): 그루터기를 지키며 토끼를 기다림. 한 가
지 일에만 얽매여 발전을 모름.
⑤ 多多益善(다다익선): 많으면 많을수록 더욱 좋음.

답: ②

위는 정약용의 글인데 비슷한 고사가 『장자』에 있다.
　장자의 집안이 가난하여, 감하후에게 쌀을 빌리러 갔다. 감
하후가 말하기를, "좋소. 내가 장차 마을에서 세금을 걷어
들일 것인데, 그대에게 삼백 금을 빌려 주겠소, 어떻소?" 장
자가 발끈해서 화를 내며 말하기를, "내가 어제 오는 길에
나를 부르는 자가 있었소. 내가 돌아보니 수레바퀴 자국 속
에 붕어가 있었소. 내가 물어서 말하기를, "붕어야! 너에게
도대체 무슨 일이 있었느냐?" 붕어가 대답하기를, "나는 동
해의 파도를 담당하는 신하인데 당신이 약간의 물로 나를
살려줄 수 있습니까?" 내가 대답하기를, "좋다. 내가 남쪽의
오, 월왕에게 가는 길인데, 서쪽 강의 물을 보내서 너에게

맞게 해 주겠다. 어떠냐?" 붕어가 발끈해서 화를 내며 말하
기를, "나는 늘 나와 함께 있는 물을 잃었기에 처할 곳이 없
소. 나는 지금 약간의 물만 얻으면 살아날 수 있소. 당신이
그렇게 얘기하니, 건어물전에 가서 나를 찾는 것이 더 나을
것이오!" 결국 장자의 성화에 못 이겨 감하후는 쌀을 빌려주
었다고 한다.

14. 속담 문제

① 吹之恐飛, 執之恐陷.
　취 지 공 비 　 집 지 공 함
　그것을 불면 날아갈까 두렵고, 그것을 쥐면 꺼질까 두렵다.
② 窮人之事, 飜亦破鼻.
　궁 인 지 사 　 번 역 파 비
　궁한 사람의 일은 뒤로 넘어져도 코가 깨진다.
③ 合抱之木, 生於毫末.
　합 포 지 목 　 생 어 호 말
　한 아름(抱)에 맞는(合) 나무도 털끝에서 났다.
④ 三歲之習, 至于八十.
　삼 세 지 습 　 지 우 팔 십
　세 살의 버릇이 여든에 이른다.
⑤ 寧爲鷄口, 勿爲牛後.
　녕 위 계 구 　 물 위 우 후
　차라리 닭의 입이 될지언정 소의 뒤는 되지 말라.

답: ⑤

〔15~16〕소탐대실(小貪大失)

鴉含肉, 止樹上.
아 함 육 　 지 수 상
갈까마귀가 고기를 머금고 나무 위에 멈추어 있었다.

狐過而欲得之, 仰謂曰:
호 과 이 욕 득 지 　 앙 위 왈
여우가 지나가다가 그것을 얻고자 하여 우러러 일러 말하기를,

"君軀旣壯, 而羽亦澤. 吾素聞君善歌, 請奏一曲."
군 구 기 장 　 이 우 역 택 　 오 소 문 군 선 가 　 청 주 일 곡
"그대의 몸은 이미 씩씩하고 깃 또한 윤택하다. 내가 평소에
그대가 노래를 잘한다고 들었으니 한 곡 연주할 것을 청한다."

鴉悦, 張口欲鳴, 未發聲, 而肉已落, 狐疾取之.
아 열 　 장 구 욕 명 　 미 발 성 　 이 육 이 락 　 호 질 취 지
갈까마귀가 기뻐하여 입을 벌리고 울고자 하는데 아직 소리가
나오지 않았으나 고기는 이미 떨어지고, 여우는 잽싸게 그것을
취했다.

15. 단문 문제

① 百聞, 不如一見.
　백 문 　 불 여 일 견
　백 번 듣는 것이 한 번 보는 것만 못하다.
② 談吾善者, 是吾賊.
　담 오 선 자 　 시 오 적
　나의 착함을 말하는 사람은 바로 나의 도적이다.
③ 他人之宴, 曰梨曰栗.
　타 인 지 연 　 왈 리 왈 률
　다른 사람의 잔치에 배를 말하고 밤을 말한다.

④ 我腹旣飽, 不察奴飢.
아 복 기 포 불 찰 노 기
내 배가 이미 부르면 종의 배고픔을 살피지 않는다.

⑤ 匹夫見辱, 拔劍而起.
필 부 견 욕 발 검 이 기
필부가 욕을 보면 칼을 빼고 일어난다.

답: ②

16. 해석 문제

ⓛ은 '희다'라는 뜻이 아니라 '평소'라는 뜻으로 쓰였다. '素'는 이 밖에 '바탕'이라는 뜻도 있다. 이처럼 여러 뜻으로 쓰이는 한자는 주의하여야 한다. 문제에서 밑줄 친 한자는 모두 여러 뜻으로 쓰이는 한자들이다.

㉠의 '澤'은 '못' 외에 '윤택하다'라는 뜻도 있다. ㉢의 '善'은 '착하다' 외에 '잘하다'라는 뜻도 있다. ㉤의 '張'은 '베풀다' 외에 '넓히다'라는 뜻도 있다.

답: ②

〔17~19〕 온달전(溫達傳)

平岡王少女兒好啼.
평 강 왕 소 녀 아 호 제
평강왕의 어린 딸은 울기를 좋아하였다.

王戱曰: "汝常啼, 聒我耳, 長必不得爲士大夫
왕 희 왈 여 상 제 괄 아 이 장 필 부 득 위 사 대 부
妻, 當歸之愚溫達." 王每言之.
처 당 귀 지 우 온 달 왕 매 언 지
왕이 놀리며 말하기를, "너는 항상 울어 나의 귀를 시끄럽게 하니 자라서 반드시 사대부의 아내가 될 수 없고, 마땅히 바보 온달에게 돌아가야 한다." 왕이 매번 그것을 말했다.

及女年二八, 欲下嫁於上部高氏.
급 녀 년 이 팔 욕 하 가 어 상 부 고 씨
딸의 나이 16에 이르니 상부 고씨에게 시집보내려고 하였다.

公主對曰: "大王常語, 汝必爲溫達之婦, 今何
공 주 대 왈 대 왕 상 어 여 필 위 온 달 지 부 금 하
故, 改前言乎?
고 개 전 언 호
공주가 대답하여 말하기를, "대왕께서 너는 반드시 온달의 지어미가 될 것이라고 늘 말씀하시고서는 지금 무슨 까닭으로 앞에 하신 말씀을 고치시나이까?

匹夫猶不欲食言, 況至尊乎?"
필 부 유 불 욕 식 언 황 지 존 호
필부도 오히려 식언하고자 하지 않거늘, 하물며 지존이겠습니까?

王怒曰: "汝不從我敎, 則固不得爲吾女也. 安
왕 노 왈 여 부 종 아 교 즉 고 부 득 위 오 녀 야 안
用同居? 宜從汝所適矣."
용 동 거 의 종 여 소 적 의
왕이 성내어 말하기를, "네가 나의 가르침을 따르지 않는다면 진실로 나의 딸이 될 수 없다. 어찌 같이 살겠는가? 마땅히 네 갈 바를 따르거라."

17. 해석 문제

㉠은 '돌아가다'라는 뜻으로 해석해도 무리가 없지만 '시집보내다'라는 뜻으로 쓰였다고 보아도 된다.

ⓛ은 16이다. '二八青春'(이팔청춘)은 '16세 무렵의 꽃다운 청춘'이라는 뜻이다.

답: ③

18. 해석 문제

㉮는 '필부도 오히려 식언하고자 하지 않거늘, 하물며 지존이겠습니까?'로 해석된다.

① 信義(신의)　② 勤勉(근면)　③ 慈愛(자애)
④ 孝誠(효성)　⑤ 忠直(충직)

따라서 강조하는 것은 '신의'이다.

답: ①

19. 해석 문제

㉯는 '마땅히 네 갈 바를 따르거라'로 해석되므로 그 의미는 '네 하고 싶은 대로 하거라'이다.

답: ④

〔20~22〕 맹호연, 「춘효(春曉)」
　　　　　허난설헌, 「채련곡(采蓮曲)」

春眠不覺曉, 봄날에 잠들어 새벽을 깨닫지 못했는데,
춘 면 불 각 효

處處聞啼鳥. 곳곳에 새 울음소리 들린다.
처 처 문 제 조

夜來風雨聲, 밤이 오니 바람과 비 소리 나고
야 래 풍 우 성

花落知多少. 꽃이 떨어짐이 얼마인지 알겠는가?
화 락 지 다 소

秋淨長湖碧玉流, 가을은 맑고 긴 호수에 푸른 옥같은 물이 흐르고
추 정 장 호 벽 옥 류

荷花深處係蘭舟. 연꽃 깊은 곳에 난초 배를 맸네.
하 화 심 처 계 란 주

逢郞隔水投蓮子, 낭군을 만나 떨어진 물에 연밥을 던졌는데,
봉 랑 격 수 투 련 자

恐被人知半日羞. 남에게 알까봐 두려워 반나절 동안 부끄러워하네
공 피 인 지 반 일 수

20. 한시 감상 문제

① '웅장한 어조'와 '쓸쓸한 감정'은 참 모호한 표현이다. 이런 설명은 일단 판단을 유보하여야 한다.

② '봄 풍경이 아름다울수록 더욱 깊어지는 근심'은 문학 평론가가 아니고서는 알 길이 없다. 판단을 유보하자.

③ 방 안에서 청각에 와 닿는 소리로 바깥의 풍경을 형상화하였다는 설명은 시의 표현 방법에 대한 것으로 흠잡을 데가 없다. 이런 설명을 고르지 않고 넘기는 것은 있을 수 없는 일이다.

④ '과장적 표현'과 '영탄의 반복'은 있지도 않으며 '강개한 마음'은 더구나 아니다. 그럴싸한 말을 갖다 붙인다고 옳은 설명이 되지 않는다는 점을 명심하자.

⑤ '아름다운 봄에 고향을 그리워하는 나그네의 마음'도 문학 평론가가 아니고서는 알 길이 없다.

답: ③

21. 해석 문제

㉠~㉣의 주체는 시적 화자이고, ㉤의 주체는 '人'(남)이다.

답: ⑤

22. 한시 지식 문제

ㄱ. (가)는 다섯 글자씩 네 구이므로 오언절구이다.

ㄴ. 운자는 짝수 구의 마지막 글자에 오고, 제1구의 마지막 글자에 올 수 있다. 한 한시에는 운자가 많아야 세 글자이므로 틀린 설명이다.

ㄷ. (나)에는 공간적 배경이 '호수'로 드러나 있다.

ㄹ. 두 구가 문법적 기능이 동일한 글자의 배열로 이루어져 있을 때 대우라고 한다. 제3구와 제4구는 문법적 기능이 동일한 글자의 배열로 이루어져 있지 않으므로 대우가 아니다.

답: ②

23. 단문 문제

① 人無信, 不立.
인 무 신 불 립

사람이 믿음이 없으면 서지 못한다.

② 巧言令色, 鮮矣仁.
교 언 영 색 선 의 인

교묘한 말과 꾸미는 얼굴빛은 어짊이 드물다.

③ 過而不改, 是爲過矣.
과 이 불 개 시 위 과 의

잘못하고도 고치지 않으면 이것이 잘못이다.

④ 人無遠慮, 必有近憂.
인 무 원 려 필 유 근 우

사람이 먼일에 대한 고려가 없으면 반드시 가까운 근심이 있다.

⑤ 有朋自遠方來, 不亦樂乎.
유 붕 자 원 방 래 불 역 락 호

벗이 있어 먼 곳에서 오면 또한 즐겁지 아니한가.

답: ①

24. 빈칸 문제

孔子: 參乎, 吾道, 一以貫之.
공 자 삼 호 오 도 일 이 관 지

삼아, 내 도는 하나로써 그것을 꿰었다.

曾子: 唯.
증 자 유

예.

門人: (㉠)
문 인

㉠

曾子: 夫子之道, 忠恕而已矣.
증 자 부 자 지 도 충 서 이 이 의

스승님의 도는 忠과 恕일 뿐이다.

*參(삼): 증자의 이름

① 何先. 무엇이 먼저인가?
하 선

② 何物. 어떤 물건인가?
하 물

③ 何處. 어떤 곳인가?
하 처

④ 何謂也. 무엇을 이르셨는가?
하 위 야

⑤ 何人也. 어떤 사람인가?
하 인 야

답: ④

[25~27] 주열(朱悅)

朱悅, 字, 而和, 綾城縣人.
주 열 자 이 화 능 성 현 인

주열의 자는 이화이고, 능성현 사람이다.

性抗直, 嫉惡如讐.
성 항 직 질 악 여 수

성품이 항직하여 악을 미워함이 원수와 같았다.

苟非其人, 雖權貴, 不爲禮.
구 비 기 인 수 권 귀 불 위 례

진실로 그가 사람답지 않으면 비록 권세와 부귀가 있어도 예를 행하지 않았다.

忠烈時, 嘗以事至相府, 宰相與言, 悅坐聽, 貌甚倨.
충 렬 시 상 이 사 지 상 부 재 상 여 언 열 좌 청 모 심 거

충렬왕 때에 일찍이 일로써 재상의 관청에 이르러 재상이 더불어 말하는데 주열은 앉아서 들으니 모양이 심히 거만했다.

宰相使吏語曰: "宰相有言, 宜伏地聽."
재 상 사 리 어 왈 재 상 유 언 의 복 지 청

재상이 아전이 말하게 하여 말하기를, "재상이 말씀이 있는데 마땅히 땅에 엎드려 들어야 한다."

悅曰: "宰相之言, 伏地聽, 則君上之言, 當掘地聽乎?" 終不(㉢).
열 왈 재 상 지 언 복 지 청 즉 군 상 지 언 당 굴 지 청 호 종 불

주열이 말하기를, "재상의 말을 땅에 엎드려 듣는다면 임금의 말은 마땅히 땅을 파고 들어야겠다?"하며 끝내 ㉢하지 않았다.

25. 짜임 문제

한자어의 짜임은 두 글자 이상의 한자로 이루어진 한자어가 어떻게 해석되는가를 나타내는 개념이다. 한자어의 짜임에는 '주술(주어+서술어)', '술목(서술어+목적어)', '술보(서술어+보어)', '수식', '병렬'의 다섯 가지가 있다.

㉠은 '권세와 귀함'으로 해석되므로 그 짜임이 '병렬'이다.

① 夜深(야심): 밤이 깊다. (주술)

② 登校(등교): 학교에 가다. (술보)

③ 讀書(독서): 책을 읽다. (술목)

④ 骨折(골절): 뼈가 부러지다. (주술)

⑤ 草木(초목): 풀과 나무 (병렬)

답: ⑤

26. 바꾸어 쓸 수 있는 한자 문제

ⓒ은 '마땅히'로 해석된다.

① 苟(진실로 구)　② 雖(비록 수)　③ 嘗(맛볼 상)
④ 甚(심할 심)　⑤ 當(마땅할 당)

답: ⑤

27. 빈칸 문제

재상이 '엎드리라'고 했으므로 끝내 엎드리지 않았을 것이다. 따라서 ⓒ에는 '엎드리다'와 비슷한 뜻의 한자가 들어가야 한다.

① 坐(앉을 좌)　② 祈(빌 기)　③ 屈(굽을 굴)
④ 臥(누울 와)　⑤ 得(얻을 득)

답: ③

[28~30] 일경(日警)

개화기에 쓴 글이므로 쉬운 부분이 많지만 어려운 부분도 있다는 것을 무시할 수 없다.

日警嚴訊曰: "汝何故, 執旗而喜樂耶?"
일경엄신왈　여하고　집기이희락야
일본 경찰이 엄하게 물어 말하기를, "너는 무슨 까닭으로 깃발을 잡고 기뻐하고 즐거워하는가?"

女兒答曰: "吾有失物之復得者, 故喜爾."
여아답왈　오유실물지부득자　고희이
여자아이가 답하여 말하기를, "내가 잃은 물건을 다시 얻은 것이 있으니 그러므로 기쁘다."

日警曰: "汝失何物乎?"
일경왈　여실하물호
일본 경찰이 말하기를, "너는 무슨 물건을 잃었는가?"

女兒曰: "我大韓民族世傳之三千里錦繡江山也."
여아왈　아대한민족세전지삼천리금수강산야
여자아이가 말하기를, "우리 대한 민족 대대로 전한 삼천 리 금수강산이다."

日警厲聲曰: "汝, 小兒, 何知而樂此耶?"
일경려성왈　여, 소아, 하지이락차야
일본 경찰이 사나운 목소리로 말하기를, "너는 작은 아이인데 어찌 알고 이를 즐거워하는가?"

女兒, 更以溫言, 答之曰: "爾, 實無知識矣.
여아, 갱이온언, 답지왈　이, 실무지식의
여자아이는 더욱 온화한 말로써 그것을 답하여 말하기를, "너는 참으로 지식이 없다.

向日, 吾母失一小針, 覓之半日, 乃得而喜形於
향일, 오모실일소침, 멱지반일, 내득이희형어
色, 況三千里錦繡江山, 復爲我有, 何樂如之?"
색, 황삼천리금수강산, 부위아유, 하락여지
지난날에 나의 어머니가 한 작은 바늘을 잃고 그것을 반나절 찾았는데 이에 얻고 기쁨이 얼굴에 나타났는데, 하물며 삼천 리 금수강산이 다시 나의 것이 되었는데 어떤 즐거움이 그것과 같겠는가?"

日警, 亦爲之感而落淚云.
일경, 역위지감이락루운
일본 경찰이 또한 그것을 감동스럽다고 여겨 눈물을 떨어뜨렸다고 한다.

28. 해석 문제

'復'은 '다시'라는 뜻으로 쓰일 때에는 '부', '돌아오다'라는 뜻으로 쓰일 때에는 '복'으로 읽는다. '更'은 '다시'라는 뜻으로 쓰일 때에는 '갱', '고치다'라는 뜻으로 쓰일 때에는 '경'으로 읽는다.

㉠, ⓒ은 각각 '得'(얻다), '爲'(되다) 앞에서 '다시'로 해석되므로 '부'로 읽는다. ⓒ은 '다시'로 해석되므로 '갱'으로 읽는다. '고쳐'로 해석하면 그 전에는 여자아이가 온화한 말로써 말하지 않았다는 것이 된다.

답: ②

29. 해석 문제

㉮는 '이에 얻고 기쁨이 얼굴에 나타났다'로 해석되므로 마지막으로 풀이되는 것은 '形'(모양 형)이다.

답: ④

30. 해석 문제

여자아이가 자기가 작은 바늘을 잃어버렸다고 한 것이 아니라 어머니가 작은 바늘을 잃어버렸다고 했다.

답: ④

---

1. 대화의 내용으로 보아 ㉠에 해당하는 것은? [1점]

다훈 : 너는 이 그림을 보고 어떤 생각이 드니?

영희 : 개는 고양이의 나무 타는 능력을 부러워 하는 것 같아.

다훈 : 그렇게 보니, 고양이는 또 ㉠새의 능력을 부러워하는 것 같네.

① 走
② 步
③ 泳
④ 飛
⑤ 捕

2. 그림 속 인물의 행동을 표현한 한자로 옳은 것은? [1점]

①	②	③	④	⑤
奔	聽	投	伏	起

3. 다음 조건을 모두 만족하는 한자는? [1점]

부수는 아래 부분에 있어.

총획은 '張'과 같아.

'문책', '책임' 등에 쓰이지.

① 基
② 責
③ 問
④ 策
⑤ 賃

4. 두 자를 합하여 하나의 한자를 만들 때, ㉠과 ㉡의 음이 모두 옳은 것은? [1점]

○ 手 + 出 = (㉠)	○ 水 + 干 = (㉡)

	㉠	㉡		㉠	㉡
①	출	간	②	출	한
③	졸	한	④	졸	우
⑤	출	우			

5. 대화의 내용으로 보아 ㉠이 다녀온 곳은? [1점]

2층 ○○은행 3층 ●●서점 4층 ☆☆약국 5층 △△안과 6층 □□회사

너, 여기 웬 일이니?

㉠3층에 다녀오는 길이야.

그래, 책 사러 왔구나.

① 會社
② 書店
③ 眼科
④ 銀行
⑤ 藥局

6. ㉠에 알맞은 것은? [1점]

(㉠)人
• 자격 요건 : 근면 성실한 분
• 모집 인원 : 1명
• 담당 업무 : 도서 관리
• 문 의 처 : 012-3456-7890

① 求
② 救
③ 球
④ 具
⑤ 俱

7. 그림의 내용과 가장 관계있는 것은? [1점]

장애인·노약자·임산부·영유아 동반자 좌석입니다

① 淸廉
② 配慮
③ 靜肅
④ 實利
⑤ 競爭

8. 다음에서 확인할 수 없는 것은? [1점]

중급 漢文
펴낸날 • 2010년 3월 1일
지은이 • 홍길동
펴낸이 • 김대한
펴낸곳 • 한문출판사
주 소 • 서울 중구 정동 15-5
전 화 • 012-7890-3456
이메일 • abc@defg.co.kr
책 값 • 15,000원

① 譯者
② 著者
③ 定價
④ 發行處
⑤ 連絡處

9. 화살표 방향으로 성어를 만들 때, ㉠에 알맞은 것은? [1점]

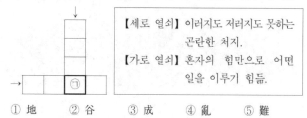

【세로 열쇠】 이러지도 저러지도 못하는 곤란한 처지.

【가로 열쇠】 혼자의 힘만으로 어떤 일을 이루기 힘듦.

① 地
② 谷
③ 成
④ 亂
⑤ 難

10. 글의 내용과 관계있는 것은?

竹身毛首, 剛柔其質.	-『관봉유고』-

① 服
② 紙
③ 筆
④ 墨
⑤ 鏡

11. 대화의 내용으로 보아 ㉠에 알맞은 것은? [1점]

저기 돌에 새겨진 글자의 의미는 뭐야?

나라의 일꾼은 공정하고 명백하게 뽑아야 한다는 의미이지.

① 公平無私
② 正正堂堂
③ 公明選擧
④ 減私奉公
⑤ 嚴正中立

12. 시의 내용과 가장 관계있는 것은?

> 기다려 본 적이 있는 사람은 안다
> 세상에서 기다리는 일처럼 가슴 애리는 일 있을까
> 네가 오기로 한 그 자리, 내가 미리 와 있는 이곳에서
> 문을 열고 들어오는 모든 사람이
> 너였다가
> 너였다가, 너일 것이었다가
> 다시 문이 닫힌다
>
> — 황지우 —

① 千載一遇　　② 我田引水　　③ 首丘初心
④ 門前成市　　⑤ 鶴首苦待

13. 그림의 글자로 만들 수 있는 사자성어와 관계있는 것은?

① 이렇게 많은데, 하나쯤이야!
② 광고와 다른 물건을 팔고 있네!
③ 너무 많이 고치더니, 아주 망쳐버렸네!
④ 기특하게도 일하면서 공부까지 했구나.
⑤ 아무리 말해도 통 알아듣지 못하는구나.

14. 대화의 내용으로 보아 ㉠, ㉡의 한자 표기로 옳은 것은?

	㉠	㉡		㉠	㉡		㉠	㉡
①	感傷	鑑賞	②	感想	鑑賞	③	鑑賞	感傷
④	鑑賞	感想	⑤	感傷	感想			

[15~16] 다음 글을 읽고 물음에 답하시오.

> 子學出㉠於我, 子善用而我不能用, 眞所謂(㉡)也.
>
> — 『용재총화』 —

15. 의미상 ㉠과 바꾸어 쓸 수 있는 것은?

① 卽　　② 而　　③ 所　　④ 于　　⑤ 哉

16. 위 글의 내용으로 보아 ㉡에 알맞은 것은?

① 欲速則不達　　② 言勿異於行　　③ 隨友適江南
④ 水至淸則無魚　　⑤ 靑出於藍而靑於藍

17. 글의 내용과 가장 관계있는 것은?

> 여　우 : 모두 당신을 산중의 왕이라고 칭하는데, 왕보다 높은
> 　　　　　황제라고 칭하면 어떨깝쇼?
> 호랑이 : 아닐세. 나보다 훌륭한 기린이나 사자도 황제라
> 　　　　　칭하지는 않는다네.
> 여　우 : 당신은 기린처럼 어진데다가 사자처럼 용맹하기까지
> 　　　　　하니 황제라고 칭하는 것이 마땅합죠.
> 　　　　　호랑이는 기뻐하며 스스로 '산중의 황제'라 칭했다.
> 　　　　　이후로 먹을 것이 생기면 모두 여우에게 주었다.
>
> — 『두타초』 —

① 衆惡之, 必察焉.　　② 巧言令色, 鮮矣仁.
③ 君子憂道, 不憂貧.　　④ 己所不欲, 勿施於人.
⑤ 邦有道, 貧且賤焉, 恥也.

[18~19] 다음 글을 읽고 물음에 답하시오.

> 丞相趙高, 欲專權, 恐群臣不聽, 乃先設驗, 持鹿獻於二世曰 :
> "馬也." 二世笑曰 : "丞相誤耶, 指鹿爲馬." 問㉠左右, ㉡或默或言.
>
> * 丞相(승상) : 관직명　*趙高(조고) : 인명
>
> — 『십팔사략』 —

18. 위 글의 내용으로 보아 ㉠이 가리키는 것은?

① 丞相　　② 群臣　　③ 鹿　　④ 二世　　⑤ 馬

19. ㉡의 이유로 가장 알맞은 것은?

① 말이 달아나서　　　　② 알아듣지 못해서
③ 이세가 무서워서　　　④ 처음 보는 동물이어서
⑤ 조고의 눈치를 보느라

[20~22] 다음 글을 읽고 물음에 답하시오.

> 人生斯世, ㉮非學問, 無以爲人. 所謂學問者, 亦非異常別件
> 物㉠事也. 只是爲父當㉡慈, ㉢爲子當孝, 爲臣當忠, 爲夫婦
> 當別, 爲兄弟當㉣友, 爲少者當敬(㉯), 爲朋友當有信.
>
> — 『격몽요결』 —

20. ㉮의 의미로 옳은 것은?

① 그릇된 학문은 남이 알아주지 않는다.
② 그릇된 학문으로는 사람을 위할 수 없다.
③ 학문이 아니면 올바른 사람이 될 수 없다.
④ 남에게 보이기 위한 학문을 해서는 안 된다.
⑤ 학문을 하지 않으면 남을 위해 일할 수 없다.

21. 문맥상 ㉠~㉣의 풀이로 옳지 않은 것은?

① ㉠ : 섬기다　　② ㉡ : 사랑하다　　③ ㉢ : 되다
④ ㉣ : 마땅히　　⑤ ㉣ : 우애하다

22. 위 글의 내용으로 보아 ㉯에 알맞은 것은?

① 貧　　② 强　　③ 富　　④ 長　　⑤ 權

[23~25] 다음 시를 읽고 물음에 답하시오.

> (가) 蕭蕭落木聲,　　錯認爲疎雨.
> 　　　呼僧出門看,　　月掛溪南樹.
> 　　　　　　　　　*蕭(소): 쓸쓸하다
> 　　　　　　　　－ 정철, 「산사야음(山寺夜吟)」－
>
> (나) 故人西辭黃鶴樓,　　煙花三月下揚州.
> 　　　孤帆遠影碧空盡,　　惟見長江天際流.
> 　　　　　　　　　*帆(범): 돛단배
> 　　　　－ 이백, 「송맹호연지광릉(送孟浩然之廣陵)」－

23. 위 시에 대한 설명으로 옳은 것만을 <보기>에서 있는 대로 고른 것은?

> ─────〈보 기〉─────
> ㄱ. (가)의 운자는 '雨', '樹'이다.
> ㄴ. (나)의 형식은 칠언절구이다.
> ㄷ. (가)의 제1구는 시각적 심상이 두드러진다.
> ㄹ. (나)의 제3구와 제4구는 대우(對偶)를 이룬다.

① ㄱ, ㄴ　　　② ㄴ, ㄹ　　　③ ㄷ, ㄹ
④ ㄱ, ㄴ, ㄷ　　　⑤ ㄴ, ㄷ, ㄹ

24. (가)의 시상 전개에 따라 <보기>의 그림을 순서대로 바르게 배열한 것은?

〈보 기〉

① ㉠-㉣-㉡-㉢　　　② ㉡-㉠-㉣-㉢
③ ㉢-㉡-㉠-㉣　　　④ ㉣-㉠-㉢-㉡
⑤ ㉣-㉢-㉠-㉡

25. (나)에 대한 이해로 가장 알맞은 것은?

① '黃鶴樓'를 공간적 배경으로 삼아 흥겨운 정취를 고조시켰구려.
② '三月'을 시간적 배경으로 진취적 기상을 잘 나타냈어.
③ '碧空'이라는 시어로 탈속의 의지를 드러내고 있지요.
④ '長江'에는 친구가 탄 배가 더 이상 보이지 않게 되었군요.
⑤ '天際'에는 미지의 세계에 대한 두려움이 담겨 있어요.

[26~27] 다음 글을 읽고 물음에 답하시오.

> ○ 唯仁者, 能好人, 能㉠惡人.　　－『논어』－
> ○ 上善㉡若水. 水善利萬物而不爭, ㉮處衆人之所惡. 故幾於道.
> 　　　　　　　　　　　　　　　　－『노자』－

26. ㉠, ㉡의 풀이가 모두 옳은 것은?

	㉠	㉡		㉠	㉡
①	악하다	같다	②	악하다	만약
③	모질다	괴롭다	④	미워하다	만약
⑤	미워하다	같다			

27. ㉮에서 마지막으로 풀이되는 것은?

① 處　　② 衆　　③ 人　　④ 所　　⑤ 惡

[28~30] 다음 글을 읽고 물음에 답하시오.

> 李尙毅, 兒時, 性甚㉮輕率, 坐不耐久, 言輒㉯妄發. 父母憂之, 頻有責言. ㉠公佩小鈴以自戒, 每聞鈴聲, 猛加警飭, ㉡出入坐臥, 未嘗㉢捨鈴. 今日減一分, 明日減㉣一分, 及至中年之後, 渾然天成. 後人之戒輕薄子弟者, 必擧李公, 以爲㉤則云.
> 　　　*李尙毅(이상의): 인명　*輒(첩): 번번이
> 　　　*佩(패): 차다　*鈴(령): 방울　*飭(칙): 삼가다
> 　　　*渾然(혼연): 구별이 없는 모양　－『공사견문록』－

28. ㉮와 짜임이 같은 것은?

① 開花　　② 登山　　③ 正直　　④ 過客　　⑤ 積功

29. ㉯의 독음으로 옳은 것은?

① 망발　　② 망령　　③ 돌발　　④ 황당　　⑤ 황폐

30. ㉠~㉤에 대한 설명으로 옳지 않은 것은?

① ㉠은 '이상의'를 가리킨다.
② ㉡의 주체는 '이상의'이다.
③ ㉢은 '몸에서 떼어놓다'는 뜻이다.
④ ㉣은 '짧은 시간'을 의미한다.
⑤ ㉤은 여기에서는 '칙'이라고 읽는다.

> * 확인 사항
> ○ 답안지의 해당란에 필요한 내용을 정확히 기입(표기)했는지 확인 하시오.

2011학년도 9월 모의평가

1	④	7	②	13	⑤	19	⑤	25	④
2	②	8	①	14	①	20	③	26	⑤
3	②	9	⑤	15	④	21	①	27	①
4	③	10	③	16	⑤	22	②	28	③
5	②	11	③	17	②	23	①	29	①
6	①	12	⑤	18	②	24	④	30	④

1. 한자 문제

그림을 볼 필요도 없다.

　① 走(달릴 주)　② 步(걸음 보)　③ 泳(헤엄칠 영)
　④ 飛(날 비)　⑤ 捕(잡을 포)

답: ④

2. 한자 문제

① 奔(달릴 분) → 讀(읽을 독)
② 聽(들을 청)
③ 投(던질 투) → 食(먹을 식)
④ 伏(엎드릴 복) → 步(걸을 보)
⑤ 起(일어날 기) → 臥(누울 와)

답: ②

3. 조건을 만족하는 한자 문제

조건을 만족하는 한자 문제이다. 문제에서는 한자의 용례와 부수의 위치, 그리고 총획을 알려 주고 있다. '문책', '책임' 등에 쓰이는 것에서 이 한자의 음이 '책'임을 알 수 있다.

　① 基(터 기)　② 責(꾸짖을 책)　③ 問(물을 문)
　④ 策(채찍 책)　⑤ 賃(품팔이 임)

이제 가능한 한자는 '責'과 '策'으로 좁혀졌다. 부수의 위치로 보아 부수 '貝'(조개 패)가 아래에 있는 '責'이 답이다.

답: ②

4. 합자 문제

手+出=拙(졸렬할 졸), 水+干=汗(땀 한)이다.

답: ③

5. 한자어 문제

　① 會社(회사)　② 書店(서점)　③ 眼科(안과)
　④ 銀行(은행)　⑤ 藥局(약국)

답: ②

6. 한자 문제

　① 求(구할 구)　② 救(구제할 구)　③ 球(공 구)
　④ 具(갖출 구)　⑤ 俱(함께 구)

'求人'(구인)과 '救人'(구인)이 헷갈릴 수 있다. '求人'은 '사람을 구하다', '救人'은 '사람을 구조하다'로 전혀 다른 뜻이다.

답: ①

7. 한자어 문제

　① 淸廉(청렴)　② 配慮(배려)　③ 靜肅(정숙)
　④ 實利(실리)　⑤ 競爭(경쟁)

답: ②

8. 한자어 문제

　① 譯者(역자)　② 著者(저자)　③ 定價(정가)
　④ 發行處(발행처)　⑤ 連絡處(연락처)

＊ '연락처'는 '聯絡處'로도 쓴다.

답: ①

9. 사자성어 문제

세로 열쇠는 '進退兩難'(진퇴양난), 가로 열쇠는 '孤掌難鳴'(고장난명)이다.

답: ⑤

10. 단문 문제

> 竹身毛首, 剛柔其質.
> 죽 신 모 수　 강 유 기 질
> 대나무의 몸에 털의 머리는 굳세면서 부드러움이 그 바탕이다.

'대나무의 몸에 털의 머리'가 문제를 푸는 핵심적인 단서이다. 글의 내용과 관계있는 것은 '붓'이다.

　① 服(옷 복)　② 紙(종이 지)　③ 筆(붓 필)
　④ 墨(먹 묵)　⑤ 鏡(거울 경)

답: ③

11. 사자성어 문제

　① 公平無私(공평무사)　② 正正堂堂(정정당당)
　③ 公明選擧(공명선거)　④ 滅私奉公(멸사봉공)
　⑤ 嚴正中立(엄정중립)

성급하게 ①을 고른 사람이 없기를 바란다. '정정당당'의 '당'이 '當'(마땅할 당)이 아니라 '堂'(집 당)이라는 점도 눈여겨 볼 만하다. '정정당당'은 '정당함'을 두 번 반복한 것이 아니라는 것이다.

답: ③

12. 사자성어 문제

① 千載一遇(천재일우): 천 년에 한 번 만남. 좀처럼 만나기 어려운 기회.
② 我田引水(아전인수): 제 논에 물 대기. 자기에게만 이롭게 함.
③ 首丘初心(수구초심): 머리를 언덕으로 향하는 첫 마음. 고향을 그리워하는 마음.
④ 門前成市(문전성시): 문 앞이 저자를 이룸. 세도가나 부잣집 문 앞이 방문객으로 저자를 이루다시피 함.
⑤ 鶴首苦待(학수고대): 학이 머리를 빼고 괴롭게 기다림. 몹시 애태우며 간절히 기다림.

답: ⑤

13. 카드 문제

그림의 한자로 만들 수 있는 사자성어를 찾는 문제이다. 이런 문제에서는 그림의 한자를 훑어본 다음, ①~⑤를 보면서 그림의 한자로 ①~⑤의 의미를 가지는 사자성어를 생각해 보면 된다.

① 이렇게 많은데, 하나쯤이야!
　☞ 九牛一毛(구우일모)

② 광고와 다른 물건을 팔고 있네!
　☞ 表裏不同(표리부동)

③ 너무 많이 고치더니, 아주 망쳐버렸네!
　☞ 矯角殺牛(교각살우)

④ 기특하게도 일하면서 공부까지 했구나.
　☞ 晝耕夜讀(주경야독)

⑤ 아무리 말해도 통 알아듣지 못하는구나.
　☞ 牛耳讀經(우이독경)

답: ⑤

14. 한자어 문제

㉠은 '하찮은 일에도 슬퍼져서 마음이 상한다'라는 뜻의 '감상'이므로 ㉠의 한자 표기에는 '상하다'라는 뜻의 '傷'(상할 상)이 들어가야 한다. 따라서 가능한 것은 ①, ⑤이다.

그러니 '예술 작품을 잘 살펴보고 즐기고 평가한다'라는 뜻의 '감상'은 '鑑賞' 또는 '感想'이 되는데, 둘 가운데 무엇이 이런 뜻의 '감상'인지는 판단하기 쉽지 않다.

답은 '鑑賞'이고, 여기에서 '賞'(상줄 상)은 원래 뜻에서 벗어나 '감상하다'라는 뜻으로 쓰였다. 비슷한 뜻으로 쓰인 한자어로 '玩賞'(완상)이 있다. 마지막으로 '感想'(감상)은 '마음에 느껴 일어나는 생각'을 뜻한다.

답: ①

〔15~16〕청출어람(靑出於藍)

子學出於我, 子善用而我不能用, 眞所謂(㉡)也.
자 학 출 어 아   자 선 용 이 아 불 능 용   진 소 위   　야
그대의 학문은 나로부터 나왔는데, 그대는 잘 쓰고 나는 쓸 줄
모르니, 참으로 ㉡이라고 이를 바이다.

15. 바꾸어 쓸 수 있는 한자 문제

'於'(어조사 어)는 '于'(어조사 우)와 바꾸어 쓸 수 있다. 이런 문제는 가장 쉬운 문제 가운데 하나이므로 꼭 풀도록 하자.

답: ④

16. 빈칸 문제

① 欲速則不達. 빠르고자 하면 이르지 못한다.
　욕 속 즉 부 달

② 言勿異於行. 말이 행동에 다르지 말라.
　언 물 이 어 행

③ 隨友適江南. 친구 따라 강남 간다.
　수 우 적 강 남

④ 水至淸則無魚. 물이 지극히 맑으면 물고기가 없다.
　수 지 청 즉 무 어

⑤ 靑出於藍而靑於藍.
　청 출 어 람 이 청 어 람
　푸른빛은 쪽에서 나오나 쪽보다 푸르다.

답: ⑤

17. 단문 문제

① 衆惡之, 必察焉.
　중 오 지   필 찰 언
　여럿이 그를 미워해도 반드시 살펴야 한다.

② 巧言令色, 鮮矣仁.
　교 언 영 색   선 의 인
　교묘한 말과 꾸미는 얼굴빛은 어짊이 드물다.
　*令(령): 꾸미다
　**鮮(선): 드물다
　***鮮矣仁: '仁鮮矣'의 도치

③ 君子憂道, 不憂貧.
　군 자 우 도   불 우 빈
　군자는 도를 근심하지 가난함을 근심하지 않는다.

④ 己所不欲, 勿施於人.
　기 소 불 욕   물 시 어 인
　자기가 하고자 하지 않는 바를 남에게 베풀지 말라.
　*목적어를 강조하기 위하여 도치한 문장

⑤ 邦有道, 貧且賤焉, 恥也.
　방 유 도   빈 차 천 언   치 야
　나라에 도가 있으면 가난하고 천함이 부끄러움이다.
　*도가 있는 나라에서 가난하고 천함은 게으르다는 뜻이므로 부끄럽다고 한 것이다. 이 뒤로 이어지는 '邦無道, 富且貴焉, 恥也.'는 도가 없는 나라에서 부유하고 귀함은 부정하다는 뜻이므로 부끄럽다고 한 것이다.

답: ②

〔18~19〕지록위마(指鹿爲馬)

丞相趙高, 欲專權, 恐群臣不聽, 乃先設驗, 持
승 상 조 고   욕 전 권   공 군 신 불 청   내 선 설 험   지
鹿獻於二世曰: "馬也."
록 헌 어 이 세 왈   마 야
승상 조고가 전권하고자 하나 여러 신하들이 듣지 않을 것을 두려워하여 이에 먼저 시험을 하고자 사슴을 잡고 2세에게 바치며 말하기를, "말입니다."
二世笑曰: "丞相誤耶, 指鹿爲馬."
이 세 소 왈   승 상 오 야   지 록 위 마
2세가 웃으며 말하기를, "승상이 틀렸소, 사슴을 가리켜 말이라고 하다니."
問左右, 惑默惑言.
문 좌 우   혹 묵 혹 언
왼쪽과 오른쪽의 신하들에게 물으니, 누구는 침묵하고 누구는 말하였다.

18. 해석 문제

위 글의 내용으로 보아 ㉠이 가리키는 것은 '群臣'(군신)이다.

답: ②

19. 해석 문제

㉡은 '누구는 침묵하다'로 해석된다. 침묵한 이유는 '조고의 눈치를 보느라'이다.

답: ⑤

[20～22] 학문(學問)

> 人生斯世, 非學問, 無以爲人.
> 인 생 사 세　비 학 문　무 이 위 인
>
> 사람이 이 세상에 살면서 학문이 아니면 사람이 될 방법이 없다.
>
> 所謂學問者, 亦非異常別件物事也.
> 소 위 학 문 자　역 비 이 상 별 건 물 사 야
>
> 학문이라고 이르는 바의 것은 또한 이상하거나 별스러운 사건이나 사물이 아니다.
>
> 只是爲父當慈, 爲子當孝, 爲臣當忠, 爲夫婦當
> 지 시 위 부 당 자　위 자 당 효　위 신 당 충　위 부 부 당
>
> 別, 爲兄弟當友, 爲少者當敬(㉯), 爲朋友當
> 별　위 형 제 당 우　위 소 자 당 경　　　　　위 붕 우 당
>
> 有信.
> 유 신
>
> 다만 아버지가 되어서는 자애로워야 하고, 자식이 되어서는 효도해야 하고, 신하가 되어서는 충성해야 하고, 부부가 되어서는 분별해야 하고, 형제가 되어서는 우애로워야 하고, 나이가 어린 사람이 되어서는 ㉯를 공경해야 하고, 벗이 되어서는 믿음이 있어야 한다.

20. 해석 문제

㉮는 '학문이 아니면 사람이 될 방법이 없다'로 해석되므로 그 의미는 '학문이 아니면 올바른 사람이 될 수 없다'이다.

답: ③

21. 해석 문제

'件物事'(건물사)는 사건(事件)·사물(事物)을 한 번에 가리키는 말이다. 따라서 ㉠을 '섬기다'로 해석하는 건 완전히 틀렸다.

답: ①

22. 빈칸 문제

'爲少者當敬(㉯)'는 '어린 사람이 되어서는 마땅히 ㉯를 공경해야 한다'로 해석되므로 ㉯에 알맞은 것은 '長'(어른 장)이다.

답: ④

[23～25] 정　철, 「산사야음(山寺夜吟)」
　　　　　이　백, 「송맹호연지광릉(送孟浩然之廣陵)」

> 蕭蕭落木聲,　　쓸쓸하게 떨어지는 나무 소리
> 소 소 락 목 성
>
> 錯認爲疎雨.　　성기게 내리는 비로 잘못 알았다.
> 착 인 위 소 우
>
> 呼僧出門看,　　중을 불러 문에 나가 보라고 했더니
> 호 승 출 문 간
>
> 月掛溪南樹.　　달이 시내 남쪽 나무에 걸려 있네.
> 월 괘 계 남 수
>
> 故人西辭黃鶴樓,　　오랜 벗과 황학루 서쪽에서 헤어지고
> 고 인 서 사 황 학 루
>
> 煙花三月下揚州.　　연화 3월에 양주에 내려간다.
> 연 화 삼 월 하 양 주
>
> 孤帆遠影碧空盡,　　외로운 돛단배 먼 그림자 푸른 하늘로 사라지니
> 고 범 원 영 벽 공 진
>
> 惟見長江天際流.　　오직 장강이 하늘 끝까지 흘러가는 것만 보인다.
> 유 견 장 강 천 제 류

23. 한시 지식 문제

ㄱ. 운자는 짝수 구의 마지막 글자에 오고, 첫째 구의 마지막 글자에 올 수 있다. 짝수 구의 마지막 글자는 '雨'(우), '水'(수)이므로 '聲'(성)은 운자가 아님을 알 수 있다.

ㄴ. (나)는 일곱 글자씩 네 구이므로 칠언절구이다.

ㄷ. (가)의 제1구는 '聲'이라는 시어에서 청각적 심상이 두드러짐을 알 수 있다.

ㄹ. 두 구가 문법적 기능이 동일한 글자의 배열로 이루어져 있을 때 대우라고 한다. (나)의 제3구와 제4구는 문법적 기능이 동일한 글자의 배열로 이루어져 있지 않으므로 대우가 아니다.

답: ①

24. 시상 전개 문제

해석을 하지 못했더라도 각 구의 시어에 집중하면 답을 찾을 수 있다.

제1구: 落木 → ㉣　　　　제2구: 雨 → ㉠
제3구: 僧　 → ㉡　　　　제4구: 月 → ㉢

답: ④

25. 한시 감상 문제

(나)가 친구와 이별하는 내용의 시라는 것만 알 수 있다면 답을 쉽게 찾을 수 있다. 나머지 설명은 눈에 띄는 시어에 그럴싸한 말을 갖다 붙인 것이다.

답: ④

[26～27] 논어(論語), 노자(老子)

> 唯仁者, 能好人, 能惡人.
> 유 인 자　능 호 인　능 오 인
>
> 오직 어진 자만이 남을 좋아할 수 있고, 남을 미워할 수 있다.
>
> 上善若水, 水善利萬物而不爭, 處衆人之所惡.
> 상 선 약 수　수 선 리 만 물 이 부 쟁　처 중 인 지 소 오
>
> 故幾於道.
> 고 기 어 도
>
> 가장 뛰어난 선은 물과 같으니, 물은 만물을 이롭게 하기를 잘하면서도 다투지 않으며, 여러 사람이 미워하는 곳에 처한다. 그러므로 거의 도에 가깝다.

26. 해석 문제

㉠은 '미워하다', ㉡은 '같다'로 해석된다.

답: ⑤

27. 해석 문제

㉮는 '여러 사람이 미워하는 바에 처하다'로 해석되므로 마지막으로 풀이되는 것은 '處'이다.

답: ①

〔28～30〕이상의(李尚毅)

李尚毅, 兒時, 性其輕率, 坐不耐久, 言輒妄發.
리상의 아시 성심경솔 좌불내구 언첩망발
이상의는 어릴 때 성품이 심히 경솔하여 앉으면 오램을 견디지 못하고 말이 번번이 망발이었다.

父母憂之, 頻有責言.
부모우지 빈유책언
부모가 그것을 근심하여 자주 꾸짖는 말이 있었다.

公佩小鈴以自戒, 每聞鈴聲, 猛加警飭, 出入坐臥, 未嘗捨鈴.
공패소령이자계 매문령성 맹가경칙 출입좌와 미상사령
공이 작은 방울을 차으로써 스스로를 경계하니 방울 소리를 들을 때마다 엄히 경계하고 삼감을 더하여 들고 나나 앉으나 누우나 일찍이 방울을 버리지 않았다.

今日減一分, 明日減一分, 乃至中年之後, 渾然天成.
금일감일분 명일감일분 내지중년지후 혼연천성
오늘 조금 줄이고, 내일 조금 줄여 이에 중년의 뒤에 이르러 온전히 천성이 되었다.

後人之戒輕薄子弟者, 必擧李公, 以爲則云.
후인지계경박자제자 필거리공 이위칙운
뒷사람으로서 경박한 자제를 경계하려는 자는 반드시 이공을 들어 모범으로 삼았다고 한다.

*則(칙): 본받다, 모범으로 삼다

28. 짜임 문제

한자어의 짜임은 두 글자 이상의 한자로 이루어진 한자어가 어떻게 해석되는가를 나타내는 개념이다. 한자어의 짜임에는 '주술(주어+서술어)', '술목(서술어+목적어)', '술보(서술어+보어)', '수식', '병렬'의 다섯 가지가 있다.

㉮를 해석하려 보면 '率'을 어떻게 해석해야 좋을지 고민될 것이다. 한자가 있고 한자어가 있는 건지, 한자어가 있고 한자가 있는 건지 모르겠지만, '率'에 '경솔하다'라는 뜻이 있다. 따라서 ㉮는 '가볍고 경솔하다'로 해석되고, 그 짜임은 '병렬'이다.

① 開花(개화): 꽃이 피다. (술보) / 핀 꽃 (수식)
　*어떻게 해석해도 답은 아니다.
② 登山(등산): 산에 오르다. (술보)
③ 正直(정직): 바르고 곧다. (병렬)
④ 過客(과객): 지나가는 손님. (수식)
⑤ 積功(적공): 공을 쌓다. (술목)

답: ③

29. 독음 문제

㉯의 독음은 '망발'이다.

답: ①

30. 해석 문제

㉱은 '짧은 시간'이 아니라 '조금', '약간'이라는 뜻이다. '十分'(십분)이 '충분히'라는 뜻으로 쓰인다는 것을 생각하면 납득이 될 것이다.

답: ④

1. 그림 속 인물들의 행동을 표현한 한자로 옳은 것을 <보기>에서 고른 것은? [1점]

<보 기>
ㄱ. 食   ㄴ. 跳
ㄷ. 飮   ㄹ. 舞

① ㄱ, ㄴ
② ㄱ, ㄷ
③ ㄴ, ㄷ
④ ㄴ, ㄹ
⑤ ㄷ, ㄹ

2. <보기>에서 음이 같은 한자를 고른 것은? [1점]

<보 기>
ㄱ. 各   ㄴ. 落   ㄷ. 洛   ㄹ. 客

① ㄱ, ㄴ   ② ㄱ, ㄷ   ③ ㄴ, ㄷ
④ ㄴ, ㄹ   ⑤ ㄷ, ㄹ

3. 다음 조건을 모두 만족하는 한자는? [1점]

부수는 아랫부분에 있어.
총획은 '溫'과 같아.
'감정', '호감' 등에 쓰이지.

① 畫
② 盟
③ 監
④ 愚
⑤ 感

4. 두 자를 합하여 하나의 한자를 만들 때, ㉠과 ㉡의 음이 모두 옳은 것은? [1점]

○ 人 + 寺 = (㉠)   ○ 木 + 不 = (㉡)

	㉠	㉡		㉠	㉡
①	대	배	②	사	부
③	사	불	④	시	배
⑤	시	불			

5. 글의 내용과 가장 관계있는 것은?

열려 있는 술 단지에 벌 한 마리가 날아와 술을 빨아먹기 시작했다. 사람이 벌을 쫓았지만 벌은 얼마 못 가 다시 돌아왔다. 도망갔다가 돌아오기를 몇 번 하다가 벌은 마침내 술 단지에 빠져 죽고 말았다.   - 강유선, 「주봉설」 -

① 小貪大失   ② 近墨者黑   ③ 漁父之利
④ 孤掌難鳴   ⑤ 緣木求魚

6. ㉠에 해당하는 한자는? [1점]

㉠ → 저탄소 녹색성장 박람회 2010 Low Carbon Green Growth Expo 2010

① 低
② 底
③ 抵
④ 著
⑤ 諸

7. 그림의 내용에서 얻을 수 있는 교훈은? [1점]

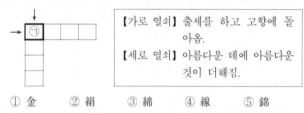

① 奉仕
② 淸廉
③ 誠實
④ 勤勉
⑤ 讓步

8. 화살표 방향으로 성어를 만들 때, ㉠에 알맞은 것은? [1점]

【가로 열쇠】 출세를 하고 고향에 돌아옴.
【세로 열쇠】 아름다운 데에 아름다운 것이 더해짐.

① 金   ② 絹   ③ 綿   ④ 線   ⑤ 錦

9. 대화의 내용으로 보아 ㉠, ㉡의 한자 표기로 옳은 것은? [1점]

그동안 알 수 없었던 이 작품의 소재가 밝혀졌습니다.
아니, 저 작품의 소재는 '풍속'이 아니었나요?
어머, '예술 작품의 바탕이 되는 재료'라는 의미의 ㉠소재로 생각한 모양이구나.
뉴스에서 말한 ㉡소재란 '있는 곳'이라는 의미란다.
아! 제가 잘못 알고 있었군요.
예!

	㉠	㉡		㉠	㉡
①	小題	所載	②	小題	所在
③	所載	所在	④	素材	所在
⑤	素材	所載			

10. 글의 내용으로 보아 ㉠에 알맞은 것은?

窮則獨善其身,
↓   ↓
達則(㉠)善天下.   - 『맹자』 -

① 只   ② 自   ③ 使   ④ 兼   ⑤ 唯

11. 시의 내용과 가장 관계있는 것은? [1점]

> 어머니
> 나를 낳으실 때
> 배가 아파서 울으셨다.
>
> 어머니
> 나를 낳으신 뒤
> 아들 됐다고 기뻐하셨다.
>
> 어머니
> 병들어 죽으실 때
> 날 두고 가신 길을 슬퍼하셨다.
>
> 어머니
> 흙으로 돌아가신
> 말이 없는 어머니.
>
>   - 한하운, 「어머니」 -

① 三遷之教 ② 仁者無敵 ③ 風樹之歎
④ 首丘初心 ⑤ 結草報恩

12. 대화의 내용으로 보아 ㉠에 알맞은 것은? [1점]

저기 현수막에 쓰인 글자의 의미는 뭐지?

기념비의 완성을 널리 알리기 위해 그것에 씌운 천을 걷어 내는 의식을 뜻한단다.

① 始務式
② 施賞式
③ 開所式
④ 除幕式
⑤ 着工式

13. 글의 내용과 가장 관계있는 것은?

> 이 잔은 계영배, 즉 가득 채우는 것을 경계하는 잔이 아니겠는가. <중략> 술잔에 넘치도록 술을 따르지 않고 7부 정도만 채운다면 술잔 속의 술은 사라지지 않을지도 모를 것이다.
>   - 최인호, 『상도』 -

① 天無口, 使人言. ② 出必告, 反必面.
③ 德不孤, 必有鄰. ④ 滿招損, 謙受益.
⑤ 養子息, 知親力.

14. 그림의 글자로 만들 수 있는 사자성어와 관계있는 것은?

① 도와주고 싶지만 내 형편도 말이 아니란다.
② 출세 좀 했다고 남들이 다 네 밑으로 보이니?
③ 하도 여럿이 사실인 양 말하기에 깜빡 속고 말았어.
④ 그러게 왜 가만히 있는 사람을 건드려 화를 자초해?
⑤ 지금은 어수룩해도 꾸준히 노력하니 크게 될 사람이야.

15. 글의 내용과 가장 관계있는 것은?

> 盈盈者氣, 動之則爲風. 有動之之才, 而卷而懷之, 寂然而風在其中.　　*盈(영): 가득 차다　 -『여유당전서』-

① 　② 　③ 　④ 　⑤

[16~17] 다음 글을 읽고 물음에 답하시오.

> 孟子曰: "君子有三樂, 而王天下, 不與存焉. 父母俱存, 兄弟㉠無故, 一樂也. 仰不愧於天, 俯不怍於人, 二樂也. 得天下英才而敎育之, 三樂也. 君子有㉡三樂, 而王天下, 不與存焉."
>   *俯(부): 구부리다　 *怍(작): 부끄러워하다
>   -『맹자』-

16. 문맥상 ㉠의 의미로 옳은 것은?

① 사고 없이 평안함. ② 의지할 곳이 없음.
③ 없는 사실을 꾸밈. ④ 아무런 까닭이 없음.
⑤ 하소연할 곳이 없음.

17. ㉡에 대한 이해로 적절하지 않은 것은?

① 양심에 거리낌 없이 사는 것이 중요하군요.
② 세상을 다스리겠다는 큰 포부를 지니고 살겠어요.
③ 부모님이 건강한 모습으로 곁에 계시니 참 좋아요.
④ 형제들이 아무 탈 없으니 참으로 다행스러운 일이에요.
⑤ 여러분같이 훌륭한 학생들을 가르치고 있어서 행복합니다.

[18~20] 다음 글을 읽고 물음에 답하시오.

> 李公邃, 還㉠自北京, 中路, 馬困, 粟積㉡于無人之野, 從者取之而食馬. 公邃, 以其時價, ㉢留布粟積中. 從者曰: "人必取去, 何益?" 公邃曰: "吾固知之, 然必如是而後, 吾心得(㉣)."
>   -『고려사』-

18. ㉠, ㉡의 풀이가 모두 옳은 것은?

	㉠	㉡		㉠	㉡
①	스스로	～에	②	스스로	～에게
③	～로부터	～에	④	～로부터	～에게
⑤	～로부터	～보다			

19. ㉢에서 마지막으로 풀이되는 것은?

① 留 ② 布 ③ 粟 ④ 積 ⑤ 中

20. 위 글의 내용으로 보아 ㉣에 알맞은 것은?

① 安 ② 哀 ③ 怒 ④ 懼 ⑤ 驚

164

[21~22] 다음 글을 읽고 물음에 답하시오.

> 王逵言: "鷄鴨, 家畜, 不能飛, 其他㉠野禽, 皆能飛." ㉡余見, 家鴨, 放之野水, 久則能遠飛. 蓋家畜, 不能飛者, 以飮啄不潔故也.
>
> 　　　*王逵(왕규): 인명　　*鴨(압): 오리
> 　　　*啄(탁): 쪼다　　-『지봉유설』-

21. ㉠과 짜임이 같은 것은?

① 希望　　② 空冊　　③ 聖賢　　④ 雌雄　　⑤ 霜降

22. ㉡의 견해를 제대로 이해한 것은?

① 세상일이란 변화무쌍해서 알 수가 없단다.
② 말은 신중히 하고 행동은 민첩하게 해야지.
③ 남을 이기려면 먼저 스스로를 이겨야만 해.
④ 성공하기 위해서는 끊임없는 노력이 필요해.
⑤ 사람도 친구나 환경에 따라 달라질 수 있어.

[23~24] 다음 글을 읽고 물음에 답하시오.

> 父母養其子而不教, 是不愛其子也. 雖教而不嚴, 是亦不愛其子也. 父母教而不學, 是子不愛其身也. 雖學而不勤, 是亦不愛其身也. 是故, 養子必教, ㉠敎則必嚴, 嚴則必勤, 勤則必(㉡).
>
> 　　　-『고문진보』-

23. ㉠과 가장 관계있는 것은?

① 不恥下問　　② 手不釋卷　　③ 教學相長
④ 螢雪之功　　⑤ 斷機之戒

24. 위 글의 내용으로 보아 ㉡에 알맞은 것은?

① 成　　② 衰　　③ 退　　④ 緩　　⑤ 遲

[25~27] 다음 글을 읽고 물음에 답하시오.

> 孝女知恩, <중략> 不勝㉮困苦, 就富家, 請賣身㉯爲婢, 得米十餘㉡石. 窮日, 行役於其家, 暮則作食, 歸養之. 如是三四日, 其母謂女子曰: "㉢向食麤而甘, 今則食雖好, 味不如昔, 而肝㉣心若以刀刃刺之者, 是何意耶?" 女子以㉤實告之. 母曰: "以我故, 使汝爲婢, 不㉯如死之速也."
>
> 　　　*麤(추): 거칠다　-『삼국사기』-

25. ㉮의 독음으로 옳은 것은?

① 고약　　② 곤고　　③ 나약　　④ 수고　　⑤ 인고

26. 문맥상 ㉠~㉤의 풀이로 옳지 <u>않은</u> 것은?

① ㉠: 되다　　② ㉡: 돌　　③ ㉢: 지난번
④ ㉣: 심장　　⑤ ㉤: 사실

27. 의미상 ㉯와 바꾸어 쓸 수 있는 것은?

① 可　　② 足　　③ 若　　④ 能　　⑤ 得

[28~30] 다음 시를 읽고 물음에 답하시오.

> (가) 春種一粒粟, 秋收萬顆子.
> 　　 四海無閑田, 農夫猶餓死.
>
> 　　　*粒(립): 낟알　　*顆(과): 낟알
> 　　　- 이신, 「민농(憫農)」-
>
> (나) 雪月前朝色, 寒鐘故國聲.
> 　　 南樓愁獨立, 殘郭暮煙生.
>
> 　　　- 권겹, 「송도회고(松都懷古)」-

28. 위 시에 대한 설명으로 옳은 것만을 <보기>에서 있는 대로 고른 것은?

> ─────〈보 기〉─────
> ㄱ. (가)의 제1구와 제2구는 대우(對偶)를 이룬다.
> ㄴ. (가)는 청각적 심상이 두드러진다.
> ㄷ. (나)의 운자는 '聲', '生'이다.
> ㄹ. (나)의 형식은 오언율시이다.

① ㄱ, ㄷ　　② ㄱ, ㄹ　　③ ㄴ, ㄹ
④ ㄱ, ㄴ, ㄷ　　⑤ ㄴ, ㄷ, ㄹ

29. (가)에 대한 이해로 알맞은 것은?

30. (나)의 시상 전개에 따라 <보기>의 그림을 순서대로 바르게 배열한 것은?

① ㉠-㉡-㉢-㉣　　　② ㉠-㉡-㉣-㉢
③ ㉢-㉠-㉡-㉣　　　④ ㉢-㉣-㉠-㉡
⑤ ㉣-㉡-㉢-㉢

＊ 확인 사항
○ 답안지의 해당란에 필요한 내용을 정확히 기입(표기)했는지 확인하시오.

2011학년도 수학능력시험

1	②	7	⑤	13	④	19	①	25	②
2	③	8	⑤	14	③	20	①	26	②
3	⑤	9	④	15	②	21	②	27	③
4	④	10	④	16	①	22	⑤	28	①
5	①	11	③	17	②	23	⑤	29	④
6	①	12	④	18	③	24	①	30	③

1. 한자 문제

ㄱ. 食(먹을 식)　　　　ㄴ. 跳(뛸 도)

ㄷ. 飲(마실 음)　　　　ㄹ. 舞(춤출 무)

답: ②

2. 한자 문제

ㄱ. 各(각각 각)　　　　ㄴ. 落(떨어질 락)

ㄷ. 洛(물 이름 락)　　　ㄹ. 客(손님 객)

답: ③

3. 조건을 만족하는 한자 문제

조건을 만족하는 한자 문제이다. 문제에서는 한자의 부수와 총획, 그리고 용례를 알려 주고 있다. '감정', '호감' 등에 쓰인다는 것에서 이 한자의 음이 '감'임을 알 수 있다.

① 畫(그림 화)　　② 盟(맹세할 맹)　　③ 監(볼 감)

④ 愚(어리석을 우)　⑤ 感(느낄 감)

이제 가능한 한자는 '監'과 '感'으로 좁혀졌다. 한자의 뜻으로 보아 '感'이 아무래도 '감정'이나 '호감'의 뜻에 가까워 보인다.

답: ⑤

4. 합자 문제

人＋寺＝侍(모실 시), 木＋不＝杯(잔 배)이다.

답: ④

5. 사자성어 문제

① 小貪大失(소탐대실): 작은 것을 탐하다가 큰 것을 잃음.

② 近墨者黑(근묵자흑): 먹을 가까이하는 자는 검어짐. 나쁜 사람과 사귀면 물들기 쉬움.

③ 漁父之利(어부지리): 어부의 이익. 둘이 다투는 틈을 타서 엉뚱한 제3자가 이익을 가로챔.

④ 孤掌難鳴(고장난명): 외손뼉은 울기 어려움. 혼자서는 일을 이루기 힘듦.

⑤ 緣木求魚(연목구어): 나무에 올라가 고기를 구함. 도저히 불가능한 일을 하려고 함.

  *緣: 오르다

답: ①

6. 한자 문제

① 低(낮을 저)　② 底(밑 저)　③ 抵(막을 저)

④ 著(지을 저)　⑤ 諸(모두 제)

'低'와 '底'가 헷갈릴 수 있다. '낮다'와 '밑' 가운데 더 자연스러운 것을 골라야 한다.

답: ①

7. 한자어 문제

① 奉仕(봉사)　　② 淸廉(청렴)　　③ 誠實(성실)

④ 勤勉(근면)　　⑤ 讓步(양보)

답: ⑤

8. 사자성어 문제

가로 열쇠는 '錦衣還鄕'(금의환향), 세로 열쇠는 '錦上添花'(금상첨화)이다.

① 金(쇠 금)　　② 絹(비단 견)　　③ 綿(무명 면)

④ 線(줄 선)　　⑤ 錦(비단 금)

①~⑤의 '金'(쇠 금)과 '錦'(비단 금)이 헷갈릴 수 있다. '금의환향', '금상첨화' 그리고 '금수강산'의 '금'은 '비단 금'임을 알아 두자.

답: ⑤

9. 한자어 문제

㉠은 '예술 작품의 바탕(素)이 되는 재료(材)'이므로 '素材'이다. ㉡은 '있는(在) 곳(所)'이므로 '所在'이다.

답: ④

10. 대구 문제

> 窮則獨善其身, 達則(㉠)善天下.
> 궁 즉 독 선 기 신　 달 즉　 선 천 하
> 궁하면 홀로 그 몸만 선하게 하지만, 달하면 겸하여 천하도 선하게 한다.

이 문장을 암기해서 풀라는 문제가 아니다. 한문의 대구를 이용해서 빈칸에 알맞은 한자를 찾는 문제이다. 따라서 ㉠에는 '獨'(홀로 독)과 비슷하거나 반대되는 뜻이 들어가야 한다. '窮'(궁할 궁)과 '達'(통달할 달)이 반대되는 뜻의 한자이므로 ㉠에는 '獨'(홀로 독)과 반대되는 뜻의 한자가 들어가야 한다. 따라서 답은 '兼'(겸할 겸)이다.

답: ④

11. 사자성어 문제

① 三遷之敎(삼천지교): 세 번 옮긴 가르침. 맹자의 어머니가 맹자를 가르치기 위해 집을 세 번 옮긴 일.

② 仁者無敵(인자무적): 어진 사람은 적이 없다.

③ 風樹之歎(풍수지탄): 바람과 나무의 탄식. 효도하고자 할 때 이미 부모를 여의고 효행을 다하지 못하는 자식의 슬픔.

④ 首丘初心(수구초심): 머리를 언덕으로 향하는 첫 마음. 고향을 그리워하는 마음.

⑤ 結草報恩(결초보은): 풀을 묶어 은혜를 갚음. 죽어서도 은혜를 잊지 않고 갚음.

답: ③

12. 한자어 문제

① 始務式(시무식)　② 施賞式(시상식)　③ 開所式(개소식)

④ 除幕式(제막식)　⑤ 着工式(착공식)

답: ④

13. 단문 문제

① 天無口, 使人言.
天 無 口 使 人 言

하늘은 입이 없어 사람이 말하게 한다.

② 出必告, 反必面.
出 必 告 反 必 面

나가면 반드시 알리고, 돌아오면 반드시 (얼굴을) 비추라.

③ 德不孤, 必有鄰.
德 不 孤 必 有 린

덕은 외롭지 않고 반드시 이웃이 있다.

④ 滿招損, 謙受益.
만 초 손 겸 수 익

교만함은 손해를 부르고, 겸손함은 이익을 받는다.

⑤ 養子息, 知親力.
양 자 식 지 친 력

자식을 기르면 부모의 노력을 안다.

답: ④

14. 카드 문제

그림의 한자로 만들 수 있는 사자성어를 찾는 문제이다. 이런 문제에서는 그림의 한자를 훑어본 다음, ①~⑤를 보면서 그림의 한자로 ①~⑤의 의미를 가지는 사자성어를 생각해 보면 된다.

① 도와주고 싶지만 내 형편도 말이 아니란다.

　☞ 吾鼻三尺(오비삼척)

② 출세 좀 했다고 남들이 다 네 밑으로 보이니?

　☞ 眼下無人(안하무인)

③ 하도 여럿이 사실인 양 말하기에 깜빡 속고 말았어.

　☞ 三人成虎(삼인성호)

④ 그러게 왜 가만히 있는 사람을 건드려 화를 자초해?

　☞ 宿虎衝鼻(숙호충비)

⑤ 지금은 어수룩해도 꾸준히 노력하니 크게 될 사람이야.

　☞ 大器晚成(대기만성)

답: ③

15. 사물 문제

盈盈者氣, 動之則爲風.
영영자기 동지즉위풍

가득 찬 것은 기운이라 그것을 움직이면 바람이 된다.

有動之之才, 而卷而懷之, 寂然而風在其中.
유동지지재 이권이회지 적연이풍재기중

그것을 움직이는 재주가 있으나 접어 그것을 품으면 고요하나 바람이 그 가운데 있다.

해석이 쉽지만은 않으나 '動之則爲風'에서 '부채'임을 알 수 있다.

답: ②

[16~17] 군자삼락(君子三樂)

孟子曰: "君子有三樂, 而王天下, 不與存焉.
맹자왈 군자유삼락 이왕천하 불여존언

맹자가 말하기를, "군자는 세 즐거움이 있으니, 천하에 왕 노릇 하는 것은 그에 더불어 있지 않다.

父母俱存, 兄弟無故, 一樂也.
부모구존 형제무고 일락야

어버이가 함께 계시고, 형제가 사고가 없는 것이 첫 번째 즐거움이다.

仰不愧於天, 俯不怍於人, 二樂也.
앙불괴어천 부부작어인 이락야

우러러 하늘에 부끄럽지 않고, 굽어 남에게 부끄럽지 않는 것이 두 번째 즐거움이다.

得天下英才而教育之, 三樂也.
득천하영재이교육지 삼락야

천하의 영재를 얻어 그것을 가르치고 기르는 것이 세 번째 즐거움이다.

君子有三樂, 而王天下, 不與存焉."
군자유삼락 이왕천하 불여존언

군자는 세 즐거움이 있으니, 천하에 왕 노릇하는 것은 그에 더불어 있지 않다."

16. 해석 문제

㉠의 의미는 '사고 없이 평안함'이다. '無故'(무고)는 '연고(緣故)가 없음', '아무런 까닭이 없음'이라는 뜻으로 쓰일 수도 있다. '없는 사실을 꾸밈'이라는 뜻의 '무고'는 '誣告'이고, '하소연할 곳이 없음'이라는 뜻의 '무고'는 '無告'이다.

답: ①

17. 해석 문제

'君子有三樂, 而王天下, 不與存焉'에서 세상을 다스리겠다는 큰 포부를 지니고 살겠다는 것은 ㉡에 대한 이해로 적절하지 않다.

답: ②

[18~20] 이렇게 해야 내 마음이 편하니

李公遂, 還自北京, 中路, 馬困, 粟積于無人之野, 從者, 取之而食馬.
이공수 환자북경 중로 마곤 속적우무인지야 종자 취지이사마

이공수가 베이징으로부터 돌아오다가 돌아오는 길 가운데 말이 피곤해하여 조가 사람이 없는 들에 쌓였기에 종이 그것을 취하여 말을 먹였다.

公遂, 以其時價, 留布粟積中.
공수 이기시가 류포속적중

공수가 그 당시의 가격으로써 베를 조가 쌓인 가운데에 두었다.

從者曰: "人必取去, 何益?"
종자왈 인필취거 하익

종이 말하기를, "사람이 반드시 취하여 갈 것이니, 무엇이 이롭습니까?"

公遂曰: "吾固知之, 然必如是而後, 吾心得(㉣)."
공수왈 오고지지 연필여시이후 오심득

공수가 말하기를, "내가 진실로 그것을 알지만, 반드시 이와 같은 뒤에야 내 마음이 ㉣을 얻는다."

167

(한문)

18. 해석 문제

㉠은 '~로부터'로 ㉡은 '~에'로 해석된다.

답: ③

19. 해석 문제

㉢은 '베를 조가 쌓인 가운데에 두었다'로 해석되므로 마지막으로 풀이되는 것은 '留'(머무를 류)이다.

답: ①

20. 빈칸 문제

① 安(편안할 안)　② 哀(슬플 애)　③ 怒(성낼 노)
④ 懼(두려워할 구)　⑤ 驚(놀랄 경)

①~⑤에서 ㉣에 알맞은 것은 '安'(편안할 안)뿐이다.

답: ①

〔21~22〕 날지 못하는 까닭

王逵言: "鷄鴨, 家畜, 不能飛, 其他野禽, 皆能飛."

왕규가 말하기를, "닭과 오리는 가축으로 날 수 없지만 그 다른 들의 날짐승은 모두 날 수 있다."

余見, 家鴨, 放之野水, 久則能遠飛.

내가 보기에는 집오리는 그것을 들과 물에 놓아 오래되면 멀리 날 수 있다.

蓋家畜, 不能飛者, 以飮啄不潔故也.

대개 가축이 날지 못하는 것은 마시고 쪼는 것이 깨끗하지 않은 까닭이다.

21. 짜임 문제

한자어의 짜임은 두 글자 이상의 한자로 이루어진 한자어가 어떻게 해석되는가를 나타내는 개념이다. 한자어의 짜임에는 '주술(주어＋서술어)', '술목(서술어＋목적어)', '술보(서술어＋보어)', '수식', '병렬'의 다섯 가지가 있다.

㉠은 '들의 날짐승'으로 해석되므로 그 짜임은 '수식'이다.

① 希望(희망): 바라고 바람. (병렬)
② 空冊(공책): 빈 책 (수식)
③ 聖賢(성현): 성인과 현인 (병렬)
④ 雌雄(자웅): 암컷과 수컷 (병렬)
⑤ 霜降(상강): 서리가 내리다. (주술)

답: ②

22. 해석 문제

㉡의 견해를 제대로 이해한 것은 '사람도 친구나 환경에 따라 달라질 수 있어.'이다.

답: ⑤

〔23~24〕 자식을 가르치다

父母養其子而不教, 是不愛其子也.

부모가 그 자식을 기르며 가르치지 않으면 이는 그 자식을 사랑하지 않는 것이다.

雖教而不嚴, 是亦不愛其子也.

비록 가르치더라도 엄하지 않으면 이 또한 그 자식을 사랑하지 않는 것이다.

父母教而不學, 是子不愛其身也.

부모가 가르치나 배우지 않으면 이 자식은 그 몸을 사랑하지 않는다.

雖學而不勤, 是亦不愛其身也.

비록 배우더라도 부지런하지 않으면 이 또한 그 몸을 사랑하지 않는다.

是故, 養子必教, 教則必嚴, 嚴則必勤, 勤則必(㉡).

이러한 까닭으로 자식을 기름에 반드시 가르치고, 가르치면 반드시 엄하고, 엄하면 반드시 부지런하고, 부지런하면 반드시 ㉡이다.

23. 사자성어 문제

① 不恥下問(불치하문): 아랫사람에게 묻는 것을 부끄러워하지 않음.
② 手不釋卷(수불석권): 손이 책을 놓지 않다.
③ 教學相長(교학상장): 가르치고 배우며 서로 자라다.
④ 螢雪之功(형설지공): 반딧불이와 눈의 공. 고생을 하면서 꾸준히 공부하여 얻은 보람.
⑤ 斷機之戒(단기지계): 베를 끊는 경계. 맹자가 수학 도중 집으로 돌아왔을 때 그의 어머니가 짜던 베를 끊으며 학문을 중도에서 그만둠이 이 베를 끊는 것과 같다고 경계함.

답: ⑤

24. 빈칸 문제

'부지런하면 ~하다'이므로 좋은 말이 들어가야 한다.

① 成(이룰 성)　② 衰(쇠할 쇠)　③ 退(물러날 퇴)
④ 緩(느릴 완)　⑤ 遲(늦을 지)

답: ①

〔25~27〕 효녀 지은

孝女知恩, <중략> 不勝困苦, 就富家, 請賣身爲婢, 得米十餘石.

효녀 지은이 곤란함과 괴로움을 이기지 못하고 부유한 집에 나아가 몸을 팔아 여종이 되기를 청하여 쌀 10여 섬을 얻었다.

窮日, 行役於其家, 暮則作食, 歸養之.

궁한 날에 그 집에서 일을 행하고 저물면 밥을 지어 돌아와 그(어머니)를 먹였다.

如是三四日, 其母謂女子曰: "向食麤而甘, 今
여시삼사일　기모위녀자왈　향식추이감　금

則食雖好, 味不如昔, 而肝心若以刀刃刺之者,
즉식수호　미불여석　이간심약이도인자지자

是何意耶?"
시하의야

이와 같기를 3, 4일, 그 어머니가 딸을 일러 말하기를, "지난번에 먹는 것은 거칠었으나 달았지만, 지금은 먹는 것이 비록 좋지만 맛이 옛날과 같지 않고 간과 심장이 칼날로써 그것을 베는 것과 같으니 이 무슨 뜻인가?"

女子以實告之.
녀자이실고지

딸이 사실로써 그에게 알렸다.

母曰: "以我故, 使汝爲婢, 不如死之速也."
모왈　이아고　사여위비　불여사지속야

어머니가 말하기를, "나 때문에 네가 여종이 되게 하다니 죽음이 빠름만 못하다."

25. 독음 문제
㉮의 독음은 '곤고'이다.

답: ②

26. 한시의 해석
㉯은 '돌'이 아니라 '섬'이라는 단위의 뜻으로 쓰였다. 또 '向'(향할 향)이 '지난번'이라는 뜻으로도 쓰임을 알아 두자.

답: ②

27. 바꾸어 쓸 수 있는 한자 문제
㉰는 '같다'라는 뜻이므로 바꾸어 쓸 수 있는 것은 '若'(같을 약)이다. 이런 문제는 가장 쉬운 문제 가운데 하나이므로 꼭 풀도록 하자.

답: ③

[28~30] 이　신, 「민농(民農)」
　　　　권　겹, 「송도회고(松都懷古)」

春種一粒粟, 춘 종 일 립 속	봄에 한 낟알 조를 뿌려
秋收萬顆子. 추 수 만 과 자	가을에 만 낟알 열매를 거두네.
四海無閑田, 사 해 무 한 전	사방 바다 한가로운 땅이 없는데
農夫猶餓死. 농 부 유 아 사	농부가 오히려 굶어 죽네.
雪月前朝色, 설 월 전 조 색	눈 같은 달은 전 왕조의 빛이고
寒鐘故國聲. 한 종 고 국 성	추운 종은 옛 나라의 소리이네.
南樓愁獨立, 남 루 수 독 립	남쪽 누각에 시름에 잠겨 홀로 서 있으니
殘郭暮煙生. 잔 곽 모 연 생	남은 성곽에 저녁 연기 피어오르네.

28. 한시 문제
ㄱ. 두 구가 문법적 기능이 동일한 글자의 배열로 이루어져 있을 때 대우를 이룬다고 한다. 제1구와 제2구는 문법적 기능이 동일한 글자의 배열로 이루어져 있으므로 대우를 이룬다.
ㄴ. (가)에는 청각적 심상이 없다.
ㄷ. 운자는 짝수 구의 마지막 글자에 오고, 첫째 구의 마지막 글자에 올 수 있다. 짝수 구의 마지막 글자는 '聲'(성), '生'(생)이므로 '色'(색)은 운자가 아님을 알 수 있다.
ㄹ. (나)는 다섯 글자씩 네 구이므로 형식은 오언절구이다.

답: ①

29. 이해와 감상 문제
(가)는 농부의 실상을 잘 이해한 시이다.

답: ④

30. 시상 전개 문제
해석을 하지 못했더라도 각 구의 시어에 집중하면 답을 찾을 수 있다.

　제1구: 月　→ ㉢　　　　　제2구: 鐘 → ㉠
　제3구: 南樓 → ㉡　　　　제4구: 煙 → ㉣

답: ③

1. 대화의 내용으로 보아 ㉠에 해당하는 것은? [1점]

교사 : 이 그림에서 무엇이 제일 먼저 눈에 띄나요?
세은 : 병아리를 물고 달아나는 고양이요.
민석 : 깜짝 놀라 고양이를 뒤쫓는 어미닭과 주인 아저씨요.
유림 : 혼비백산해서 달아나는 병아리들도 있어요.
교사 : 네! 참 잘 보았어요. 이 그림은 고양이가 한가로운
　　　 농가의 고요함을 깨뜨린 결정적 순간을 포착한 것이
　　　 므로 '破(㉠)圖'라고 해요.

① 適　　② 跡　　③ 積　　④ 摘　　⑤ 寂

2. 자전에서 한자를 찾았을 때, ㉠과 ㉡의 내용이 모두 옳은 것은? [1점]

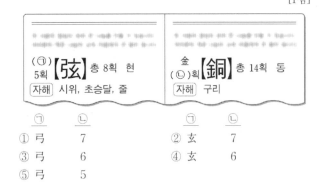

(㉠)　【弦】 총 8획　현
5획
[자해] 시위, 초승달, 줄

金　【銅】 총 14획　동
(㉡)획
[자해] 구리

	㉠	㉡		㉠	㉡
①	弓	7	②	玄	7
③	弓	6	④	玄	6
⑤	弓	5			

3. 두 자를 합하여 하나의 한자를 만들 때, 부수의 모양이 변하지 않는 것은? [1점]

① 手 + 夫 = (　)　　② 心 + 貫 = (　)
③ 水 + 癸 = (　)　　④ 木 + 每 = (　)
⑤ 肉 + 干 = (　)

4. 음이 같은 한자로 연결된 것은? [1점]

① 戶-所-房　　② 化-花-貨
③ 方-於-放　　④ 貝-財-敗
⑤ 書-畫-畫

5. 화살표 방향으로 성어를 만들 때, ㉠에 알맞은 한자와 같은 원리로 만들어진 것은?

千	辛	萬	㉠
			盡
			甘
			來

① 本
② 尖
③ 名
④ 管
⑤ 鳥

6. ㉠~㉤에 알맞은 한자 중, 수(數)가 가장 큰 것은? [1점]

(㉠)篇一律　　　(㉡)家爭鳴　　　(㉢)騎當千

朝三暮(㉣)　　　聞一知(㉤)

① ㉠　　② ㉡　　③ ㉢　　④ ㉣　　⑤ ㉤

7. 대화의 내용으로 보아 ㉠과 ㉡에 해당하는 한자는? [1점]

	㉠	㉡		㉠	㉡
①	眠	招	②	眼	超
③	眼	召	④	盲	招
⑤	盲	超			

8. 그림의 내용과 관계가 <u>없는</u> 것은? [1점]

① 讓步 ② 經濟 ③ 健康 ④ 節約 ⑤ 環境

9. 성어가 다음과 같은 방식으로 이루어지지 <u>않은</u> 것은? [1점]

送舊迎新   * 送과 迎, 舊와 新은 뜻이 반대되는 한자임.

① 大同小異   ② 愚問賢答   ③ 遠交近攻
④ 天崩地壞   ⑤ 外柔內剛

10. 시조의 내용과 관계있는 것은? [1점]

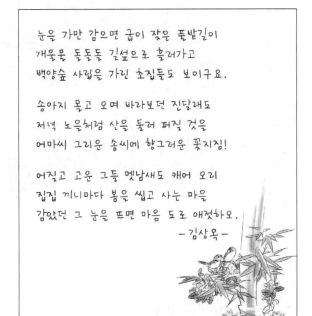

눈을 가만 감으면 굽이 잦은 풀밭길이
개울물 돌돌돌 길섶으로 흘러가고
백양숲 사립을 가린 초집들도 보이구요.

송아지 몰고 오며 바라보던 진달래도
저녁 노을처럼 산을 둘러 퍼질 것을
어마씨 그리운 솜씨에 향그러운 꽃지짐!

어질고 고운 그들 멧남새도 캐어 오리
집집 끼니마다 봄을 씻고 사는 마을
감았던 그 눈을 뜨면 마음 도로 애젓하오.

－김상옥－

① 目不忍見   ② 我田引水   ③ 首丘初心
④ 伯牙絕絃   ⑤ 尾生之信

11. 그림의 내용으로 보아 ㉠에 알맞은 것은? [1점]

① 自業自得
② 自信滿滿
③ 自初至終
④ 自手成家
⑤ 自由自在

12. 그림의 글자로 만들 수 있는 사자성어와 관계있는 것은?

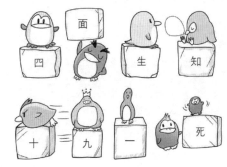

① 너희는 이제 완전히 고립되었어.
② 대충 말해줘도 모두 알아듣는구나.
③ 그를 만난 적이 단 한 번도 없어요.
④ 수많은 고비를 넘기고 결국 살아났구나.
⑤ 이번 시험은 응시자 대부분이 통과할 거야.

13. 대화의 내용으로 보아 ㉠, ㉡의 한자 표기로 옳은 것은?

	㉠	㉡		㉠	㉡
①	景氣	驚氣	②	景氣	競技
③	競技	景氣	④	競技	驚氣
⑤	驚氣	競技			

14. 그림의 내용과 관계있는 것은?

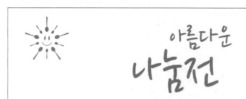

① 遠親不如近鄰.　　② 陰地轉, 陽地變.

③ 不入虎穴, 不得虎子.　④ 始用升授, 還以斗受.

⑤ 衆人出力, 費小而惠大.

[15~16] 다음 글을 읽고 물음에 답하시오.

○ 季康子問政於孔子, 孔子對曰: "政者, 正也, ㉠子帥以正, 孰
敢不正?"　　　　　　　　　　　　　－『논어』－

○ 子曰: "苟正其身矣, 於從政乎, ㉡何有? 不能正其身, 如正
人何?"　　　　　　　　　　　　　　－『논어』－

15. ㉠과 관계가 없는 것은?

① 其身正, 不令而行.

② 其身不正, 雖令不從.

③ 未有己不正而能正人者.

④ 君義, 莫不義, 君正, 莫不正.

⑤ 不患人之不己知, 患不知人也.

16. 문맥상 ㉡의 의미로 옳은 것은?

① 무엇을 가져야 하는가?　② 무슨 필요가 있겠는가?

③ 가져본들 무엇하겠는가?　④ 무슨 어려움이 있겠는가?

⑤ 어떻게 가질 수가 있는가?

[17~19] 다음 글을 읽고 물음에 답하시오.

孟子之少也, 旣學而歸, 孟母方績, 問曰: "學何所至矣?" 孟
子曰: "自若也." 孟母以刀斷其織, 孟子懼而問其故, 孟母曰:
"子之廢學, 若㉠吾斷斯織也." <중략> 孟子懼, 旦夕勤學不息,
(㉡)子思, 遂成天下之名儒.　　　－『열녀전』－

17. 위 글에서 유래한 성어는?

① 言語道斷　　② 斷機之戒　　③ 一刀兩斷

④ 優柔不斷　　⑤ 斷金之交

18. 의미상 ㉠과 바꾸어 쓸 수 있는 것은?

① 是　　② 君　　③ 我　　④ 他　　⑤ 彼

19. 위 글의 내용으로 보아 ㉡에 알맞은 것은?

① 士師　② 私事　③ 謝辭　④ 事事　⑤ 師事

---

20. 글의 내용과 관계있는 것은?

背暗而向明, 義也, 以明而導暗, 仁也.　－『암서집』－

① 　② 　③ 　④ 　⑤

[21~22] 다음 글을 읽고 물음에 답하시오.

惟政入倭營, 賊衆列立數里, 惟政無怖色, 見淸正, 從容㉠談
笑. 淸正謂惟政曰: "(㉡)"惟政答曰: "我國無他寶, 惟
以汝頭爲寶." 淸正曰: "何謂也?" 答曰: "我國購汝頭, 金千斤
邑萬戶, 非寶而何?" 淸正大笑.

*倭(왜): 왜국　*怖(포): 두려워하다　*購(구): 현상금을 걸다
　　　　　　　　　　　　　　　　－『지봉유설』－

21. ㉠의 독음으로 옳은 것은?

① 담화　② 논쟁　③ 담소　④ 논의　⑤ 담판

22. 위 글의 내용으로 보아 ㉡에 알맞은 말의 풀이로 옳은 것은?

① 당신은 언제 돌아갈 거요?

② 당신은 죽음이 두렵지 않소?

③ 당신은 어디로 가려고 하오?

④ 당신 나라에는 보배가 있소?

⑤ 당신은 무엇 하러 왔소?

[23~25] 다음 글을 읽고 물음에 답하시오.

其後, 更取美貌男子, 粧飾之, 名花郎以奉之, 徒衆㉠雲集. 或相磨以道義, 或相悅以歌樂, 遊娛山水, 無遠不至. ㉡因此知其人邪正, 擇其善者, 薦之於朝. 故, 金大問花郎世紀曰: "賢佐忠臣, 從此而秀, 良將勇卒, 由是而生."

－『삼국사기』

23. ㉠과 짜임이 다른 것은?

① 霧散　② 蜂起　③ 霜降　④ 電擊　⑤ 蠶食

24. ㉡의 풀이 순서를 바르게 배열한 것은?

① 因 → 此 → 其人 → 邪正 → 知
② 此 → 因 → 其人 → 邪正 → 知
③ 此 → 因 → 邪正 → 其人 → 知
④ 其人 → 邪正 → 因 → 此 → 知
⑤ 邪正 → 其人 → 此 → 因 → 知

25. 위 글의 내용과 일치하는 것은?

① 화랑은 외모와 상관없이 선발하였다.
② 훌륭한 재상과 충신들도 화랑을 따랐다.
③ 화랑은 먼 곳이 아니면 유람하지 않았다.
④ 화랑 중에서 뛰어난 자를 조정에 천거하였다.
⑤ 어진 장수와 용감한 군사를 화랑으로 삼았다.

[26~27] 다음 글을 읽고 물음에 답하시오.

夫餘, 以殷正月, 祭天, 國中大會, 連日飮食歌舞, 名曰迎鼓. 於是時, 斷刑獄, 解囚徒. <중략> 行道晝夜, ㉠無老幼皆歌, 通日聲不(㉡).

＊殷(은): 나라 이름
－『삼국지』

26. ㉠의 풀이로 옳은 것은?

① 노인은 없고 어린아이들이 노래를 불렀다.
② 노인과 어린아이들은 노래를 부르는 이가 없었다.
③ 노인이나 어린아이 할 것 없이 모두 노래를 불렀다.
④ 노인과 어린아이들이 없는 곳에서 모두 노래를 불렀다.
⑤ 노인과 어린아이들은 없고 어른들이 모두 노래를 불렀다.

27. 위 글의 내용으로 보아 ㉡에 알맞은 것은?

① 絶　② 利　③ 美　④ 安　⑤ 動

[28~30] 다음 시를 읽고 물음에 답하시오.

(가) 白日㉠依山盡, 黃河入海流.
　　　欲窮千里㉡目, 更㉢上一層樓.

－ 왕지환, 「등관작루(登鸛雀樓)」

(나) 好雨知時節, 　當春乃發生.
　　　隨風㉣潛入夜, ㉤潤物細無聲.
　　　野徑雲俱黑, 　江船火獨明.
　　　曉看紅濕處, 　花重錦官城.

－ 두보, 「춘야희우(春夜喜雨)」

28. 위 시에 대한 설명으로 옳은 것만을 <보기>에서 있는 대로 고른 것은?

<보 기>
ㄱ. (가)의 운자(韻字)는 '流', '樓'이다.
ㄴ. (가)의 제1구와 제2구는 대우(對偶)를 이룬다.
ㄷ. (나)의 형식은 오언율시이다.
ㄹ. (나)의 제5구와 제6구는 명암의 대비가 분명하다.

① ㄱ, ㄷ　② ㄴ, ㄹ　③ ㄱ, ㄴ, ㄷ
④ ㄴ, ㄷ, ㄹ　⑤ ㄱ, ㄴ, ㄷ, ㄹ

29. ㉠~㉤의 풀이로 옳지 않은 것은?

① ㉠: 기대다　② ㉡: 목적　③ ㉢: 오르다
④ ㉣: 몰래　⑤ ㉤: 적시다

30. (나)에 대한 이해로 알맞은 것은?

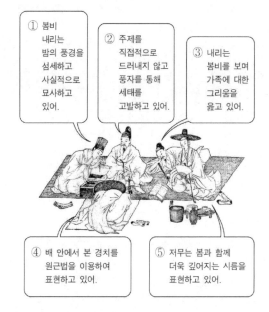

① 봄비 내리는 밤의 풍경을 섬세하고 사실적으로 묘사하고 있어.
② 주제를 직접적으로 드러내지 않고 풍자를 통해 세태를 고발하고 있어.
③ 내리는 봄비를 보며 가족에 대한 그리움을 읊고 있어.
④ 배 안에서 본 경치를 원근법을 이용하여 표현하고 있어.
⑤ 저무는 봄과 함께 더욱 깊어지는 시름을 표현하고 있어.

＊ 확인 사항

○ 답안지의 해당란에 필요한 내용을 정확히 기입(표기)했는지 확인하시오.

2012학년도 6월 모의평가

1	⑤	7	⑤	13	②	19	⑤	25	④
2	③	8	①	14	⑤	20	②	26	③
3	④	9	④	15	⑤	21	③	27	①
4	②	10	③	16	④	22	④	28	⑤
5	④	11	①	17	⑤	'23	③	29	②
6	①	12	④	18	③	24	②	30	①

1. 그림 문제

고양이가 한가로운 농가의 고요함을 깨뜨린 결정적 순간을 포착한 것이므로 '破(㉠)圖'라고 한다고 했으므로 ㉠에는 '고요함'을 뜻하는 한자가 들어가야 한다.

① 適(갈 적)　② 跡(자취 적)　③ 積(쌓을 적)
④ 摘(딸 적)　⑤ 寂(고요할 적)

답: ⑤

2. 자전 문제

㉠에는 '弦'(시위 현)의 부수, ㉡에는 '銅'(구리 동)의 부수 '金'(쇠 금)을 제외한 획수가 들어간다. '弦'은 그 뜻으로 보아 '弓'(활 궁)이 부수이다. 이를 잘 몰랐더라도 '弦'의 음은 '玄'(검을 현)에서 온 것이 분명하므로 '弦'에서 '玄'을 제외한 부분인 '弓'이 부수가 됨을 알 수 있다. '銅'에서 '金'을 제외한 부분의 획수는 6획이므로 답은 ③이다.

답: ③

3. 합자 문제

① 手+夫=扶(도울 부)　② 心+貫=慣(버릇 관)
③ 水+奚=溪(시내 계)　④ 木+每=梅(매화 매)
⑤ 肉+干=肝(간 간)

답: ④

4. 한자 문제

① 户(지게 호) - 所(바 소) - 房(방 방)
② 化(될 화) - 花(꽃 화) - 貨(재물 화)
③ 方(모 방) - 於(어조사 어) - 放(놓을 방)
④ 貝(조개 패) - 財(재물 재) - 敗(질 패)
⑤ 書(글 서) - 晝(낮 주) - 畵(그림 화)

답: ②

5. 십자말풀이 문제

가로 열쇠는 '千辛萬苦'(천신만고), 세로 열쇠는 '苦盡甘來'(고진감래)이다. 따라서 ㉠에 들어갈 한자는 '苦'(쓸 고)이다. '苦'는 '艹'(풀 초)로 뜻을, '古'(옛 고)로 음을 나타낸 형성자이다.

① 本(근본 본): '木'(나무 목)의 뿌리에 표시(一)를 하여 '근본'이라는 추상적인 뜻을 나타낸 지사자이다.
② 尖(뾰족할 첨): '小'(작을 소)와 '大'(큰 대)를 합하여 큰 것(大) 위의 작은 것(小)이 뾰족함을 나타낸 회의자이다.
③ 名(이름 명): '夕'(저녁 석)과 '口'(입 구)를 합하여 저녁(夕)이

되어 어두우면 입(口)으로 자신임을 알리는 것이 이름임을 나낸 회의자이다.
④ 管(대롱 관): '竹'(대나무 죽)으로 뜻을, '官'(벼슬 관)으로 음을 나타낸 형성자이다.
⑤ 鳥(새 조): 새의 모양을 본뜬 상형자이다.

답: ④

6. 사자성어 문제

㉠ 千篇一律(천편일률): 천 편이 한 음률. 사물이 모두 비슷해 변화가 없음.
㉡ 百家爭鳴(백가쟁명): 많은 학파가 울음을 다툼. 많은 학자·지식인 등의 활발한 논쟁과 토론.
㉢ 一騎當千(일기당천): 한 기병이 천을 당해냄.
㉣ 朝三暮四(조삼모사): 아침에 세 개, 저녁에 네 개. 간사한 꾀로 남을 속여 희롱함.
㉤ 聞一知十(문일지십): 하나를 들으면 열을 앎.

답: ①

7. 한자 문제

㉠에는 '盲'(눈멀 맹), ㉡에는 '超'(넘을 초)가 들어간다.

답: ⑤

8. 한자어 문제

① 讓步(양보)　② 經濟(경제)　③ 健康(건강)
④ 節約(절약)　⑤ 環境(환경)

답: ①

9. 사자성어 문제

① 大同小異(대동소이)
　　　大(큰 대) ↔ 小(작을 소), 同(같을 동) ↔ 異(다를 이)
② 愚問賢答(우문현답)
　　愚(어리석을 우) ↔ 賢(현명할 현), 問(물을 문) ↔ 答(답할 답)
③ 遠交近攻(원교근공)
　　　遠(멀 원) ↔ 近(가까울 근), 交(사귈 교) ↔ 攻(칠 공)
④ 天崩地壞(천붕지괴)
　　　天(하늘 천) ↔ 地(땅 지), 崩(무너질 붕) = 壞(무너질 괴)
⑤ 外柔內剛(외유내강)
　　　外(바깥 외) ↔ 內(안 내), 柔(부드러울 유) ↔ 剛(굳셀 강)

답: ④

10. 사자성어 문제

① 目不忍見(목불인견): 눈이 보는 것을 참지 못함.
② 我田引水(아전인수): 제 논에 물 대기. 자기에게만 이롭게 함.
③ 首丘初心(수구초심): 머리를 언덕으로 향하는 첫 마음. 고향을 그리워하는 마음.
④ 伯牙絕絃(백아절현): 백아가 거문고 줄을 끊음. 자기를 알아주는 참다운 벗의 죽음을 슬퍼함.
⑤ 尾生之信(미생지신): 미생의 신의. 우직하여 융통성이 없음.

답: ③

174

11. 사자성어 문제

① 自業自得(자업자득): 스스로 일하고 스스로 얻음. 자기가 저지른 일의 과보를 자기가 받음.

② 自信滿滿(자신만만): 자기를 믿음이 넘침.

③ 自初至終(자초지종): 처음부터 끝까지.

④ 自手成家(자수성가): 자기의 손으로 집안을 이룸. 자기 힘만으로 집안을 일으키고 재산을 모음.

⑤ 自由自在(자유자재): 어떤 범위 내에서 구속, 제한됨이 없이 자기 마음대로 할 수 있음.

답: ①

12. 카드 문제

① 너희는 이제 완전히 고립되었어.

　☞ 四面楚歌(사면초가)

② 대충 말해줘도 모두 알아듣는구나.

　☞ 聞一知十(문일지십)

③ 그를 만난 적이 단 한 번도 없어요.

　☞ 生面不知(생면부지)

④ 수많은 고비를 넘기고 결국 살아났구나.

　☞ 九死一生(구사일생)

⑤ 이번 시험은 응시자 대부분이 통과할 거야.

　☞ 十中八九(십중팔구)

답: ④

13. 동음이의어 문제

'驚氣'는 '驚'(놀랄 경)이 있는 것으로 보아 '경기를 일으키다'라고 할 때의 그 '경기'인 듯하다. 이제 '驚氣'가 들어간 것을 모두 제거하면 남는 것은 ②, ③이다. 따라서 '운동 경기'의 '경기'가 '景氣' 또는 '競技'인데, '운동 경기'의 '경기'는 그 뜻으로 보아 '競'(다툴 경)이 들어가야 적당할 듯하다. 자연히 '매매나 거래 등에 나타나는 호황, 불황 따위의 경제 활동'을 뜻하는 '경기'는 '景氣'로 씀을 알 수 있다.

답: ②

14. 속담 문제

① 遠親不如近鄰.

먼 친척은 가까운 이웃만 못하다.

② 陰地轉, 陽地變.

음지도 바뀌고, 양지도 변한다.

③ 不入虎穴, 不得虎子.

호랑이굴에 들어가지 않으면 호랑이 새끼를 얻을 수 없다.

④ 始用升授, 還以斗受.

처음에 되로써 주면 돌아와 말로써 받는다.

⑤ 衆人出力, 費小而惠大.

여러 사람이 힘을 내면 비용은 작고 혜택은 크다.

답: ⑤

[15~16] 정치란 무엇인가?

> 季康子問政於孔子, 孔子對曰: "政者, 正也, 子帥以正, 孰敢不正?"
>
> 계강자가 공자에게 정치를 물으니 공자가 대답하여 말하기를, "정치라는 것은 바른 것이니 그대가 바름으로써 이끈다면 누가 감히 바르지 않겠습니까?"
>
> 子曰: "苟正其身矣, 於從政乎, 何有? 不能正其身, 如正人何?"
>
> 공자가 말하기를, "진실로 그 몸을 바르게 하면, 정치에 종사함에 무엇이 있겠는가? 그 몸을 바르게 할 수 없다면, 어떻게 남을 바르게 하겠는가?"

15. 해석 문제

㉠은 '그대가 바름으로써 거느린다면 누가 감히 바르지 않겠는가?'로 해석된다.

① 其身正, 不令而行.

그 몸이 바르면, 명령하지 않아도 행한다.

② 其身不正, 雖令不從.

그 몸이 바르지 않으면, 비록 명령하더라도 따르지 않는다.

③ 未有己不正而能正人者.

아직까지 자기가 바르지 않고 남을 바르게 할 수 있는 사람은 있지 않았다.

④ 君義, 莫不義, 君正, 莫不正.

임금이 옳으면 옳지 않음이 없고, 임금이 바르면 바르지 않음이 없다.

⑤ 不患人之不己知, 患不知人也.

남이 자기를 알지 못함을 근심하지 말고, 남을 알지 못함을 근심하라.

답: ⑤

16. 해석 문제

'於從政乎'의 해석이 쉽지 않지만 '진실로 그 몸을 바르게 하면' 뒤에 이어지는 내용이므로 윗글을 참고하면 '어려움이 없다'라는 내용이 들어가야 한다. 따라서 ㉡은 '무슨 어려움이 있겠는가?'라는 의미일 것이다.

답: ④

[17~19] 맹모단기(孟母斷機)

> 孟子之少也, 旣學而歸, 孟母方績, 問曰: "學何所至矣?"
>
> 맹자가 어릴 때 이미 배우고 돌아오니 맹자의 어머니가 마침 베짜다가 묻기를, "배움이 어떤 바에 이르렀는가?"

孟子曰: "自若也."
맹 자 왈   자 약 야

맹자가 말하기를, "처음과 같습니다."

孟母以刀斷其織,   孟子懼而問其故,   孟母曰:
맹 모 이 도 단 기 직   맹 자 구 이 문 기 고   맹 모 왈

"子之廢學, 若吾斷斯織也."
자 지 폐 학   약 오 단 사 직 야

맹자의 어머니가 칼로써 그 짠 것을 끊어 맹자가 두려워하며
그 까닭을 묻자 맹자의 어머니가 말하기를, "그대가 배움을 폐
하는 것은 내가 이 짠 것을 끊음과 같다."

<중략> 孟子懼, 旦夕勤學不息, (㉡)子
맹 자 구   단 석 근 학 불 식   자

思, 遂成天下之名儒.
사   수 성 천 하 지 명 유

맹자가 두려워하여 아침저녁으로 부지런히 배워 쉬지 아니하
고 자사를 ㉡하여 드디어 천하의 유명한 선비가 되었다.

17. 사자성어 문제

① 言語道斷(언어도단): 말할 길이 끊어짐. 어이가 없어 말이 안 나옴.
② 斷機之戒(단기지계): 베를 끊는 경계. 맹자가 수학 도중 집으
로 돌아왔을 때 그의 어머니가 짜던 베를 끊으며 학문을 중도에
서 그만둠은 이 베를 끊는 것과 같다고 경계함.
③ 一刀兩斷(일도양단): 한 칼로 둘을 끊음.
④ 優柔不斷(우유부단): 어물어물하며 결단을 내리지 못함.
⑤ 斷金之交(단금지교): 쇠를 끊는 사귐. 우의가 두터운 벗 사이
의 교분.

답: ②

18. 바꾸어 쓸 수 있는 한자 문제

㉠은 '나'라는 뜻이다. 이런 문제는 가장 쉬운 문제 가운데 하나
이므로 꼭 풀도록 하자.

① 是(이 시)   ② 君(그대 군)   ③ 我(나 아)
④ 他(남 타)   ⑤ 彼(저 피)

답: ③

19. 빈칸 문제

① 士師(사사): 옛날 중국에서 법령과 형벌을 맡아 보던 재판관.
② 私事(사사): 사사로운 일.
③ 謝辭(사사): 사례 또는 사죄의 말.
④ 事事(사사): 이 일, 저 일. 모든 일.
⑤ 師事(사사): 스승으로 섬김.

답: ⑤

20. 사물 문제

背暗而向明, 義也, 以明而導暗, 仁也.
배 암 이 향 명   의 야   이 명 이 도 암   인 야

어둠을 등지고 밝음을 향하니 의롭고, 밝음으로써 어둠을 이끄
니 어질다.

'밝음', '어둠'과 관계있는 것은 '등불'이다.

답: ②

〔21~22〕 유정(惟政)

惟政入倭營, 賊衆列立數里, 惟政無怖色, 見淸
유 정 입 왜 영   적 중 렬 립 수 리   유 정 무 포 색   견 청

正, 從容談笑.
정   종 용 담 소

유정(사명대사)이 왜영에 들어가니 도적의 무리가 늘어서 서
있기가 수 리인데, 유정이 두려워하는 빛이 없이 (가등)청정(가
토 기요마사)을 보고 조용히 이야기하며 웃었다.

   *賊: 도적이라는 뜻이다. 원수라는 뜻의 적은 敵이다. 조상들
이 왜군을 한낱 도적 따위로 생각했다는 것을 알 수 있다.

   *從容: 이 한자어가 발음이 변해서 오늘날의 '조용'이 되었다.

淸正謂惟政曰: "(㉡)"
청 정 위 유 정 왈

청정이 유정에게 일러 말하기를, "㉡"

惟政答曰: "我國無他寶, 惟以汝頭爲寶."
유 정 답 왈   아 국 무 타 보   유 이 여 두 위 보

유정이 답하여 말하기를, "우리 나라에는 다른 보물이 없고, 오
직 너의 머리를 보물로 여긴다."

淸正曰: "何謂也?"
청 정 왈   하 위 야

청정이 말하기를, "어찌 그렇게 이르는가?"

答曰: "我國購汝頭, 金千斤邑萬户, 非寶而
답 왈   아 국 구 여 두   금 천 근 읍 만 호   비 보 이

何?" 淸正大笑.
하   청 정 대 소

답하여 말하기를, "우리 나라는 너의 머리에 금 천 근과 마을
만 호를 걸었으니, 보물이 아니면 무엇이겠는가?" 청정이 크게
웃었다.

21. 독음 문제

㉠의 독음은 '담소'이다.

답: ③

22. 비대한 빈칸 문제

㉡의 뒤로 보물을 중심으로 대화가 전개되므로 ㉡에는 보물에
관한 내용이 들어가야 한다.

답: ④

〔23~25〕 화랑(花郎)

其後, 更取美貌男子, 粧飾之, 名花郎而奉之,
기 후   갱 취 미 모 남 자   장 식 지   명 화 랑 이 봉 지

徒衆雲集.
도 중 운 집

그 뒤에 다시 아름다운 모습의 남자를 취하여 그를 장식하고
화랑이라고 이름하고 그를 받드니 따르는 무리가 구름처럼 모
여들었다.

或相磨以道義, 或相悦以歌樂, 遊娛山水, 無遠
혹 상 마 이 도 의   혹 상 열 이 가 악   유 오 산 수   무 원

不至.
부 지

혹은 서로 도의로써 갈고, 혹은 서로 노래와 음악으로써 즐거
위하며, 산과 물에서 놀고 즐기니, 멀어 이르지 않음이 없었다.

因此知其人邪正, 擇其善者, 薦之於朝.
인 차 지 기 인 사 정   택 기 선 자   천 지 어 조

이로 인하여 그 사람의 사악함과 바름을 알아 그 착한 자를 골라 그를 조정에 천거하였다.

故, 金大問花郞世紀曰: "賢佐忠臣, 從此而秀,
고 　김대문화랑세기왈 　현좌충신 　종차이수

良將勇卒, 由是而生."
량장용졸 　유시이생

그러므로 김대문의 화랑세기에 말하기를, "현명한 재상과 충성스러운 신하가 이에서 나오고, 좋은 장수와 용맹한 병사가 이로부터 나왔다."

23. 짜임 문제

㉠은 '구름이 모이다'가 아니라 '구름처럼 모이다'로 해석하고 그 짜임은 '수식'이다.

① 霧散(무산): 안개처럼 흩어지다. (수식)
② 蜂起(봉기): 벌(떼)처럼 일어나다. (수식)
③ 霜降(상강): 서리가 내리다. (주술)
④ 電擊(전격): 번개처럼 들이치다. (수식)
⑤ 蠶食(잠식): 누에처럼 먹다. (수식)

답: ③

24. 해석 문제

㉡은 '이로 인하여 그 사람의 사악함과 바름을 알다'로 해석되므로 풀이 순서는 此 - 因 - 其人 - 邪正 - 知이다.

답: ②

25. 해석 문제

① 아름다운 모습의 남자를 취한다고 했다.
② 훌륭한 재상과 충신들이 화랑에서 나왔다.
③ 화랑은 멀어 유람하지 않은 곳이 없었다.
④ 화랑 중에서 뛰어난 자를 조정에 천거하였다.
⑤ 어진 장수와 용감한 군사가 화랑에서 나왔다.

답: ④

[26~27] 영고(迎鼓)

夫餘, 以殷正月, 祭天, 國中大會, 連日飲食歌
부여 　이은정월 　제천 　국중대회 　련일음식가

舞, 名曰迎鼓.
무 　명왈영고

부여는 은나라 달력으로 1월에 하늘에 제사지내는데, 나라 안에 크게 모여 날을 이어 마시고 먹고 노래를 부르고 춤추는데 이름하여 영고라고 한다.

於是時, 斷刑獄, 解囚徒. <중략> 行道晝夜,
어시시 　단형옥 　해수도 　　　　　행도주야

無老幼皆歌, 通日聲不(㉡).
무로유개가 　통일성부

이 때에, 형벌과 옥에 가두는 것을 멈추고, 죄인을 풀었다. 밤낮으로 길을 다니며 늙고 어림이 없이 모두 노래를 불러 날이 통하도록 소리가 ㉡하지 않았다.

26. 해석 문제

㉠은 '늙고 어림이 없이 모두 노래를 부르다'로 해석되므로 '노인이나 어린아이 할 것 없이 모두 노래를 불렀다'라는 의미이다.

답: ③

27. 빈칸 문제

① 絶(끊을 절)　② 利(날카로울 리)　③ 美(아름다울 미)
④ 安(편안할 안)　⑤ 動(움직일 동)

답: ①

[28~30] 왕지환, 「등관작루(登鸛雀樓)」
두 보, 「춘야희우(春夜喜雨)」

白日依山盡,	흰 해가 산에 기대어 저물고
黃河入海流.	황하는 바다로 들어가 흐른다.
欲窮千里目,	천 리를 보는 안목 다하고자
更上一層樓.	다시 한 층 누각을 올라간다.
好雨知時節,	좋은 비는 시절을 알아
當春乃發生.	봄을 당하여 이에 일어나네.
隨風潛入夜,	바람을 따라 밤에 몰래 들어가니
潤物細無聲.	사물을 적심이 가늘어 소리가 없구나.
野徑雲俱黑,	들길과 구름 함께 검은데
江船火獨明.	강의 배, 불이 홀로 밝구나.
曉看紅濕處,	새벽에 붉게 젖은 곳을 보니
花重錦官城.	꽃이 금관성에 겹겹이구나.

28. 한시 문제

ㄱ. 운자는 짝수 구의 마지막 글자에 오고, 첫째 구의 마지막 글자에 올 수 있다. (가)의 짝수 구의 마지막 글자는 '流'(류), '樓'(루)이므로 '盡'(진)은 운자가 아님을 알 수 있다.

ㄴ. 두 구가 문법적 기능이 동일한 글자의 배열로 이루어져 있을 때 대우를 이룬다고 한다. (가)의 제1구와 제2구는 문법적 기능이 동일한 글자의 배열로 이루어져 있으므로 대우를 이룬다.

ㄷ. (나)는 다섯 글자씩 여덟 구이므로 그 형식은 오언율시이다.

ㄹ. (나)의 제5구와 제6구는 각각 '黑'(검을 흑)과 '明'(밝을 명)이라는 시어가 쓰여 명암의 대비가 분명하다.

답: ⑤

29. 해석 문제

'目'에 '목적'이라는 뜻도 있지만 ㉡은 '목적'이 아니라 '안목'이라는 뜻으로 쓰였다.

답: ②

30. 이해와 감상 문제

① 봄비 내리는 밤의 풍경을 섬세하고 사실적으로 묘사하였다.
② 풍자도 없고 따라서 당연히 세태를 고발하고 있지도 않다.
③ 가족에 대한 그리움은 나타나 있지 않다.
④ 배 안에서 본 경치도 아니고, 원근법도 이용되지 않았다.
⑤ 더욱 깊어지는 시름도 나타나 있지 않다.

답: ①

1. 그림과 대화의 내용으로 보아 ㉠에 알맞은 것은? [1점]

채린 : 이 그림에는 악기를 연주하는 사람들과 춤추는 사람이 잘 조화되어 있구나.
분이 : 그래. 그렇지만 선(線)을 잘 보렴. 다른 악사들은 굵기가 일정한 선으로 그렸지만 춤추는 아이는 왼팔 꺾이는 부분, 오른팔 소매 끝, 옷깃 근처 주름선 등 여기저기에서 서로 다른 선들의 변화가 느껴져. 이렇게 묘사를 함으로써 춤추는 아이를 주인공으로 돋보이게 했지.
상훈 : 아! 그래서 이 그림의 제목이 (㉠)이구나.

① 公演　　② 合唱　　③ 風樂　　④ 律動　　⑤ 舞童

2. 다음 조건을 모두 만족하는 한자는? [1점]

① 羽　　② 兩　　③ 雨　　④ 宙　　⑤ 酉

3. 자전에서 한자를 찾았을 때, ㉠과 ㉡의 내용이 모두 옳은 것은? [1점]

	㉠	㉡
①	手	7
②	手	8
③	手	9
④	田	7
⑤	田	8

4. 두 자를 합하여 하나의 한자를 만들 때, ㉠과 ㉡의 음이 모두 옳은 것은? [1점]

	㉠	㉡
①	공	중
②	홍	중
③	홍	종
④	항	종
⑤	항	중

5. 화살표 방향으로 성어를 만들 때, ㉠에 알맞은 것은? [1점]

① 人　　② 及　　③ 牛　　④ 身　　⑤ 虎

6. 글의 내용으로 보아 액자를 걸기에 가장 잘 어울리는 장소는? [1점]

① 水泳場
② 百貨店
③ 美容室
④ 圖書館
⑤ 警察署

7. 대화의 내용으로 보아 ㉠에 알맞은 것은? [1점]

① 會談　　② 手話　　③ 筆談　　④ 電話　　⑤ 歡談

178

8. 대화의 내용으로 보아 ㉠에 알맞은 것은? [1점]

① 大衆 ② 元祖 ③ 眞味 ④ 專門 ⑤ 最高

9. 그림의 글자로 만들 수 있는 사자성어와 관계있는 것은?

① 아직도 그 버릇을 못 고쳤구나.
② 그런 짓을 하고도 저렇게 태연하다니.
③ 거짓말도 여러 번 들으면 진짜처럼 들려.
④ 말 한마디로 핵심을 정확하게 찌르는구먼.
⑤ 자신을 돌보지 않고 헌신하는 모습이 아름다워.

10. 글의 내용과 가장 관계있는 것은? [1점]

조선 최고의 독서왕 김득신(金得臣)은 어릴 때 천연두를 앓은 탓인지 머리가 둔했다. 20살이 되어서야 겨우 한 편의 글을 지을 수 있었다. 그러나 그의 아버지는 "공부는 꾸준히 하는 것이니, 과거가 목적이 되어서는 안 된다."라며 아들을 믿고 기다려 주었다. 주위의 믿음 속에서 김득신은 마침내 59살이라는 늦은 나이에 문과에 급제하였다.

① 大器晚成 ② 如履薄氷 ③ 伯牙絶絃
④ 敎學相長 ⑤ 晝耕夜讀

11. 대화의 내용과 가장 관계있는 것은? [1점]

① 左衝右突 ② 指鹿爲馬 ③ 說往說來
④ 神出鬼沒 ⑤ 獨不將軍

12. 대화의 내용으로 보아 ㉠, ㉡의 한자 표기로 옳은 것은?

	㉠	㉡		㉠	㉡
①	甘受	監修	②	感受	甘受
③	感受	減壽	④	監修	感受
⑤	監修	甘受			

13. 시의 내용과 가장 관계있는 것은?

자고 깰 때마다 혹 어떠하신지?
비가 내리면 바람이 차면
혹 건강은?
먹음직스러운 음식 보면
사들게 되고
시시때때 관심, 또 관심의 연속
실천하는 행동되어
사랑을 빚는다
<하략>   - 전덕기 -

① 自強不息 ② 昏定晨省 ③ 附和雷同
④ 發憤忘食 ⑤ 雪上加霜

14. 글의 내용과 관계있는 것은?

○ 管愈長則見物愈大.   -『성호전집』-
○ 能於百里外, 看望敵陣中細微之物. -『국조보감』-

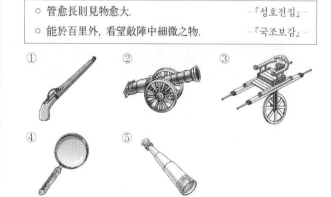

15. 글의 내용으로 보아 ㉠에 알맞은 것은?

明川太姓人釣, 始得北魚, 大而肥美, 故名(㉠). 冬捉則冬太, 春捉則春太, 其卵謂明卵.

　　　　　　　　　　*釣(조): 낚시
　　　　　　　　　　-『송남잡지』-

① 大口 ② 靑魚 ③ 銀魚 ④ 廣魚 ⑤ 明太

[16~18] 다음 글을 읽고 물음에 답하시오.

(가) ㉠家貧則思良妻, 國亂則思㉡良相.　　　　- 『사기』 -
(나) ㉢成功之難如登天, ㉣失敗之易如燒毛.　- 『공자가어』 -
(다) 水隨㉤方圓之器, ㉥人依善惡之友.　　　　- 『명심보감』 -

16. ㉠~㉤ 중, <보기>의 ㉮와 짜임이 같은 것은?

<보 기>
㉮割鷄, 焉用牛刀.

① ㉠　② ㉡　③ ㉢　④ ㉣　⑤ ㉤

17. ㉥에서 마지막으로 풀이되는 것은?

① 人　② 依　③ 善　④ 惡　⑤ 友

18. 위 글에 대한 이해로 알맞지 않은 것은?

① (가)는 어려울 때 훌륭한 사람의 가치가 더욱 돋보인다는 뜻이지.
② (나)는 '천리 길도 한 걸음부터'라는 속담과 통해.
③ (나)는 비유를 통해 주제를 설명하고 있어.
④ (다)는 '近墨者黑'과 의미가 통해.
⑤ (가)~(다)는 각각 앞 구와 뒤 구가 같은 구조로 되어 있어.

[19~21] 다음 글을 읽고 물음에 답하시오.

英廟親臨揀擇, 聚集士夫女子㉠於宮中, 后㉡獨避席而坐. 上問曰:"何避也?" 后曰:"父名在此, 安敢當席而坐?" 蓋揀擇時, 書其父名於方席之端故也. 上問衆女子:"何物最深?" 或言山深, 或言水深, 衆論不一, 后獨曰:"人心最深." 上問其故, 后對曰:"(　　　㉮　　　)"

　　*揀(간): 뽑다　*聚(취): 모으다　*后(후): 왕비
　　　　　　　　　　　　　　　　　　- 『대동기문』 -

19. 의미상 ㉠과 바꾸어 쓸 수 있는 것은?

① 了　② 乃　③ 已　④ 于　⑤ 而

20. ㉡의 이유로 알맞은 것은?

① 임금의 간택을 받기 전이었기 때문에
② 아버지의 허락을 받지 못했기 때문에
③ 임금의 명령을 어길 수 없었기 때문에
④ 자신의 지위가 남들보다 낮았기 때문에
⑤ 아버지의 이름이 방석에 적혀 있었기 때문에

21. 위 글의 흐름으로 보아 ㉮에 알맞은 것은?

① 他人之宴, 曰梨曰栗.
② 物深可測, 人心不可測也.
③ 水至淸則無魚, 人至察則無徒.
④ 不知明日之鷄, 但知今日之卵.
⑤ 不患人之不己知, 患不知人也.

22. 그림과 대화의 내용으로 보아 ㉠과 관계있는 것은?

효식: 이 그림은 암탉이 병아리에게 먹이를 먹여주려는 모습을 그린 것이야.
채운: 암탉도 배가 고플 텐데 병아리부터 챙기네.
상원: 이 그림을 보니 ㉠진자리 마른자리 갈아 뉘시는 어머니의 무한한 사랑을 새삼 되새기게 되네.

① 難上之木, 勿仰.
② 附耳之言, 勿聽焉.
③ 乾處兒臥, 濕處母眠.
④ 十人守之, 不得察一賊.
⑤ 父母之年, 不可不知矣.

[23~24] 다음 글을 읽고 물음에 답하시오.

崔瑩, ㉠少時, 其父常戒之曰:"㉮見金如石." 瑩, 常以四字, 書諸紳, ㉡終身服膺而勿失. 雖秉㉢國政, 威行㉣中外, 而㉤一毫, 不取於人, 家才足食而已.

　　　　　　　　*崔瑩(최영): 사람 이름
　　　　　　　*紳(신): 띠　　*膺(응): 가슴
　　　　　　　　*秉(병): 잡다
　　　　　　　　　　　　　　- 『용재총화』 -

23. ㉠~㉤의 풀이로 옳지 않은 것은?

① ㉠: 잠깐 동안　② ㉡: 목숨을 다하도록
③ ㉢: 나라의 정치　④ ㉣: 안과 밖
⑤ ㉤: 한 가닥의 털

24. ㉮의 의미로 옳은 것은?

① 예의를 지켜라.　② 약속을 지켜라.
③ 아집을 버려라.　④ 물욕을 버려라.
⑤ 시간을 아껴라.

25. 글에 대한 이해로 알맞은 것은?

> 子曰: "三人行, 必有我師焉. 擇其善者而從之, 其不善者
> 而改之."
>
> ―『논어』―

① 좋은 책은 나의 훌륭한 스승이란다.

② 나는 자연에서 이치를 배울 수 있다고 생각한다.

③ 나는 여행을 통해 많은 것을 배운단다.

④ 좋은 스승을 선택해 배우는 것이 중요하다네.

⑤ 나는 누구에게나 배울 것이 있다고 생각하네.

[26~27] 다음 글을 읽고 물음에 답하시오.

> 高麗恭愍王時, 有民兄弟, 偕行, 弟得黃金二錠, 以其一, ㉠與
> 兄. 至孔巖津, 同舟而㉡濟, 弟㉢忽投金於水. 兄怪而問之, 答
> 曰: "吾平日, 愛兄㉣篤, 今而分金, 忽萌忌兄之心. 此乃不㉤祥
> 之物, 不若投諸江而忘之." 兄曰: "(㉮)" 亦投金於水.
>
> *恭愍王(공민왕): 고려의 왕   *孔巖津(공암진): 나루 이름
> *偕(해): 함께   *錠(정): 덩어리   *萌(맹): 싹트다
> ―『신증동국여지승람』―

26. ㉠~㉤의 풀이로 옳지 않은 것은?

① ㉠: 주다   ② ㉡: 구제하다   ③ ㉢: 갑자기
④ ㉣: 돈독하다   ⑤ ㉤: 상서롭다

27. 위 글의 흐름으로 보아 ㉮에 들어갈 말의 의미로 알맞은
것은?

① 네가 정말로 맞는 말을 하는구나.
② 네가 내 말을 잘 따라 주니 고맙구나.
③ 너의 행동을 도무지 이해할 수 없구나.
④ 내 말부터 우선 듣는 것이 순서가 아니겠니?
⑤ 나는 진작부터 네가 그런 행동을 할 줄 알고 있었어.

[28~30] 다음 시를 읽고 물음에 답하시오.

> (가) 雪月㉠前朝色, 寒鐘故國聲.
> 南樓愁㉡獨立, ㉢殘郭暮煙生.
>
> ― 권겹, 「松都懷古」 ―
>
> (나) 渭城朝雨浥輕塵, ㉣客舍青青柳色新.
> 勸君更盡一杯酒, 西出陽關無㉤故人.
>
> *渭城(위성): 중국의 지명
> *浥(읍): 젖다   *塵(진): 먼지
> ― 왕유, 「送元二使安西」 ―

28. ㉠~㉤의 풀이로 옳지 않은 것은?

① ㉠: 어제 아침   ② ㉡: 홀로 서다
③ ㉢: 남아 있는 성곽   ④ ㉣: 나그네가 묵는 집
⑤ ㉤: 친구

29. 위 시에 대한 설명으로 옳은 것만을 <보기>에서 있는 대로
고른 것은?

> ―――――――<보 기>―――――――
> ㄱ. (가)의 제1구와 제2구는 대우(對偶)를 이룬다.
> ㄴ. (가)에는 시각적 심상과 청각적 심상이 나타나 있다.
> ㄷ. (나)의 형식은 칠언절구이다.
> ㄹ. (나)의 운자(韻字)는 '酒', '人'이다.

① ㄱ, ㄷ   ② ㄱ, ㄹ   ③ ㄴ, ㄷ
④ ㄱ, ㄴ, ㄷ   ⑤ ㄴ, ㄷ, ㄹ

30. (나)에 대한 이해로 알맞지 않은 것은?

① 제1구는 비가 내려 흐릿한 경치를 통해 떠나는 이의 불안한 앞날을 잘 표현했군요.
② 제2구에는 이별의 공간이 나타나 있군요.
③ 제3구에는 이별을 못내 아쉬워하는 시인의 애틋한 심정이 잘 녹아 있네요.
④ 제4구에는 떠나는 이의 앞날을 걱정하는 시인의 심정이 잘 담겨 있지요.
⑤ 이 시에는 이별의 정서를 두드러지게 하는 시어가 사용되었군요.

* 확인 사항
◦ 답안지의 해당란에 필요한 내용을 정확히 기입(표기)했는지 확인하시오.

2012학년도 9월 모의평가

1	⑤	7	③	13	②	19	④	25	⑤
2	③	8	②	14	⑤	20	⑤	26	②
3	②	9	④	15	⑤	21	②	27	①
4	③	10	①	16	③	22	③	28	③
5	③	11	⑤	17	②	23	①	29	④
6	④	12	⑤	18	②	24	④	30	①

1. 그림 문제

'춤추는 아이가 주인공'이어서 그림의 제목이 (㉠)이라고 했으므로 ㉠에는 '춤추는 아이'를 나타내는 단어가 들어가야 한다.

① 公演(공연)　　② 合唱(합창)　　③ 風樂(풍악)

④ 律動(율동)　　⑤ 舞童(무동)

답: ⑤

2. 조건을 만족하는 한자 문제

조건을 만족하는 한자 문제이다. 문제에서는 제자 원리, 음, 총획, 부수로 쓰임을 알려 주고 있다. 음으로 찾는 게 가장 빠르므로 음이 '宇'(집 우)와 같은 한자를 먼저 찾아보자.

① 羽(깃 우)　　② 兩(두 량)　　③ 雨(비 우)

④ 宙(집 주)　　⑤ 酉(닭 유)

①~⑤에서 음이 '우'인 한자는 '羽'와 '雨'뿐이다. 두 한자 모두 부수로 쓰이므로 어쩔 수 없이 획수를 세어 보면 '孤'(외로울 고)는 8획이고 '羽', '雨'는 각각 6획, 8획이므로 답은 '雨'이다.

답: ③

3. 자전 문제

㉠에는 '抽'(뺄 추)의 부수, ㉡에는 '踏'(밟을 답)의 부수 '足'(발 족)을 제외한 획수가 들어간다. '抽'은 그 뜻으로 보아 '扌'(손 수)가 부수이다. '踏'에서 '足'을 제외한 부분의 획수는 8획이므로 답은 ②이다.

답: ②

4. 합자 문제

水＋共＝洪(큰물 홍), 禾＋重＝種(씨 종)이다.

답: ③

5. 사자성어 문제

가로 열쇠는 '矯角殺牛'(교각살우), 세로 열쇠는 '碧昌牛'(벽창우)이다.

답: ③

6. 단문 문제

入道莫先於窮理, 窮理莫先於讀書.
입 도 막 선 어 궁 리, 궁 리 막 선 어 독 서

도에 드는 것은 이치를 궁구하는 것보다 앞섬이 없고, 이치를 궁구하는 것은 책을 읽는 것보다 앞섬이 없다.

① 水泳場(수영장)　　② 百貨店(백화점)　　③ 美容室(미용실)

④ 圖書館(도서관)　　⑤ 警察署(경찰서)

답: ④

7. 한자어 문제

① 會談(회담)　　② 手話(수화)　　③ 筆談(필담)

④ 電話(전화)　　⑤ 歡談(환담)

답: ③

8. 한자어 문제

① 大衆(대중)　　② 元祖(원조)　　③ 眞味(진미)

④ 專門(전문)　　⑤ 最高(최고)

답: ②

9. 사자성어 문제

① 아직도 그 버릇을 못 고쳤구나.
　☞ 떠오르는 사자성어가 없다.

② 그런 짓을 하고도 저렇게 태연하다니.
　☞ 厚顔無恥(후안무치)

③ 거짓말도 여러 번 들으면 진짜처럼 들려.
　☞ 三人成虎(삼인성호)

④ 말 한마디로 핵심을 정확하게 찌르는구먼.
　☞ 寸鐵殺人(촌철살인)

⑤ 자신을 돌보지 않고 헌신하는 모습이 아름다워.
　☞ 殺身成仁(살신성인)

답: ④

10. 사자성어 문제

① 大器晩成(대기만성): 큰 그릇은 늦게 이루어짐.

② 如履薄氷(여리박빙): 얇은 얼음을 밟는 것과 같음. 얇은 얼음을 밟듯 몹시 위험함.

③ 伯牙絶絃(백아절현): 백아가 거문고 줄을 끊음. 자기를 알아주는 참다운 벗의 죽음을 슬퍼함.

④ 敎學相長(교학상장): 가르치고 배우며 서로 자람. 가르치는 사람은 가르치면서 더 잘 가르치게 되고, 배우는 사람은 배우면서 견문이 넓어짐.

⑤ 晝耕夜讀(주경야독): 낮에 밭갈고 밤에 읽음. 어려운 여건 속에서도 꿋꿋이 공부함.

답: ①

11. 사자성어 문제

① 左衝右突(좌충우돌): 왼쪽에서 찌르고 오른쪽에서 부딪힘. 아무에게나 또는 아무 일에나 함부로 맞닥뜨림.

② 指鹿爲馬(지록위마): 사슴을 가리켜 말이라고 함.

③ 說往說來(설왕설래): 말이 가고 말이 옴. 여러 사람이 말함.

④ 神出鬼沒(신출귀몰): 귀신처럼 나타나고 귀신처럼 사라짐.

⑤ 獨不將軍(독불장군): 혼자서는 장군이 될 수 없음.

답: ⑤

제2외국어/한문 영역 (한문)

12. 동음이의어 문제

①~⑤를 보면 ⓒ이 '달게 받아들임'이라는 뜻에서 '甘受'로 쓴다는 것을 알 수 있다. 따라서 답은 ② 또는 ⑤이다. 이제 ㉠의 한자 표기는 '感受' 또는 '監修'인데 '感受'는 '感'('느낄 감')이 있는 것으로 보아 '감수성이 풍부하다'라고 할 때의 '감수'임을 알 수 있다.

답: ⑤

13. 사자성어 문제

① 自強不息(자강불식): 스스로 힘쓰고 쉬지 않음.
② 昏定晨省(혼정신성): 저녁에 (잠자리를) 정해 드리고 새벽에 살핌. 자식이 아침저녁으로 부모의 안부를 물어서 살핌.
③ 附和雷同(부화뇌동): 우레에 붙어 같이 함께함. 일정한 주견이 없이 남의 의견에 따라 행동함.
④ 發憤忘食(발분망식): 분을 내다 끼니를 잊음. 어떤 일에 열중하여 끼니까지 잊고 힘씀.
⑤ 雪上加霜(설상가상): 눈 위에 서리를 더함. 난처한 일이나 불행한 일이 잇따라 일어남.

답: ②

14. 사물 문제

管愈長則見物愈大.
관 유 장 즉 견 물 유 대
대롱이 더욱 길면 보이는 사물이 더욱 크다.

能於百里外, 看望敵陣中細微之物.
능 어 백 리 외 간 망 적 진 중 세 미 지 물
백 리 밖에 능하고, 적진 가운데의 미세한 사물도 본다.

글의 내용과 관계있는 것은 '망원경'이다.

답: ⑤

15. 빈칸 문제

明川太姓人釣, 始得北魚, 大而肥美, 故名
명 천 태 성 인 조   시 득 북 어   대 이 비 미   고 명
(㉠).
명천에 태씨 성을 가진 사람이 낚시질하여 처음에 북어를 얻었는데 크고 살쪄 아름다워 그러므로 ㉠이라고 이름하였다.

冬捉則冬太, 春捉則春太, 其卵謂明卵.
동 착 즉 동 태 춘 착 즉 춘 태 기 란 위 명 란
겨울에 잡으면 동태이고, 봄에 잡으면 춘태이며 그 알은 명란이라고 이른다.

*우리가 '동태'라고 하는 것은 '凍太'(얼린 명태)를 말한다.

① 大口(대구)   ② 青魚(청어)   ③ 銀魚(은어)
④ 廣魚(광어)   ⑤ 明太(명태)

답: ⑤

[16~18] 사기, 공자가어, 명심보감

家貧則思良妻, 國亂則思良相.
가 빈 즉 사 량 처 국 란 즉 사 량 상
집이 가난하면 좋은 아내를 생각하고, 나라가 어지러우면 좋은 재상을 생각한다.

成功之難如登天, 失敗之易如燒毛.
성 공 지 난 여 등 천   실 패 지 이 여 소 모
성공의 어려움은 하늘을 오름과 같고, 실패의 쉬움은 털을 태움과 같다.

水隨方圓之器, 人依善惡之友.
수 수 방 원 지 기   인 의 선 악 지 우
물은 모나고 둥근 그릇을 따르고, 사람은 좋고 나쁜 벗에 의지한다.

16. 짜임 문제

割鷄, 焉用牛刀.
할 계 언 용 우 도
닭을 가름에 어찌 소 잡는 칼을 쓰리오.

㉮는 '닭을 가르다'로 해석되므로 그 짜임은 '술목'이다.

ㄱ: 집이 가난하다. (주술)   ㄴ: 좋은 재상 (수식)
ㄷ: 공을 이루다. (술목)   ㄹ: 잃고 패하다. (병렬)
ㅁ: 모나고 둥글다. (병렬)

답: ③

17. 해석 문제

ㅂ은 '사람은 좋고 나쁜 벗에 의지한다'로 해석되므로 마지막으로 풀이되는 것은 '依'('기댈 의')이다.

답: ②

18. 해석 문제

② (나)는 '천리 길도 한 걸음부터'라는 속담과 통하기보다는 '성공의 어려움'을 말한 글이다.

답: ②

[19~21] 정순왕후(貞純王后)

간택되기 전부터 '后'(왕비 후)라고 해서 누가 왕비가 될지 다 알고 읽게 된다.

英廟親臨揀擇, 聚集士夫女子於宮中, 后獨避
영 묘 친 림 간 택   취 집 사 부 녀 자 어 궁 중   후 독 피
席而坐.
석 이 좌
영조가 친히 간택에 임하여 궁중에 사대부 여자를 모았는데 왕비만 홀로 방석을 피해 앉았다.

上問曰: "何避也?"
상 문 왈   하 피 야
왕이 물어 말하기를, "어찌 피하는가?"

后曰: "父名在此, 安敢當席而坐?"
후 왈   부 명 재 차 안 감 당 석 이 좌
왕비가 말하기를, "아버지의 이름이 이에 있으니 어찌 감히 방석을 당하여 앉겠습니까?"

蓋揀擇時, 書其父名於方席之端故也.
개 간 택 시 서 기 부 명 어 방 석 지 단 고 야
대개 간택할 때에 그 아버지의 이름을 방석의 끝에 쓴 까닭이다.

上問衆女子: "何物最深?"
상 문 중 녀 자   하 물 최 심
왕이 여러 여자에게 묻기를, "어떤 것이 가장 깊은가?"

或言山深, 或言水深, 衆論不一, 后獨曰: "人
혹 언 산 심　혹 언 수 심　중 론 불 일　후 독 왈　　인
心最深."
심 최 심

누구는 산이 깊다고 말하고, 누구는 물이 깊다고 말하고, 여럿
이 논하는 것이 하나가 아니었는데, 왕비가 홀로 말하기를, "사
람의 마음이 가장 깊습니다."

上問其故, 后對曰: "(　　　　　㉮　　　　　)"
상 문 기 고　후 대 왈

왕이 그 까닭을 물으니, 왕비가 대답하여 말하기를, "㉮"

19. 바꾸어 쓸 수 있는 한자 문제

㉠은 '~에'라는 뜻이므로 바꾸어 쓸 수 있는 것은 '于'(어조사
우)이다. 이런 문제는 가장 쉬운 문제 가운데 하나이므로 꼭 풀
도록 하자.

답: ④

20. 해석 문제

㉡의 이유는 '아버지의 이름이 방석에 적혀 있었기 때문'이다.

답: ⑤

21. 빈칸 문제

① 他人之宴, 曰梨曰栗.
　타 인 지 연　왈 리 왈 률

　다른 사람의 잔치에 배를 말하고 밤을 말한다.

② 物深可測, 人心不可測也.
　물 심 가 측　인 심 불 가 측 야

　사물의 깊음은 잴 수 있으나, 사람의 마음은 잴 수 없다.

③ 水至淸則無魚, 人至察則無徒.
　수 지 청 즉 무 어　인 지 찰 즉 무 도

　물이 지극히 맑으면 물고기가 없고 사람이 지극히 살피면 따
　르는 무리가 없다.

④ 不知明日之鷄, 但知今日之卵.
　부 지 명 일 지 계　단 지 금 일 지 란

　내일의 닭을 알지 못하고 다만 오늘의 알만 안다.

⑤ 不患人之不己知, 患不知人也.
　불 환 인 지 불 기 지　환 부 지 인 야

　남이 자기를 알아주지 않음을 근심하지 말고, 남을 알아주지
　않음을 근심하라.

답: ②

22. 단문 문제

① 難上之木, 勿仰.
　난 상 지 목　물 앙

　오르기 어려운 나무는 우러러보지 말라.

② 附耳之言, 勿聽焉.
　부 이 지 언　물 청 언

　귀에 대고 하는 말은 듣지 말라.

③ 乾處兒臥, 濕處母眠.
　건 처 아 와　습 처 모 면

　마른 곳에 아이가 눕고, 축축한 곳에 어머니가 잔다.

④ 十人守之, 不得察一賊.
　십 인 수 지　부 득 찰 일 적

　열 사람이 그것을 지켜도 한 도적을 살필 수 없다.

⑤ 父母之年, 不可不知矣.
　부 모 지 년　불 가 부 지 의

　부모의 나이는 알지 못해서는 안 된다.

답: ③

[23～24] 견금여석(見金如石)

崔瑩, 少時, 其父常戒之曰: "見金如石."
최 영　소 시　기 부 상 계 지 왈　견 금 여 석

최영이 어릴 때 그 아버지가 항상 경계하며 말하기를, "금을
보기를 돌같이 하라."

瑩, 常以四字, 書諸紳, 終身服膺而勿失.
영　상 이 사 자　서 저 신　종 신 복 응 이 물 실

영이 항상 네 글자로써 그것을 띠에 써 몸이 다하도록 가슴에
품고 잃지 않았다.

雖秉國政, 威行中外, 而一毫, 不取於人, 家才
수 병 국 정　위 행 중 외　이 일 호　불 취 어 인　가 재
足食而已.
족 식 이 이

비록 나라의 정치를 잡아 위엄이 안팎으로 다녔으나 한 터럭
이라도 남에게서 취하지 않았으며 집안은 겨우 먹기 충분할
뿐이었다.

*才 : 겨우(纔)

23. 해석 문제

㉠은 '잠깐 동안'이 아니라 '어릴 때'로 해석된다.

답: ①

24. 해석 문제

㉮는 '금을 보기를 돌같이 하라'로 해석되므로 그 의미는 '물욕을
버려라'이다.

답: ④

25. 해석 문제

子曰: "三人行, 必有我師焉.
자 왈　　삼 인 행　필 유 아 사 언

공자가 말하기를, "세 사람이 가면 그에 반드시 나의 스승이
있다.

擇其善者而從之, 其不善者而改之."
택 기 선 자 이 종 지　기 불 선 자 이 개 지

그 선한 자를 골라 그것을 따르고, 그 선하지 않은 자를 골라
그것을 고쳐라."

글에 대한 이해로 알맞은 것은 '나는 누구에게나 배울 것이 있다
고 생각하네'이다.

답: ⑤

[26～27] 형제투금(兄弟投金)

高麗恭愍王時, 有民兄弟, 偕行, 弟得黃金二
고 려 공 민 왕 시　유 민 형 제　해 행　제 득 황 금 이
錠, 以其一, 與兄.
정　이 기 일　여 형

고려 공민왕 때에 어떤 백성 형제가 같이 가다가 아우가 황금
두 덩어리를 얻어 그 하나로써 형에게 주었다.

184

至孔巖津, 同舟而濟, 弟忽投金於水.
지 공 암 진 동 주 이 제 제 홀 투 금 어 수

공암진에 이르러 함께 배타고 건너는데 아우가 갑자기 금을 물에 던졌다.

兄怪而問之, 答曰: "吾平日, 愛兄篤, 今而分
형 괴 이 문 지 답 왈   오 평 일 애 형 독 금 이 분

金, 忽萌忌兄之心.
금 홀 맹 기 형 지 심

형이 괴이하게 여기고 그것을 묻자 답하여 말하기를, "내가 평소에는 형을 사랑함이 도타웠는데 지금 금을 나누니 갑자기 형을 꺼리는 마음이 싹텄습니다.

此乃不祥之物, 不若投諸江而忘之."
차 내 불 상 지 물 불 약 투 저 강 이 망 지

이는 곧 상서롭지 못한 물건이니 그것을 강에 던져 그것을 잊어버림만 못합니다."

兄曰: "(㉮)" 亦投金於水.
형 왈   역 투 금 어 수

형이 말하기를, "㉮" 또한 금을 물에 던졌다.

26. 해석 문제

'濟'에 '구제하다'라는 뜻도 있지만 ㉡은 '구제하다'가 아니라 '건너다'라는 뜻으로 쓰였다.

답: ②

27. 빈칸 문제

위 글의 흐름으로 보아 ㉮에 들어가 말의 의미는 '네가 정말로 맞는 말을 하는구나.'이다.

답: ①

[28~30] 권 겹, 「송도회고(松都懷古)」
왕 유, 「송원이사안서(送元二使安西)」

雪月前朝色,   눈 같은 달은 전 왕조의 빛이고
설 월 전 조 색

寒鐘故國聲.   추운 종은 옛 나라의 소리이네.
한 종 고 국 성

南樓愁獨立,   남쪽 누각에 시름에 잠겨 홀로 서 있으니
남 루 수 독 립

殘郭暮煙生.   남은 성곽에 저녁 연기 피어오르네.
잔 곽 모 연 생

渭城朝雨浥輕塵, 위성의 아침 비가 가벼운 먼지를 적시니
위 성 조 우 읍 경 진

客舍青青柳色新. 객사는 푸르고 푸르며 버드나무 빛이 새롭다.
객 사 청 청 류 색 신

勸君更盡一杯酒, 그대가 다시 한 잔 술을 다할 것을 권하네,
권 군 갱 진 일 배 주

西出陽關無故人. 서쪽으로 양관을 나가면 벗도 없을 것이니.
서 출 양 관 무 고 인

28. 해석 문제

㉠은 '어제 아침'이 아니라 '전 왕조'로 해석된다.

답: ①

29. 한시 문제

ㄱ. 두 구가 문법적 기능이 동일한 글자의 배열로 이루어져 있을 때 대우를 이룬다고 한다. (가)의 제1구와 제2구는 문법적 기능이 동일한 글자의 배열로 이루어져 있으므로 대우를 이룬다.

ㄴ. (가)에는 '雪月', '南樓', '暮煙' 등의 시각적 심상과 '寒鐘'이라는 청각적 심상이 드러나 있다.

ㄷ. (나)는 일곱 글자씩 네 구이므로 칠언절구이다.

ㄹ. 운자는 짝수 구의 마지막 글자에 오고 첫째 구의 마지막 글자에 올 수 있다. (나)의 짝수 구의 마지막 글자는 '新'(신), '人'(인)이므로 '塵'(진)도 운자임을 알 수 있다.

답: ④

30. 이해와 감상 문제

① 제1구가 떠나는 이의 불안한 앞날을 표현한 것은 아니다.

② 제2구에는 이별의 공간인 '客舍'(객사)가 나타나 있다.

③ 제3구에는 이별을 못내 아쉬워하는 시인의 애틋한 심정이 잘 녹아 있다.

④ 제4구에서 서쪽으로 양관을 나가면 친구도 없을 터라고 하는 데에서 떠나는 이의 앞날을 걱정하는 마음을 읽을 수 있다.

⑤ 이별의 정서를 두드러지게 하는 시어는 '雨'(비 우)이다.

답: ①

1. 대화의 내용으로 보아 ㉠에 알맞은 것은? [1점]

분이 : 왼쪽 그림 속의 사람들은 피곤해 보이기는 하지만 등과 어깨가 넓어서 건강해 보여. 그런데 오른쪽 사진 속 사람들은 짐이 엄청나게 큰데다가 표정에서도 고단한 삶이 느껴져 애처롭기까지 해.

민석 : 그림과 사진 모두 물건을 등에 지고 다니며 파는 장수를 소재로 하고 있네.

상훈 : 그래서 그들을 (㉠)이라고 부르지.

① 坐商   ② 巨商   ③ 負商   ④ 豪商   ⑤ 華商

2. 다음 조건을 모두 만족하는 한자는? [1점]

모양을 본떠 만든 한자야.

음은 '磨'와/과 같지.

총획은 '俱'와 같아.

부수로도 쓰여.

① 個   ② 馬   ③ 鳥   ④ 鬼   ⑤ 黑

3. 자전에서 한자를 찾았을 때, ㉠과 ㉡의 내용으로 모두 옳은 것은? [1점]

(㉠) 【泉】 총 9획 천
5획 자해 샘

糸 (㉡)획 【紙】 총 10획 지
자해 종이

	㉠	㉡		㉠	㉡		㉠	㉡
①	白	3	②	水	4	③	白	5
④	白	4	⑤	水	5			

4. 화살표 방향으로 성어를 만들 때, ㉠에 들어갈 한자와 같은 원리로 만들어진 것은? [1점]

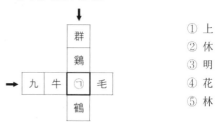

① 上
② 休
③ 明
④ 花
⑤ 林

5. ㉠~㉢에 공통으로 들어갈 한자는? [1점]

(㉠)年佳約   一罰(㉡)戒   (㉢)折不屈

① 白   ② 百   ③ 泊   ④ 拍   ⑤ 迫

6. 그림과 대화의 내용으로 보아 ㉠에 알맞은 것은? [1점]

외국에 나오니까 길 건너기도 겁나네. 한자를 모르니 저 교통 표지판에 뭐라고 쓰여 있는지도 모르겠고.

보행자가 무엇보다 앞서 대우받는다는 말이야.

行人(㉠)

① 停止   ② 待期   ③ 優先   ④ 讓步   ⑤ 進入

7. 글의 내용과 관계있는 성어는? [1점]

마디에 옹이요 기침에 재채기요 하품에 딸꾹질이라.

－ 『춘향전』

① 大器晩成   ② 附和雷同   ③ 雪上加霜
④ 望雲之情   ⑤ 羊頭狗肉

8. ㉠~㉢에 들어갈 한자로 모두 옳은 것은? [1점]

先(㉠)之明   易(㉡)思之   漁父之(㉢)

	㉠	㉡	㉢		㉠	㉡	㉢
①	貝	之	理	②	見	之	利
③	貝	之	利	④	見	地	利
⑤	見	地	理				

9. 대화의 내용으로 보아 ㉠에 들어갈 말의 한자 표기로 옳은 것은?

① 南洋　　② 炎涼　　③ 炎陽　　④ 淸涼　　⑤ 納涼

10. 글의 내용으로 보아 ㉠에 알맞은 성어는? [1점]

> 사람을 헤아리는 방법을 모르는 자가 사람을 구할 때는 매양 장군이 났던 집안에 가서 장군감을 구하고 재상이 났던 집안에 가서 재상감을 찾으니 이것이 어찌 (㉠)(이)나/이나 표운매물(標雲埋物)과 다르겠는가? 장군이나 재상이 될 만한 자품(資稟)이나 식량(識量)에 어찌 문호(門戶)의 한계가 있겠는가?
> 　　　　　　　　　　　　　　　　　　　－『인정』－

① 曲學阿世　　② 結草報恩　　③ 刻舟求劍
④ 靑出於藍　　⑤ 脣亡齒寒

11. 대화의 내용으로 보아 ㉠과 ㉡의 한자 표기로 모두 옳은 것은?

	㉠	㉡		㉠	㉡
①	告示	顧視	②	顧視	告示
③	考試	告示	④	顧視	考試
⑤	告示	考試			

12. 글의 내용과 관계있는 물건으로 알맞은 것은?

> 司馬溫公, 以圓木爲警枕, 少睡則枕轉而覺, 乃起讀書.
> 　　　　　　　　　　　　　　　－『고금사문유취』－

13. 글의 내용과 관련지어 볼 때, 그림에 알맞은 제목은? [1점]

① 包容으로 함께 가는 多文化 社會.
② 韓服, 우리 固有의 아름다움을 입다.
③ 우리 地域 사랑은 鄕土飮食 사랑으로부터.
④ 傳統市場의 活性化, 과거의 새로운 탄생입니다.
⑤ 우리가 사는 자연 環境, 우리 後孫이 살아갈 자연 環境.

14. 그림의 글자로 만들 수 있는 사자성어와 관계있는 것은?

① 이렇게 얻기 어려운 기회가 올 줄 그 누가 알았겠는가.
② 한결같이 너를 향하는 내 마음은 천년만년 변함없으리.
③ 같은 교복을 입었지만 그들의 표정과 생각은 모두 달랐다.
④ 세계 70억 인구 중에 하나인 나는 얼마나 미미한 존재인가.
⑤ 시청자들은 새 연속극의 내용도 뻔할 것이라고 냉소하였다.

15. 글의 내용과 가장 관계있는 문장은?

> 세조가 동쪽으로 금강산을 유람할 때 길가에 석불이 있는 것을 보고 가마에서 내려 절을 하고는 사관을 돌아보며 기록하지 말라고 명하였다. 그러자 사관이 큰 글씨로, '왕이 길가의 석불에게 절을 하고 기록하지 말라고 명하였다.'라고 썼다. 왕이 화를 내며 사관을 참수하려고 하니, 사관이 급히 쓰기를 '사관이 기록하자 왕이 참수하라고 명하였다.'라고 한 뒤 붓을 던져 버렸다. 그러자 왕이 그를 풀어 주었다. 　　　　　－『송천필담』－

① 以權利合者, 權利盡而交疏.
② 施恩, 勿求報, 與人, 勿追悔.
③ 君子有三樂, 而王天下, 不與存焉.
④ 積善之家, 必有餘慶, 積惡之家, 必有餘殃.
⑤ 實錄所載, 皆當時之事, 以示後世, 皆實事也.

187

[16~17] 다음 글을 읽고 물음에 답하시오.

> (가) 君子, ㉠食無求飽, ㉡居無求安, ㉢敏於事而愼於言, ㉣就有道而正焉, 可謂好學也已.
>
> 　　　　　　　　　　　　　　- 『논어』 -
>
> (나) 君子, 謀道, 不謀食. 耕也, 餒在其中矣. 學也, 祿在其中矣. 君子, 憂(㉮), 不憂貧.
>
> 　　　　　　　　　*餒(뇌): 주리다
>
> 　　　　　　　　　　　　　　- 『논어』 -

16. ㉠~㉤ 중, 다음 <보기>의 내용과 가장 관계있는 것은?

> <보 기>
>
> 　요즘 부귀한 집에서는 하루에 일곱 끼를 먹기도 하고 술과 고기가 넘쳐 나고 산해진미를 차려 내니 그들의 하루 식비로 백 명을 먹일 수 있을 정도다. 집집마다 모두 이 지경으로 먹어 대니 백성들의 삶이 어찌 고단하지 않으랴? 문제를 조속히 해결하기 위해서는 배고픔을 참고 많이 먹지 않는 것이 가장 좋다. 한두 끼 먹지 않는다고 병이 생기지는 않는다.
>
> 　　　　　　　　　　　　- 『성호사설』 -

① ㉠　　② ㉡　　③ ㉢　　④ ㉣　　⑤ ㉤

17. 위 글의 내용으로 보아 ㉮에 알맞은 것은?

① 中　　② 食　　③ 耕　　④ 道　　⑤ 祿

[18~20] 다음 글을 읽고 물음에 답하시오.

> 讀書, 必須先立根基, 根基謂何? 非志㉠于學, 不能讀書. 志學, 必須先立根基, 根基謂何? 曰惟孝弟是已. 先須力行(㉡), 以立根基, 則學問自然浹洽, 學問旣浹洽, 則讀書不須別講層節耳.
>
> 　　　　　*浹洽(협흡): 두루 미치다
>
> 　　　　　　　　　　　- 『여유당전서』 -

18. 의미상 ㉠과 바꾸어 쓸 수 있는 것은?

① 又　　② 乃　　③ 已　　④ 於　　⑤ 而

19. 위 글의 내용으로 보아 ㉡에 알맞은 것은?

① 讀書　② 學問　③ 志學　④ 根基　⑤ 孝弟

20. 위 글의 내용에 알맞은 제목은?

① 根基란 무엇을 말하는가?
② 學問은 우리에게 무엇을 주는가?
③ 自然을 본받는 삶이란 무엇일까?
④ 志學은 언제쯤 하는 것이 적당할까?
⑤ 讀書를 잘 하려면 무엇부터 해야 할까?

[21~22] 다음 글을 읽고 물음에 답하시오.

> ㉮許衡, 暑中, ㉠過河陽, 暍甚. ㉡道有梨, 衆爭取啖, 而獨㉢危坐. ㉣或言: "世亂, 此無㉤主." 曰: "梨無㉤主, 吾心獨無主乎?"
>
> 　　　　　　　*許衡(허형): 인명
>
> 　　*暍(갈): 더위 먹다　*啖(담): 먹다
>
> 　　　　　　　　　　　　- 『사소절』 -

21. ㉮의 행동과 관계있는 것은?

① 己所不欲, 勿施於人.
② 無道人之短, 無說己之長.
③ 苟非吾之所有, 雖一毫而莫取.
④ 寧測十丈水深, 難測一丈人心.
⑤ 不患人之不己知, 患不知人也.

22. ㉠~㉤의 풀이로 옳지 않은 것은?

① ㉠: 지나다　　　　② ㉡: 길
③ ㉢: 위태롭다　　　④ ㉣: 어떤 사람
⑤ ㉤: 주인

[23~25] 다음 글을 읽고 물음에 답하시오.

> ㉮根澤自闕歸, 對家人, 話脅約事曰: "吾幸而免死." ㉯婢在廚下聞之, 提刀出叫曰: "李根澤, 汝身爲大臣, 國恩云何, 而國危不能死, 乃曰: '吾幸而免.' ㉠汝眞狗豚不若. ㉡吾雖賤人, 豈甘作狗豚之奴乎? (㉰), 寧還舊主也."
>
> 　　　　*闕(궐): 대궐　*廚(주): 부엌
>
> 　　　　　　　　　　　- 『매천야록』 -

23. 위 글의 내용으로 보아 ㉮와 ㉯의 태도로 모두 옳은 것은?

	㉮	㉯		㉮	㉯
①	卑屈	義奮	②	卑屈	恭敬
③	義奮	卑屈	④	義奮	恭敬
⑤	恭敬	卑屈			

24. ㉠~㉣ 중, 가리키는 대상이 같은 것만을 있는 대로 고른 것은?

① ㉠, ㉡　　　② ㉡, ㉣　　　③ ㉢, ㉣
④ ㉠, ㉡, ㉢　　⑤ ㉠, ㉢, ㉣

25. 위 글의 흐름으로 보아 ㉰에 들어갈 말의 의미로 알맞은 것은?

① 나를 어찌 이다지도 천대한단 말인가?
② 드디어 조정의 대신이 되셨다니 감축하옵니다.
③ 내 손으로 너를 처단하지 못하는 것이 안타깝구나.
④ 이렇게 무사히 돌아오신 것만으로도 천만다행입니다.
⑤ 그동안 미천한 저에게 베풀어 주신 은혜에 감사드립니다.

[26~28] 다음 시를 읽고 물음에 답하시오.

> (가) 國破山河在,　　城春草木深.
> 　　感時花濺淚,　　恨別鳥驚心.
> 　　烽火連三月,　　家書抵萬金.
> 　　白頭搔更短,　　渾欲不勝簪.
> 　　　　*濺(천): 뿌리다　*烽(봉): 봉화　*搔(소): 긁다
> 　　　　　　*渾(혼): 모두　*簪(잠): 비녀
> 　　　　　　　　　　　　　　　-두보,「春望」-
>
> (나) 興仁門外無名巷,　　一帶沙川五柳斜.
> 　　墙北墙南花下路,　　前三後七是吾家.
> 　　　　　　　　　　　　　- 무명씨,「別情人」-

26. 위 시에 대한 설명으로 옳은 것만을 <보기>에서 있는 대로 고른 것은?

> ─────<보 기>─────
> ㄱ. (가)의 형식은 오언율시이다.
> ㄴ. (가)의 제5구와 제6구는 대우(對偶)를 이룬다.
> ㄷ. (나)의 운자(韻字)는 '斜', '家'이다.
> ㄹ. (나)의 제3구와 제4구는 색채의 대비가 분명하다.

① ㄱ, ㄷ　　　② ㄱ, ㄹ　　　③ ㄴ, ㄷ
④ ㄱ, ㄴ, ㄷ　　　⑤ ㄴ, ㄷ, ㄹ

27. (가)에 대한 이해로 알맞지 <u>않은</u> 것은?

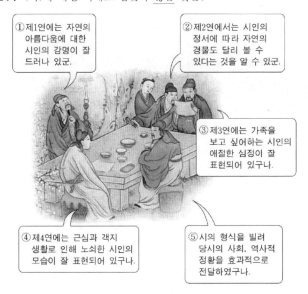

① 제1연에는 자연의 아름다움에 대한 시인의 감명이 잘 드러나 있군.
② 제2연에서는 시인의 정서에 따라 자연의 경물도 달리 볼 수 있다는 것을 알 수 있군.
③ 제3연에는 가족을 보고 싶어하는 시인의 애절한 심정이 잘 표현되어 있구나.
④ 제4연에는 근심과 객지 생활로 인해 노쇠한 시인의 모습이 잘 표현되어 있구나.
⑤ 시의 형식을 빌려 당시의 사회, 역사적 정황을 효과적으로 전달하였구나.

28. (나)에서 말하고자 하는 것은?

① 제 집으로 찾아오시면 좋으련만.
② 제 마음을 자꾸 흔들지 마세요.
③ 부디 건강하게 지내시기를 빌게요.
④ 슬퍼도 참을 수 밖에 없네요.
⑤ 부디 저를 다시 찾지 마세요.

[29~30] 다음 글을 읽고 물음에 답하시오.

> 後漢, 司馬徽, 不談人短. 與人語, ㉠美惡皆言好. 有人問徽安否, 答曰: "好." 有人自陳子死. 答曰: "大好." 妻責之曰: "人以君有德, 故此相告, 何聞人子死, 反亦言好?" 徽曰: "如卿之言, 亦大好." 今人稱好好先生, 本此.
> 　　　　*司馬徽(사마휘): 인명　-『고금담개』-

29. ㉠의 풀이 순서를 바르게 배열한 것은?

① 美 → 惡 → 皆 → 言 → 好
② 美 → 惡 → 皆 → 好 → 言
③ 皆 → 美 → 惡 → 言 → 好
④ 皆 → 惡 → 美 → 好 → 言
⑤ 美 → 皆 → 好 → 言 → 惡

30. 위 글의 내용과 일치하지 <u>않는</u> 것은?

① 부인은 사마휘의 언행을 책망하였다.
② 사마휘는 남의 단점을 말하지 않았다.
③ 사마휘의 안부를 묻는 사람이 있었다.
④ 사마휘는 부인의 말을 듣고 언행을 바꾸었다.
⑤ 호호선생이라는 말은 사마휘에서 비롯되었다.

> ＊ 확인 사항
> ○ 답안지의 해당란에 필요한 내용을 정확히 기입(표기)했는지 확인하시오.

2012학년도 수학능력시험

1	③	7	③	13	①	19	⑤	25	③
2	②	8	④	14	①	20	⑤	26	④
3	②	9	⑤	15	⑤	21	③	27	①
4	①	10	③	16	①	22	③	28	①
5	②	11	⑤	17	④	23	①	29	②
6	③	12	②	18	④	24	④	30	④

1. 그림 문제
㉠에는 '물건을 등에 지고 다니며 파는 장수'를 가리키는 말이 들어가야 한다.

　① 坐商(좌상)　　② 巨商(거상)　　③ 負商(부상)

　④ 豪商(호상)　　⑤ 華商(화상)

답: ③

2. 조건을 만족하는 한자 문제
조건을 만족하는 한자를 찾는 문제이다. 문제에서는 한자의 제자 원리, 음, 총획 그리고 부수로 쓰인다는 사실을 알려 주고 있다. 음으로 찾는 게 가장 빠르므로 음이 '磨'(갈 마)와 같은 한자를 먼저 찾아보자.

　① 個(낱 개)　　② 馬(말 마)　　③ 鳥(새 조)

　④ 鬼(귀신 귀)　　⑤ 黑(검을 흑)

음이 '마'인 한자는 '馬'뿐이다.

답: ②

3. 자전 문제
㉠에는 '泉'(샘 천)의 부수, ㉡에는 '紙'(종이 지)의 부수 '糸'(실 사)를 제외한 획수가 들어간다. '泉'은 그 뜻으로 보아 '水'(물 수)가 부수이다. '紙'에서 '糸'를 제외한 부분의 획수는 4획이므로 답은 ②이다.

답: ②

4. 십자말풀이 문제
가로 열쇠는 '九牛一毛'(구우일모), 세로 열쇠는 '群鷄一鶴'(군계일학)이다. 따라서 ㉠에 들어갈 한자는 '一'(한 일)이다. '一'은 지사자이다.
① 上(위 상): 기준선(一)의 위에 표시를 하여 '위'라는 추상적인 뜻을 나타낸 지사자이다.
② 休(쉴 휴): 'イ'(사람 인)과 '木'(나무 목)을 합하여 사람(イ)이 나무(木)에 기대어 쉼을 나타낸 회의자이다.
③ 明(밝을 명): '日'(해 일)과 '月'(달 월)을 합하여 해(日)와 달(月)을 합한 것처럼 밝음을 나타낸 회의자이다.
④ 花(꽃 화): '艹'(풀 초)로 뜻을, '化'(될 화)로 음을 나타낸 형성자이다.
⑤ 林(수풀 림): '木'(나무 목) 두 개를 합하여 나무(木)가 많은 숲을 나타낸 회의자이다.

답: ①

5. 사자성어 문제
百年佳約(백년가약),　一罰百戒(일벌백계),　百折不屈(백절불굴)이므로 ㉠~㉢에 공통으로 들어갈 한자는 '百'(일백 백)이다.

답: ②

6. 한자어 문제
　① 停止(정지)　　② 待期(대기)　　③ 優先(우선)

　④ 讓步(양보)　　⑤ 進入(진입)

답: ③

7. 사자성어 문제
① 大器晚成(대기만성): 큰 그릇은 늦게 이루어짐.
② 附和雷同(부화뇌동): 우레에 붙어 같이 함께함. 일정한 주견이 없이 남의 의견에 따라 행동함.
③ 雪上加霜(설상가상): 눈 위에 서리를 더함. 난처한 일이나 불행한 일이 잇따라 일어남.
④ 望雲之情(망운지정): 구름을 바라보는 마음. 고향이나 어버이를 그리는 마음.
⑤ 羊頭狗肉(양두구육): 양의 머리에 개고기. 양의 머리를 내어놓고 개고기를 팖. 겉으로는 훌륭하게 내세우나 속은 변변치 않음.

답: ③

8. 사자성어 문제
先見之明(선견지명), 易地思之(역지사지), 漁父之利(어부지리)이다. '볼 견'은 '見'이고 '貝'는 '조개 패'이므로 ㉠에는 '見'이 들어간다. 역지사지의 뜻이 '처지(地)를 바꾸어(易) 그것을(之) 생각함(思)'이므로 ㉡에는 '地'(땅 지)가 들어간다.
㉢에는 '이익'이라는 뜻이 들어가야 하므로 '利'(이익 리)가 들어간다.

답: ④

9. 한자어 문제
아무래도 ㉠이 '납량'인 듯하다.

　① 南洋(남양)　　② 炎涼(염량)　　③ 炎陽(염양)

　④ 淸涼(청량)　　⑤ 納涼(납량)

답: ⑤

10. 사자성어 문제
① 曲學阿世(곡학아세): 학문을 왜곡하여 세상에 아첨함.
② 結草報恩(결초보은): 풀을 묶어 은혜를 갚음. 죽어서도 은혜를 잊지 않고 갚음.
③ 刻舟求劍(각주구검): 칼을 떨어뜨린 자리를 배에 새기고 칼을 구함. 시대의 변화에 융통성 있게 대처하지 못하는 어리석음.
④ 靑出於藍(청출어람): 푸른빛은 쪽에서 나옴. 제자가 스승보다 뛰어남.
⑤ 脣亡齒寒(순망치한): 입술이 없으면 이가 시림. 이해관계가 밀접한 사이에서 한쪽이 망하면 다른 쪽도 온전하기 어려움.

답: ③

11. 동음이의어 문제

㉠은 '고하여 알려준다'라는 뜻이므로 '告'(알릴 고)가 들어가는 것이 가장 적당해 보이고, ㉡은 '시험'이라는 뜻이므로 '試'(시험할 시)가 들어가는 것이 가장 적당해 보인다.

답: ⑤

12. 사물 문제

> 司馬溫公, 以圓木爲警枕, 少睡則枕轉而覺, 乃
> 사 마 온 공　이 원 목 위 경 침　소 수 즉 침 전 이 각　내
> 起讀書.
> 기 독 서
> 사마온 공은 둥근 나무로써 경계하는 베개를 삼아 조금만 잠들면 베개가 굴러 깨어나 이에 일어나 책을 읽었다.

글의 내용과 관계있는 물건은 '베개'이다. 해석을 하지 못했더라도 글에 '枕'(베개 침)이 있다는 것으로부터 답을 찾을 수 있다.

답: ②

13. 단문 문제

> 泰山不讓土壤, 故能成其大.
> 태 산 불 양 토 양　고 능 성 기 대
> 태산은 흙을 사양하지 않아 그러므로 그 큼을 이룰 수 있다.

글의 내용과 관련지어 볼 때, 그림에 알맞은 제목은 '包容(포용)'으로 함께 가는 多文化 社會(다문화 사회)'이다.

답: ①

14. 사자성어 문제

① 이렇게 얻기 어려운 기회가 올 줄 그 누가 알았겠는가.
　☞ 千載一遇(천재일우)

② 한결같이 너를 향하는 내 마음은 천년만년 변함없으리.
　☞ 一片丹心(일편단심)

③ 같은 교복을 입었지만 그들의 표정과 생각은 모두 달랐다.
　☞ 千態萬象(천태만상)

④ 세계 70억 인구 중에 하나인 나는 얼마나 미미한 존재인가.
　☞ 滄海一粟(창해일속)

⑤ 시청자들은 새 연속극의 내용도 뻔할 것이라고 냉소하였다.
　☞ 千篇一律(천편일률)

답: ①

15. 단문 문제

① 以權利合者, 權利盡而交疏.
　이 권 리 합 자　권 리 진 이 교 소
　권세와 이익으로써 빌붙는 사람은 권세와 이익이 다하면 사귐이 뜸해진다.

② 施恩, 勿求報, 與人, 勿追悔.
　시 은　물 구 보　여 인　물 추 회
　은혜를 베풀고 갚음을 구하지 말고, 남에게 주고 후회를 쫓지 마라.

③ 君子有三樂, 而王天下, 不與存焉.
　군 자 유 삼 락　이 왕 천 하　불 여 존 언
　군자는 세 즐거움이 있으니, 천하에 왕 노릇하는 것은 그것(세 즐거움)에 더불어 있지 않다.

④ 積善之家, 必有餘慶, 積惡之家, 必有餘殃.
　적 선 지 가　필 유 여 경　적 악 지 가　필 유 여 앙
　선을 쌓은 집은 반드시 남는 경사가 있고, 악을 쌓은 집은 반드시 남는 재앙이 있다.

⑤ 實綠所載, 皆當時之事, 以示後世, 皆實事也.
　실 록 소 재　개 당 시 지 사　이 시 후 세　개 실 사 야
　실록에 실린 바는 모두 당시의 일이고, 이로써 후세에게 보이므로 모두 실제의 일이어야 한다.

답: ⑤

[16~17] 식무구포(食無求飽)

> 君子, 食無求飽, 居無求安, 敏於事而愼於言,
> 군 자　식 무 구 포　거 무 구 안　민 어 사 이 신 어 언
> 就有道而正焉, 可謂好學也已.
> 취 유 도 이 정 언　가 위 호 학 야 이
> 군자는 먹음에 배부름을 구함이 없고, 삶에 편안함을 구함이 없으며, 일에 재빠르며 말에 신중하여 도가 있는 곳에 나아가 바로잡으면 가히 배움을 좋아한다고 이를 만하다.
> 君子, 謀道, 不謀食.
> 군 자　모 도　불 모 식
> 군자는 도를 꾀하지 먹기를 꾀하지 않는다.
> 耕也, 餒在其中矣. 學也, 祿在其中矣.
> 경 야　뇌 재 기 중 의　학 야　록 재 기 중 의
> 밭가는 것은 굶주림이 그 가운데 있다. 배우는 것은 녹봉이 그 가운데 있다.
> 君子, 憂(㉮), 不憂貧.
> 군 자　우　　　불 우 빈
> 군자는 ㉮를 근심하지 가난함을 근심하지 않는다.

16. 해석 문제

<보기>의 내용과 가장 관계있는 것은 '먹음에 배부름을 구하지 않는다'라는 ㉠이다.

답: ①

17. 빈칸 문제

① 中(가운데 중)　② 食(먹을 식)　③ 耕(밭갈 경)
④ 道(길 도)　⑤ 祿(복 록)

군자는 '도'를 근심해야 한다.

답: ④

[18~20] 독서(讀書)

> 讀書, 必須先立根基, 根基謂何?
> 독 서　필 수 선 립 근 기　근 기 위 하
> 책을 읽으려면 반드시 모름지기 먼저 근기를 세워야 하니 근기는 무엇을 이름인가?
> 非志于學, 不能讀書.
> 비 지 우 학　불 능 독 서
> 배움에 뜻을 두지 않으면 책을 읽을 수 없다.
> 志學, 必須先立根基, 根基謂何? 曰惟孝弟是已.
> 지 학　필 수 선 립 근 기　근 기 위 하　왈 유 효 제 시 이
> 배움에 뜻을 두면 반드시 모름지기 먼저 근기를 세워야 하니 근기는 무엇을 이름인가? 오직 효도와 우애, 이것일 뿐이다.

先須力行(㉡), 以立根基, 則學問自然浹洽,
선 수 력 행　　　　　　이 립 근 기,　즉 학 문 자 연 협 흡,
學問旣浹洽, 則讀書不須別講層節耳.
학 문 기 협 흡, 즉 독 서 불 수 별 강 층 절 이.
먼저 모름지기 ㉡을 행하는 데 힘씀으로써 근기를 세우면 학
문이 자연히 두루 미치고, 학문이 이미 두루 미치면 책을 읽음
에 모름지기 따로 단계를 말하지 않아도 된다.

18. 바꾸어 쓸 수 있는 한자 문제
㉠은 '~에'라는 뜻이므로 바꾸어 쓸 수 있는 것은 '於'(어조사
어)이다. 이런 문제는 가장 쉬운 문제 가운데 하나이므로 꼭 풀
도록 하자.

답: ④

19. 빈칸 문제
바로 앞에서 '孝弟'를 언급했으므로 ㉡에는 '孝弟'가 들어간다.

답: ⑤

20. 해석 문제
위 글의 내용에 알맞은 제목은 '讀書(독서)를 잘 하려면 무엇부
터 해야 할까?'이다.

답: ⑤

[21~22] 허형(許衡)

許衡, 暑中, 過河陽, 喝甚, 道有梨, 衆爭取啖,
허 형, 서 중, 과 하 양, 갈 심, 도 유 리, 중 쟁 취 담,
而獨危坐.
이 독 위 좌.
허형이 더운 가운데 하양을 지나다가 더위를 먹음이 심하였는
데 길에 배가 있어 여럿이 다투어 취하여 먹었으나 홀로 똑바
로 앉아 있었다.
或言: "世亂, 此無主."
혹 언　세 란, 차 무 주.
누군가 말하기를, "세상이 어지러우니, 이는 주인이 없습니다."
曰: "梨無主, 吾心獨無主乎?"
왈　리 무 주, 오 심 독 무 주 호?
말하기를, "배가 주인이 없다고 내 마음도 홀로 주인이 없겠는가?"

21. 단문 문제
① 己所不欲, 勿施於人.
　　기 소 불 욕, 물 시 어 인.
　자기가 하고자 하지 않는 바를 남에게 베풀지 말라.
② 無道人之短, 無說己之長.
　　무 도 인 지 단, 무 설 기 지 장.
　남의 단점을 말하지 말고, 자기의 장점을 말하지 말라.
③ 苟非吾之所有, 雖一毫而莫取.
　　구 비 오 지 소 유, 수 일 호 이 막 취.
　진실로 나의 가진 바가 아니면 비록 한 터럭이라도 취하지 말라.
④ 寧測十丈水深, 難測一丈人心.
　　녕 측 십 장 수 심, 난 측 일 장 인 심.
　차라리 열 길 물의 깊음은 잴 수 있을지언정 한 길 사람 마음
　은 재기 어렵다.

⑤ 不患人之不己知, 患不知人也.
　　불 환 인 지 부 기 지, 환 부 지 인 야.
　남이 자기를 알아주지 않음을 근심하지 말고, 남을 알지 못함
　을 근심하라.

답: ③

22. 해석 문제
㉢은 '위태롭다'가 아니라 '똑바로'라는 뜻이다. 아마도 '危'에 '똑
바로'라는 뜻이 있다는 것을 알고 있는 사람은 많지 않았을 것이
다. 그러나 그렇다고 해도 '홀로 위태롭게 앉았다'라는 해석이 옳
지 않다는 것은 쉽게 알 수 있다.

답: ③

[23~25] 이근택과 그의 여종

根澤自闕歸, 對家人, 話脅約事曰: "吾幸而免死."
근 택 자 궐 귀, 대 가 인, 화 협 약 사 왈　오 행 이 면 사.
근택이 궐에서 돌아와 집안 사람에게 대하여 협약(위협에 의하
여 이루어진 조약) 일을 말하면서 말하기를, "나는 다행히 죽음
을 면하였다."
婢在廚下聞之, 提刀出叫曰: "李根澤, 汝身爲
비 재 주 하 문 지, 제 도 출 규 왈　리 근 택, 여 신 위
大臣, 國恩云何, 而國危不能死, 乃曰: '吾幸而
대 신, 국 은 운 하, 이 국 위 불 능 사, 내 왈　오 행 이
免.' 汝眞狗豚不若.
면.　여 진 구 돈 불 약.
여종이 부엌 아래에서 그것을 듣고는, 칼을 들어 나와 부르짖어
말하기를, "이근택, 너의 몸은 대신이 되어 나라의 은혜가 말하
기 어떠한데 나라가 위태로움에 죽지 못하고 겨우 말하기를,
'나는 다행히 면하였다.'니 너는 정말로 개돼지만도 못하다.
吾雖賤人, 豈甘作狗豚之奴乎? (㉣),
오 수 천 인, 기 감 작 구 돈 지 노 호?
寧還舊主也."
녕 환 구 주 야.
내가 비록 천한 사람이지만 어찌 개돼지의 종이 되는 것을 달
가워하겠는가? ㉣ 차라리 옛 주인에게 돌아가겠다."

23. 해석 문제
㉮의 태도는 '卑屈'(비굴)이고 ㉯의 태도는 '義奮'(의분)이다.

답: ①

24. 해석 문제
㉠~㉢은 '이근택', ㉣은 '여종'을 가리킨다.

답: ④

25. 빈칸 문제
위 글의 흐름으로 보아 ㉣에 들어갈 말의 의미로 알맞은 것은
'내 손으로 너를 처단하지 못하는 것이 안타깝구나.'이다.

답: ③

〔26~28〕두 보, 「춘망(春望)」
　　　　　무명씨, 「별정인(別情人)」

國破山河在, _{국 파 산 하 재}	나라는 깨졌으나 산과 강은 있고
城春草木深. _{성 춘 초 목 심}	성이 봄이니 풀과 나무가 깊구나.
感時花濺淚, _{감 시 화 천 루}	때를 느껴 꽃에 눈물을 뿌리고
恨別鳥驚心. _{한 별 조 경 심}	헤어짐을 한스러워하니 새가 마음을 놀라게 한다.
烽火連三月, _{봉 화 련 삼 월}	봉화가 세 달 동안 이어지니
家書抵萬金. _{가 서 저 만 금}	집에서 온 편지가 만금을 막는다.
白頭搔更短, _{백 두 소 갱 단}	흰머리 긁으니 더욱 짧아져
渾欲不勝簪. _{혼 욕 불 승 잠}	거의 비녀를 이기지 못하고자 한다.
興仁門外無名巷, _{흥 인 문 외 무 명 항}	흥인문 밖 이름 없는 골목
一帶沙川五柳斜. _{일 대 사 천 오 류 사}	한 줄기 모래 시내 다섯 버드나무 비스듬합니다
墙北墙南花下路, _{장 북 장 남 화 하 로}	담 북쪽 담 남쪽 꽃 핀 아랫길
前三後七是吾家. _{전 삼 후 칠 시 오 가}	앞에서 세 번째 뒤에서 일곱 번째가 제 집입니다

26. 한시 문제

ㄱ. (가)는 다섯 글자씩 여덟 구이므로 오언율시이다.

ㄴ. 두 구가 문법적 기능이 동일한 글자의 배열로 이루어져 있을 때 대우를 이룬다고 한다. (가)의 제5구와 제6구는 문법적 기능이 동일한 글자의 배열로 이루어져 있으므로 대우를 이룬다.

ㄷ. 운자는 짝수 구의 마지막 글자에 오고 첫째 구의 마지막 글자에 올 수 있다. 짝수 구의 마지막 글자는 '斜'(사), '家'(가)이므로 '巷'(항)은 운자가 아님을 알 수 있다.

ㄹ. (나)의 제3구와 제4구에는 색채를 나타내는 시어가 없다.

답: ④

27. 이해와 감상 문제

① (가)는 자연의 아름다움을 노래하는 시가 아니다.

② 이웃한 두 구를 합하여 연이라고 한다. 제2연에서는 꽃에 눈물을 뿌리고, 새가 마음을 놀라게 하는데, 시인의 정서에 따라 자연의 경물이 달리 보이는 것이다.

③ 제5구의 '烽火'에서 전쟁 상황임을 알 수 있다. 제6구의 '抵'가 해석이 어렵지만, '家書'에서 가족에 대한 그리움을 표현했을 것이라고 짐작할 수 있다.

④ 시인이 근심에 빠져 있음은 쉽게 알 수 있고, 집에서 보낸 편지가 언급되는 것에서 객지 생활을 함을 알 수 있다. 제4연의 '白頭'(흰 머리)에 노쇠한 시인의 모습이 나타나 있다.

⑤ 시를 읽고 당시의 사회, 역사적 정황까지 알아내기란 쉬운 일이 아니다. 여기에서 '당시의 사회, 역사적 정황'은 '전쟁 상황' 정도로 생각해 주자.

답: ①

28. 해석 문제

(나)에서 말하고자 하는 것은 '제 집으로 찾아오시면 좋으련만.'이다.

답: ①

〔29~30〕호호선생(好好先生)

後漢, 司馬徽, 不談人短. _{후 한　사 마 휘　부 담 인 단}
후한의 사마휘는 남의 단점을 말하지 않았다.
與人語, 美惡皆言好. _{여 인 어　미 악 개 언 호}
남과 더불어 말하면 아름답든 나쁘든 모두 좋다고 말했다.
有人問徽安否, 答曰: "好." _{유 인 문 휘 안 부　답 왈　호}
어떤 사람이 휘의 안부를 묻자, 답하여 말하기를, "좋다."
有人自陳子死. 答曰: "大好." _{유 인 자 진 자 사　답 왈　대 호}
어떤 사람이 스스로 아들이 죽었다고 말하였다. 답하여 말하기를, "크게 좋다."
妻責之曰: "人以君有德, 故此相告, 何聞人子 _{처 책 지 왈　인 이 군 유 덕　고 차 상 고　하 문 인 자} 死, 反亦言好?" _{사　반 역 언 호}
아내가 그를 꾸짖어 말하기를, "사람들이 당신을 덕이 있다고 여겨 그러므로 이렇게 알리는데, 어찌 남의 아들이 죽었음을 듣고 도리어 또한 좋다고 말합니까?"
徽曰: "如卿之言, 亦大好." _{휘 왈　여 경 지 언　역 대 호}
휘가 말하기를, "그대와 같은 말도 또한 크게 좋다."
今人稱好好先生, 本此. _{금 인 칭 호 호 선 생　본 차}
지금 사람들이 호호선생이라고 부름은 이에서 근본한다.

29. 해석 문제

㉠은 '아름답든 나쁘든 모두 좋다고 말했다'로 해석되므로 풀이 순서는 '美 → 惡 → 皆 → 好 → 言'이다.

답: ②

30. 해석 문제

사마휘는 부인의 말도 듣고 "좋다."고 말하였다.

답: ④

성명 [　　　　] 수험 번호 [　｜　｜　｜　｜　｜　－　｜　｜　｜　]

1. 대화의 내용으로 보아 ㉠에 알맞은 것은? [1점]

채운: 못 보던 그림이네. 누가 그린 거야?
성연: 조선후기 문인화가 강세황의 작품이야. 사대부들의
　　　풍류가 잘 나타나 있지.
채운: 바둑 두는 사람도 있고, 글을 읽는 사람도 있네.
성연: 맞아. 이런 그림을 '雅(㉠)圖'라고 하는데, '우아한
　　　모임을 그린 그림'이라는 뜻이야.

① 美　　② 量　　③ 會　　④ 樂　　⑤ 麗

2. 다음 조건을 모두 만족하는 한자는? [1점]

① 戶　　② 弓　　③ 月　　④ 古　　⑤ 互

3. 자전에서 한자를 찾았을 때, ㉠과 ㉡의 내용으로 모두 옳은
것은? [1점]

	㉠	㉡
①	木	7
②	木	8
③	木	9
④	日	7
⑤	日	8

4. <보기>와 같이 두 자를 합하여 하나의 한자로 만들 때, ㉠과
㉡의 음이 모두 옳은 것은? [1점]

<보 기>
士 + 口 = (吉)

○ 小 + 大 = (㉠)　　　○ 宀 + 寸 = (㉡)

	㉠	㉡			㉠	㉡
①	태	수		②	렬	촌
③	첨	수		④	첨	촌
⑤	렬	우				

5. 화살표 방향으로 성어를 만들 때, ㉠에 알맞은 한자는? [1점]

【가로 열쇠】
　한없이 넓고 넓은 바다.
【세로 열쇠】
　거의 죽게 되어 곧 숨이
　끊어질 지경에 이름.

① 頃　　② 景　　③ 競　　④ 鏡　　⑤ 境

6. 그림의 글자로 만들 수 있는 사자성어와 관계있는 것은?

① 우리 아이는 숫자만 알려줬을 뿐인데 덧셈도 해.
② 네가 어떻게 했을지는 들어보지 않아도 짐작이 가.
③ 어린 사람에게 묻는다고 체면이 손상되는 건 아니야.
④ 잘잘못을 가리지도 않고 대뜸 화부터 내면 어떻게 해?
⑤ 아픈 역사를 감추지 않고 교훈으로 삼는 자세가 중요해.

7. 그림과 대화의 내용으로 보아 ㉠에 알맞은 것은? [1점]

① 供給　② 寄附　③ 納付　④ 提出　⑤ 貢納

8. 그림과 대화의 내용으로 보아 ㉠의 한자 표기로 옳은 것은? [1점]

① 標紙　② 表式　③ 標式　④ 表紙　⑤ 標識

9. 그림의 내용으로 유추할 수 있는 것은? [1점]

① 儉素　② 淸廉　③ 奉仕　④ 誠實　⑤ 配慮

10. 글의 내용과 관계있는 것은? [1점]

큰길은 비록 멀리 돌아가는 길이기는 하나, 여러 역참이 있어서 숙식이 편리하다. 그래서 중론에 따르지 않고 큰길을 따라서 온 것이다. 이 역에 이르러서 지름길의 형편을 물으니, 요사이는 사람들이 통행하지 못한다고 했다. 만일 중론에 따랐더라면 중도에서 반드시 크게 낭패할 뻔했다. 급하게 서두르면 도리어 이루지 못한다는 옛사람의 경계는 진실로 이런 경우를 두고 한 말이다.

－『연도기행』－

① 尾生之信　　② 龍頭蛇尾　　③ 欲速不達
④ 羊頭狗肉　　⑤ 緣木求魚

11. 글의 내용과 관계있는 것은? [1점]

나는 『춘추좌전』을 읽을 때 "화보독(華父督)이 여자를 훑어보았다."라는 기사를 보고 그를 비난했었다. 그래서 나는 길에서 미녀를 만나면 눈을 마주치지 않으려고 머리를 숙여 외면하고 지나갔다. 그래도 마음까지 없는 것은 아니었다. 또 남이 자기를 칭찬하면 기뻐하고 비난하면 언짢은 기색을 짓지 않을 수 없는 것이 사람의 마음이다. 이것은 천벌 받을 일은 아니지만 역시 경계하지 않을 수 없는 것이다. 옛날 사람 중에는 암실에서도 마음을 속이지 않은 이가 있었다 하는데, 내가 어떻게 그에 미칠 수 있으랴.

－『동국이상국집』－

① 信義　② 勇猛　③ 愼獨　④ 威嚴　⑤ 親切

12. 대화의 내용으로 보아 ㉠, ㉡의 한자 표기로 모두 옳은 것은?

	㉠	㉡			㉠	㉡
①	固辭	考査		②	考査	固辭
③	固辭	告祀		④	考査	告祀
⑤	告祀	固辭				

13. 글의 내용과 관계있는 것은?

우리 선조들은 예로부터 이웃과 더불어 살며 가진 자로서의 사회적 책임을 다하고자 노력하였다. 예를 들어, 운조루(雲鳥樓)의 주인 류이주(柳爾冑)는 가난한 이웃을 위해 쌀독에 쌀을 채워 두어 끼니를 해결하지 못하는 사람들이 가져다 먹을 수 있도록 하였다. 이 쌀독에는 '他人能解', 즉 '누구나 열 수 있다.'고 쓰여 있다.

① 友也者, 友其德也.
② 智者千慮, 必有一失.
③ 見危致命, 見得思義.
④ 施恩勿求報, 與人勿追悔.
⑤ 忍一時之慎, 免百日之憂.

195

14. 그림과 대화의 내용으로 보아 가장 관계있는 것은?

① 百聞不如一見.
② 遠水不救近火.
③ 用人, 當用其所長.
④ 有志者, 事竟成也.
⑤ 病從口入, 禍從口出.

15. 글의 내용이 가리키는 것은?

中虛非虛, 虛故能實. 實之伊何? 四友之一. 爾能友直, 其有聞聖人之說者耶.

*伊何(이하): 무엇　*爾(이): 너
－『번암집』－

①
②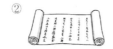
③
④
⑤

[16~17] 다음 글을 읽고 물음에 답하시오.

子曰: "衆㉠惡之, 必察焉, 衆好之, 必察焉."
－『논어』－

16. ㉠과 쓰임이 같은 것은?
① 惡夢　② 憎惡　③ 惡漢　④ 善惡　⑤ 惡名

17. 위 글에 대한 이해로 옳은 것은?
① 악한 사람은 여러 사람이 미워한다는 말이야.
② 선을 좋아하고 악을 미워하는 것은 인지상정이라는 말이야.
③ 여러 사람이 좋아하는지 싫어하는지 살펴보아야 한다는 말이야.
④ 선한 사람의 장점과 악한 사람의 단점을 관찰할 필요가 있다는 말이야.
⑤ 여러 사람이 좋아하거나 미워한다고 해서 그대로 믿어서는 안 된다는 말이야.

[18~19] 다음 글을 읽고 물음에 답하시오.

㉮虎求百獸而食之, 得狐. 狐曰: "㉠子無敢食我也. 天帝使我長百獸, 今子食㉡我, 是逆天帝命也. 子以我爲不信, 吾爲子先行, 子隨我後, 觀百獸之見我而敢不走乎?" (　㉯　), 故遂與之行, 獸見之, 皆走. 虎不知獸畏㉢己而走也, 以爲畏狐也.

*狐(호): 여우
－『전국책』－

18. ㉠~㉢ 중, 가리키는 대상이 ㉮와 같은 것만을 있는 대로 고른 것은?
① ㉠　　② ㉠, ㉡　　③ ㉠, ㉢
④ ㉡, ㉢　　⑤ ㉠, ㉡, ㉢

19. 글의 흐름으로 보아 ㉯에 들어갈 내용으로 알맞은 것은?
① 여우는 호랑이의 말을 반박하였다.
② 호랑이는 여우의 말에 분노하였다.
③ 여우는 호랑이의 말을 믿지 않았다.
④ 호랑이는 여우의 말을 옳다고 여겼다.
⑤ 여우는 호랑이의 말에 위협을 느꼈다.

[20~21] 다음 글을 읽고 물음에 답하시오.

新羅儒理王, 旣定六部, 中分爲二, 使王女二人, 各㉠率部內女子, 分朋造黨, 自秋七月旣望, 每日早集大部之庭, 績麻, 乙夜而罷. 至八月十五日, 考其功之多少, 負者置酒食, 以謝勝者. 於是, 歌舞百戲皆作.
－『삼국사기』－

20. ㉠과 음이 같은 것을 <보기>에서 고른 것은?

<보 기>
ㄱ. 引率　ㄴ. 統率　ㄷ. 比率　ㄹ. 能率

① ㄱ, ㄴ　② ㄱ, ㄷ　③ ㄴ, ㄷ　④ ㄴ, ㄹ　⑤ ㄷ, ㄹ

21. 위 글의 내용을 다음과 같이 바꾸었을 때 일치하지 않는 것은?

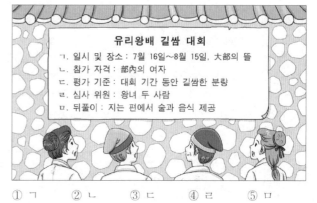

① ㄱ　　② ㄴ　　③ ㄷ　　④ ㄹ　　⑤ ㅁ

[22~24] 다음 글을 읽고 물음에 답하시오.

賤身, ㉠旣知座下之非奇士, 而要終身仰望, 則是負宿心, 而兼負娘子之命也. 故明曉辭決, 而將遊於㉡絶海空山矣. <중략> ㉮寧復爲女子, 低眉斂手於飮食縫紉之事乎?

*斂(렴): 거두다　　　*縫紉(봉인): 바느질하다
- 『삽교만록』 -

22. ㉠에서 마지막으로 풀이되는 것은?

① 旣　　② 知　　③ 座下　　④ 非　　⑤ 奇士

23. ㉡과 짜임이 같은 것은?

① 修身　　② 衣服　　③ 年長　　④ 難解　　⑤ 食堂

24. ㉮에 대한 이해로 옳은 것은?

① 방종했던 과거를 뉘우침.
② 진로를 결정하지 못해 고민함.
③ 순종적인 여인의 삶을 거부함.
④ 자신의 부족한 재주를 한탄함.
⑤ 사랑하는 사람을 위해 희생하기로 함.

[25~27] 다음 글을 읽고 물음에 답하시오.

馬之千里者, 一食, 或盡粟一㉠石, ㉡食馬者, 不知其能千里而食也, 是馬, 雖有千里之能, 食不飽, 力不足, 才美不外㉢見, 且欲與常馬㉣等, 不可得, ㉮安求其能千里也? 策之不以其道, 食之不能盡㉤其材, 鳴之不能通其意, 執策而臨之曰: "天下無良馬." 嗚呼! 其眞無馬耶? 其眞不識馬耶?

- 『고문진보』 -

25. ㉠~㉤의 설명으로 옳지 않은 것은?

① ㉠은 곡식의 용량을 나타내는 단위이다.
② ㉡은 '먹다'로 풀이한다.
③ ㉢의 음은 '現'과 같다.
④ ㉣의 뜻은 '同'과 통한다.
⑤ ㉤은 '천리마'를 가리킨다.

26. 의미상 ㉮와 바꾸어 쓸 수 있는 것은?

① 夫　　② 但　　③ 勿　　④ 豈　　⑤ 與

27. 위 글에 대한 이해로 옳은 것은?

① 인재를 알아보지 못하는 것이 문제야.
② 평범함과 비범함은 종이 한 장 차이야.
③ 잘하고 있는데도 더 잘하기를 바라는군.
④ 부족한 사람도 칭찬을 받으면 더 노력하게 돼.
⑤ 훌륭한 인재는 역경 속에서 만들어진다는 뜻이지.

[28~30] 다음 시를 읽고 물음에 답하시오.

(가) 日入㉠投孤店, 山㉡深不掩扉.
　　　鷄鳴問前路, 黃葉向人飛.

　　　*掩(엄): 닫다　　*扉(비): 사립문
- 권필, 「途中」 -

(나) 春㉢種一粒粟, 秋收萬顆子.
　　　四海無㉣閑田, 農夫㉤猶餓死.

　　　*粒(립): 낟알　　*顆(과): 낟알
- 이신, 「憫農」 -

28. 위 시에 대한 설명으로 옳은 것만을 <보기>에서 있는 대로 고른 것은?

<보 기>

ㄱ. (가)의 제1구와 제3구에는 시간적 배경이 드러나 있다.
ㄴ. (가)의 제2구와 제4구는 대우(對偶)를 이룬다.
ㄷ. (나)의 형식은 오언율시이다.
ㄹ. (나)의 운자(韻字)는 '粟', '子', '死'이다.

① ㄱ　　② ㄱ, ㄹ　　③ ㄴ, ㄷ
④ ㄱ, ㄴ, ㄹ　　⑤ ㄴ, ㄷ, ㄹ

29. ㉠~㉤의 풀이로 옳지 않은 것은?

① ㉠: 묵다　　② ㉡: 깊다　　③ ㉢: 심다
④ ㉣: 묵히다　　⑤ ㉤: 같다

30. (가), (나)에 대한 이해로 옳지 않은 것은?

① (가)의 시적 화자는 여행을 하고 있는 중이지요.
② (가)는 대화의 형식을 사용하고 있군요.
③ (가)에는 공간적 배경을 알 수 있는 시어가 눈에 띄네요.
④ (나)에는 백성을 걱정하는 의식이 드러나 있네요.
⑤ (나)의 주제는 제4구에 드러나 있군요.

* 확인 사항

○ 답안지의 해당란에 필요한 내용을 정확히 기입(표기)했는지 확인하시오.

2013학년도 6월 모의평가

1	③	7	②	13	④	19	④	25	②
2	①	8	⑤	14	④	20	①	26	④
3	②	9	⑤	15	⑤	21	④	27	①
4	③	10	③	16	②	22	②	28	①
5	①	11	③	17	⑤	23	⑤	29	⑤
6	③	12	②	18	③	24	③	30	②

1. 그림 문제

'雅(ⓛ)圖'가 '우아한 모임을 그린 그림'이고 '雅'는 '우아할 아', '圖'는 '그림 도'이므로 ⓛ에는 '모임'을 뜻하는 한자가 들어가야 한다.

① 美(아름다울 미)　② 量(헤아릴 량)　③ 會(모일 회)
④ 樂(풍류 악)　⑤ 麗(고울 려)

답: ③

2. 조건을 만족하는 한자 문제

조건을 만족하는 한자를 찾는 문제이다. 문제에서는 한자의 제자 원리, 음, 총획 그리고 부수로 쓰인다는 사실을 알려 주고 있다. 음으로 찾는 게 가장 빠르므로 음이 '湖'(호수 호)와 같은 한자를 먼저 찾아보자.

① 戶(지게 호)　② 弓(활 궁)　③ 月(달 월)
④ 古(옛 고)　⑤ 互(서로 호)

음이 '호'인 한자는 '戶'와 '互'뿐이다. 나머지 사실로는 하나를 고르기 쉽지 않은데, 그나마 부수로 쓰인다는 것이 단서가 된다. '戶'가 부수로 쓰이는 한자는 보았어도 '互'가 부수로 쓰이는 글자는 떠오르지 않는다. 따라서 답은 '戶'이다.

답: ①

3. 한자 문제

ⓐ에는 '東'(동녘 동)의 부수, ⓛ에는 '裳'(치마 상)의 부수 '衣'(옷 의)를 제외한 획수가 들어간다. '裳'에서 '衣'를 제외한 획수는 8획이므로 ② 또는 ⑤인데, '木'(나무 목)과 '日'(날 일) 가운데 어느 것이 '東'의 부수인지 판단하기가 쉽지 않다. 모르면 틀릴 수밖에 없는 문제이다. '東'의 부수는 '木'이다. 같은 문제는 다시는 나오지 않을 것이므로 그러려니 하고 넘어가자.

답: ②

4. 합자 문제

小+大＝尖(뾰족할 첨), 宀+寸＝守(지킬 수)이다.

답: ③

5. 십자말풀이 문제

가로 열쇠는 '萬頃蒼波'(만경창파), 세로 열쇠는 '命在頃刻'(명재경각)이다.

답: ①

6. 카드 문제

그림의 한자로 만들 수 있는 사자성어를 찾는 문제이다. 이런 문제에서는 그림의 한자를 훑어본 다음, ①~⑤를 보면서 그림의 한자로 ①~⑤의 의미를 가지는 사자성어를 생각해 보면 된다.

① 우리 아이는 숫자만 알려줬을 뿐인데 덧셈도 해.
　☞ 聞一知十(문일지십)

② 네가 어떻게 했을지는 들어보지 않아도 짐작이 가.
　☞ 不問可知(불문가지)

③ 어린 사람에게 묻는다고 체면이 손상되는 건 아니야.
　☞ 不恥下問(불치하문)

④ 잘잘못을 가리지도 않고 대뜸 화부터 내면 어떻게 해?
　☞ 不問曲直(불문곡직)

⑤ 아픈 역사를 감추지 않고 교훈으로 삼는 자세가 중요해.
　☞ 溫故知新(온고지신)

답: ③

7. 한자어 문제

① 供給(공급)　② 寄附(기부)　③ 納付(납부)
④ 提出(제출)　⑤ 貢納(공납)

답: ②

8. 한자어 문제

'標識'의 '識'은 '식'이 아니라 '지'로 읽는다는 것을 알아야 풀 수 있는 문제이다. 몰랐더라도 ⓐ은 '표식'이라고 잘못 읽을 수 있는 한자어이므로 '標紙'나 '表紙'를 고르는 우를 범하지는 않았어야 한다.

① 標紙(표지)　② 表式(표식)　③ 標式(표식)
④ 表紙(표지)　⑤ 標識(표지)

답: ⑤

9. 한자어 문제

① 儉素(검소)　② 淸廉(청렴)　③ 奉仕(봉사)
④ 誠實(성실)　⑤ 配慮(배려)

답: ⑤

10. 사자성어 문제

① 尾生之信(미생지신): 미생의 신의. 우직하여 융통성이 없음.

② 龍頭蛇尾(용두사미): 용의 머리에 뱀의 꼬리. 처음은 왕성하나 끝이 흐지부지됨.

③ 欲速不達(욕속부달): 빠르고자 하면 이르지 못함.

④ 羊頭狗肉(양두구육): 양의 머리에 개고기. 양의 머리를 내어놓고 개고기를 팖. 겉으로는 훌륭하게 내세우나 속은 변변치 않음.

⑤ 緣木求魚(연목구어): 나무에 올라 물고기를 구함. 도저히 불가능한 일을 하려고 함.

답: ③

11. 한자어 문제

① 信義(신의)　② 勇猛(용맹)　③ 愼獨(신독)

④ 威嚴(위엄)　⑤ 親切(친절)

'愼獨'의 뜻을 몰랐더라도 '信義', '勇猛', '威嚴', '親切'이 글의 내용과 관계있지 않으므로 '愼獨'을 골랐어야 한다. '愼獨'의 뜻은 이 글이 잘 설명해 주고 있다. 몰랐던 사람은 알아 두자.

답: ③

12. 동음이의어 문제

㉠의 '사'는 '사양하다'라는 뜻이므로 '固辭', '考査', '告祀' 가운데 '固辭'가 되어야 한다. ㉡은 '시험'이라는 뜻인데 '告祀'의 '祀'는 '제사'라는 뜻이므로 옳지 않고 '考査'임을 알 수 있다.

답: ②

13. 단문 문제

① 友也者, 友其德也.

친구라는 것은 그 덕을 벗하는 것이다.

② 智者千慮, 必有一失.

지혜로운 사람이 천 번 생각하여도 반드시 한 번 실수가 있다.

③ 見危致命, 見得思義.

위태로움을 보면 목숨을 바치고, 얻음을 보면 의로움을 생각하라.

④ 施恩勿求報, 與人勿追悔.

은혜를 베풀고 갚음을 구하지 말고, 남에게 주고 후회를 쫓지 말라.

⑤ 忍一時之憤, 免百日之憂.

한때의 분함을 참으면 백일의 근심을 면한다.

답: ④

14. 단문 문제

① 百聞不如一見.

백 번 듣는 것이 한 번 보는 것만 못하다.

② 遠水不救近火.

먼 물은 가까운 불을 구제하지 못한다.

③ 用人, 當用其所長.

사람을 씀에는 마땅히 그 잘하는 바를 써라.

④ 有志者, 事竟成也.

뜻이 있는 사람은 일이 끝내 이루어진다.

⑤ 病從口入, 禍從口出.

병은 입을 따라 들어오고, 화는 입을 따라 나온다.

답: ④

15. 사물 문제

中虛非虛, 虛故能實.

가운데가 비었으나 빈 것이 아니고, 빈 까닭으로 채울 수 있다.

實之伊何? 四友之一.

그것을 무엇으로 채우는가? 문방사우의 하나이다.

爾能友直, 其有聞聖人之説者耶.

너는 곧음을 벗할 수 있으니 그것은 성인의 말씀을 듣는 것이 있다.

가운데가 비어 채울 수 있는 것은 ⑤뿐이다.

답: ⑤

[16~17] 논어(論語)

子曰: "衆惡之, 必察焉, 衆好之, 必察焉."

공자가 말하기를, "여럿이 그것을 미워하면 반드시 살피고, 여럿이 그것을 좋아하면 반드시 살펴라."

16. 해석 문제

㉠은 '미워하다'라는 뜻으로 쓰였다.

① 惡夢(악몽)　② 憎惡(증오)　③ 惡漢(악한)

④ 善惡(선악)　⑤ 惡名(악명)

답: ②

17. 해석 문제

여러 사람이 좋아하거나 미워한다고 해서 그대로 믿어서는 안 된다는 것이 위 글에 대한 올바른 이해이다.

답: ⑤

[18~19] 호가호위(狐假虎威)

虎求百獸而食之, 得狐.

호랑이는 온갖 짐승을 구하여 그것을 먹는데 여우를 얻었다.

狐曰: "子無敢食我也.

여우가 말하기를, "그대는 감히 나를 먹어서는 안 된다.

天帝使我長百獸, 今子食我, 是逆天帝命也.

천제가 내가 온갖 짐승의 우두머리 노릇을 하게 하였으니, 지금 그대가 나를 먹으면 이는 천제의 명을 거스르는 것이다.

子以我爲不信, 吾爲子先行, 子隨我後, 觀百獸之見我而敢不走乎."

그대가 나를 믿지 않는 것으로 여기면, 내가 그대를 위하여 앞서 갈 테니 그대가 내 뒤를 따라 온갖 짐승이 나를 보고 감히 달아나지 않는지 보겠는가."

(④), 故遂與之行, 獸見之, 皆走.

⑭ 그러므로 드디어 그것과 더불어 다니니 짐승들이 그것을 보고는 모두 달아났다.

虎不知獸畏己而走也, 以爲畏狐也.
호부지수외기이주야, 이위외호야

호랑이가 짐승들이 자기를 두려워하여 달아난 것을 모르고 여우를 두려워한다고 여겼다.

18. 해석 문제

㉠, ㉢은 '호랑이'를, ㉡은 '여우'를 가리킨다.

답: ③

19. 빈칸 문제

호랑이가 여우의 말을 옳다고 여겼기 때문에 여우와 더불어 다녔을 것이다.

답: ④

[20~21] 가배(嘉俳)

新羅儒理王, 旣定六部, 中分爲二, 使王女二
신라유리왕, 기정육부, 중분위이, 사왕녀이
人, 各率部內女子, 分朋造黨, 自秋七月旣望,
인, 각솔부내녀자, 분붕조당, 자추칠월기망
每日早集大部之庭, 績麻, 乙夜而罷.
매일조집대부지정, 적마, 을야이파

신라 유리왕이 이미 육부를 정하고 가운데 나누어 둘로 만들어 왕녀 두 사람이 각자 부내 여자를 거느리고 무리를 나누어 무리를 만들어 가을 7월 16일부터 매일 일찍 대부의 뜰에 모여 베를 짜고 을야(오후 10시)에 파하였다.

至八月十五日, 考其功之多少, 負者置酒食, 以
지팔월십오일, 고기공지다소, 부자치주식, 이
謝勝者.
사승자

8월 15일에 이르러 그 공의 많고 적음을 헤아려 진 사람은 술과 음식을 둠으로써 이긴 사람을 사례하였다.

於是, 歌舞百戲皆作.
어시, 가무백희개작

이에 노래와 춤, 온갖 놀이가 모두 행해졌다.

20. 해석 문제

㉠은 '거느리다'로 해석되므로 '솔'로 읽는다.

ㄱ. 引率(인솔)　　　　　ㄴ. 統率(통솔)
ㄷ. 比率(비율)　　　　　ㄹ. 能率(능률)

답: ①

21. 해석 문제

심사하는 사람은 위 글에 제시되지 않았다.

답: ④

[22~24] 검녀(劍女)

賤身, 旣知座下之非奇士, 而要終身仰望, 則是
천신, 기지좌하지비기사, 이요종신앙망, 즉시
負宿心, 而兼負娘子之命也.
부숙심, 이겸부낭자지명야

천한 몸이 이미 모시는 사람이 빼어난 선비가 아님을 알았으나 몸을 다하도록 우러러 바라보고자 한다면 이는 오랜 마음을 저버리는 것이요 또한 아가씨의 명을 저버리는 것입니다.

故明曉辭決, 而將遊於絶海空山矣. <중략>
고명효사결, 이장유어절해공산의

그러므로 내일 새벽에 이별하고 떠나 장차 빼어난 바다와 빈 산에서 놀겠습니다.

寧復爲女子, 低眉斂手於飮食縫紉之事乎?
녕부위녀자, 저미렴수어음식봉인지사호

어찌 다시 여자가 되어 눈썹을 내리고 음식과 바느질의 일에 손을 모으겠습니까?

22. 해석 문제

㉠은 '이미 빼어난 선비가 아님을 알았다'로 해석되므로 마지막으로 풀이되는 것은 '知'(알 지)이다.

답: ②

23. 짜임 문제

㉡은 '빼어난 바다'로 해석되므로 그 짜임은 '수식'이다.

① 修身(수신): 몸을 닦다. (술목)
② 衣服(의복): 옷 (병렬)
③ 年長(연장): 나이가 많다. (주술)
④ 難解(난해): 풀기 어렵다. (술보)
⑤ 食堂(식당): 먹는 방 (수식)

답: ⑤

24. 해석 문제

㉮는 '어찌 다시 여자가 되어 눈썹을 내리고 음식과 바느질의 일에 손을 모으겠습니까?'로 해석되므로 이에 대한 이해로 옳은 것은 '순종적인 여인의 삶을 거부함'이다.

답: ③

[25~27] 천리마

馬之千里者, 一食, 或盡粟一石, 食馬者, 不知
마지천리자, 일식, 혹진속일석, 사마자, 부지
其能千里而食也,
기능천리이사야

말의 천 리를 가는 것은 한 번 먹음에 혹은 조 한 섬을 다하기도 하는데 말을 먹이는 사람은 그 천 리를 갈 수 있음을 알지 못하고 먹이니

是馬, 雖有千里之能, 食不飽, 力不足, 才美不
시마, 수유천리지능, 식불포, 력부족, 재미불
外見,
외현

이 말은 비록 천 리를 가는 능력이 있으나 먹음에 배부르지

못하여 힘이 부족하고 재주가 아름다우나 밖으로 드러나지 않고

且欲與常馬等, 不可得, 安求其能千里也?
차 욕 여 상 마 등, 불 가 득, 안 구 기 능 천 리 야?

또 평범한 말 등과 더불고자 하나 그럴 수 없으니 어찌 그 천리를 갈 수 있음을 구하겠는가?

策之不以其道, 食之不能盡其材, 鳴之不能通
책 지 불 이 기 도, 사 지 불 능 진 기 재, 명 지 불 능 통

其意, 執策而臨之曰: "天下無良馬."
기 의, 집 책 이 림 지 왈: "천 하 무 량 마."

그것을 채찍질함에 그 도로써 하지 않고, 그것을 먹임에 그 재주를 다할 수 없게 하며, 그것을 울림에 그 뜻을 통할 수 없게 하면서 채찍을 잡고 그것에 임하여 말하기를, "천하에 좋은 말이 없다."

嗚呼! 其眞無馬耶? 其眞不識馬耶?
오 호! 기 진 무 마 야? 기 진 불 식 마 야?

아아! 그 정말로 말이 없는 것인가? 그 정말로 말을 알아보지 못하는 것인가?

25. 해석 문제

㉠은 '섬'으로 곡식의 용량을 나타내는 단위이다.
㉡은 '먹다'가 아니라 '먹이다'로 해석된다.
㉢은 '드러나다'라는 뜻으로 해석되므로 '현'으로 읽고, 이는 '現'의 음과 같다.
㉣은 '같다'라는 뜻이므로 뜻이 '同'과 통한다.
㉤은 '천리마'를 가리킨다.

답: ②

26. 바꾸어 쓸 수 있는 한자 문제

㉮는 '어찌'라는 뜻이므로 바꾸어 쓸 수 있는 것은 '豈'(어찌 기)이다. 이런 문제는 가장 쉬운 문제 가운데 하나이므로 꼭 풀도록 하자.

답: ④

27. 해석 문제

위 글에 대한 이해로 옳은 것은 '인재를 알아보지 못하는 것이 문제야.'이다.

답: ①

[28~30] 권필, 「도중(途中)」
이신, 「민농(憫農)」

日入投孤店, 해가 들어가 외로운 여관에 투숙하는데
일 입 투 고 점

山深不掩扉. 산이 깊어 사립문을 닫지 않는다.
산 심 불 엄 비

鷄鳴問前路, 닭이 울고 앞길을 묻는데
계 명 문 전 로

黃葉向人飛. 누런 잎이 사람을 향해 날아든다.
황 엽 향 인 비

春種一粒粟, 봄에 한 낱알 조를 뿌려
춘 종 일 립 속

秋收萬顆子. 가을에 만 낱알 열매를 거두네.
추 수 만 과 자

四海無閑田, 사방에 묵히는 밭이 없는데
사 해 무 한 전

農夫猶餓死. 농부가 오히려 굶어 죽네.
농 부 유 아 사

28. 한시 문제

ㄱ. (가)의 제1구는 '日入'(해가 들어가다)에, 제3구는 '鷄鳴'(닭이 울다)에 시간적 배경이 드러나 있다.
ㄴ. 두 구가 문법적 기능이 동일한 글자의 배열로 이루어져 있을 때 대우를 이룬다고 한다. (가)의 제2구와 제4구는 문법적 기능이 동일한 글자의 배열로 이루어져 있지 않으므로 대우를 이루지 않는다.
ㄷ. (나)는 다섯 글자씩 네 구이므로 그 형식은 오언절구이다.
ㄹ. 운자는 짝수 구의 마지막 글자에 오고, 첫째 구의 마지막 글자에 올 수 있다. (나)의 짝수 구의 마지막 글자는 '子'(자), '死'(사)이므로 '粟'(속)은 운자가 아님을 알 수 있다.

답: ①

29. 해석 문제

㉤은 '같다'가 아니라 '오히려'로 해석된다.

답: ⑤

30. 이해와 감상 문제

① '투숙하다'라는 표현에서 (가)의 시적 화자가 여행을 하고 있는 중임을 알 수 있다.
② (가)에서 대화의 형식을 사용한 부분은 찾을 수 없다.
③ '孤店'(고점), '山'(산) 등의 시어로 (가)의 공간적 배경을 알 수 있다.
④ (나)에는 농사지을 땅이 없는 백성을 걱정하는 의식이 드러나 있다.
⑤ 제4구에 이르러서야 (나)의 주제가 드러난다.

답: ②

1. 대화의 내용으로 보아 ㉠에 알맞은 것은? [1점]

태련 : 악기를 연주하는 사람의 모습이 참 여유가 있어 보여.
민성 : 맞아, 주위에 있는 문방사우, 책, 두루마리, 호리병
  등을 보니 그가 어떤 사람인지도 알 수 있을 것 같아.
태련 : 왼편에는 "종이창에 흙벽, 평생 벼슬하지 않고 이
  안에서 시가나 읊조리련다."라는 글도 있어.
민성 : 아, 그래서 이 그림의 제목을 '(㉠)衣風流圖'라고
  하는구나.

① 布   ② 羽   ③ 雨   ④ 綠   ⑤ 錦

2. 다음 조건을 모두 만족하는 한자는? [1점]

① 底   ② 厚   ③ 原   ④ 庭   ⑤ 侯

3. 자전에서 한자를 찾았을 때, ㉠과 ㉡의 내용으로 모두 옳은 것은? [1점]

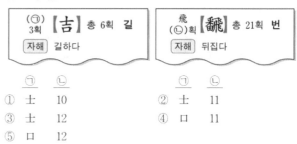

	㉠	㉡
①	士	10
②	士	11
③	士	12
④	口	11
⑤	口	12

4. 두 자를 합하여 하나의 한자로 만들 때, ㉠과 ㉡의 음이 모두 옳은 것은? [1점]

○ 水 + 肖 = (㉠)   ○ 女 + 少 = (㉡)

	㉠	㉡
①	초	소
②	소	묘
③	초	묘
④	수	녀
⑤	소	소

5. 다음 조건을 모두 만족하는 한자는? [1점]

① 抗   ② 恒   ③ 康   ④ 降   ⑤ 講

6. 화살표 방향으로 성어를 채울 때, ㉠에 알맞은 한자는? [1점]

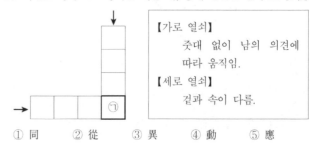

【가로 열쇠】
  줏대 없이 남의 의견에
  따라 움직임.
【세로 열쇠】
  겉과 속이 다름.

① 同   ② 從   ③ 異   ④ 動   ⑤ 應

7. 대화의 내용과 관계있는 것은? [1점]

① 矛盾　② 白眉　③ 牙城　④ 壓卷　⑤ 墨守

10. ㉠~㉣에 들어갈 한자를 차례로 모아 만든 사자성어의 풀이로 알맞은 것은?

> 名(㉠)相符　(㉡)必歸正　緣木(㉢)魚　(㉣)非之心

① 일도 많고 어려움도 많음.
② 사실에 토대하여 진리를 탐구함.
③ 세상을 다스리고 백성을 구제함.
④ 필요할 때는 쓰고 필요 없을 때는 버림.
⑤ 어리석고 융통성이 없으며 변화를 모름.

8. 그림과 대화의 내용으로 보아 ㉠에 알맞은 것은? [1점]

① 背水陣　② 座右銘　③ 破天荒　④ 理想鄕　⑤ 登龍門

11. 대화의 내용으로 보아 ㉠의 한자 표기로 옳은 것은?

① 展示　② 展覽　③ 博覽　④ 博物　⑤ 觀覽

12. 글의 내용과 관계있는 것은? [1점]

> 길재(吉再)는 아침저녁으로 어머님께 문안 인사를 드리고 몸소 잠자리를 봐 드렸다. 아내와 자식이 대신하고자 하니, 공은 이렇게 말했다. "어머님께서 이미 늙으셨으니, 나중에는 이 일을 하고 싶어도 할 수가 없어."
>
> - 『하학지남』 -

① 仁者無敵　　② 不恥下問　　③ 尾生之信
④ 昏定晨省　　⑤ 斷機之戒

9. 대화의 내용으로 보아 ㉠과 ㉡의 한자 표기로 모두 옳은 것은?

	㉠	㉡			㉠	㉡
①	善戰	宣戰		②	善戰	宣傳
③	宣傳	善戰		④	宣傳	宣戰
⑤	宣戰	宣傳				

13. 글의 내용으로 보아 ㉠과 ㉡에 공통으로 들어갈 것은?

> ○ 有志者, 事竟(㉠)也.　　　-『후한서』-
> ○ 知者, 行之始, 行者, 知之(㉡).　　-『전습록』-

① 中　② 成　③ 末　④ 本　⑤ 基

14. 그림의 글자로 만들 수 있는 사자성어와 관계있는 것은?

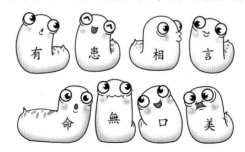

① 끝이 아름다워야 정말 아름다운 거야.
② 미안해, 내가 무슨 말을 할 수 있겠어.
③ 미리 준비해 두면 걱정할 것이 없단다.
④ 이름만 그럴듯하지 실속은 없는 것 같아.
⑤ 음악을 좋아해서 그런지 친구들도 연주를 좋아하네.

15. 글에 대한 이해로 가장 옳은 것은?

> 言能忍, 無過言, 行能忍, 無過行. 言無過行無過, 而不爲君子者, 未之有也.
>
> 　　　　　　　　　　　　　　　　－『경암집』－

① 군자의 말과 행동은 과거나 현재나 한결같아.
② 말과 행동이 서로 어긋나는 사람은 군자라고 할 수 없어.
③ 과거의 말과 행동을 되돌아보고 반성하는 태도가 중요해.
④ 올바른 인격을 갖추려면 말과 행동을 절제하는 것이 중요하지.
⑤ 군자는 하고 싶은 말은 참지만 행동은 과감하게 하는 사람이야.

16. 글의 내용과 관계있는 물건으로 알맞은 것은?

> 炎而用, 何喜, 涼而舍, 何慍. 順所遇, 安厥分.
>
> 　　　　　　　　　　*慍(온): 화내다
> 　　　　　　　　　　－『덕양유고』－

① 　② 　③

④ 　⑤

17. 글의 교훈이 가장 필요한 사람은? [1점]

① 자기 물건을 자주 잃어버리는 호철
② 항상 쉽게 판단하고 행동하는 인혜
③ 급히 서두르다 실수를 많이 하는 상일
④ 면접시험에 지각하여 기회를 놓친 영빈
⑤ 어려운 일이 생길 때마다 피하려는 수경

18. 글의 내용과 가장 관계있는 것은?

> 不患人之不己知, 患不知人也.
>
> 　　　　　　　　　　　　　－『논어』－

① 無道人之短.
② 君子求諸己.
③ 無友不如己者.
④ 己所不欲, 勿施於人.
⑤ 人無遠慮, 必有近憂.

[19~21] 다음 글을 읽고 물음에 답하시오.

> 牛山之木嘗美矣, 以其郊㉮於大國也, 斧斤伐之, 可以爲美乎? 是其日夜之所㉠息, 雨露之所潤, 非無萌蘗之生焉, 牛羊又從而牧之, 是以若彼濯濯也. 人見其濯濯也, 以爲未嘗有材焉, 此豈山之㉡性也哉?
>
> 　　　*斧(부): 도끼　　*萌蘗(맹얼): 싹
> 　　　　　　　　　　　　　　　　　－『맹자』－

19. 의미상 ㉮와 바꾸어 쓸 수 있는 것은?

① 乃　② 已　③ 于　④ 也　⑤ 而

20. ㉠과 ㉡의 풀이가 모두 옳은 것은?

	㉠	㉡		㉠	㉡
①	자라다	본성	②	쉬다	생명
③	자라다	생명	④	쉬다	본성
⑤	그치다	생명			

21. 윗글의 내용과 일치하지 않는 것은?

① 예전에 우산의 나무는 아름다웠다.
② 우산의 나무를 사람들이 베어 갔다.
③ 우산은 지금 초목이 없는 민둥산이 되었다.
④ 사람들은 우산에 재목이 많아질 것이라고 여겼다.
⑤ 우산에 자라난 초목의 싹이 소와 양 때문에 없어졌다.

[22~24] 다음 글을 읽고 물음에 답하시오.

> ㉮知恩, 性至孝, 少喪父, 獨養其母. <중략> 不勝困苦, 就富家, 請賣身爲婢, 得米十餘石. 窮日行役於其家, 暮則作食歸養之. 如是三四日, 其母謂女子曰: "向食䭖而甘, 今則食(㉠)好, 味不如昔, 而㉡肝心若以刀刃刺之者, 是何意耶?"
>
> *䭖(추): 거칠다 　　　－『삼국사기』

22. ㉮의 행동과 일치하는 것은?

① 가난의 고통을 끝내 이겨냈다.
② 밤새도록 부잣집에서 일하였다.
③ 3, 4일 후에야 집으로 돌아왔다.
④ 저녁마다 음식을 집으로 보냈다.
⑤ 스스로 부잣집의 노비가 되었다.

23. 윗글의 내용으로 보아 ㉠에 가장 알맞은 것은?

① 何　　② 胡　　③ 孰　　④ 誰　　⑤ 雖

24. ㉡에 드러난 심정과 관계있는 것은?

① 喜　　② 怒　　③ 痛　　④ 歡　　⑤ 樂

[25~27] 다음 글을 읽고 물음에 답하시오.

> 趙光一, 以針術名, 自號針隱. 足未嘗跡㉮朱門, 門亦無顯者跡.
> <중략> 或問: "以子之能, 何不交㉠貴顯取聲名, 乃從閭巷㉡小民遊乎?" 光一笑曰: "(　㉯　) ㉢所哀者, 獨閭巷㉣窮民耳. 且吾操針而遊於人, 數十年矣. 日療數人, 月治㉤十數人, 計所全活, 不下數百千人. 復數十年, 可活㉥萬人, 吾事畢矣."
>
> *趙光一(조광일): 인명　　 *閭(려): 마을
> *療(료): 치료하다　　　－『일사유사』－

25. ㉠~㉤ 중, ㉮와 관계있는 것은?

① ㉠　　② ㉡　　③ ㉢　　④ ㉣　　⑤ ㉤

26. 윗글의 흐름으로 보아 ㉯에 들어갈 내용으로 알맞은 것은?

① 그렇게 하고 싶었지만 기회가 없었소.
② 내가 배워야 할 것이 많으니 어쩌겠소?
③ 그들이 나를 싫어하는데 어쩔 도리가 없지.
④ 존귀한 사람들의 집에는 이미 수없이 다녔소.
⑤ 저 존귀한 사람들에게야 어찌 의원이 적겠소?

27. ㉣와 짜임이 같은 것은?

① 夜深　　② 明暗　　③ 靑雲　　④ 思考　　⑤ 讀書

[28~30] 다음 시를 읽고 물음에 답하시오.

> (가) 請看㉠千石鐘,　非大㉡扣無聲.
> 　　 ㉢萬古天王峯,　天鳴猶㉣不鳴.
>
> 　　 *扣(구): 두드리다
> 　　 －조식,「天王峯」－
>
> (나) 遠上寒山石徑斜,　白雲生處有人家.
> 　　 ㉤停車坐愛楓林晚,　㉥霜葉紅於二月花.
>
> 　　 －두목,「山行」－

28. (가)와 (나)에 대한 설명으로 옳은 것만을 <보기>에서 있는 대로 고른 것은?

> ─────<보 기>─────
> ㄱ. (가)의 형식은 오언절구이다.
> ㄴ. (가)의 제1구와 제2구는 대우(對偶)를 이룬다.
> ㄷ. (나)의 제3구에는 계절적 배경이 드러나 있다.
> ㄹ. (나)의 제4구에는 색채감이 두드러진다.

① ㄱ, ㄴ　　② ㄴ, ㄷ　　③ ㄷ, ㄹ
④ ㄱ, ㄴ, ㄹ　　⑤ ㄱ, ㄷ, ㄹ

29. ㉠~㉤의 풀이로 옳지 않은 것은?

① ㉠: 많은 돌　　　② ㉢: 오랜 세월
③ ㉣: 울리지 않다　　④ ㉤: 수레를 멈추다
⑤ ㉥: 서리 맞은 잎

30. (가)에 대한 이해로 옳은 것은?

① 옛날부터 천왕봉의 종소리가 유명했구나.
② 두드리면 열리지 않는 문이 없지.
③ 천왕봉은 보면 볼수록 아름답구나.
④ 언제나 의연한 천왕봉처럼 살고 싶구나.
⑤ 하늘은 스스로 돕는 자를 돕는다고 했어.

---

* 확인 사항
○ 답안지의 해당란에 필요한 내용을 정확히 기입(표기)했는지 확인하시오.

2013학년도 9월 모의평가

1	①	7	①	13	②	19	③	25	①
2	②	8	⑤	14	②	20	①	26	⑤
3	⑤	9	②	15	④	21	④	27	③
4	②	10	②	16	③	22	⑤	28	⑤
5	④	11	③	17	④	23	⑤	29	①
6	①	12	④	18	②	24	③	30	④

1. 그림 문제

㉠에는 벼슬하지 않는 사람의 옷을 나타내는 한자가 들어가야 한다. '왼편에는 "종이창에 흙벽, 평생 벼슬하지 않고 이 안에서 시가나 읊조리련다."라는 글도 있어.'라는 부분에 집중하면 '衣' 위에 '布'가 쓰여 있음을 확인할 수 있다. 따라서 답은 '布'이다.

이 결정적인 단서를 찾지 못했더라도 ①~⑤의 한자를 보면 벼슬하지 않는 사람의 옷으로 적당한 것은 하나밖에 없다.

① 布(베 포)　② 羽(깃 우)　③ 雨(비 우)

④ 綠(푸를 록)　⑤ 錦(비단 금)

'錦'은 정반대이고, '羽', '雨', '綠'은 벼슬하지 않는 사람의 옷과 관련이 없어 보인다. 따라서 어떻게 보나 '布'를 찾을 수 있다.

답: ①

2. 조건을 만족하는 한자 문제

조건을 만족하는 한자를 찾는 문제이다. 문제에서는 한자의 총획, 음 그리고 뜻을 알려 주고 있다. 음으로 찾는 게 가장 빠르므로 음이 '後'(뒤 후)와 같은 한자를 먼저 찾아보자.

① 底(밑 저)　② 厚(두터울 후)　③ 原(근원 원)

④ 庭(뜰 정)　⑤ 侯(제후 후)

음이 '후'인 한자는 '厚'와 '侯'뿐이다. 뜻이 '薄'(얇을 박)과 반대라고 하므로 답은 '厚'이다.

답: ②

3. 한자 문제

㉠에는 '吉'(길할 길)의 부수, ㉡에는 '飜'(뒤집을 번)의 부수 '飛'(날 비)를 제외한 획수가 들어간다. '飜'에서 '飛'를 제외한 획수는 12획이므로 ③ 또는 ⑤인데, 지난 6월 모의평가처럼 '士'(선비 사)와 '口'(입 구) 가운데 어느 것이 '吉'의 부수인지 판단하기가 쉽지 않다. 모르면 틀릴 수밖에 없는 문제이다. '吉'의 부수는 '口'(입 구)이다. 같은 문제는 다시는 나오지 않을 것이므로 그러려니 하고 넘어가자.

답: ⑤

4. 합자 문제

水＋肖＝消(사라질 소), 女＋少＝妙(묘할 묘)이다.

답: ②

5. 한자 문제

'내리다'는 뜻일 때는 '강', '항복하다'는 뜻일 때는 '항'으로 읽는 한자는 하나밖에 없다. 바로 '降'이다.

답: ④

6. 십자말풀이 문제

가로 열쇠는 '附和雷同'(부화뇌동), 세로 열쇠는 '表裏不同'(표리부동)이다. 세로 열쇠 '겉과 속이 다름.'은 성어가 풀이 그대로이므로 찾기 어렵지 않았을 것이다. ㉠에 알맞은 한자는 '同'(같을 동)이다.

답: ①

7. 한자어 문제

① 矛盾(모순)　② 白眉(백미)　③ 牙城(아성)

④ 壓卷(압권)　⑤ 墨守(묵수)

답: ①

8. 한자어 문제

① 背水陣(배수진)　② 座右銘(좌우명)　③ 破天荒(파천황)

④ 理想鄕(이상향)　⑤ 登龍門(등용문)

'좌우명'의 '좌우'를 '左右'로 알고 있는 사람이 많다. '좌우명'은 '자리의 오른쪽에 새긴 것'이라는 뜻이다. '파천황'은 '천황을 깨뜨림'에서 '이전에 아무도 하지 못한 일을 해냄'이라는 뜻이다.

답: ⑤

9. 동음이의어 문제

㉠은 '있는 힘껏 최선을 다하고 있다'라는 뜻이므로 '善'이 들어가야 한다. 따라서 답은 ① 또는 ②인데, '물건을 선전하다'라고 할 때의 '선전'에 '戰'(싸울 전)을 쓰는 것은 어울리지 않으므로 답은 ②이다.

답: ②

10. 사자성어 문제

'名實相符'(명실상부), '事必歸正'(사필귀정), '緣木求魚'(연목구어), '是非之心'(시비지심)이므로 모아 만든 사자성어는 '實事求是'(실사구시)이다. 그 풀이는 '사실에 토대하여 진리를 탐구함'이다.

① 일도 많고 어려움도 많음. ☞ 多事多難(다사다난)

③ 세상을 다스리고 백성을 구제함. ☞ 經世濟民(경세제민)

④ 필요할 때는 쓰고 필요 없을 때는 버림. ☞ 兔死狗烹(토사구팽)

⑤ 어리석고 융통성이 없으며 변화를 모름. ☞ 刻舟求劍(각주구검)

답: ②

11. 한자어 문제

① 展示(전시)　② 展覽(전람)　③ 博覽(박람)

④ 博物(박물)　⑤ 觀覽(관람)

대화의 내용을 볼 필요도 없다. '박람'으로 읽히는 한자어는 '博覽'뿐이다.

답: ③

12. 사자성어 문제

① 仁者無敵(인자무적): 어진 사람은 적이 없음.

② 不恥下問(불치하문): 아랫사람에게 묻는 것을 부끄러워하지 않음.

③ 尾生之信(미생지신): 미생의 신의. 우직하여 융통성이 없음.

④ 昏定晨省(혼정신성): 저녁에 (잠자리를) 정해 드리고 새벽에 살핌. 자식이 아침저녁으로 부모의 안부를 물어서 살핌.

⑤ 斷機之戒(단기지계): 베를 끊는 경계. 맹자가 수학 도중 집으로 돌아왔을 때 그의 어머니가 짜던 베를 끊으며 학문을 중도에서 그만둠은 이 베를 끊는 것과 같다고 경계함.

답: ④

13. 빈칸 문제

有志者, 事竟(㉠)也.
유지자　사경　　㉠　　야

뜻이 있는 사람은 일이 끝내 ㉠한다.

知者, 行之始, 行者, 知之(㉡).
지자　행지시　행자　지지　㉡

아는 것은 행하는 것의 처음이고, 행하는 것은 아는 것의 ㉡이다.

① 中(가운데 중)　② 成(이룰 성)　③ 末(끝 말)

④ 本(근본 본)　⑤ 基(터 기)

답: ②

14. 카드 문제

그림의 한자로 만들 수 있는 사자성어를 찾는 문제이다. 이런 문제에서는 그림의 한자를 훑어본 다음, ①~⑤를 보면서 그림의 한자로 ①~⑤의 의미를 가지는 사자성어를 생각해 보면 된다.

① 끝이 아름다워야 정말 아름다운 거야.
　☞ 사자성어가 떠오르지 않는다.

② 미안해, 내가 무슨 말을 할 수 있겠어.
　☞ 有口無言(유구무언)

③ 미리 준비해 두면 걱정할 것이 없단다.
　☞ 有備無患(유비무환)

④ 이름만 그럴듯하지 실속은 없는 것 같아.
　☞ 羊頭狗肉(양두구육)

⑤ 음악을 좋아해서 그런지 친구들도 연주를 좋아하네.
　☞ 類類相從(유유상종)

답: ②

15. 단문 문제

言能忍, 無過言, 行能忍, 無過行. 言無過行無
언능인　무과언　행능인　무과행　언무과행무

過, 而不爲君子者, 未之有也.
과　이불위군자자　미지유야

말함에 참을 수 있으면 잘못된 말이 없고, 행함에 참을 수 있으면 잘못된 행동이 없다. 말에 잘못이 없고 행동에 잘못이 없으나 군자가 되지 못한 사람은 아직 그런 사람이 있지 않았다.

글에 대한 이해로 가장 옳은 것은 '올바른 인격을 갖추려면 말과 행동을 절제하는 것이 중요해'이다.

답: ④

16. 사물 문제

炎而用, 何喜, 涼而舍, 何慍. 順所遇, 安厥分.
염이용　하희　량이사　하온　순소우　안궐분

더우면 쓰지만 어찌 기뻐하고, 시원하면 버리지만 어찌 성내던가. 만나는 바를 따르고 그 분수에 안주한다.

'炎而用'과 '涼而舍'가 결정적인 단서이다. 답은 '부채'이다.

답: ③

17. 단문 문제

時者, 難得而易失也.
시자　난득이이실야

시간이라는 것은 얻기 어렵고 잃기 쉬운 것이다.

글의 교훈이 가장 필요한 사람은 '면접시험에 지각하여 기회를 놓친 영민'이다.

답: ④

18. 단문 문제

不患人之不己知, 患不知人也.
불환인지부기지　환부지인야

남이 자기를 알아주지 않음을 근심하지 말고, 남을 알지 못함을 근심하라.

① 無道人之短.
　무도인지단
　남의 단점을 말하지 말라.

② 君子求諸己.
　군자구저기
　군자는 그것을 자기에게서 구한다.

③ 無友不如己者.
　무우불여기자
　자기만 못한 사람을 벗하지 말라.

④ 己所不欲, 勿施於人.
　기소불욕　물시어인
　자기가 하고자 하지 않는 바를 남에게 베풀지 말라.

⑤ 人無遠慮, 必有近憂.
　인무원려　필유근우
　사람이 먼 고려가 없으면 반드시 가까운 근심이 있다.

답: ②

[19~21] 성선설(性善説)

牛山之木嘗美矣, 以其郊於大國也, 斧斤伐之,
우산지목상미의　이기교어대국야　부근벌지

可以爲美乎?
가이위미호

우산의 나무는 일찍이 아름다웠으나 그 큰 나라에 변두리에 있는 까닭으로 큰 도끼와 작은 도끼로 그것을 베니 아름다울 수 있겠는가?

是其日夜之所息, 雨露之所潤, 非無萌蘗之生
시기일야지소식　우로지소윤　비무맹얼지생

焉, 牛羊又從而牧之, 是以若彼濯濯也.
언　우양우종이목지　시이약피탁탁야

207

이것이 그 낮과 밤의 자라는 바와 비와 이슬의 젖게 하는 바로 싹이 남이 없지 않은데 소와 양이 또한 좋아 그것을 치니 이 까닭으로 저 민둥민둥함과 같아졌다.

人見其濯濯也, 以爲未嘗有材焉, 此豈山之性
인견기탁탁야　이위미상유재언　차기산지성
也哉?
야 재

사람들이 그 민둥민둥함을 보고 일찍이 재목이 있지 않았다고 여기지만 이 어찌 산의 본성이겠는가?

19. 바꾸어 쓸 수 있는 한자 문제

㉮와 바꾸어 쓸 수 있는 한자는 '于'(어조사 우)이다. 이런 문제는 가장 쉬운 문제 가운데 하나이므로 꼭 풀도록 하자.

답: ③

20. 해석 문제

㉠은 ①~⑤ 가운데 '자라다'로 해석하는 것이 가장 자연스럽고, ㉡은 '본성'으로 해석된다.

답: ①

21. 해석 문제

사람들은 우산에 재목이 많아질 것이라고 여기지 않았다.

답: ④

〔22~24〕 효녀 지은

知恩, 性至孝, 少喪父, 獨養其母.
지은　성지효　소상부　독양기모

지은은 성품이 지극히 효성스러운데 어려서 아버지를 여의고 홀로 그 어머니를 봉양하였다.

〈중략〉 不勝困苦, 就富家, 請賣身爲婢, 得米
불승곤고　취부가　청매신위비　득미
十餘石.
십여석

곤란함과 괴로움을 이기지 못하고 부유한 집에 나아가 몸을 팔아 여종이 되기를 청하여 쌀 10여 섬을 얻었다.

窮日行役於其家, 暮則作食歸養之.
궁일행역어기가　모즉작식귀양지

궁한 날에 그 집에서 일을 행하고 저물면 밥을 지어 돌아와 그(어머니)를 먹였다.

如是三四日, 其母謂女子曰: "向食麤而甘, 今
여시삼사일　기모위녀자왈　향식추이감　금
則食(㉠)好, 味不如昔, 而肝心若以刀刃刺之
즉식　호　미불여석　이간심약이도인자지
者, 是何意耶?"
자　시하의야

이와 같기를 3, 4일, 그 어머니가 딸을 일러 말하기를, "지난번에 먹는 것은 거칠었으나 달았지만, 지금은 먹는 것이 ㉠ 좋지만 맛이 옛날과 같지 않고 간과 심장이 칼날로써 그것을 베는 것과 같으니 이 무슨 뜻인가?"

22. 해석 문제

㉮는 스스로 부잣집의 노비가 되었다.
① 가난의 고통을 이기지 못하고 부잣집의 노비가 되었다.
② 저물면 밥을 지어 돌아와 어머니를 먹였다.
③ 여종이 된 지가 3, 4일이었다.
④ 저녁마다 음식을 지어 집으로 돌아왔다.

답: ⑤

23. 빈칸 문제

① 何(어찌 하)　　② 胡(오랑캐 호)　　③ 孰(누구 숙)
④ 誰(누구 수)　　⑤ 雖(비록 수)

답: ⑤

24. 해석 문제

① 喜(기쁠 희)　　② 恕(용서할 서)　　③ 痛(아플 통)
④ 歡(기쁠 환)　　⑤ 樂(즐거울 락)

답: ③

〔25~27〕 침은 조광일

趙光一, 以針術名, 自號針隱.
조광일　이침술명　자호침은

조광일은 침술로써 이름나 스스로 침은이라고 불렀다.

足未嘗跡朱門, 門亦無顯者跡.
족미상적주문　문역무현자적

발이 일찍이 붉은 문(지위가 높은 관리의 집)을 밟지 않았으며 문 또한 드러난 사람의 자취가 없었다.

〈중략〉 或問: "以子之能, 何不交貴顯取聲名,
혹문　이자지능　하불교귀현취성명
乃從間巷小民遊乎?"
내종려항소민유호

누군가가 묻기를, "그대의 능력으로써 어찌 귀하고 드러난 사람과 사귀어 명성을 취하지 않고 이에 여항의 작은 백성을 좇아 노는가?"

光一笑曰: "(㉯) 所哀者, 獨間巷窮民耳.
광일소왈　소애자　독려항궁민이

조광일이 웃으며 말하기를, "㉯ 슬픈 바의 사람은 오직 여항의 궁한 백성뿐이다.

且吾操針而遊於人, 數十年矣.
차오조침이유어인　수십년의

또한 내가 침을 잡고 사람들 사이에 돌아다닌 지 수십 년이다.

日療數人,月治十數人,計所全活,不下數百千人.
일료수인　월치십수인　계소전활　불하수백천인

하루면 수 명을 치료하고 한 달이면 십수 명을 치료하니 모두 살아난 바를 셈하면 수백, 수천 사람 아래는 아니다.

復數十年, 可活萬人, 吾事畢矣."
부수십년　가활만인　오사필의

다시 수십 년이면 아마도 만 사람을 살릴 수 있을 것이니 내 일이 끝날 것이다."

25. 해석 문제

㉮는 '지위가 높은 관리의 집'이므로 관계있는 것은 ㉠이다.

답: ①

26. 빈칸 문제

윗글의 흐름으로 보아 ㉮에 들어갈 내용으로 알맞은 것은 '저 존 귀한 사람들에게야 어찌 의원이 적겠소?'이다.

답: ⑤

27. 짜임 문제

㉯는 '만 사람'으로 해석되므로 그 짜임은 '수식'이다.
① 夜深(야심): 밤이 깊다. (주술)
② 明暗(명암): 밝음과 어두움 (병렬)
③ 靑雲(청운): 푸른 구름 (수식)
④ 思考(사고): 생각하고 살피다. (병렬)
⑤ 讀書(독서): 책을 읽다. (술목)

답: ③

[28~30] 조식, 「천왕봉(天王峯)」
　　　　두목, 「산행(山行)」

請看千石鐘, 청간천석종,	천 석 종을 볼 것을 청하니,
非大扣無聲. 비대구무성.	크지 않으면 두드려도 소리가 없다네.
萬古天王峯, 만고천왕봉,	만고의 천왕봉,
天鳴猶不鳴. 천명유불명	하늘이 울어도 오히려 울지 않는구나.

遠上寒山石徑斜, 원상한산석경사	멀리 겨울 산 오르니 돌길이 기울었고
白雲生處有人家. 백운생처유인가	흰 구름 나는 곳에 사람 집이 있다.
停車坐愛楓林晩, 정거좌애풍림만	수레를 멈추고 앉아 단풍 숲의 늦음을 사랑하니
霜葉紅於二月花. 상엽홍어이월화	서리 잎이 이월 꽃보다 붉구나.

28. 한시 문제

ㄱ. (가)는 다섯 글자씩 네 구이므로 그 형식은 오언절구이다.
ㄴ. 두 구가 문법적 기능이 동일한 글자의 배열로 이루어져 있을 때 대우를 이룬다고 한다. (가)의 제1구와 제2구는 문법적 기능이 동일한 글자의 배열로 이루어져 있지 않으므로 대우를 이루지 않는다.
ㄷ. (나)의 제3구의 '楓林'에서 계절적 배경을 알 수 있다.
ㄹ. (나)의 제4구는 '紅'이라는 시어 때문에 색채감이 두드러진다.

답: ⑤

29. 해석 문제

㉠은 '많은 돌'이 아니라 '천 석', 즉 '아주 무거운'이라는 뜻이다.

답: ①

30. 이해와 감상 문제

① 옛날부터 천왕봉의 종소리가 유명했는지는 알 수 없다.
② 두드리면 열리지 않는 문이 없다는 것은 (가)와 전혀 무관하다.
③ 천왕봉은 보면서 아름답다고 느끼는지는 알 수 없다.
④ 제3구와 제4구, '만고의 천왕봉, 하늘이 울어도 오히려 울지 않는구나'에서 언제나 의연한 천왕봉처럼 살고 싶다는 시적 화자의 마음을 느낄 수 있다.
⑤ 하늘은 스스로 돕는 자를 돕는다고 했다는 것도 (가)와 전혀 무관하다.

답: ④

제5교시

제2외국어/한문 영역(한문)

성명 [　　] 수험 번호 [　　　　] — [　　　]

1. 대화의 내용으로 보아 ㉠에 알맞은 것은? [1점]

채린 : 풍속화네. 누가 그린 거야?

소연 : 김득신(金得臣)의 그림이야. 웃는 듯한 고목이 흥겹게 일하는 농부들의 모습과 잘 어울리지 않니? 이 그림의 제목을 '(㉠)'라고도/이라고도 하는데, 벼의 낱알을 떨어 거두는 모습이 사실적으로 묘사되어 있기 때문이야.

채린 : 아, 그렇구나.

① 打作　② 收買　③ 牧畜　④ 除草　⑤ 播種

2. 다음 조건을 모두 만족하는 한자는? [1점]

부수는 '衣'와 같지.

총획은 '恥'와 같아.

음은 '皮'와/과 같아.

형성의 원리로 만들어진 한자야.

① 被　② 悟　③ 疲　④ 鳥　⑤ 場

3. 자전에서 한자를 찾았을 때, ㉠과 ㉡의 내용으로 모두 옳은 것은? [1점]

(㉠) 4획 【房】 총 8획 방
자해 방

糸 (㉡)획 【級】 총 10획 급
자해 등급

	㉠	㉡		㉠	㉡
①	方	3	②	戶	3
③	方	4	④	戶	4
⑤	方	5			

4. 두 자를 합하여 하나의 한자로 만들었을 때, ㉠과 ㉡의 음이 모두 옳은 것은? [1점]

○土 + 申 = (㉠)　　○女 + 生 = (㉡)

	㉠	㉡		㉠	㉡
①	곤	생	②	곤	성
③	신	생	④	신	성
⑤	갑	생			

5. 화살표 방향으로 성어를 채울 때, ㉠에 알맞은 한자는? [1점]

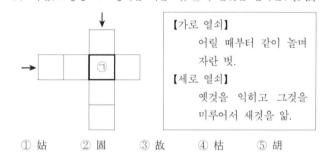

【가로 열쇠】
　어릴 때부터 같이 놀며 자란 벗.

【세로 열쇠】
　옛것을 익히고 그것을 미루어서 새것을 앎.

① 姑　② 固　③ 故　④ 枯　⑤ 胡

6. 대화의 내용으로 보아 ㉠에 알맞은 것은? [1점]

오늘은 반의어 말하기를 해 볼까?

冷却!

加熱!

供給!

(㉠)!

① 需要　② 提出　③ 分配　④ 交易　⑤ 富貴

210

7. 그림과 대화의 내용으로 보아 ⑦에 알맞은 것은? [1점]

① 擊　② 突　③ 越　④ 跡　⑤ 從

8. 대화의 내용으로 보아 ⑦과 ⓒ의 한자 표기로 모두 옳은 것은?

	⑦	ⓒ		⑦	ⓒ
①	奇地	奇智	②	基地	奇智
③	奇地	機智	④	基地	機智
⑤	奇地	氣志		

9. 글에서 말하고자 하는 것은? [1점]

한국인의 성씨 중에서

구 드욘센　류 코비치　안 데르손　차 베스
노 무라　모 하메드　왕 샤　표 트르
도 밍게스　송 가　조 쉬　한 센

한국에 살면 한국인입니다

대한민국은 이제 우리끼리만 사는 곳이 아닙니다.
우리와 언어가 다르고, 피부색도 다르지만,
우리 땅에 사는 외국인들도 대한민국 국민입니다.
민족과 인종을 넘어 다양한 문화가 함께 공존하는 우리 사회!
더 큰 대한민국으로 가는 행복한 길입니다.

① 包容　② 憤怒　③ 超脫　④ 憐憫　⑤ 戀慕

10. 그림의 내용으로 보아 ⑦에 알맞은 것은? [1점]

안전 운전과 어린이 ⑦ 은/는 내가 먼저

① 世上　② 希望　③ 保護　④ 豫防　⑤ 讓步

11. ⑦에 알맞은 한자어는?

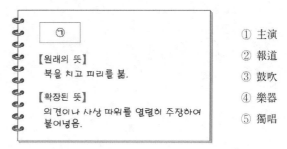

⑦

【원래의 뜻】
북을 치고 피리를 붊.

【확장된 뜻】
의견이나 사상 따위를 열렬히 주장하여 불어넣음.

① 主演
② 報道
③ 鼓吹
④ 樂器
⑤ 獨唱

12. 그림의 내용과 관계있는 것은? [1점]

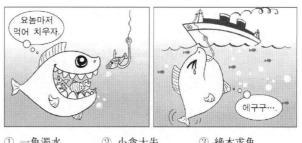

① 一魚濁水　② 小貪大失　③ 緣木求魚
④ 漁父之利　⑤ 矯角殺牛

13. 글에서 얻을 수 있는 교훈으로 가장 알맞은 것은?

> 我腹既飽, 不察奴飢.
>
> -『이담속찬』-

① 모든 일은 마음먹기에 달렸습니다.
② 꾸준한 실천만이 꿈을 이루어 줍니다.
③ 친구는 나를 비추어 보는 거울입니다.
④ 뜻을 크게 품어야 큰일을 이룰 수 있습니다.
⑤ 남을 배려하는 마음은 세상을 따뜻하게 합니다.

14. 시의 내용과 관계있는 것은?

> (전략)
> 나가 놀던 날에는 비올 때가 많더니
> 한가로이 있을 때에는 날만 화창하네.
> 배불러 숟가락 놓으니 맛있는 고기 올라오고
> 목 아파 술 꺼리자 좋은 술 생기네.
> 쌓아 놓은 보배 헐값에 팔고 나니 값이 오르고
> 묵은 병 낫고 보니 이웃에 의원 있었네.
> (후략)
>
> － 이규보 －

① 種瓜得瓜, 種豆得豆.
② 他人之宴, 曰梨曰栗.
③ 窮人之事, 飜亦破鼻.
④ 三歲之習, 至于八十.
⑤ 一日之狗, 不知畏虎.

15. 그림의 글자로 만들 수 있는 사자성어와 관계있는 것은?

① 제멋대로군. 입에 맞는 것만 골라 먹으려 해.
② 이거 왜 이런 거야. 지난번과 별 차이가 없잖아.
③ 에구, 왜 이제 오는 거야. 눈 빠지는 줄 알았잖아.
④ 열심히 일하며 고생하더니 결국은 사업이 번창하는군.
⑤ 누가 뭐라 해도 그중에서는 이 작품이 단연 돋보이는군.

16. 글의 내용과 관계있는 물건으로 알맞은 것은?

> 圓其形, 玄其色. 散爲六, 合爲一. 遇陽而開, 遇陰而闔.
> 惟其動以天, 是以能覆物.
>
> ＊闔(합): 닫다　＊覆(부): 덮다
> －『서애집』－

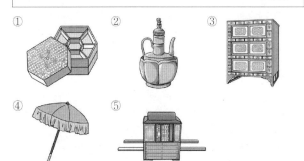

[17~18] 다음 글을 읽고 물음에 답하시오.

> ㉠人一能之, 己百之, 人十能之, 己千之. 果能此道矣, (㉡)愚必明, (㉢)柔必强.
>
> －『중용』－

17. ㉠의 내용과 가장 관계있는 성어는?

① 克己復禮　　② 知彼知己　　③ 刻舟求劍
④ 多多益善　　⑤ 自强不息

18. 글의 내용으로 보아 ㉡과 ㉢에 공통으로 들어갈 한자는?

① 推　　② 雅　　③ 稚　　④ 雖　　⑤ 雜

[19~20] 다음 글을 읽고 물음에 답하시오.

> 仁, 人心也, 義, 人路也. ㉠舍其路而不由, 放其心而不知求,
> 哀哉! 人有鷄犬放, 則知求之, 有放心而不知求. 學問之道, 無他.
> 求其(㉡)而已矣.
>
> －『맹자』－

19. 글의 내용으로 보아 ㉠의 의미로 옳은 것은?

① 仁을 모른다.　　　② 義를 따르지 않는다.
③ 仁을 가벼이 여긴다.　　④ 義에 맞게 행동한다.
⑤ 仁義를 실천하지 않는다.

20. 글의 내용으로 보아 ㉡에 알맞은 것은?

① 人　　② 路　　③ 鷄犬　　④ 放心　　⑤ 學問

[21~22] 다음 글을 읽고 물음에 답하시오.

> 退溪先生, 僑居漢城, 鄰家栗樹數枝過墙, 子熟落庭, ㉠恐兒童取食, 拾而(㉡)之墻外.
>
> ＊僑(교): 타향에서 살다
> －『사소절』－

21. ㉠의 풀이 순서를 바르게 배열한 것은?

① 恐 → 取 → 兒童 → 食
② 食 → 取 → 恐 → 兒童
③ 取 → 食 → 恐 → 兒童
④ 兒童 → 恐 → 食 → 取
⑤ 兒童 → 取 → 食 → 恐

22. 글의 내용으로 보아 ㉡에 알맞은 것은?

① 安　　② 投　　③ 改　　④ 救　　⑤ 養

[23~24] 다음 글을 읽고 물음에 답하시오.

> 江陵俗, 敬老, 每値良辰, 請年七十以上, 會㉠于勝地, 以慰之,
> 名曰㉡靑春敬老會. 雖奴婢之賤, 登七旬者, 皆許赴會.
>
> 　　　　　　　　　　　　　　　　　　　　　－『동국세시기』－

23. 의미상 ㉠과 바꾸어 쓸 수 있는 것은?

① 於　　　② 而　　　③ 何　　　④ 所　　　⑤ 也

24. ㉡에 대한 설명으로 옳은 것만을 <보기>에서 있는 대로 고른 것은?

> ─────〈보 기〉─────
> ㄱ. 좋은 날에 모임을 가졌다.
> ㄴ. 경치가 빼어난 곳에서 모였다.
> ㄷ. 노인을 공경하여 위로하는 풍속이다.
> ㄹ. 70세 이상이면 신분에 관계없이 참석할 수 있었다.

① ㄱ, ㄷ　　　② ㄴ, ㄹ　　　③ ㄱ, ㄴ, ㄷ
④ ㄴ, ㄷ, ㄹ　　　⑤ ㄱ, ㄴ, ㄷ, ㄹ

[25~27] 다음 글을 읽고 물음에 답하시오.

> 季札之初使, 北㉮過徐君, 徐君好季札劍, 口㉠弗敢言. 季札
> 心知之, ㉡爲使上國, 未獻. 還至徐, 徐君已死. 於是, 乃㉢解其
> 寶劍, 繫之徐君家樹而去. 從者曰:"徐君已死, 尙誰㉣予乎?"
> 季子曰:"不然. 始㉤吾心已許之, 豈以死倍吾心哉?"
>
> 　　　　　　　　　　　　　　　*季札(계찰): 사람 이름
> 　　　　　　　　　　　*繫(계): 매다　　*冢(총): 무덤
> 　　　　　　　　　　　　　　　　　　　　　－『사기』－

25. ㉠~㉤에 대한 설명으로 옳지 <u>않은</u> 것은?

① ㉠은 '不'과 쓰임이 통한다.
② ㉡은 '無爲徒食'의 '爲'와 뜻이 같다.
③ ㉢의 주체는 '계찰'이다.
④ ㉣은 '주다'로 풀이한다.
⑤ ㉤의 뜻은 '背'와 통한다.

26. ㉮의 풀이로 옳은 것은?

① 서나라 임금을 방문했다.
② 서나라 임금을 나무랐다.
③ 서나라 임금을 지나쳤다.
④ 서나라 임금보다 뛰어났다.
⑤ 서나라 임금에게 잘못하였다.

27. 윗글의 흐름으로 보아 ㉯의 의미로 옳은 것은?

① 함께 죽기로 맹세했다.
② 신하가 되기로 생각했다.
③ 보검을 주려고 마음먹었다.
④ 명검을 구해 오겠다고 다짐했다.
⑤ 무덤까지 비밀을 가져가겠다고 했다.

[28~30] 다음 시를 읽고 물음에 답하시오.

> (가) 雨歇長堤草色㉠多, 送君南浦動悲歌.
> 　　 大同江水何時㉡盡? 別淚年年㉢添綠波.
>
> 　　　　　　　　　　　*歇(헐): 그치다
> 　　　　　　　　　　　　　－정지상,「送人」－
>
> (나) 渭城㉣朝雨浥輕塵, 客舍靑靑柳色新.
> 　　 勸㉤君更盡一杯酒, 西出陽關無故人.
>
> 　　　　　　　　　　　*渭城(위성): 지명
> 　　 *浥(읍): 젖다　　*塵(진): 먼지
> 　　　　　　　　　－ 왕유,「送元二使安西」－

28. ㉠~㉤의 풀이로 옳지 <u>않은</u> 것은?

① ㉠: 짙다　　　　　　② ㉡: 마르다
③ ㉢: 더럽히다　　　　④ ㉣: 아침
⑤ ㉤: 그대

29. 위 시에 대한 설명으로 옳은 것만을 <보기>에서 있는 대로 고른 것은?

> ─────〈보 기〉─────
> ㄱ. (가)에는 공간적 배경이 나타나 있다.
> ㄴ. (가)의 운자(韻字)는 '多', '歌', '波'이다.
> ㄷ. (나)의 제3구와 제4구는 대우(對偶)를 이룬다.
> ㄹ. (나)는 선경후정(先景後情)의 기법을 사용하고 있다.

① ㄱ, ㄷ　　　② ㄱ, ㄹ　　　③ ㄴ, ㄷ
④ ㄱ, ㄴ, ㄹ　　　⑤ ㄴ, ㄷ, ㄹ

30. (가)와 (나)의 공통점에 대한 이해로 옳지 <u>않은</u> 것은?

① 시의 형식이 같아.
② 비가 내린 뒤의 경치를 묘사한 점도 같네.
③ 이별을 슬퍼하는 마음을 담고 있는 점도 같군.
④ 계절적 배경이 나타난 점도 같지.
⑤ 과장된 표현을 사용한 점도 같아.

> ＊ 확인 사항
> ○ 답안지의 해당란에 필요한 내용을 정확히 기입(표기)했는지 확인 하시오.

2013학년도 수학능력시험

1	①	7	②	13	⑤	19	②	25	②
2	①	8	④	14	③	20	④	26	①
3	④	9	①	15	④	21	⑤	27	③
4	②	10	③	16	④	22	②	28	③
5	③	11	③	17	⑤	23	①	29	④
6	①	12	②	18	④	24	⑤	30	⑤

1. 그림 문제

㉠에는 '벼의 낟알을 떨어 거두는 모습'을 나타내는 한자어가 들어가야 한다.

① 打作(타작)　　② 收買(수매)　　③ 牧畜(목축)
④ 除草(제초)　　⑤ 播種(파종)

답: ①

2. 조건을 만족하는 한자 문제

조건을 만족하는 한자를 찾는 문제이다. 문제에서는 한자의 부수, 총획, 제자 원리 그리고 음을 알려 주고 있다. 음으로 찾는 게 가장 빠르므로 음이 '皮'(가죽 피)와 같은 한자를 먼저 찾아보자.

① 被(이불 피)　　② 悟(깨달을 오)　　③ 疲(지칠 피)
④ 鳥(새 조)　　⑤ 場(마당 장)

음이 '피'인 한자는 '被'와 '疲'뿐이다. 부수가 '裁'(바느질할 재)와 같으므로 부수는 '衣'(옷 의)이고, 답은 '被'이다.

답: ①

3. 한자 문제

㉠에는 '房'(방 방)의 부수, ㉡에는 '級'(등급 급)의 부수 '糸'(실사)를 제외한 획수가 들어간다. '房'은 그 뜻으로 보아 '戶'(지게 호)가 부수이다. 이를 잘 몰랐더라도 '房'의 음은 '方'(모 방)에서 온 것이 분명하므로 '房'에서 '方'을 제외한 부분인 '戶'가 부수가 됨을 알 수 있다. '級'에서 '糸'를 제외한 부분의 획수는 4획이므로 답은 ④이다.

지난 6월과 9월 모의평가에서 내리 부수와 나머지 부분의 획수가 같은 한자를 제시하더니, 이번에도 그런 한자를 제시하였다. 다만 이번에 나온 '房'은 전형적인 형성자로 뜻을 나타내는 부분과 음을 나타내는 부분이 분명하게 구분되어 지난 모의평가와 달리 답을 찾기 그리 어렵지 않았다.

답: ④

4. 합자 문제

土＋申＝坤(땅 곤), 女＋生＝姓(성씨 성)이다.

답: ②

5. 십자말풀이 문제

가로 열쇠는 '竹馬故友'(죽마고우), 세로 열쇠는 '溫故知新'(온고지신)이다. 세로 열쇠 '옛것을 익히고 그것을 미루어서 새것을 앎.'은 성어가 풀이 그대로이므로 찾기 어렵지 않았을 것이다. ㉠에 알맞은 한자는 '故'(옛 고)이다.

답: ③

6. 한자어 문제

㉠은 '供給'(공급)의 반의어이다.

① 需要(수요)　　② 提出(제출)　　③ 分配(분배)
④ 交易(교역)　　⑤ 富貴(부귀)

답: ①

7. 한자어 문제

㉠에는 '追'(쫓을 추)와 결합하여 '뒤에서 들이받다'라는 뜻이 되는 한자가 들어가야 한다.

① 擊(부딪힐 격)　　② 突(부딪힐 돌)　　③ 越(넘을 월)
④ 跡(자취 적)　　⑤ 從(좇을 종)

답: ②

8. 동음이의어 문제

㉠은 '근거지'라는 뜻이므로 '奇地'(이상한 땅), '基地'(터가 되는 땅), 가운데 당연히 '基地'가 되어야 한다. ㉡은 모르면 풀기 어려운데 '재치있게 대응하는 지혜'는 '機智'이다. '奇智'는 '기발하고 특출한 지혜'이다. 뜻만 보아서는 무슨 차이가 있냐고 느껴질 수 있다. 그러나 '奇智'라는 말은 거의 쓰지 않고 우리가 보통 쓰는 '기지'의 한자 표기가 '機智'라는 것이 문제의 요점이다.

답: ④

9. 한자어 문제

① 包容(포용)　　② 憤怒(분노)　　③ 超脱(초탈)
④ 憐憫(연민)　　⑤ 戀慕(연모)

답: ①

10. 한자어 문제

① 世上(세상)　　② 希望(희망)　　③ 保護(보호)
④ 豫防(예방)　　⑤ 讓步(양보)

답: ③

11. 한자어 문제

한자어를 읽어 보기만 해도 답이 나온다.

① 主演(주연)　　② 報道(보도)　　③ 鼓吹(고취)
④ 樂器(악기)　　⑤ 獨唱(독창)

답: ③

12. 사자성어 문제

① 一魚濁水(일어탁수): 한 물고기가 물을 흐림. 한 사람의 잘못으로 여러 사람이 해를 입음.
② 小貪大失(소탐대실): 작은 것을 탐하다가 큰 것을 잃음.
③ 緣木求魚(연목구어): 나무에 올라 물고기를 구함. 도저히 불가능한 일을 하려고 함.
④ 漁父之利(어부지리): 어부의 이익. 두 사람이 이해관계로 서로 싸우는 사이에 엉뚱한 사람이 애쓰지 않고 이익을 가로챔.
⑤ 矯角殺牛(교각살우): 뿔을 바로잡으려다가 소를 죽임. 작은 결점을 고치려다가 수단이나 정도가 지나쳐 일을 그르침.

답: ②

214

13. 단문 문제

> 我腹既飽, 不察奴飢.
> 아 복 기 포　불 찰 노 기
> 내 배가 이미 부르면 종의 배고픔을 살피지 않는다.

글에서 얻을 수 있는 교훈으로 가장 알맞은 것은 '남을 배려하는 마음은 세상을 따뜻하게 합니다'이다.

답: ⑤

14. 단문 문제

① 種瓜得瓜, 種豆得豆.
　종 과 득 과　종 두 득 두
　오이를 심으면 오이를 얻고, 콩을 심으면 콩을 얻는다.

② 他人之宴, 曰梨曰栗.
　타 인 지 연　왈 리 왈 률
　다른 사람의 잔치에 배를 말하고 밤을 말한다.

③ 窮人之事, 飜亦破鼻.
　궁 인 지 사　번 역 파 비
　궁한 사람의 일은 뒤로 넘어져도 코가 깨진다.

④ 三歲之習, 至于八十.
　삼 세 지 습　지 우 팔 십
　세 살 버릇 여든 간다.

⑤ 一日之狗, 不知畏虎.
　일 일 지 구　부 지 외 호
　하룻강아지 범 무서운 줄 모른다.

답: ③

15. 카드 문제

① 제멋대로군. 입에 맞는 것만 골라 먹으려 해.
　☞ 甘呑苦吐(감탄고토)

② 이거 왜 이런 거야. 지난번과 별 차이가 없잖아.
　☞ 떠오르는 사자성어가 없다.

③ 에구, 왜 이제 오는 거야. 눈 빠지는 줄 알았잖아.
　☞ 鶴首苦待(학수고대)

④ 열심히 일하며 고생하더니 결국은 사업이 번창하는군.
　☞ 苦盡甘來(고진감래)

⑤ 누가 뭐라 해도 그중에서는 이 작품이 단연 돋보이는군.
　☞ 群鷄一鶴(군계일학)

답: ④

16. 사물 문제

> 圓其形, 玄其色. 散爲六, 合爲一.
> 원 기 형　현 기 색　산 위 륙　합 위 일
> 둥글이 그 모양이고, 검음이 그 색이다. 펼치면 여섯이 되고 합하면 하나가 된다.
>
> 遇陽而開, 遇陰而闔.
> 우 양 이 개　우 음 이 합
> 볕을 만나면 펼치고 그늘을 만나면 닫는다.
>
> 惟其動以天, 是以能覆物.
> 유 기 동 이 천　시 이 능 부 물
> 오직 그것은 하늘로써 움직이니 이 까닭은 사물을 덮을 수 있기 때문이다.

'散爲六, 合爲一'에서 잠시 ①로 생각할 수도 있지만 '遇陽而開, 遇陰而闔'이 결정적인 단서이다. 관계있는 물건은 '양산'이다.

답: ④

[17~18] 노력

> 人一能之, 己百之, 人十能之, 己千之.
> 인 일 능 지　기 백 지　인 십 능 지　기 천 지
> 남이 한 번에 그것을 할 수 있었으면 나는 백 번 그것을 하였으며, 남이 열 번에 그것을 할 수 있었으면 나는 천 번 그것을 하였다.
>
> 果能此道矣, (㉡)愚必明, (㉢)柔必強.
> 과 능 차 도 의　　　　우 필 명　　　　유 필 강
> 과감히 이 방법을 할 수 있으면 ㉡ 어리석더라도 반드시 현명해지고 ㉢ 유약하더라도 반드시 강해진다.

17. 해석 문제

① 克己復禮(극기복례): 자기를 이기고 예로 돌아감.

② 知彼知己(지피지기): 저를 알고 자기를 앎.

③ 刻舟求劍(각주구검): (칼을 떨어뜨린 자리를) 배에 새기고 칼을 구함. 시대의 변화에 융통성 있게 대처하지 못하는 어리석음.

④ 多多益善(다다익선): 많으면 많을수록 더욱 좋음.

⑤ 自強不息(자강불식): 스스로 힘쓰며 쉬지 않음.

답: ⑤

18. 빈칸 문제

① 推(밀 추)　　② 雅(우아할 아)　　③ 稚(어릴 치)
④ 雖(비록 수)　　⑤ 雜(섞일 잡)

'어리석다'와 '현명하다', '유약하다'와 '강하다'가 서로 반대되는 뜻이므로 ㉡, ㉢에 공통으로 들어갈 한자는 '雖'이다.

답: ④

[19~20] 학문(學問)

> 仁, 人心也, 義, 人路也.
> 인　인 심 야　의　인 로 야
> 인은 사람의 마음이요, 의는 사람의 길이다.
>
> 舍其路而不由, 放其心而不知求, 哀哉!
> 사 기 로 이 불 유　방 기 심 이 부 지 구　애 재
> 그 길을 버리고 말미암지 않고, 그 마음을 놓고 구함을 알지 못하니 슬프도다!
>
> 人有鷄犬放, 則知求之, 有放心而不知求.
> 인 유 계 견 방　즉 지 구 지　유 방 심 이 부 지 구
> 사람은 닭과 개가 풀려남이 있으면 알고 그것을 구하는데, 놓은 마음은 있어도 구함을 알지 못한다.
>
> 學問之道, 無他. 求其(㉡)而已矣.
> 학 문 지 도　무 타　구 기　　　이 이 의
> 배우고 묻는 길도 다르지 않다. 그 ㉡을 구하는 것일 뿐이다.

19. 해석 문제

글의 내용으로 보아 ㉠의 의미는 '의를 따르지 않는다'이다.

답: ②

제2외국어/한문 영역

20. 빈칸 문제

개와 닭은 구하는데 놓은 마음은 구하지 않는다고 했으므로 ⓛ에는 '放心'이 들어가야 한다.

답: ④

〔21~22〕 퇴계선생(退溪先生)

退溪先生, 僑居漢城, 鄰家栗樹數枝過墻, 子熟
落庭, 恐兒童取食, 拾而(ⓛ)之墻外.

퇴계 선생이 한성에서 타향살이할 때 이웃집 밤나무 몇 가지가 담을 넘어 열매가 익어 뜰에 떨어졌는데, 아이가 취하여 먹을 것을 두려워하여 주워 그것을 담 밖으로 ⓛ했다.

21. 해석 문제

㉠은 '아이가 취하여 먹을 것을 두려워하다'로 해석되므로 풀이 순서는 '兒童 → 取 → 食 → 恐'이다.

답: ⑤

22. 빈칸 문제

① 安(편안할 안)　② 投(던질 투)　③ 改(고칠 개)
④ 救(구제할 구)　⑤ 養(기를 양)

답: ②

〔23~24〕 청춘경로회(靑春敬老會)

江陵俗, 敬老, 每值良辰, 請年七十以上, 會于
勝地, 以慰之, 名曰靑春敬老會.

강릉 풍속에 노인을 공경하여 매번 좋은 때를 당하여 나이 칠십 이상을 청하여 경치 좋은 곳에 모여 그럼으로써 그들을 위로하는데, 이름하여 말하기를 청춘경로회라 하였다.

雖奴婢之賤, 登七旬者, 皆許赴會.

비록 종의 천함도 칠순에 오른 사람이면 모두 모임에 나가는 것을 허락하였다.

23. 바꾸어 쓸 수 있는 한자 문제

의미상 ㉠과 바꾸어 쓸 수 있는 것은 '於'(어조사 어)이다. 이런 문제는 가장 쉬운 문제 가운데 하나이므로 꼭 풀도록 하자.

답: ①

24. 해석 문제

ㄱ. '每值良辰'에서 좋은 날에 모임을 가졌음을 알 수 있다.
ㄴ. '會于勝地'에서 경치가 빼어난 곳에서 모였음을 알 수 있다.
ㄷ. '敬老', '以慰之'에서 노인을 공경하여 위로하는 풍속임을 알 수 있다.
ㄹ. '雖奴婢之賤, 登七旬者, 皆許赴會'에서 70세 이상이면 신분에 관계없이 참석할 수 있었음을 알 수 있다.

답: ⑤

〔25~27〕 계찰지검(季札之劍)

季札之初使, 北過徐君, 徐君好季札劍, 口弗敢言.

계찰이 처음 사신으로 감에 북으로 서나라 임금을 지나게 되었는데, 서나라 임금이 계찰의 칼을 좋아하였으나 입으로 감히 말하지 않았다.

季札心知之, 爲使上國, 未獻.

계찰의 마음이 그것을 알았으나 상국의 사신이 되어 바치지 않았다.

還至徐, 徐君已死.

돌아와 서나라에 이르니 서나라 임금이 이미 죽었다.

於是, 乃解其寶劍, 繫之徐君冢樹而去.

이에 그 보검을 풀어 서나라 임금의 무덤에 자란 나무에 그것을 걸고 갔다.

從者曰: "徐君已死, 尙誰予乎?"

따르는 사람이 말하기를, "서나라 임금이 이미 죽었는데 오히려 누구에게 주십니까?"

季子曰: "不然. 始吾心已許之, 豈以死倍吾心哉?"

계찰이 말하기를, "그렇지 않다. 처음에 내 마음이 이미 그것을 허락하였으니, 어찌 죽음으로써 나의 마음을 배신하겠는가?"

25. 해석 문제

㉠, ⓛ은 각각 '不', '背'를 대신하여 쓰이기도 하는 한자이다.
ⓛ은 '되다' 또는 '~로서'로 해석되고, '無爲徒食'는 '하는 것 없이 다만 먹다'로 해석되므로 '無爲徒食'의 '爲'는 '하다'라는 뜻이다. 따라서 그 뜻이 같지 않다.
ⓒ의 주체는 '계찰'이다.
ⓐ은 '與'의 뜻 가운데 '주다'로 풀이하는 것이 자연스럽다.

답: ②

26. 해석 문제

㉮는 '서나라 임금을 지나가다'로 해석된다. 여기에서 '지나가다'는 '지나치다'라는 의미가 아니다. '지나치다'는 '어떤 곳을 머무르거나 들르지 않고 지나가다'라는 뜻인데, 계찰이 서나라 임금을 단순히 지나쳤다고 보기는 어렵다. ①~⑤에서 가장 적절한 것은 '서나라 임금을 방문했다'이며, 이는 물론 '過'(지날 과)를 '방문하다'로 의역한 것이다.

답: ①

27. 해석 문제

㉯는 '내 마음이 이미 그것을 허락하였다'로 해석되므로 그 의미는 '보검을 주려고 마음먹었다'가 된다.

답: ③

216

[28~30] 정지상, 「송인(送人)」

왕 유, 「송원이사안서(送元二使安西)」

雨歇長堤草色多, 우 헐 장 제 초 색 다	비 그친 긴 둑에 풀빛이 많고
送君南浦動悲歌. 송 군 남 포 동 비 가	그대를 남포에서 보내면서 슬픈 노래 부른다.
大同江水何時盡, 대 동 강 수 하 시 진	대동강 물 어느 때 다할까,
別淚年年添綠波. 별 루 년 년 첨 록 파	이별 눈물 해마다 푸른 물결에 더하는데.
渭城朝雨浥輕塵, 위 성 조 우 읍 경 진	위성의 아침 비가 가벼운 먼지를 적시니
客舍青青柳色新. 객 사 청 청 류 색 신	객사는 푸르고 푸르며 버드나무 빛이 새롭다.
勸君更盡一杯酒, 권 군 갱 진 일 배 주	그대가 다시 한 잔 술을 다할 것을 권하네,
西出陽關無故人. 서 출 양 관 무 고 인	서쪽으로 양관을 나가면 벗도 없을 것이니.

28. 해석 문제

㉠은 '많다'로 해석했지만 '짙다'로 해석해도 틀리지 않는다.

㉡은 '다하다'로 해석했지만 대동강 물이 '다하는' 것이 곧 대동강 물이 '마르는' 것이다.

㉢은 기본적인 뜻이 '더하다'이다. 뜻이 '더럽히다'이고 음이 '첨'인 한자는 '添'(더할 첨)이 아니라 '忝'(더럽힐 첨)이다.

㉣, ㉤은 각각 글자 그대로 '아침', '그대'이다.

답: ③

29. 한시 문제

ㄱ. (가)에는 '大同江'(대동강)이라는 공간적 배경이 나타나 있다.

ㄴ. 운자는 짝수 구의 마지막 글자에 오고, 첫째 구의 마지막 글자에 올 수 있다. (가)의 짝수 구의 마지막 글자가 '歌'(가), '波'(파)이므로 '多'(다)도 운자이다.

ㄷ. 두 구가 문법적 기능이 동일한 글자의 배열로 이루어져 있을 때 대우를 이룬다고 한다. (나)의 제3구와 제4구는 문법적 기능이 동일한 글자의 배열로 이루어져 있지 않으므로 대우를 이루지 않는다.

ㄹ. (나)의 제1구와 제2구에는 위성과 객사의 경치가, 제3구와 제4구에는 그대를 보내는 마음이 드러나있으므로 선경후정의 기법을 사용하였다.

답: ④

30. 이해와 감상 문제

① (가), (나) 모두 일곱 글자씩 네 구이므로 형식이 칠언절구이다.

② (가), (나) 모두 비가 내린 뒤의 경치를 묘사하였다.

③ (가), (나) 모두 이별을 슬퍼하는 마음을 담고 있다.

④ (가)는 제1구, (나)는 제2구가 계절적 배경이 드러난다고 볼 수 있는 부분이다.

⑤ (가)에는 제4구에 과장된 표현이 사용되었지만 (나)에는 과장된 표현이 사용되지 않았다.

답: ⑤

제5교시

제2외국어/한문 영역(한문Ⅰ)

| 성명 | | 수험 번호 | | | | | | — | | | |

1. 다음 조건을 모두 만족하는 한자는? [1점]

① 羊　② 鹿　③ 象　④ 祿　⑤ 麗

2. 자전에서 한자를 찾았을 때, ㉠과 ㉡의 내용으로 옳은 것은? [1점]

	㉠	㉡
①	氏	7
②	氏	9
③	氏	10
④	日	8
⑤	日	9

3. ㉠의 의미에 해당하는 한자는? [1점]

문화를 나누면 행복은 ㉠배가 됩니다.

① 分　② 加　③ 背　④ 倍　⑤ 除

4. 대화의 내용으로 보아 ㉠에 알맞은 것은? [1점]

① 入力
② 再生
③ 音量
④ 停止
⑤ 電源

5. 대화의 내용으로 보아 ㉠과 ㉡의 한자 표기로 옳은 것은? [1점]

	㉠	㉡
①	苦笑	告訴
②	苦笑	高所
③	告訴	高所
④	告訴	苦笑
⑤	高所	苦笑

6. 화살표 방향으로 성어를 만들 때, ㉠에 알맞은 한자는? [1점]

【가로 열쇠】 어릴 때부터 같이 놀며 자란 벗.

【세로 열쇠】 관직에 임명될 후보자에 대한 풍문.

① 友　② 交　③ 馬　④ 間　⑤ 聞

7. 대화의 내용으로 보아 ㉠에 알맞은 성어는? [1점]

① 口蜜腹劍　② 自強不息　③ 異口同聲
④ 雪上加霜　⑤ 畫蛇添足

8. 대화의 내용과 가장 관계있는 성어는? [1점]

① 背水陣　② 漁父之利　③ 羊頭狗肉
④ 水魚之交　⑤ 五十步百步

9. 대화의 내용과 가장 관계있는 성어는? [1점]

가도 가도 오르막길이니 힘들어서 더 이상 못 가겠어.

조금만 참아. 여기만 지나면 곧 내리막길이 나올 거야.

① 他山之石　　② 苦盡甘來　　③ 結草報恩

④ 朝三暮四　　⑤ 燈下不明

10. 글에서 얻을 수 있는 교훈과 관계있는 것은?

> 旣乘其馬, 又思牽者.
> 　　　　　　　　　　　－『이담속찬』－

① 욕심을 버리면 행복해집니다.
② 질서는 마음의 평화를 줍니다.
③ 칭찬은 마음을 움직이는 힘입니다.
④ 작은 실천은 기적을 이루게 합니다.
⑤ 정성이 지극하면 하늘도 움직입니다.

11. 대화의 내용으로 보아 ㉠, ㉡에 들어갈 성어로 옳은 것은? [1점]

이 그림은 다른 그림들보다 예술성이 뛰어나니, 그야말로 (㉠)라고/이라고 할 만하군요.

이 그림이 워낙 탁월해서 그렇지, 다른 출품작도 모두 좋습니다. 그러니 (㉡)라고/이라고 하는 것이 더 정확하겠군요.

	㉠	㉡		㉠	㉡
①	奇貨可居	知音	②	孤軍奮鬪	紅一點
③	桑田碧海	助長	④	望雲之情	登龍門
⑤	群鷄一鶴	白眉			

12. ㉠의 내용과 관계있는 문장은?

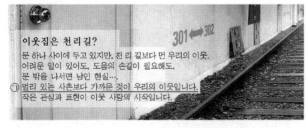

이웃집은 천리 길?
문 하나 사이에 두고 있지만, 천 리 길보다 먼 우리의 이웃.
어려운 일이 있어도, 도움의 손길이 필요해도,
문 밖을 나서면 남인 현실….
㉠멀리 있는 사촌보다 가까운 것이 우리의 이웃입니다.
작은 관심과 표현이 이웃 사랑의 시작입니다.

① 看晨月, 坐自夕.　　② 遠親, 不如近鄰.

③ 養子息, 知親力.　　④ 一日之狗, 不知畏虎.

⑤ 積功成塔, 終亦不崩.

13. 그림으로 표현된 한자와 가장 관계있는 문장은?

> 다겸 : 이것은 '信'자를 그림으로 표현한 문자도구나. 그런데 그림 속의 새가 왜 편지를 물고 있지?
> 태운 : '信'자가 '믿음'이라는 뜻 외에 '편지'라는 뜻도 갖기 때문에 그래.
> 다겸 : 아, 그렇구나.

① 恭者, 不侮人.　　　　② 鳥久止, 必帶矢.

③ 己所不欲, 勿施於人.　④ 疑人莫用, 用人莫疑.

⑤ 謹則免危, 拙則無辱.

14. 글의 내용과 가장 관계있는 문장은?

> 장주가 집이 가난하여 감하후에게 곡식을 빌리러 갔는데 감하후가 말했다.
> "좋소. 내가 머지않아 세금을 걷어 들일 터이니 그것으로 빌려 드리리다."
> 장주가 화가 나서 낯빛을 붉히며 말했다.
> "내가 어제 이리 올 때 누가 부르기에 돌아보니 조그만 웅덩이에서 붕어가, '지금 한 바가지의 물만 제게 부어 주면 저를 살릴 수 있을 텐데, 그래 주겠소?' 라고 합디다. 그래서 내가 '좋다, 하지만 내가 지금 남쪽 지방으로 가는 길이니, 그곳의 강물을 보내 주지.' 라고 했소. 그랬더니 붕어가 발끈 성을 내면서 '나는 한 바가지의 물만 있으면 살아날 수 있는데 그렇게 말하니, 올 때는 차라리 나를 건어물전에서 찾는 게 나을 거요!' 라고 말합디다."
> 　　　　　　　　　　　　　　－『장자』－

① 前事之不忘, 後事之師也.
② 施恩勿求報, 與人勿追悔.
③ 無道人之短, 無說己之長.
④ 待有餘而後濟人, 必無濟人之日.
⑤ 欲速則不達, 見小利則大事不成.

15. 글의 내용과 관계있는 물건으로 알맞은 것은?

> 被雖溫, 無忘人之寒, 無厚於己, 無薄於人.
> 　　　　　　　　　　　－『곤학기문』－

① 　　② 　　③

④ 　　⑤

[16~17] 다음 글을 읽고 물음에 답하시오.

> ㉠勝於我者, 慕之, 等於我者, 愛之, 不及於我者, 憐之, 天下, 可(㉡).
>
> －『청성잡기』－

16. ㉠과 가장 관계있는 성어는?

① 九牛一毛　　② 巧言令色　　③ 見賢思齊
④ 馬耳東風　　⑤ 愚公移山

17. 위 글의 내용으로 보아 ㉡에 알맞은 것은?

① 不測　② 太平　③ 困窮　④ 退步　⑤ 混亂

[18~19] 다음 글을 읽고 물음에 답하시오.

> 舊俗, 兒童, 以㉠索, 執其兩㉡端, 且越且跳, 乃㉢至千餘度. 一云, 趙重峯先生, 使兒童, 作此㉣戱, 健脚力, ㉤消脚氣云.
>
> ＊趙重峯(조중봉): 조선 시대 인물
> －『해동죽지』－

18. ㉠~㉤의 풀이로 옳지 않은 것은?

① ㉠: 찾다　　　　② ㉡: 끝
③ ㉢: 이르다　　　④ ㉣: 놀이
⑤ ㉤: 없애다

19. 위 글의 내용과 관계있는 그림은?

① 　②

③ 　④

⑤

[20~22] 다음 글을 읽고 물음에 답하시오.

> 學未至圓通, ㉠合己見則是, 違己見則非, ㉡如以南方之舟, 笑北方之車, 以鶴脛之長, 憎鳬脛之短也.
>
> ＊脛(경): 정강이　＊鳬(부): 물오리
> －『백소재루집』－

20. ㉠에서 마지막으로 풀이되는 것은?

① 合　② 己　③ 見　④ 則　⑤ 是

21. 의미상 ㉡과 바꾸어 쓸 수 있는 것은?

① 可　② 勿　③ 汝　④ 若　⑤ 能

22. 위 글에 대한 이해로 옳은 것은?

① 시비를 판단하는 기준은 자신에게 있어.
② 남의 단점을 솔직하게 말하는 태도가 중요해.
③ 남에게 부끄럽지 않게 살려는 의지가 필요해.
④ 작은 것부터 배워 나가려는 마음가짐이 중요해.
⑤ 자신의 기준에 맞추어 상대를 평가해서는 안 돼.

[23~24] 다음 글을 읽고 물음에 답하시오.

> 子曰: "富與貴, 是人之所欲也, 不以其道得之, 不處也, 貧與賤, 是人之所㉠惡也, 不以其道得之, 不去也. 君子去仁, ㉡惡乎成名?"
>
> －『논어』－

23. ㉠, ㉡의 풀이로 옳은 것은?

	㉠	㉡		㉠	㉡
①	나쁘다	어디	②	어디	나쁘다
③	싫어하다	어디	④	어디	싫어하다
⑤	추악하다	언제			

24. 위 글에 대한 이해로 옳은 것은?

① 부귀에 안주하면 군자가 될 수 없다고 말하고 있어.
② 빈천을 즐길 수 있는 사람은 드물다고 말하고 있어.
③ 부귀는 얻는 것보다 지키는 것이 더 힘들다고 말하고 있어.
④ 부귀나 빈천은 모두 사람의 힘으로 어떻게 할 수 없다고 했지.
⑤ 정당하지 못한 방법으로 얻은 부귀를 누려서는 안 된다고 했지.

[25~27] 다음 시를 읽고 물음에 답하시오.

(가) 風花日㉠將老, 佳期猶渺渺.
　　不結同心人, ㉡空結同心草.

　　　　　　　　　　　　*渺(묘): 아득하다
　　　　　　　　　　　　- 설도, 「春望詞」-

(나) 淸明時㉢節雨紛紛, 路㉣上行人欲斷魂.
　　借問酒家何處有, 牧童遙指杏花村.

　　　　　　　　　　　　*杏(행): 살구나무
　　　　　　　　　　　　- 두목, 「淸明」-

25. ㉠~㉤의 풀이로 옳은 것은?
① ㉠: 장수　　② ㉡: 공연히　　③ ㉢: 절개
④ ㉣: 올라가다　　⑤ ㉤: 누구

26. 위 시에 대한 설명으로 옳은 것만을 <보기>에서 있는 대로 고른 것은?

<보 기>
ㄱ. (가)의 제1구와 제2구는 문법적 기능이 동일한 글자의 배열로 이루어져 있다.
ㄴ. (가)의 제3구와 제4구는 시각적 심상과 청각적 심상의 대비가 분명하다.
ㄷ. (나)의 제1구와 제2구에는 경치와 정서가 융합되어 있다.
ㄹ. (나)에서 '魂', '村'은/는 시를 낭송하거나 듣기 좋도록 하는 음운상의 효과를 준다.

① ㄱ, ㄴ　　② ㄱ, ㄹ　　③ ㄷ, ㄹ
④ ㄱ, ㄴ, ㄷ　　⑤ ㄴ, ㄷ, ㄹ

27. (가), (나)에 대한 이해로 옳지 않은 것은?

① (가)의 시적 정서는 연인을 기다리는 애절함이지.
② (나)에는 객지에 있는 시적 화자의 처지가 보여.
③ (나)에는 공간적 배경이 잘 나타나 있어.
④ (가)와 (나)의 계절적 배경은 모두 봄이야.
⑤ (가)와 (나)에는 모두 과장된 표현이 사용되었군.

[28~30] 다음 글을 읽고 물음에 답하시오.

南智, <중략> 自公退. ㉠祖問其所事. 一日歸白曰: "有㉡下吏入藏, 潛懷錦段而出, 使之還入藏, 如是者三, 吏識其意, 置錦段而出." 祖曰: "㉢汝以童子, 備官, 是以, 每有問, 欲知其㉣得失, 自今㉤吾可以無問."

　　　　　　　　　　　　- 『국조인물지』-

28. ㉠~㉣ 중, 가리키는 대상이 같은 것은?
① ㉠, ㉡　　② ㉠, ㉢　　③ ㉠, ㉣
④ ㉡, ㉢　　⑤ ㉡, ㉣

29. ㉣와 짜임이 같은 것은?
① 大小　　② 年少　　③ 俗談　　④ 故事　　⑤ 短文

30. 위 글의 내용과 일치하는 것만을 <보기>에서 있는 대로 고른 것은?

<보 기>
ㄱ. 남지는 어린 나이에 관리가 되었다.
ㄴ. 남지는 비단을 훔쳐 가는 관리를 준엄하게 문책하였다.
ㄷ. 남지의 조부는 남지가 일 처리를 잘하는지 궁금해 했다.
ㄹ. 남지의 조부는 매번 남지에게 관청에서 있었던 일을 물어보았다.

① ㄱ, ㄷ　　② ㄴ, ㄹ　　③ ㄱ, ㄴ, ㄷ
④ ㄱ, ㄷ, ㄹ　　⑤ ㄴ, ㄷ, ㄹ

* 확인 사항
○ 답안지의 해당란에 필요한 내용을 정확히 기입(표기)했는지 확인하시오.

2014학년도 예비 시행

1	②	7	③	13	④	19	①	25	②
2	④	8	⑤	14	④	20	⑤	26	③
3	④	9	②	15	①	21	④	27	⑤
4	③	10	①	16	③	22	⑤	28	③
5	④	11	⑤	17	②	23	③	29	①
6	③	12	②	18	①	24	⑤	30	④

1. 조건을 만족하는 한자 문제

조건을 만족하는 한자를 찾는 문제이다. 문제에서는 갑골문의 모양, 음, 그리고 제자 원리를 알려 주고 있다. 음으로 찾는 게 가장 빠르므로 음이 '錄'(기록할 록)과 같은 한자를 먼저 찾아보자.

① 羊(양 양)   ② 鹿(사슴 록)   ③ 象(코끼리 상)

④ 祿(복 록)   ⑤ 麗(고울 려)

①~⑤ 가운데 음이 '록'인 한자는 '鹿', '祿'이다. 이제 다른 조건을 살펴보자. '祿'은 누가 보아도 '示+彔'의 형태이다. 사물의 모양을 본떠서 만든 한자는 이렇게 두 부분으로 분리될 수 없다. 따라서 답은 '鹿'(사슴 록)이다. 갑골문의 모양으로 확인하면 확실하다.

답: ②

2. 자전 문제

㉠에는 '昏'의 부수가 온다. 부수는 한자의 구성 요소 가운데 뜻과 관련된 부분 정도로 생각하면 된다. '昏'의 뜻은 '어둡다'이므로 '氏'와 '日' 가운데 뜻과 관련된 것은 '日'이다.

㉡에는 '寄'에서 부수를 제외한 획수가 온다. '寄'의 총획은 11획이고, 부수 '宀'은 3획이므로 이를 제외한 부분의 획수는 8획이다.

답: ④

3. 한자 문제

① 分(나눌 분)   ② 加(더할 가)   ③ 背(등질 배)

④ 倍(갑절 배)   ⑤ 除(덜 제)

답: ④

4. 한자어 문제

① 入力(입력)   ② 再生(재생)   ③ 音量(음량)

④ 停止(정지)   ⑤ 電源(전원)

답: ③

5. 한자어 문제

㉠은 '고하여(告) 하소연하다(訴)'는 의미의 '고소'이므로 '告訴'가 될 수밖에 없다. ㉡은 '쓴(苦) 웃음(笑)'이라는 의미의 '고소'이므로 '苦笑'가 될 수밖에 없다.

답: ④

6. 사자성어 문제

가로 열쇠는 '竹馬故友'(죽마고우), 세로 열쇠는 '下馬評'(하마평)이다. '하마평'은 관직에 임명될 후보자가 있는 때이면 신문지상에서 늘 거론되는 한자어이다. 다소 생소했다면 이번에 알아 두자. ㉠에 알맞은 한자는 '馬'이다.

답: ③

7. 사자성어 문제

① 口蜜腹劍(구밀복검): 입에는 꿀, 배에는 칼. 말로는 친한 듯하나 속으로는 해칠 생각이 있음.

② 自强不息(자강불식): 스스로 힘쓰고 쉬지 않음.

③ 異口同聲(이구동성): 다른 입, 같은 소리. 여러 사람의 말이 한결같음.

④ 雪上加霜(설상가상): 눈 위에 서리를 더함. 난처한 일이나 불행한 일이 잇따라 일어남.

⑤ 畫蛇添足(화사첨족): 뱀을 그리고 발을 더함. 쓸데없는 군짓을 하여 도리어 잘못되게 함.

답: ③

8. 성어 문제

① 背水陣(배수진): 물을 등진 진. 어떤 일을 성취하기 위하여 더 이상 물러설 수 없음.

② 漁父之利(어부지리): 어부의 이익. 두 사람이 이해관계로 서로 싸우는 사이에 엉뚱한 사람이 애쓰지 않고 이익을 가로챔.

③ 羊頭狗肉(양두구육): 양머리에 개고기. 겉보기만 그럴듯하게 보이고 속은 변변하지 않음.

④ 水魚之交(수어지교): 물과 물고기의 사귐. 아주 친밀하여 떨어질 수 없는 사이.

⑤ 五十步百步(오십보백보): 오십 보와 백 보. 차이가 있기는 하지만 본질적으로는 차이가 없다는 말.

답: ⑤

9. 사자성어 문제

① 他山之石(타산지석): 다른 산의 돌. 본이 되지 않은 남의 말이나 행동도 자신의 지식과 인격을 수양하는 데에 도움이 될 수 있음.

② 苦盡甘來(고진감래): 괴로움이 다하면 즐거움이 옴.

③ 結草報恩(결초보은): 풀을 묶어 은혜를 갚음. 죽은 뒤에라도 은혜를 잊지 않고 갚음.

④ 朝三暮四(조삼모사): 아침에 세 개, 저녁에 네 개. 간사한 꾀로 남을 속여 희롱함.

⑤ 燈下不明(등하불명): 등잔 밑이 밝지 않음.

답: ②

10. 단문 문제

既乘其馬, 又思牽者.
기 승 기 마   우 사 견 자
이미 그 말을 탔으면 또 끌 사람을 생각한다.

답: ①

11. 성어 문제

① 奇貨可居(기화가거): 기이한 재물은 두고 볼 만함. 좋은 기회를 놓치지 말아야 함.

② 孤軍奮鬪(고군분투): 외로운 군대가 떨치면서 싸움. 남의 도움을 받지 아니하고 힘에 벅찬 일을 잘해 나감.

③ 桑田碧海(상전벽해): 뽕나무 밭이 푸른 바다가 됨. 세상일의 변천이 심함.

④ 望雲之情(망운지정): 구름을 바라보는 마음. 고향이나 어버이를 그리는 마음.

⑤ 群鷄一鶴(군계일학): 여러 닭 가운데 하나의 학. 많은 사람 가운데서 뛰어난 인물.

결국 ㉠에 들어갈 성어로 가능한 것은 '奇貨可居' 또는 '群鷄一鶴'이므로 정답은 ① 또는 ⑤이다.

'知音'(지음: 소리를 앎)은 마음이 서로 통하는 친한 벗, '白眉'(백미: 흰 눈썹)는 여럿 가운데에서 가장 뛰어난 사람이나 훌륭한 물건을 이르는 말이므로 ㉡에 들어갈 성어는 '白眉'이다.

답: ⑤

12. 단문 문제

① 看辰月, 坐自夕.
간 신 월 좌 자 석
새벽달을 보고 저녁에 앉는다.

② 遠親, 不如近鄰.
원 친 불 여 근 린
멀리 있는 친척은 가까운 이웃만 못하다.

③ 養子息, 知親力.
양 자 식 지 친 력
자식을 키워 보면 어버이의 노력을 안다.

④ 一日之狗, 不知畏虎.
일 일 지 구 부 지 외 호
하룻강아지 범을 무서워할 줄 모른다.

⑤ 積功成塔, 終亦不崩.
적 공 성 탑 종 역 불 붕
공을 쌓아 이룬 탑은 끝내 다시 무너지지 않는다.

답: ②

13. 단문 문제

① 恭者, 不侮人.
공 자 불 모 인
공손한 사람은 남을 업신여기지 않는다.

② 鳥久止, 必帶矢.
조 구 지 필 대 시
새가 오래 머무르면 반드시 화살을 두른다.

③ 己所不欲, 勿施於人.
기 소 불 욕 물 시 어 인
자기가 하고자 하지 않는 바를 남에게 베풀지 말라.

④ 疑人莫用, 用人莫疑.
의 인 막 용 용 인 막 의
의심스러운 사람은 쓰지 말고, 쓰는 사람은 의심하지 말라.

⑤ 勤則免危, 拙則無辱.
근 즉 면 위 졸 즉 무 욕
부지런하면 위태로움을 면하고, 겸손하면 욕됨이 없다.

답: ④

14. 단문 문제

① 前事之不忘, 後事之師也.
전 사 지 불 망 후 사 지 사 야
앞일을 잊지 않는 것은 뒷일의 스승이다.

② 施恩勿求報, 與人勿追悔.
시 은 물 구 보 여 인 물 추 회
은혜를 베풀고 갚음을 구하지 말고, 남에게 주고 후회를 좇지 말라.

③ 無道人之短, 無說己之長.
무 도 인 지 단 무 설 기 지 장
남의 단점을 말하지 말고, 자기의 장점을 말하지 말라.

④ 待有餘而後濟人, 必無濟人之日.
대 유 여 이 후 제 인 필 무 제 인 지 일
남음이 있음을 기다린 뒤에 남을 구제하려 하면 반드시 남을 구제하는 날이 없다.

⑤ 欲速則不達, 見小利則大事不成.
욕 속 즉 부 달 견 소 리 즉 대 사 불 성
빠르고자 하면 이르지 못하고, 작은 이익을 보면 큰일이 이루어지지 않는다.

답: ④

15. 사물 문제

被雖溫, 無忘人之寒, 無厚於己, 無薄於人.
피 수 온 무 망 인 지 한 무 후 어 기 무 박 어 인
이불이 비록 따뜻하더라도 남의 추움을 잊지 말고, 자기에게 후하지 말며 남에게 박하지 말라.

글의 내용과 관계있는 물건을 찾는 문제이다. 이런 문제에서는 물건을 찾는 결정적인 단서를 잡아내는 것이 핵심이다. 여기에서는 '被'(이불 피)가 핵심이었다. '被'가 '이불'이라는 뜻이 있다는 것을 몰랐다면 '溫', '寒' 등으로 이불이 답이라고 추측할 수는 있지만 확실하지는 않다. '被'는 '이불'이라는 뜻 말고도 문법적으로 피동의 뜻을 나타내는 데 쓰이기도 한다.

답: ①

[16~17] 태도

勝於我者, 慕之, 等於我者, 愛之, 不及於我者,
승 어 아 자 모 지 등 어 아 자 애 지 불 급 어 아 자
憐之, 天下, 可(㉡).
련 지 천 하 가
나보다 나은 사람은 그를 부러워하며, 나와 같은 사람은 그를 사랑하며, 나에 미치지 못하는 사람은 그를 불쌍하게 여기면 천하가 ㉡할 것이다.

16. 사자성어 문제

① 九牛一毛(구우일모): 아홉 소 가운데 한 가닥 털. 매우 많은 것 가운데 극히 적은 수.

② 巧言令色(교언영색): 교묘한 말과 꾸미는 얼굴빛.

③ 見賢思齊(견현사제): 현명한 사람을 보면 (그와) 가지런해질 (같아질) 것을 생각함.

④ 馬耳東風(마이동풍): 말 귀에 동풍. 남의 말을 귀담아듣지 아니하고 지나쳐 흘려버림.

⑤ 愚公移山(우공이산): 우공이 산을 옮김. 어떤 일이든 끊임없이 노력하면 반드시 이루어짐.

①, ②, ④, ⑤가 모두 ㉠과 관계없으므로 답은 ③이다.

답: ③

17. 빈칸 문제

① 不測(불측)　② 太平(태평)　③ 困窮(곤궁)

④ 退步(퇴보)　⑤ 混亂(혼란)

답: ②

〔18~19〕 줄넘기

舊俗, 兒童, 以索, 執其兩端, 且越且跳, 乃至
千餘度.

옛날 풍속에 어린아이가 동아줄로써 그 양끝을 잡고 또 넘고 또 뛰고 이에 천여 번에 이르렀다.

一云, 趙重峯先生, 使兒童, 作此戲, 健脚力,
消脚氣云.

한 사람이 말하기를 조중봉 선생이 어린아이들이 이 놀이를 하게 하여 다리의 힘을 건강하게 하고 각기병(비타민 B1의 결핍에서 오는 영양실조)을 없앴다고 한다.

＊索: '동아줄'이라는 뜻으로 쓰였다. 이 때 독음은 '삭'이다.

18. 해석 문제

① '索'은 '찾다'는 뜻과 '동아줄'이라는 두 가지 뜻으로 쓰인다. 여기에서 양끝을 잡는다고 했으므로 '索'은 '동아줄'의 뜻으로 쓰였다. ②, ③, ④, ⑤는 각 한자의 기본적인 뜻이다.

답: ①

19. 해석 문제

지문을 정확히 해석하지 못했더라도 '줄', '양끝', '뛰다'로 답을 찾을 수 있다.

답: ①

〔20~22〕 논어(論語)

學未至圓通, 合己見則是, 違己見則非,

배움이 아직 둥글게 통함에 이르지 못하면 자기의 견해에 맞으면 옳고, 자기의 견해에 어긋나면 틀린 것이니,

如以南方之舟, 笑北方之車, 以鷄脛之長, 憎鳧
脛之短也.

남방의 배로써 북방의 수레를 비웃는 것과 같고, 닭 정강이의 긺으로써 물오리 정강이의 짧음을 미워하는 것과 같다.

20. 해석 문제

㉠은 '자기의 견해에 맞으면 옳고'로 해석되므로 마지막으로 풀이되는 것은 '是'(옳을 시)이다.

답: ⑤

21. 바꾸어 쓸 수 있는 한자 문제

㉡은 '若'(같을 약)과 바꾸어 쓸 수 있다. 이런 문제는 가장 쉬운 문제 가운데 하나이므로 꼭 풀도록 하자.

답: ④

22. 해석 문제

자신의 기준에 맞추어 상대를 평가해서는 안 된다는 글이다.

답: ⑤

〔23~24〕 논어(論語)

子曰: "富與貴, 是人之所欲也, 不以其道得之,
不處也,

공자가 말하기를, "부유함과 귀함, 이는 사람이 하고자 하는 바의 것이나 그 도로써 그것을 얻지 않았으면 처하지 말고,

貧與賤, 是人之所惡也, 不以其道得之, 不去也.

가난함과 천함, 이는 사람이 싫어하는 바의 것이나 그 도로써 그것을 얻지 않았으면 떠나지 말라.

君子去仁, 惡乎成名?"

군자가 인을 떠나면 어디에서 이름을 이루겠는가?"

23. 해석 문제

해석하면 ㉠은 '싫어하다', ㉡은 '어디'로 풀이하는 것이 옳다. 그러나 해석이 잘 되지 않는다면 어떻게 답을 찾아야 할까? 먼저 '富與貴, 是人之所欲也'와 '貧與賤, 是人之所惡也'가 대구를 이루고 있고, '惡'은 '欲'(하고자 할 욕)과 같은 자리에 있으므로 '欲'과 비슷한 뜻이거나 반대되는 뜻이어야 할 것이다. 따라서 '惡'은 '싫어하다'의 뜻이다. 그런데 ①~⑤에서 '惡'의 풀이로 '싫어하다'를 제시한 것이 ③뿐이므로, 답은 ③이다.

이 문제에는 그 밖에 '惡'이 가지는 뜻이 제시되어 있다. '惡'은 기본적으로 '나쁘다', '미워하다', '싫어하다'는 뜻으로 쓰이고, 문법적으로는 '어찌', '어디', '언제'의 뜻으로도 쓰인다.

답: ③

24. 해석 문제

이 글은 부귀는 그 도(정당한 방법)로써 얻은 것이 아니면 처하지 말고, 빈천은 그 도(정당한 방법)로써가 아니면 떠나지 말라고 하고 있다.

답: ⑤

제2외국어/한문 영역 　　　　　　　　　　　　　(한문)

〔25~27〕 선　도, 「춘망사(春望詞)」
　　　　　　두　목, 「청명(淸明)」

風花日將老, _{풍 화 일 장 로}	바람에 꽃이 날마다 늙음(시듦)으로 나아가는데,
佳期猶渺渺. _{가 기 유 묘 묘}	아름다운 때는 오히려 아득아득하네.
不結同心人, _{불 결 동 심 인}	마음을 함께하는 사람과 맺지 못하니,
空結同心草. _{공 결 동 심 초}	공연히 마음을 함께하는 풀을 묶네.
淸明時節雨紛紛, _{청 명 시 절 우 분 분}	청명절에 비가 흩날리고,
路上行人欲斷魂. _{로 상 행 인 욕 단 혼}	길 위의 행인은 넋을 끊고자 하네.
借問酒家何處有, _{차 문 주 가 하 처 유}	술집이 어느 곳에 있느냐고 물으니,
牧童遙指杏花村. _{목 동 요 지 행 화 촌}	목동이 멀리 살구꽃 핀 마을을 가리키네.

25. 해석 문제

　㉠ 장수 → 나아가다　　　㉢ 절개 → 시절
　㉣ 올라가다 → 위　　　　㉤ 누구 → 어느

답: ②

26. 시의 형식 문제

ㄱ. (가)의 제1구와 제2구는 문법적 기능이 동일한 글자의 배열로 이루어져 있지 않다.

ㄴ. (가)의 제3구는 특별한 감각적 심상이 없고, 제4구는 시각적 심상이 나타난다. 그러나 청각적 심상은 어디서도 찾을 수 없으며 더구나 시각적 심상과 청각적 심상의 대비는 말도 안 된다.

ㄷ. (나)의 제1구와 제2구에 '노상의 행인'이라는 경치와 '혼을 끊고자 하는' 정서가 융합되어 있다.

ㄹ. 시를 낭송하거나 듣기 좋도록 하는 음운상의 효과를 주는 글자가 '운자'이다. 운자는 시의 짝수 구의 마지막 글자에 오고 첫째 구의 마지막 글자에는 올 수도 오지 않을 수도 있다. '魂', '村'은 짝수 구의 마지막 글자이므로 운자이다.

답: ③

27. 이해와 감상 문제

한시를 이해하고 감상하는 문제에는 유감스럽지만 한시만 읽어서는 알 수 없는 설명이 등장하기도 한다. 지금 이 문제도 그렇다. 그래서 이런 문제에서는 한시를 읽어서 알 수 없는 설명이라고 틀렸다고 생각해서는 안 되고, 읽은 내용과 배치되는 설명만을 틀렸다고 생각해야 한다.

① '마음을 같이하는 사람'을 언급하는 것으로 보아서 시적 화자가 연인을 기다리고 있음을 짐작할 수 있다.

② 시적 화자가 객지에 있다는 것은 분명하지 않다. 군이 근거를 대자면 '술집이 어디에 있느냐'고 묻는 것에서 객지에 있음을 짐작할 수 있겠다. 자기가 사는 마을에 술집이 어디에 있느냐고 묻지는 않을 테니까 말이다. 하지만 아무리 생각해도 좀 억지다.

③ (나)의 공간적 배경이 비가 흩뿌리는 공간임을 알 수 있다.

④ (가)에는 '春'(봄 춘)이 있고, (나)에는 봄의 절기인 '淸明'(청명)이 있다.

⑤ (가)와 (나)에서 과장된 표현은 도무지 찾을 수 없다.

답: ⑤

〔28~30〕 남지(南智)

| 南智, <중략> 自公退, 祖問其所事.
_{남 지　　　　　 자 공 퇴　조 문 기 소 사} |
| 남지가 관청에서 물러나니 할아버지가 그 일어난 바를 물었다. |
| 一日歸白曰: "有下吏入藏, 潛懷錦段而出,
_{일 일 귀 백 왈　　유 하 리 입 장　잠 회 금 단 이 출} |
| 한 날은 돌아와 말하기를, "어떤 하급 관리가 창고에 들어가 비단을 안에 품고 나와 |
| 使之還入藏, 如是者三, 吏識其意, 置錦段而出."
_{사 지 환 입 장　여 시 자 삼　리 식 기 의　치 금 단 이 출} |
| 그가 돌아가 창고에 들어가게 하고 이와 같은 것이 세 번이니 관리가 그 뜻을 알고 비단을 두고 나왔습니다." |
| 祖曰: "汝以童子, 備官, 是以, 每有問, 欲知其
_{조 왈　　여 이 동 자　비 관　시 이　매 유 문　욕 지 기} |
| 得失, 自今吾可以無問."
_{득 실　자 금 오 가 이 무 문} |
| 할아버지가 말하기를, "너는 어린아이로서 관리가 되어 이런 이유로 매번 물음이 있음으로 그 얻고 잃음을 알고자 하였는데 이제부터 내가 물음이 없어도 되겠다." |

28. 해석 문제

㉠은 '할아버지', ㉡은 '하급 관리', ㉢은 '남지', ㉣은 '할아버지'를 가리키므로, 가리키는 대상이 같은 것은 ㉠, ㉣이다.

답: ③

29. 짜임 문제

㉠은 '얻고 잃음'으로 해석되므로 그 짜임은 '병렬'이다.

① 大小: 크고 작음. (병렬)
② 年少(연소): 나이가 적다. (주술)
③ 俗談(속담): 민간의 말. (수식)
④ 故事(고사): 옛일. (수식)
⑤ 短文(단문): 짧은 글. (수식)

답: ①

30. 해석 문제

ㄱ. 할아버지가 "너는 어린아이로서 관리가 되어……."라고 하는 부분에서 알 수 있다.

ㄴ. 남지는 비단을 훔쳐 가는 관리를 준엄하게 문책하지 않고 창고에 돌아가 다시 들어가게 하기를 반복하여 그가 스스로 잘못을 깨닫게 하였다.

ㄷ. 할아버지가 "그 얻고 잃음을 알고자 함이었다."라고 하는 부분에서 알 수 있다.

ㄹ. 할아버지가 "매번 물음이 있었는데……."라고 하는 부분에서 알 수 있다.

답: ④

1. 대화의 내용으로 보아 ㉠에 알맞은 것은? [1점]

유원: 눈에 익은 그림인데, 천 원짜리 지폐에서 봤나?
형빈: 그래, 맞아. 겸재 정선이 '시냇가의 도산 서당에서 고요히 생활하던' 퇴계 선생의 모습을 화폭에 담은 거야.
유원: 아! 그래서 이 그림의 제목을 '溪上(㉠)圖'라고 하는구나.

① 草家   ② 靜居   ③ 風景   ④ 遊覽   ⑤ 閑暇

2. 음이 같은 한자끼리 연결된 것을 <보기>에서 고른 것은? [1점]

<보 기>
ㄱ. 侍 - 待   ㄴ. 埋 - 理   ㄷ. 給 - 級   ㄹ. 浦 - 捕

① ㄱ, ㄴ   ② ㄱ, ㄷ   ③ ㄴ, ㄷ   ④ ㄴ, ㄹ   ⑤ ㄷ, ㄹ

3. 자전에서 한자를 찾았을 때, ㉠에 들어갈 부수와 ㉡에 들어갈 획수로 모두 옳은 것은? [1점]

	㉠	㉡		㉠	㉡
①	手	4	②	犬	4
③	手	5	④	犬	5
⑤	手	6			

4. 다음 조건을 모두 만족하는 한자는? [1점]

① 末   ② 木   ③ 火   ④ 米   ⑤ 禾

5. 두 자를 <보기>와 같이 합하여 하나의 한자로 만들었을 때, ㉠과 ㉡의 음이 모두 옳은 것은? [1점]

<보 기>
如 + 心 = (恕)

○羽 + 白 = (㉠)   ○中 + 心 = (㉡)

	㉠	㉡		㉠	㉡
①	습	중	②	십	중
③	습	충	④	십	충
⑤	습	종			

6. 대화의 내용으로 보아 ㉠에 알맞은 것은? [1점]

① 天下   ② 歲暮   ③ 綠陰   ④ 光陰   ⑤ 月光

7. 화살표 방향으로 성어를 채울 때, ㉠에 알맞은 한자는? [1점]

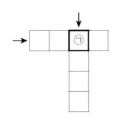

【가로 열쇠】
　　임금이 백성과 함께 즐김.
【세로 열쇠】
　　겉으로는 같이 행동하면서도
　　속으로는 각각 다른 생각을
　　하고 있음.

① 相　　② 表　　③ 同　　④ 異　　⑤ 共

8. 그림과 글의 내용으로 보아 ㉠에 알맞은 것은? [1점]

배려는 ㉠ 에서 시작돼요!

언어 장애가 있는 분과 대화할 때는
고개를 끄덕이고 끝까지 들어 주세요.
이런 작은 행동이 배려의 시작입니다.

① 公平　　② 所信　　③ 秩序　　④ 寄附　　⑤ 傾聽

9. 그림의 글자로 만들 수 있는 사자성어의 의미와 관계있는 것은?

金　科　枝
　石　條
玉　感　斷

① 우리 때는 상상도 할 수 없었는데.
② 어쩌면 저렇게 둘이 마음이 맞을까.
③ 영원히 잘 지켜야 할 좋은 규정이야.
④ 금이야 옥이야 정성 들여 자식을 키웠지.
⑤ 정보의 홍수 속에서 옥석을 가려내기 쉽지 않군.

10. 글의 의미와 관계있는 것은?

安而不忘危, 存而不忘亡, 治而不忘亂.
- 『주역』 -

① 安貧樂道　　② 有備無患　　③ 刻骨難忘
④ 進退兩難　　⑤ 雪上加霜

11. ㉠과 같은 뜻으로 쓰인 것은?

盛名, 必有㉠重責, 大巧, 必有奇窮.
- 『명심보감』 -

① 重修　　② 重複　　③ 重職　　④ 重層　　⑤ 重刊

12. 글의 내용과 관계있는 성어는? [1점]

천지는 만물에 좋은 것만을 다 가질 수는 없게 하였다.
그러므로 뿔이 있는 것은 이가 없고, 날개가 있는 것은 다리가
둘뿐이며, 이름난 꽃은 열매가 없고, 채색 구름은 쉽게
흩어진다. 사람에게 있어서도 마찬가지로, 뛰어난 재주가
있으면 공명까지는 없는 것이니 이치가 그러한 것이다.
- 『파한집』 -

① 角者無齒　　② 名實相符　　③ 望雲之情
④ 事必歸正　　⑤ 錦上添花

13. 글에 대한 이해로 옳은 것은?

君者, 舟也, 庶人者, 水也. 水則載舟, 水則覆舟.
- 『순자』 -

① 백성은 물을 잘 이용해야 한다.
② 백성에게는 물이 가장 중요하다.
③ 백성은 임금을 잘 받들어야 한다.
④ 임금은 백성을 두려워할 줄 알아야 한다.
⑤ 임금과 백성은 모두 배를 잘 다루어야 한다.

14. 글에서 말하고자 하는 것은?

苟非其義, 雖千金之利, 不動心焉.
- 『삼국사기』 -

① 他山之石　　② 見利思義　　③ 利用厚生
④ 漁父之利　　⑤ 昏定晨省

[15~16] 다음 글을 읽고 물음에 답하시오.

> 以銅爲鑑, 可正衣冠, ㉠以古爲鑑, 可知興替, 以人爲鑑, 可明㉡得失.
>
> -『신당서』-

15. 윗글의 내용으로 보아 ㉠과 관계있는 것은?

① 隨友適江南.
② 百聞不如一見.
③ 聞則病, 不聞則藥.
④ 水深可知, 人心難知.
⑤ 前事之不忘, 後事之師也.

16. 문맥상 ㉡의 의미로 옳은 것은?

① 始作　② 世上　③ 根本　④ 讓步　⑤ 是非

[17~18] 다음 글을 읽고 물음에 답하시오.

> 子曰: "篤信好學, 守死善道. 危邦不入, 亂邦不居, 天下有道則㉠見, 無道則隱. 邦有道, 貧且賤焉, 恥也, ㉡邦無道, 富且貴焉, 恥也."
>
> -『논어』-

17. ㉠과 음이 같은 것은?

① 會見　② 謁見　③ 偏見　④ 識見　⑤ 意見

18. ㉡의 의미와 관계있는 것은?

[19~20] 다음 글을 읽고 물음에 답하시오.

> 每歲㉮八月十五日, ㉠男女共聚㉡歌舞, 分作㉢左右隊, 曳大索㉣兩端, 以決㉤勝負. 索若中絶, 兩隊仆地, 則觀者大笑, 以爲照里之戲.
>
> *聚(취): 모이다　*曳(예): 끌다　*仆(부): 엎어지다
> -『동국여지승람』-

19. ㉠~㉤ 중, ㉮와 짜임이 같은 것은? [1점]

①㉠　②㉡　③㉢　④㉣　⑤㉤

20. 윗글의 내용과 관계있는 그림은?

①  ②

③  ④

⑤

[21~22] 다음 글을 읽고 물음에 답하시오.

> 人有㉠畜野鵝者, 多與煙火之食, 鵝㉡便體重, 不能飛. 後, 忽不食, 人以爲病, ㉢益與之食而不食. 旬日而體㉣輕, 凌空而去. 翁聞之, 曰: "(㉮)哉! 善自㉤保也."
>
> *鵝(아): 거위　*凌(릉): 오르다
> -『성호전서』-

21. ㉠~㉤의 풀이로 옳지 않은 것은?

① ㉠: 기르다　② ㉡: 편리하다　③ ㉢: 더
④ ㉣: 가벼워지다　⑤ ㉤: 지키다

22. 윗글의 내용으로 보아 ㉮에 알맞은 것은?

① 智　② 仁　③ 哀　④ 愚　⑤ 義

[23~24] 다음 글을 읽고 물음에 답하시오.

> 龐蔥, ㉠與太子, 質㉡於邯鄲, 謂魏王曰: "今一人, 言市有虎, 王信之乎?" 王曰: "㉢否." "二人, 言市有虎, 王信之乎?" 王曰: "寡人疑之矣." "三人, 言市有虎, 王信之乎?" 王曰: "寡人㉣信之矣." 龐蔥曰: "夫市之無虎, ㉤明矣, 然而三人言而成虎."
>
> 　　*龐蔥(방총): 인명　*邯鄲(한단): 지명　*魏(위): 국명
> 　　　　　　　　　　　　　　　　　　　　　　－『전국책』－

23. ㉠~㉤에 대한 설명으로 옳지 않은 것은?

① ㉠은 '授與'의 '與'와 뜻이 같다.
② ㉡은 '于'와 바꾸어 쓸 수 있다.
③ ㉢은 문맥상 '不信'의 의미이다.
④ ㉣의 주체는 '王'이다.
⑤ ㉤은 '분명하다'로 풀이한다.

24. 윗글에서 유래한 성어의 의미와 관계있는 것은?

① 쓸데없이 긁어 부스럼을 만들었군.
② 윗사람의 권세를 믿고 함부로 날뛰는군.
③ 말 한마디로 정곡을 정확하게 찌르는군.
④ 근거 없는 말도 여러 사람이 하면 믿게 되는군.
⑤ 인생의 길흉화복은 변화가 많아 예측하기 어렵군.

[25~27] 다음 글을 읽고 물음에 답하시오.

> 太史公云: "以權利合者, 權利盡而交㉠疏." ㉮君亦世之滔滔中一人, 其有超然自拔於滔滔權利之外, 不以權利視我耶? 太史公之言非耶? 孔子曰: "㉯歲寒然後, 知松柏之後凋." 松柏, 是貫四時而不凋者, 歲寒以前, 一松柏也, 歲寒以後, 一松柏也, 聖人, 特㉡稱之於歲寒之後.
>
> 　　*滔滔(도도): 세력이 걷잡을 수 없는 모양
> 　　*柏(백): 잣나무　*凋(조): 시들다
> 　　　　　　　　　　　　　　　　　　　　　－ 김정희 －

25. ㉠과 ㉡의 풀이로 모두 옳은 것은?

	㉠	㉡		㉠	㉡
①	통하다	알맞다	②	멀어지다	알맞다
③	통하다	일컫다	④	멀어지다	일컫다
⑤	통하다	칭찬하다			

26. 의미상 ㉮와 바꾸어 쓸 수 있는 것은?

① 王　② 帝　③ 吾　④ 彼　⑤ 汝

27. ㉯에서 말하고자 하는 것은?

① 志操　② 努力　③ 勇氣　④ 包容　⑤ 忍耐

[28~30] 다음 시를 읽고 물음에 답하시오.

> (가) 秋草前㉠朝寺, ㉡殘碑學士文.
> 　　 千年有流水, 　落日見歸雲.
> 　　　　　　　　　　　　　　－ 백광훈, 「홍경사(弘慶寺)」
>
> (나) 有㉢約郞何晩, 庭梅欲謝時.
> 　　 ㉣忽聞枝上鵲, ㉤虛畵鏡中眉.
> 　　　　　　　　　　　　　　　*鵲(작): 까치
> 　　　　　　　　　　　　　－ 이옥봉, 「규정(閨情)」 －

28. ㉠~㉤의 풀이로 옳지 않은 것은?

① ㉠: 왕조　　② ㉡: 크다　　③ ㉢: 약속
④ ㉣: 갑자기　⑤ ㉤: 헛되이

29. 위 시에 대한 설명으로 옳은 것만을 <보기>에서 있는 대로 고른 것은?

> ─────<보 기>─────
> ㄱ. (가)의 제1구와 제2구는 대우(對偶)를 이룬다.
> ㄴ. (가)의 제4구는 청각적 심상이 두드러진다.
> ㄷ. (나)의 운자(韻字)는 '晩', '時'이다.
> ㄹ. (나)의 제2구를 통해 계절적 배경을 알 수 있다.

① ㄱ, ㄷ　　② ㄱ, ㄹ　　③ ㄴ, ㄷ
④ ㄱ, ㄴ, ㄹ　　⑤ ㄴ, ㄷ, ㄹ

30. (나)의 시상 전개에 따라 <보기>의 그림을 순서대로 바르게 배열한 것은?

─────<보 기>─────

① ㉮-㉯-㉰-㉱　　② ㉮-㉯-㉱-㉰
③ ㉯-㉮-㉰-㉱　　④ ㉯-㉮-㉱-㉰
⑤ ㉯-㉱-㉮-㉰

---

* 확인 사항

○ 답안지의 해당란에 필요한 내용을 정확히 기입(표기)했는지 확인하시오.

2014학년도 6월 모의평가

1	②	7	③	13	④	19	④	25	④
2	⑤	8	⑤	14	②	20	①	26	⑤
3	③	9	③	15	⑤	21	⑦	27	①
4	⑤	10	②	16	⑤	22	④	28	②
5	③	11	③	17	②	23	①	29	②
6	④	12	①	18	③	24	④	30	④

1. 그림 문제

'시냇가(溪上)의 도산 서당에서 고요히 생활하던' 모습을 그린 그림이므로 ㉠에는 '고요히 생활하다'라는 뜻이 들어가야 한다.
① 草家(초가): 볏짚, 밀짚, 갈대 등으로 이엉을 엮어 지붕을 인 집.
② 靜居(정거): 고요히 지냄.
③ 風景(풍경): 경치.
④ 遊覽(유람): 여기저기 돌아다니며 구경함.
⑤ 閑暇(한가): 별로 할 일이 없어 바쁘지 않고 여유가 있음.

답: ②

2. 한자 문제

ㄱ. 侍(모실 시) - 待(기다릴 대)
ㄴ. 埋(묻을 매) - 理(이치 리)
ㄷ. 給(줄 급) - 級(등급 급)
ㄹ. 浦(물가 포) - 捕(잡을 포)

답: ⑤

3. 한자 문제

㉠에는 '拘'(잡을 구)의 부수, ㉡에는 '留'(머무를 류)의 부수 '田'(밭 전)을 제외한 획수가 들어간다. '拘'는 그 뜻으로 보아 '手'(손수)가 부수이다. 이를 잘 몰랐더라도 '拘'의 음은 '句'(글귀 구)에서 온 것이 분명하므로 '拘'에서 '句'를 제외한 부분인 '手'가 부수가 됨을 알 수 있다. '留'에서 '田'를 제외한 부분의 획수는 5획이므로 답은 ③이다.

답: ③

4. 조건을 만족하는 한자 문제

조건을 만족하는 한자를 찾는 문제이다. 문제에서는 갑골문의 모양, 음, 총획, 그리고 제자 원리를 알려 주고 있다. 음으로 찾는 게 가장 빠르므로 음이 '化'(될 화)와 같은 한자를 먼저 찾아보자.
① 末(끝 말)　　② 木(나무 목)　　③ 火(불 화)
④ 米(쌀 미)　　⑤ 禾(벼 화)
음이 '화'인 한자는 '火'와 '禾'뿐이다. 총획이 '正'(바를 정)과 같으므로 답은 '禾'이다.

답: ⑤

5. 합자 문제

羽+白=習(익힐 습), 中+心=忠(충성 충)이다.

답: ③

6. 한자어 문제

① 天下(천하)　　② 歲暮(세모)　　③ 綠陰(녹음)
④ 光陰(광음)　　⑤ 月光(월광)
'光陰'은 '歲月'(세월)이라는 뜻이다.

답: ④

7. 십자말풀이 문제

가로 열쇠는 '與民同樂'(여민동락), 세로 열쇠는 '同床異夢'(동상이몽)이다.

답: ③

8. 한자어 문제

① 公平(공평)　　② 所信(소신)　　③ 秩序(질서)
④ 寄附(기부)　　⑤ 傾聽(경청)

답: ⑤

9. 카드 문제

그림의 한자로 만들 수 있는 사자성어를 찾는 문제이다. 이런 문제에서는 그림의 한자를 훑어본 다음, ①~⑤를 보면서 그림의 한자로 ①~⑤의 의미를 가지는 사자성어를 생각해 보면 된다.
③, ④를 빼고는 사자성어가 떠오르지 않는다.
③ 영원히 잘 지켜야 할 좋은 규정이야.
　☞ 金科玉條(금과옥조)
④ 금이야 옥이야 정성 들여 자식을 키웠지.
　☞ 金枝玉葉(금지옥엽)

답: ③

10. 단문 문제

> 安而不忘危, 存而不忘亡, 治而不忘亂.
> 안 이 불 망 위　존 이 불 망 망　치 이 불 망 란
> 편안하다고 위태로움을 잊지 말고 있다고 없어짐을 잊지 말고 다스려진다고 어지러움을 잊지 말라.

① 安貧樂道(안빈낙도): 가난에 안주하고 도를 즐김.
② 有備無患(유비무환): 대비가 있으면 근심이 없음.
③ 刻骨難忘(각골난망): 뼈에 새겨 잊기 어려움. 은혜가 뼈에 새길 만큼 커서 잊혀지지 않음.
④ 進退兩難(진퇴양난): 나아가고 물러나는 양쪽이 어려움. 이러지도 저러지도 못하는 난처한 처지.
⑤ 雪上加霜(설상가상): 눈 위에 서리가 더해짐. 난처한 일이나 불행한 일이 잇따라 일어남.

답: ②

11. 단문 문제

> 盛名, 必有重責, 大巧, 必有奇窮.
> 성 명　필 유 중 책　대 교　필 유 기 궁
> 성한 명성에는 반드시 무거운 책임이 있고 커다란 꾸밈에는 반드시 궁함이 있다.

230

해석이 쉽지만은 않지만 ㉠이 '무겁다'라는 뜻으로 쓰였다는 것은 알 수 있었을 것이다.

① 重修(중수): 다시 고침. (다시)
② 重複(중복): 겹침. (겹)
③ 重職(중직): 중대한 직무. (무겁다)
④ 重層(중층): 여러 층. (겹)
⑤ 重刑(중형): 무거운 형벌. (무겁다)

①~⑤에서 '重職'의 '重'과 '重刑'의 '重'이 모두 '무겁다'로 해석되어 답을 찾기 쉽지 않다. 이런 때에는 '重'만 볼 것이 아니라 '重責' 전체를 보아야 한다. 아무래도 '重責'과 '重職'의 뜻이 가까우므로 거기에 쓰인 '重'의 뜻이 더 같다고 해야 할 것이다.

답: ③

12. 사자성어 문제

① 角者無齒(각자무치): 뿔이 있는 것은 이빨이 없음. 사람이 여러 가지 복을 겸하지 못함.
② 名實相符(명실상부): 이름과 실제가 서로 맞음.
③ 望雲之情(망운지정): 구름을 바라보는 마음. 어버이를 그리워하는 마음.
④ 事必歸正(사필귀정): 일은 반드시 바름으로 돌아감.
⑤ 錦上添花(금상첨화): 비단 위에 꽃을 더함. 좋은 일에 또 좋은 일이 더함.

답: ①

13. 단문 문제

> 君者, 舟也, 庶人者, 水也. 水則載舟, 水則覆舟.
> 군자 주야 서인자 수야 수즉재주 수즉복주
> 임금이라는 것은 배이고 여러 사람이라는 것은 물이다. 물이 곧 배를 싣고 물이 곧 배를 뒤집는다.

글에 대한 이해로 옳은 것은 '임금은 백성을 두려워할 줄 알아야 한다'이다.

답: ④

14. 단문 문제

> 苟非其義, 雖千金之利, 不動心焉.
> 구 비 기 의, 수 천 금 지 리, 부 동 심 언
> 진실로 그 의로움이 아니면 비록 천금의 이익이라도 마음을 움직이지 않는다.

① 他山之石(타산지석): 다른 산의 돌. 본이 되지 않은 남의 말이나 행동도 자신의 지식과 인격을 수양하는 데에 도움이 됨.
② 見利思義(견리사의): 이익을 보면 의로움을 생각함.
③ 利用厚生(이용후생): 이롭게 써서 도탑게 삶.
④ 漁父之利(어부지리): 어부의 이익. 두 사람이 이해관계로 서로 싸우는 사이에 엉뚱한 사람이 애쓰지 않고 이익을 가로챔.
⑤ 昏定晨省(혼정신성): 저녁에 (잠자리를) 정해 드리고 새벽에 살핌. 자식이 아침저녁으로 부모의 안부를 물어서 살핌.

답: ②

[15~16] 거울

> 以銅爲鑑, 可正衣冠, 以古爲鑑, 可知興替, 以
> 이 동 위 감, 가 정 의 관, 이 고 위 감, 가 지 흥 체, 이
> 人爲鑑, 可明得失.
> 인 위 감, 가 명 득 실.
> 구리로써 거울을 삼으면 옷과 갓을 바르게 할 수 있고 옛날로써 거울을 삼으면 흥함과 쇠함을 알 수 있고 사람으로써 거울을 삼으면 얻음과 잃음을 밝힐 수 있다.

15. 단문 문제

① 隨友適江南.
　수 우 적 강 남
　친구 따라 강남 간다.

② 百聞不如一見.
　백 문 불 여 일 견
　백 번 듣는 것이 한 번 보는 것만 못하다.

③ 聞則病, 不聞則藥.
　문 즉 병, 불 문 즉 약
　들으면 병이고 듣지 않으면 약이다.

④ 水深可知, 人心難知.
　수 심 가 지, 인 심 난 지
　물의 깊이는 알 수 있어도 사람의 마음은 알기 어렵다.

⑤ 前事之不忘, 後事之師也.
　전 사 지 불 망, 후 사 지 사 야
　앞일의 잊지 않음은 뒷일의 스승이다.

답: ⑤

16. 해석 문제

① 始作(시작)　② 世上(세상)　③ 根本(근본)
④ 讓步(양보)　⑤ 是非(시비)

㉠처럼 반대되는 뜻을 가진 두 한자로 이루어진 한자어가 '是非'라는 것으로도 답이 ⑤임을 알 수 있다.

답: ⑤

[17~18] 논어(論語)

> 子曰: "篤信好學, 守死善道.
> 자 왈　　 독 신 호 학, 수 사 선 도
> 공자가 말하기를, "믿음이 도탑고 학문을 좋아하며 죽음으로 좋은 도를 지켜라.
> 危邦不入, 亂邦不居, 天下有道則見, 無道則隱.
> 위 방 불 입, 란 방 불 거, 천 하 유 도 즉 현, 무 도 즉 은.
> 위태로운 나라에는 들어가지 않고, 어지러운 나라에는 살지 않으며 천하에 도가 있으면 나타나고 도가 없으면 숨는다.
> 邦有道, 貧且賤焉, 恥也, 邦無道, 富且貴焉, 恥也."
> 방 유 도, 빈 차 천 언 치 야, 방 무 도, 부 차 귀 언 치 야.
> 나라에 도가 있으면 가난하고 천함이 부끄러운 것이요 나라가 도가 없으면 부유하고 귀함이 부끄러운 것이다."

17. 해석 문제

음을 물어보았다는 것만으로도 이미 '見'이 '보다'가 아닌 다른 뜻으로 쓰였다는 것을 눈치챌 수 있다. '有道則見, 無道則隱'이 대구를 이룬다는 것에서 '見'은 '숨을 은'과 반대되는 뜻이고, 따라서 '볼 견'이 아니라 '나타날 현'으로 쓰였다는 것을 알 수 있다.

① 會見(회견)　　② 謁見(알현)　　③ 偏見(편견)
④ 識見(식견)　　⑤ 意見(의견)

'見'이 '나타날 현'으로 쓰였다는 것을 알아내지 못했더라도 ①~⑤의 한자어를 읽어 보면 '회견', '편견', '식견', '의견'은 많이 들어 본 단어인 반면 '알견'은 들어 본 적이 없는 단어이므로 '謁見'의 '見'이 '견'으로 읽히지 않는다는 것을 알 수 있다.

답: ②

18. 해석 문제

ⓒ의 의미와 관계있는 것은 '나라가 어지러울 때 부귀해지는 것이 과연 옳은 일일까?'이다.

답: ③

[19~20] 줄다리기

每歲八月十五日, 男女共聚歌舞, 分作左右隊,
매 세 팔 월 십 오 일　남 녀 공 취 가 무　분 작 좌 우 대
曳大索兩端, 以決勝負.
예 대 삭 량 단　이 결 승 부

매년 8월 15일에 남녀가 함께 모여 노래하고 춤추고 나누어 왼쪽과 오른쪽 무리를 만들어 큰 동아줄 양 끝을 끎으로써 승부를 결정하였다.

索若中絶, 兩隊仆地, 則觀者大笑, 以爲照里之戲.
삭 약 중 절　양 대 부 지　즉 관 자 대 소　이 위 조 리 지 희

동아줄이 가운데서 끊어져 양 무리가 땅에 엎어지면 보는 사람들이 크게 웃었는데 조리지희라고 하였다.

19. 짜임 문제

한자어의 짜임은 두 글자 이상의 한자로 이루어진 한자어가 어떻게 해석되는가를 나타내는 개념이다. 한자어의 짜임에는 '주술(주어+서술어)', '술목(서술어+목적어)', '술보(서술어+보어)', '수식', '병렬'의 다섯 가지가 있다.

㉮는 '8월'로 해석되므로 그 짜임은 '수식'이다.

㉠ 男女(남녀): 남자와 여자. (병렬)
㉡ 歌舞(가무): 노래와 춤. (병렬)
㉢ 左右(좌우): 왼쪽과 오른쪽. (병렬)
㉣ 兩端(양단): 두 끝. (수식)
㉤ 勝負(승부): 이김과 짐. (병렬)

답: ④

20. 해석 문제

윗글의 내용은 '줄다리기'이므로 관계있는 그림은 ①이다.

답: ①

[21~22] 거위의 지혜

人有畜野鵝者, 多與煙火之食, 鵝便體重, 不能飛.
인 유 축 야 아 자　다 여 연 화 지 식　아 변 체 중　불 능 비

사람으로 들거위를 기르는 사람이 있어 연기와 불로 익힌 음식을 많이 주자 거위가 문득 몸이 무거워져 날지 못했다.

後, 忽不食, 人以爲病, 益與之食而不食.
후　홀 불 식　인 이 위 병　익 여 지 식 이 불 식

뒤로 갑자기 먹지 않자 사람이 병으로 여겨 그것에게 먹을 것을 더 주었으나 먹지 않았다.

旬日而體輕, 凌空而去.
순 일 이 체 경　릉 공 이 거

10일이 되어 몸이 가벼워지자 공중을 넘어 날아갔다.

翁聞之, 曰: "(㉮)哉! 善自保也."
옹 문 지 왈　재　선 자 보 야

늙은이가 그것을 듣고는 말하기를, "㉮하구나! 스스로를 지키는 것을 잘하는구나."

21. 해석 문제

ⓒ은 '편리하다'가 아니라 '문득'으로 해석된다.

답: ②

22. 빈칸 문제

① 智(지혜 지)　　② 仁(어질 인)　　③ 哀(슬플 애)
④ 愚(어리석을 우)　　⑤ 義(옳을 의)

답: ①

[23~24] 삼인성호(三人成虎)

龐蔥, 與太子, 質於邯鄲, 謂魏王曰: "今一人,
방 총　여 태 자　질 어 한 단　위 위 왕 왈　금 일 인
言市有虎, 王信之乎?" 王曰: "否."
언 시 유 호　왕 신 지 호　왕 왈　부

방총이 태자와 더불어 한단에 인질이 되어 위나라 왕에게 일러 말하기를, "지금 한 사람이 저자에 호랑이가 있다고 말하면 왕께서는 그것을 믿으시겠습니까?" 왕이 말하기를, "아니다."

"二人, 言市有虎, 王信之乎?" 王曰: "寡人疑之矣."
이 인　언 시 유 호　왕 신 지 호　왕 왈　과 인 의 지 의

"두 사람이 저자에 호랑이가 있다고 말하면 왕께서는 그것을 믿으시겠습니까?" 왕이 말하기를, "과인은 그것을 의심하겠다."

"三人, 言市有虎, 王信之乎?" 王曰: "寡人信之矣."
삼 인　언 시 유 호　왕 신 지 호　왕 왈　과 인 신 지 의

"세 사람이 저자에 호랑이가 있다고 말하면 왕께서는 그것을 믿으시겠습니까?" 왕이 말하기를, "과인은 그것을 믿겠다."

龐蔥曰: "夫市之無虎, 明矣, 然而三人言而成虎."
방 총 왈　부 시 지 무 호　명 의　연 이 삼 인 언 이 성 호

방총이 말하기를, "무릇 저자에 호랑이가 없음은 명백하나 세 사람이 말하면 호랑이를 이룹니다."

23. 해석 문제

㉠은 '더불어'라는 뜻으로, '授與'의 '與'는 '주다'라는 뜻으로 쓰였다.

답: ①

24. 해석 문제

윗글에서 유래한 성어는 '三人成虎'(삼인성호)이다. 그 의미와 관계있는 것은 '근거 없는 말도 여러 사람이 하면 믿게 되는군.'이다.

답: ④

〔25~27〕 세한도 서문(歲寒圖序文)

太史公云: "以權利合者, 權利盡而交疏."
태사공운　　이권리합자　권리진이교소
태사공이 말하기를, "권리로써 빌붙는 자는 권리가 다하면 사
귐이 멀어진다."

君亦世之滔滔中一人, 其有超然自拔於滔滔權
군역세지도도중일인　기유초연자발어도도권
利之外, 不以權利視我耶? 太史公之言非耶?
리지외　불이권리시아야　태사공지언비야
그대 또한 세상의 도도한(권세가 있는) 사람 가운데 하나이지
만 그 초연히 도도한 권세와 이익 밖에 스스로 뽑아남(권세와
이익으로 사람을 사귀는 것에서 벗어남)이 있으니 권세와 이익
으로써 나를 보지 않는 것인가? 태사공의 말은 틀렸는가?

孔子曰: "歲寒然後, 知松柏之後凋."
공자왈　세한연후　지송백지후조
공자가 말하기를, "해가 추워진 뒤에야 소나무와 잣나무가 뒤
에 시듦을 안다."

松柏, 是貫四時而不凋者, 歲寒以前, 一松柏也,
송백　시관사시이부조자　세한이전　일송백야
歲寒以後, 一松柏也, 聖人, 特稱之於歲寒之後.
세한이후　일송백야　성인　특칭지어세한지후
소나무와 잣나무, 이는 네 때를 통하여 시들지 않는 것으로,
해가 추워지기 전에도 하나의 잣나무와 소나무이고 해가 추워
진 뒤에도 하나의 잣나무와 소나무이지만 성인이 특별히 이를
해가 추워진 뒤에 부른 것이다.

25. 해석 문제

㉠은 '멀어지다', ㉡은 '일컫다'로 해석된다.

답: ④

26. 바꾸어 쓸 수 있는 한자 문제

　① 王(임금 왕)　　② 帝(임금 제)　　③ 吾(나 오)
　④ 彼(저 피)　　⑤ 汝(너 여)

㉮가 '임금'이라는 뜻이라고 하면 '王'하고도, '帝'하고도 바꾸어
쓸 수 있다. 따라서 ㉮가 '임금'의 뜻이 아니라 '그대'라는 뜻으로
쓰였음을 알 수 있다. ㉮와 바꾸어 쓸 수 있는 것은 2인칭 대명
사 '汝'이다.

답: ⑤

27. 해석 문제

　① 志操(지조)　　② 努力(노력)　　③ 勇氣(용기)
　④ 包容(포용)　　⑤ 忍耐(인내)

㉯는 '해가 추워진 뒤에야 소나무와 잣나무가 뒤에 시듦을 안다.'
로 해석되므로 말하고자 하는 것은 '志操'(지조)이다.

답: ①

〔28~30〕 백광훈, 「홍경사(弘慶寺)」
이옥봉, 「규정(閨情)」

秋草前朝寺,　가을 풀, 전 왕조의 절,
추초전조사
殘碑學士文.　남은 비석에 한림학사의 글.
잔비학사문
千年有流水,　천 년 동안 흐르는 물이 있고
천년유류수
落日見歸雲.　지는 해에 돌아오는 구름을 본다.
락일견귀운

有約郎何晚,　약속이 있는데 낭군은 어찌 늦으시나요,
유약랑하만
庭梅欲謝時.　뜰의 매화는 지고자 하는 때입니다.
정매욕사시
忽聞枝上鵲,　홀연히 가지 위 까치를 듣고는
홀문지상작
虛畫鏡中眉.　헛되이 거울 속 눈썹을 그립니다.
허화경중미

28. 해석 문제

'殘'에는 '크다'라는 뜻이 없다. ㉡은 '남다'라는 뜻으로 쓰였다.

답: ②

29. 한시 문제

ㄱ. 두 구가 문법적 기능이 동일한 글자의 배열로 이루어져 있을
때 대우를 이룬다고 한다. (가)의 제1구와 제2구는 문법적 기능이
동일한 글자의 배열로 이루어져 있으므로 대우를 이룬다.
ㄴ. (가)의 제4구는 시각적 심상이 두드러진다.
ㄷ. 운자는 짝수 구의 마지막 글자에 오고 첫째 구의 마지막 글
자에 올 수 있다. 짝수 구의 마지막 글자가 '時'(때 시), '眉'(눈썹
미)이므로 '晚'(늦을 만)은 운자가 아니다.
ㄹ. (나)의 제2구에서 계절적 배경이 '매화가 지고자 하는 때'임을
알 수 있다.

답: ②

30. 이해와 감상 문제

해석을 하지 못했더라도 각 구의 시어에 집중하면 답을 찾을 수
있다.

　제1구: 남은 것 → ㉯　　　제2구: 梅花　→ ㉮
　　제3구: 鵲　　→ ㉣　　　제4구: 鏡, 眉 → ㉰

답: ④

성명 [　　　] 수험 번호 [| | | | |] − [| |]

---

1. 그림과 대화의 내용으로 보아 ㉠에 알맞은 것은? [1점]

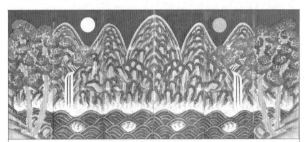

희주: 다현아! 만 원짜리 지폐에 있는 이 그림 좀 볼래?
다현: 눈여겨보지 않았는데, 자세히 보니 붉은 해, 하얀 달, 봉우리, 소나무, 폭포 그리고 바다와 파도 등이 그려져 있네.
희주: 그래, 주로 왕실의 병풍에 그린 것인데, 임금과 왕비를 나타내는 해와 달, 그리고 다섯 개의 봉우리가 있다고 해서 그림의 제목을 '日月五(㉠)圖'라고도 하지.

① 鳳　　② 嶺　　③ 巖　　④ 峯　　⑤ 監

2. 음이 같은 한자끼리 연결된 것을 <보기>에서 고른 것은? [1점]

──────<보 기>──────
ㄱ. 何 - 河　　　ㄴ. 奴 - 努
ㄷ. 皮 - 破　　　ㄹ. 苦 - 若

① ㄱ, ㄴ　　② ㄱ, ㄷ　　③ ㄴ, ㄷ
④ ㄴ, ㄹ　　⑤ ㄷ, ㄹ

3. 자전에서 한자를 찾을 때, ㉠에 들어갈 부수와 ㉡에 들어갈 획수로 모두 옳은 것은? [1점]

	㉠	㉡
①	食	6
②	包	6
③	食	7
④	包	7
⑤	食	8

4. 다음 조건을 모두 만족하는 한자는? [1점]

① 貴　　② 鬼　　③ 象　　④ 鹿　　⑤ 龜

5. 두 자를 <보기>와 같이 합하여 하나의 한자로 만들 때, ㉠과 ㉡의 음이 모두 옳은 것은? [1점]

──────<보 기>──────
言 + 羊 = (詳)
○貝 + 反 = (㉠)　　　○口 + 及 = (㉡)

	㉠	㉡			㉠	㉡
①	판	흡		②	반	급
③	판	급		④	반	흡
⑤	패	습				

6. 대화의 내용으로 보아 ㉠에 알맞은 것은? [1점]

① 嚴罰　　② 下山　　③ 勸善　　④ 表裏　　⑤ 人造

7. 화살표 방향으로 성어를 채울 때, ㉠에 알맞은 것은? [1점]

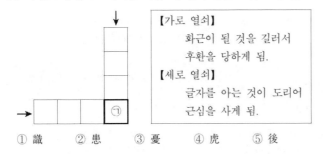

【가로 열쇠】
화근이 될 것을 길러서 후환을 당하게 됨.

【세로 열쇠】
글자를 아는 것이 도리어 근심을 사게 됨.

① 識　　② 患　　③ 憂　　④ 虎　　⑤ 後

8. 그림과 글의 내용으로 보아 ㉠에 알맞은 것은? [1점]

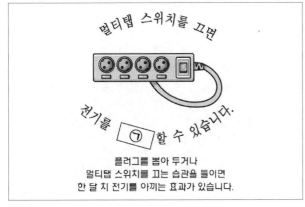

① 規約　　② 消費　　③ 節約　　④ 利用　　⑤ 節稅

9. 대화의 내용으로 보아 ㉠과 ㉡의 한자 표기로 모두 옳은 것은?

	㉠	㉡		㉠	㉡
①	社告	事故	②	事故	思考
③	社告	史庫	④	事故	社告
⑤	思考	事故			

10. 글의 내용으로 보아 ㉠에 알맞은 것은?

> 人法地, 地法(㉠), 天法道, 道法自然.
>
> - 『노자』 -

① 人　　② 地　　③ 天　　④ 道　　⑤ 自然

11. 글의 의미와 관계있는 것은?

> 啖梨之美, 兼以濯齒.
>
> ＊啖(담): 먹다　　 -『이담속찬』-

① 前代未聞　　② 一片丹心　　③ 烏飛梨落
④ 百折不屈　　⑤ 一擧兩得

12. 글의 내용으로 보아 ㉠과 ㉡에 공통으로 들어갈 것은?

> ○ 人得養生喪葬之宜, 以盡事親之道, 然後可謂(㉠)矣.
>
> 　　-『동문선』-
>
> ○ 子(㉡)雙親樂, 家和萬事成.
>
> 　　-『명심보감』-

① 忠　　② 勇　　③ 孝　　④ 愛　　⑤ 慈

13. 그림의 글자로 만들 수 있는 사자성어의 의미와 관계있는 것은?

① 네가 나라면 어떻게 하겠니?
② 언제까지 어린아이처럼 철없이 덤벙거릴 거니?
③ 이 소식은 아마 온 세상을 떠들썩하게 만들 거야.
④ 지구촌 곳곳에 지진과 홍수가 자주 발생하고 있어.
⑤ 둘의 견해 차이가 엄청나서 해결의 가능성이 없어 보여.

14. 글에서 유래한 성어는? [1점]

> 관중이 제나라 환공을 따라 고죽국을 정벌하러 갔다. 그 해 겨울에 돌아오다가 길을 잃었다. 관중이 늙은 말을 풀어 놓고, 군사들로 하여금 그 뒤를 따르게 하였다. 군사들이 결국 길을 찾아 무사히 돌아오게 되었다.
>
> - 『한비자』 -

① 走馬看山　　② 老馬之智　　③ 塞翁之馬
④ 犬馬之勞　　⑤ 指鹿爲馬

15. 글의 중심 내용으로 알맞은 것은?

> 君子之學, 必日新. 日新者, 日進也, 不日新者, 必日退, 未有不進而不退者.
>
> -『근사록』-

① 겸손한 태도   ② 끊임없는 노력
③ 친구의 중요성   ④ 남을 배려하는 자세
⑤ 욕심내지 않는 마음

16. 글에서 얻을 수 있는 교훈으로 알맞은 것은?

> 자기의 잘못은 용서하고 남의 허물은 살피며, 자기의 허물에 대해서는 침묵하면서 남의 허물은 들추어내니, 이야말로 허물 중에 큰 허물이다.
>
> -『상촌고』-

① 知彼知己, 百戰不殆.
② 欲勝人者, 必先自勝.
③ 來語不美, 去語何美.
④ 無道人之短, 無說己之長.
⑤ 忍一時之憤, 免百日之憂.

[17~18] 다음 글을 읽고 물음에 답하시오.

> 南智, <중략> 自公退, 祖問其所事. 一日歸白曰: "有下吏入藏, 潛懷錦段而出, 使之還入藏, ㉠如是者三, 吏識其意, 置錦段而出." 祖曰: "汝以童子, 備官, 是以, 每有問, 欲知其得失, 自今吾可以無問."
>
> -『국조인물지』-

17. 의미상 ㉠과 바꾸어 쓸 수 있는 것은?

① 可   ② 亦   ③ 若   ④ 或   ⑤ 則

18. 윗글의 내용을 다음과 같이 정리할 때, 알맞지 <u>않은</u> 것은?

> ○줄거리 : 어린 나이에 관리가 된 남지가 하급 관리로 하여금 스스로 잘못을 고치도록 유도하여 조부의 인정을 받음. ·········· ㉠
> ○주제 : 出世 ·········· ㉡
> ○한자의 쓰임
>   白 : 아뢰다. ·········· ㉢
> ○어구 풀이
>   是以 : 이 때문에 ·········· ㉣
> ○문법
>   可以~ : ~할 만하다. ~해도 좋다. ·········· ㉤

① ㉠   ② ㉡   ③ ㉢   ④ ㉣   ⑤ ㉤

[19~20] 다음 글을 읽고 물음에 답하시오.

> 仲兄刃傷手, 先生㉠抱泣, 母夫人曰: "汝兄則㉡傷手, 不㉢泣, 汝何泣耶?" 對曰: "兄㉣雖不泣, 豈有血流如彼, 而手不㉤痛乎?"
>
> *刃(인): 칼날   -『퇴계집』-

19. ㉠~㉤의 풀이로 옳지 <u>않은</u> 것은?

① ㉠ : 끌어안다   ② ㉡ : 다치다
③ ㉢ : 울다   ④ ㉣ : 비록
⑤ ㉤ : 베다

20. 윗글의 내용과 일치하는 것만을 <보기>에서 있는 대로 고른 것은?

> <보 기>
> ㄱ. 둘째 형은 칼에 손을 베여 다쳤다.
> ㄴ. 선생은 어머니 품에 안겨 눈물을 흘렸다.
> ㄷ. 어머니는 둘째 형에게 울고 있는 이유를 물었다.
> ㄹ. 선생은 둘째 형의 다친 손이 아플 것이라고 말했다.

① ㄱ, ㄷ   ② ㄱ, ㄹ   ③ ㄴ, ㄷ
④ ㄱ, ㄴ, ㄹ   ⑤ ㄴ, ㄷ, ㄹ

[21~23] 다음 글을 읽고 물음에 답하시오.

> ㉮虛子曰: "天地之生, 惟人爲貴. 今夫㉠禽獸也, 草木也, 無慧無覺, 無禮無義, 人貴於禽獸, 草木賤於禽獸."
> ㉯實翁, 仰首而笑曰: "爾, 誠人也. <중략> 以人視物, 人貴而物賤, 以物視人, ㉡物貴而人賤, 自天而視之, 人與物, 均也."
>
> *爾(이): 너   -『담헌서』-

21. ㉠의 독음으로 옳은 것은? [1점]

① 맹견   ② 야수   ③ 맹금   ④ 금수   ⑤ 맹수

22. ㉡에서 마지막으로 풀이되는 것은?

① 物   ② 貴   ③ 而   ④ 人   ⑤ 賤

23. ㉮와 ㉯의 의견으로 알맞지 <u>않은</u> 것은?

① ㉮ : 만물 가운데 사람이 가장 귀하다.
② ㉮ : 짐승과 초목은 지각도 없고 예의도 없다.
③ ㉮ : 사람은 짐승보다 귀하고, 초목은 짐승보다 천하다.
④ ㉯ : 사람의 관점에서 보면 사물보다 사람이 귀하다.
⑤ ㉯ : 하늘의 관점에서 보면 사람과 사물 모두 하늘만 못하다.

24. ㉮의 의미와 관계있는 것을 <보기>에서 고른 것은?

> 敏於事而㉮愼於言.
>
> 　　　　　　　　　　　- 『논어』 -

> ─────〈보 기〉─────
> ㄱ. 言出難更收.　　　　ㄴ. 口不言人之過.
> ㄷ. 忠言逆於耳而利於行.　ㄹ. 同心之言, 其臭如蘭.

① ㄱ, ㄴ　　　② ㄱ, ㄷ　　　③ ㄴ, ㄷ
④ ㄴ, ㄹ　　　⑤ ㄷ, ㄹ

[25~27] 다음 글을 읽고 물음에 답하시오.

> 無恒産而有恒心者, ㉠惟士爲能. 若民㉡則無恒産, 因無恒
> 心. 苟無恒心, 放辟邪侈, 無不㉢爲已, 及㉣陷於罪然後, 從而
> 刑之, 是, ㉮罔民也. ㉤焉有仁人在位, 罔民, 而可爲也? 是故,
> (　　　　㉯　　　　).
>
> 　　　* 辟(벽): 치우치다　　* 侈(치): 사치하다
> 　　　　　　　　　　　- 『맹자』 -

25. ㉠~㉤에 대한 설명으로 옳지 않은 것은?

① ㉠은 '오직'으로 풀이한다.
② ㉡은 '法'과 의미가 통한다.
③ ㉢의 대상은 '放辟邪侈'이다.
④ ㉣의 주체는 '백성'이다.
⑤ ㉤의 뜻은 '何'와 통한다.

26. ㉮의 의미로 알맞은 것은?

① 백성을 격려하다.
② 백성을 무시하다.
③ 백성을 이롭게 하다.
④ 백성을 속여서 해치다.
⑤ 백성을 어리석게 만들다.

27. 윗글의 흐름으로 보아 ㉯에 들어갈 말의 의미로 알맞은
것은?

① 백성들의 사치를 억제해야 한다.
② 백성들에게 일정한 생업을 갖게 해야 한다.
③ 백성들이 죄를 짓더라도 관용을 베풀어야 한다.
④ 선비들이 솔선하여 백성들에게 모범을 보이도록 해야 한다.
⑤ 선비들에게 백성들의 가난을 구제하도록 노력하게 해야 한다.

[28~30] 다음 시를 읽고 물음에 답하시오.

> (가)　白雲有㉠起滅,　　青山無改時.
> 　　　變遷非所貴,　　㉡特立斯爲奇.
> 　　　　　　　　　- 안정복, 「운산음(雲山吟)」 -
>
> (나)　秋陰漠漠㉢四山空,　落葉㉣無聲滿地紅.
> 　　　立馬㉤溪橋問歸路,　不知身在畫圖中.
> 　　　　　　　- 정도전, 「방김거사야거(訪金居士野居)」 -

28. ㉠~㉤의 풀이로 옳지 않은 것은?

① ㉠ : 생겨남과 없어짐.　② ㉡ : 우뚝 섬.
③ ㉢ : 사방의 산　　　　④ ㉣ : 소리가 없다.
⑤ ㉤ : 개울을 건너다.

29. 위 시에 대한 설명으로 옳은 것만을 <보기>에서 있는 대로
고른 것은?

> ─────〈보 기〉─────
> ㄱ. (가)의 형식은 칠언절구이다.
> ㄴ. (가)에서 운자(韻字)는 '時', '奇'이다.
> ㄷ. (나)에서 제1구와 제2구를 통해 계절적 배경을 알 수 있다.
> ㄹ. (나)에서 제3구와 제4구는 대우(對偶)를 이룬다.

① ㄱ, ㄷ　　　② ㄱ, ㄹ　　　③ ㄴ, ㄷ
④ ㄱ, ㄴ, ㄹ　　⑤ ㄴ, ㄷ, ㄹ

30. (가), (나)에 대한 이해로 옳지 않은 것은?

① (가)는 구름과 산의 이미지를 잘 대비했군!
② (가)는 자연현상을 통해 인생의 교훈을 얻고 있어.
③ (나)는 흐르는 시간에 대한 안타까운 마음을 잘 표현하고 있어.
④ (나)의 시적 화자는 길을 묻고 있어.
⑤ (나)는 '시중유화(詩中有畫)'라더니, 한 폭의 그림 같아.

> **＊ 확인 사항**
> ○ 답안지의 해당란에 필요한 내용을 정확히 기입(표기)했는지 확인
> 하시오.

2014학년도 9월 모의평가

1	④	7	②	13	③	19	⑤	25	②
2	①	8	③	14	③	20	②	26	④
3	①	9	①	15	②	21	④	27	②
4	⑤	10	③	16	④	22	⑤	28	⑤
5	①	11	⑤	17	③	23	⑤	29	③
6	④	12	③	18	②	24	①	30	③

1. 그림 문제
'해와 달, 그리고 다섯 개의 봉우리'가 있다고 했으므로 ⊙에는 '봉우리'를 나타내는 한자가 들어가야 한다.
① 鳳(봉새 봉)　　② 嶺(고개 령)　　③ 巖(바위 암)
④ 峯(봉우리 봉)　　⑤ 監(볼 감)

답: ④

2. 한자 문제
ㄱ. 何(어찌 하) – 河(강 하)
ㄴ. 奴(종 노) – 努(힘쓸 노)
ㄷ. 皮(가죽 피) – 破(깨뜨릴 파)
ㄹ. 苦(쓸 고) – 若(같을 약)

답: ①

3. 자전 문제
⊙에는 '飽'(배부를 포)의 부수, ⓒ에는 '栽'(심을 재)의 부수 '木' (나무 목)을 제외한 획수가 들어간다. '飽'는 그 뜻으로 보아 '食' (먹을 식)이 부수이다. 이를 잘 몰랐더라도 '飽'의 음은 '包'(쌀 포)에서 온 것이 분명하므로 '飽'에서 '包'를 제외한 부분인 '食'이 부수가 됨을 알 수 있다. '栽'에서 '木'을 제외한 부분의 획수는 6획이므로 답은 ①이다.

답: ①

4. 조건을 만족하는 한자 문제
조건을 만족하는 한자를 찾는 문제이다. 문제에서는 갑골문의 모양, 음, 결합할 수 있는 한자, 그리고 제자 원리를 알려 주고 있다. 보통은 음으로 찾는 게 가장 빠르지만, 이번에는 갑골문의 모양이 강력한 단서를 주고 있다. 갑골문의 모양이 영락없는 거북이다. 답은 '龜'이다.
① 貴(귀할 귀)　　② 鬼(귀신 귀)　　③ 象(코끼리 상)
④ 鹿(사슴 록)　　⑤ 龜(거북 귀)

답: ⑤

5. 합자 문제
貝＋反＝販(팔 판), 口＋及＝吸(들이쉴 흡)이다.

답: ①

6. 한자어 문제
① 嚴罰(엄벌): 엄한 벌. (수식)
② 下山(하산): 산에서 내려오다. (술보)
③ 勸善(권선): 선을 권하다. (술목)
④ 表裏(표리): 겉과 속. (병렬)
⑤ 人造(인조): 사람이 만들다. (주술)

답: ④

7. 십자말풀이 문제
가로 열쇠는 '養虎遺患'(양호유환), 세로 열쇠는 '識字憂患'(식자우환)이다. 가로 열쇠가 다소 어렵지만, 세로 열쇠가 그만큼 쉬워 답을 찾기는 어렵지 않았을 것이다.

답: ②

8. 한자어 문제
① 規約(규약)　　② 消費(소비)　　③ 節約(절약)
④ 利用(이용)　　⑤ 節稅(절세)

답: ③

9. 동음이의어 문제
⊙은 '회사(社)에서 내는 광고(告)'라는 뜻이므로 ①~⑤를 보면 한자 표기가 '社告'임을 알 수 있다. 그러면 ⓒ의 한자 표기는 '事故' 또는 '史庫'인데 '史庫'는 '창고'의 일종이므로 ⓒ의 한자 표기가 될 수 없다.

답: ①

10. 빈칸 문제

人法地, 地法(⊙), 天法道, 道法自然.
인 법 지　지 법　　　　천 법 도　도 법 자 연
사람은 땅을 본받고, 땅은 ⊙을 본받고, 하늘은 도를 본받고, 도는 자연을 본받는다.

조금만 관찰해 보면 끝말잇기처럼 앞 구에서 '地'로 끝나면 다음 구에서 '地'로 시작하고, '道'로 끝나면 '道'로 시작하여 문장이 꼬리에 꼬리를 물고 있는 구조이다. 따라서 해석을 할 필요도 없다. ⊙에 들어갈 한자는 '天'이다.

답: ③

11. 단문 문제

啖梨之美, 兼以濯齒.
담 리 지 미　겸 이 탁 치
배의 아름다움을 맛보면서 아울러 이로써 이를 닦는다.

① 前代未聞(전대미문): 앞 대에서는 아직 듣지 못함.
② 一片丹心(일편단심): 한 조각 붉은 마음. 충성스러운 마음.
③ 烏飛梨落(오비이락): 까마귀가 날자 배가 떨어짐. 일이 공교롭게 같이 일어나 의심을 받음.
④ 百折不屈(백절불굴): 백 번 꺾여도 굽히지 않음.
⑤ 一擧兩得(일거양득): 한 번 들어 둘로 얻음.

답: ⑤

12. 빈칸 문제

人得養生喪葬之宜, 以盡事親之道, 然後可謂
인 득 양 생 상 장 지 의　　이 진 사 친 지 도　　연 후 가 위
(㉠)矣.
　　　　의

사람이 살아 있는 어버이를 봉양하고 상을 치르고 장사를 지
내는 마땅함을 얻음으로써 부모를 섬기는 도리를 다한 뒤에야
㉠이라고 이를 수 있다.

子(㉡)雙親樂, 家和萬事成.
자　　　　　쌍 친 락　 가 화 만 사 성

자식이 ㉡하면 쌍친이 즐겁고, 집이 화목하면 모든 일이 이루
어진다.

① 忠(충성 충)　　② 勇(용맹할 용)　　③ 孝(효도할 효)

④ 愛(사랑할 애)　　⑤ 慈(사랑할 자)

답: ③

13. 카드 문제

그림의 한자로 만들 수 있는 사자성어를 찾는 문제이다. 이런 문
제에서는 그림의 한자를 훑어본 다음, ①~⑤를 보면서 그림의
한자로 ①~⑤의 의미를 가지는 사자성어를 생각해 보면 된다.

① 네가 나라면 어떻게 하겠니?
　　☞ 易地思之(역지사지)
② 언제까지 어린아이처럼 철없이 덤벙거릴 거니?
　　☞ 天方地軸(천방지축)
③ 이 소식은 아마 온 세상을 떠들썩하게 만들 거야.
　　☞ 驚天動地(경천동지)
④ 지구촌 곳곳에 지진과 홍수가 자주 발생하고 있어.
　　☞ 天災地變(천재지변)
⑤ 둘의 견해 차이가 엄청나서 해결의 가능성이 없어 보여.
　　☞ 관계있는 사자성어가 떠오르지 않는다.

답: ③

14. 사자성어 문제

① 走馬看山(주마간산): 달리는 말 위에서 산을 봄. 자세히 살피
지 아니하고 대충대충 보고 지나감.
② 老馬之智(노마지지): 늙은 말의 지혜. 저마다 한 가지 지혜는 가짐.
③ 塞翁之馬(새옹지마): 변방 늙은이의 말. 모든 일은 변화가 많
아서 인생의 길흉화복을 예측할 수 없음.
④ 犬馬之勞(견마지로): 개와 말의 노력. 임금이나 나라에 충성을
다하는 노력.
⑤ 指鹿爲馬(지록위마): 사슴을 가리켜 말이라고 함. 윗사람을 농
락하여 권세를 마음대로 함.

답: ②

15. 단문 문제

君子之學, 必日新. 日新者, 日進也, 不日新者,
군 자 지 학　필 일 신　 일 신 자　 일 진 야　 불 일 신 자
必日退, 未有不進而不退者.
필 일 퇴　미 유 부 진 이 불 퇴 자

군자의 배움은 반드시 날마다 새로워야 한다. 날마다 새롭게
하는 사람은 날마다 나아가는 것이요, 날마다 새롭게 하지 않
는 사람은 반드시 날마다 물러나니 나아가지도 않고 물러나지
도 않는 사람은 아직까지 있지 않았다.

글의 중심 내용으로 알맞은 것은 '끊임없는 노력'이다.

답: ②

16. 단문 문제

① 知彼知己, 百戰不殆.
　　지 피 지 기　 백 전 불 태
　　저를 알고 나를 알면 백 번 싸워도 위태롭지 않다.
② 欲勝人者, 必先自勝.
　　욕 승 인 자　 필 선 자 승
　　남을 이기고자 하는 자는 반드시 먼저 스스로를 이겨야 한다.
③ 來語不美, 去語何美.
　　래 어 불 미　 거 어 하 미
　　오는 말이 아름답지 않은데 가는 말이 어찌 아름답겠는가?
④ 無道人之短, 無說己之長.
　　무 도 인 지 단　 무 설 기 지 장
　　남의 단점을 말하지 말고, 자기의 장점을 말하지 말라.
⑤ 忍一時之憤, 免百日之憂.
　　인 일 시 지 분　 면 백 일 지 우
　　한때의 분함을 참으면 백일의 근심을 면한다.

답: ④

〔17~18〕 남지(南智)

南智, <중략> 自公退, 祖問其所事.
남 지　　　　　 자 공 퇴　 조 문 기 소 사

남지가 관청에서 물러나니 할아버지가 그 일어난 바를 물었다.

一日歸白曰: "有下吏入藏, 潛懷錦段而出, 使
일 일 귀 백 왈　　유 하 리 입 장　 잠 회 금 단 이 출　 사
之還入藏, 如是者三, 吏識其意, 置錦段而出."
지 환 입 장　 여 시 자 삼　 리 식 기 의　 치 금 단 이 출

한 날은 돌아와 말하기를, "어떤 하급 관리가 창고에 들어가
비단을 안에 품고 나와 그가 돌아가 창고에 들어가게 하고 이
와 같은 것이 세 번이니 관리가 그 뜻을 알고 비단을 두고 나
왔습니다."

祖曰: "汝以童子, 備官, 是以, 每有問, 欲知其
조 왈　　여 이 동 자　 비 관　 시 이　 매 유 문　 욕 지 기
得失, 自今吾可以無問."
득 실　 자 금 오 가 이 무 문

할아버지가 말하기를, "너는 어린아이로서 관리가 되어 이런 이
유로 매번 물음이 있음으로 그 얻고 잃음을 알고자 하였는데
이제부터 내가 물음이 없어도 되겠다."

17. 바꾸어 쓸 수 있는 한자 문제

㉠은 '같다'로 해석되므로 바꾸어 쓸 수 있는 것은 '若'(같을 약)이다. 이런 문제는 가장 쉬운 문제 가운데 하나이므로 꼭 풀도록 하자.

답: ③

18. 해석 문제

윗글의 주제는 '出世'(출세)가 아니다.

답: ②

[19~20] 우애(友愛)

> 仲兄刃傷手, 先生抱泣, 母夫人曰: "汝兄則傷
> 중 형 인 상 수　　선 생 포 읍　　모 부 인 왈　　　여 형 즉 상
> 手, 不泣, 汝何泣耶?"
> 수　　불 읍　　여 하 읍 야
> 둘째 형이 칼날에 손을 다쳐 선생이 안고 울자 어머니가 말하기를, "네 형이 곧 손을 다쳤지만 울지 않았는데 너는 어찌 우느냐?"
> 對曰: "兄雖不泣, 豈有血流如彼, 而手不痛乎?"
> 대 왈　　형 수 불 읍　　기 유 혈 류 여 피　　이 수 불 통 호
> 대답하여 말하기를, "형이 비록 울지 않더라도 어찌 피가 흐름이 저와 같음이 있는데 손이 아프지 않겠습니까?"

19. 해석 문제

㉤은 '아프다'로 해석된다.

답: ⑤

20. 해석 문제

ㄱ. 둘째 형은 칼에 손을 베어 다쳤다.
ㄴ. 선생이 울기는 하였지만 어머니 품에 안기지는 않았다.
ㄷ. 어머니는 둘째 형이 아니라 선생에게 울고 있는 이유를 물었다.
ㄹ. 선생은 둘째 형의 다친 손이 아플 것이라고 말했다.

답: ②

[21~23] 의산문답(醫山問答)

> 虛子曰: "天地之生, 惟人爲貴.
> 허 자 왈　　천 지 지 생　　유 인 위 귀
> 허자가 말하기를, "천지의 사는 것은 오직 사람을 귀함으로 삼는다.
> 今夫禽獸也, 草木也, 無慧無覺, 無禮無義, 人
> 금 부 금 수 야　　초 목 야　　무 혜 무 각　　무 례 무 의　　인
> 貴於禽獸, 草木賤於禽獸."
> 귀 어 금 수　　초 목 천 어 금 수
> 지금 저 금수라는 것과 초목이라는 것은 슬기도 없고 감각도 없으며 예의도 없고 의도 없으니 사람은 금수보다 귀하고 초목은 금수보다 천하다."
> 實翁, 仰首而笑曰: "爾, 誠人也.
> 실 옹　　앙 수 이 소 왈　　이　　성 인 야
> 실옹이 고개를 젖히고 웃으면서 말하기를, "너는 정말로 사람이구나.
> <중략> 以人視物, 人貴而物賤,
> 이 인 시 물　　인 귀 이 물 천
> 사람으로서 사물을 보면 사람이 귀하고 사물이 천하고,

> 以物視人, 物貴而人賤,
> 이 물 시 인　　물 귀 이 인 천
> 사물로서 사람을 보면 사물이 귀하고 사람이 천하며,
> 自天而視之, 人與物, 均也."
> 자 천 이 시 지　　인 여 물　　균 야
> 하늘에서 그것을 보면 사람과 사물이 고르다."

21. 독음 문제

㉠의 독음은 '禽獸'(금수)이다.

답: ④

22. 해석 문제

㉡은 '사물이 귀하고 사람이 천하다'로 해석된다. 따라서 마지막으로 풀이되는 것은 '賤'(천할 천)이다.

답: ⑤

23. 해석 문제

㉯는 하늘의 관점에서 보면 사람과 사물이 모두 고르다고 했다.

답: ⑤

24. 해석 문제

> 敏於事而愼於言.
> 민 어 사 이 신 어 언
> 일함에는 빠르고 말함에는 신중하라.

ㄱ. 言出難更收.
　　언 출 난 갱 수
　　말은 나가면 다시 거두기 어렵다.
ㄴ. 口不言人之過.
　　구 불 언 인 지 과
　　입은 남의 허물을 말하지 말라.
ㄷ. 忠言逆於耳而利於行.
　　충 언 역 어 이 이 이 어 행
　　충성스러운 말은 귀에 거슬리지만 행함에 이롭다.
ㄹ. 同心之言, 其臭如蘭.
　　동 심 지 언　　기 취 여 란
　　마음을 함께하는 말은 그 냄새가 난초와 같다.

답: ①

[25~27] 항산(恒產)과 항심(恒心)

> 無恒産而有恒心者, 惟士爲能.
> 무 항 산 이 유 항 심 자　　유 사 위 능
> 항산이 없고도 항심이 있는 것은 오직 선비가 할 수 있다.
> 若民則無恒産, 因無恒心.
> 약 민 즉 무 항 산　　인 무 항 심
> 만약 백성이 항산이 없으면 그로 인하여 항심이 없다.
> 苟無恒心, 放辟邪侈, 無不爲已,
> 구 무 항 심　　방 벽 사 치　　무 불 위 이
> 진실로 항심이 없으면 방벽하고 사치함이 하지 않음이 없을 뿐이니
> 及陷於罪然後, 從而刑之, 是, 罔民也.
> 급 함 어 죄 연 후　　종 이 형 지　　시　　망 민 야

죄에 빠짐에 미친 뒤에 그에 따라 그를 벌주면 이는 백성을 그물질하는 것이다.

焉有仁人在位, 罔民, 而可爲也? 是故, (㉯).
언 유 인 인 재 위　망 민　이 가 위 야　시 고

어찌 어진 사람이 자리에 있음이 있으면서 백성을 그물질하는 것이 할 수 있는 것이겠는가? 이런 까닭으로, ㉯.

25. 해석 문제

㉰은 '~하면'으로 해석되고 따라서 '즉'으로 읽는다. '則'이 '法'과 뜻이 통하는 경우는 '법칙'으로 해석되고 '칙'으로 읽는다.

답: ②

26. 해석 문제

㉠는 '백성을 그물질하다'로 해석되므로 그 의미는 '백성을 속여서 해치다'이다.

답: ④

27. 해석 문제

㉯에는 백성들에게 항산이 있게, 즉 일정한 생업을 갖게 해야 한다는 내용이 들어가야 한다.

답: ②

[28~30] 안정복, 「운산음(雲山吟)」
　　　　　 정도전, 「방김거사야거(訪金居士野居)」

白雲有起滅, 백 운 유 기 멸	흰 구름이 일어나고 없어짐이 있는데
青山無改時. 청 산 무 개 시	푸른 산은 바뀌는 때가 없구나.
變遷非所貴, 변 천 비 소 귀	변하고 옮겨가는 것은 귀한 바가 아니니
特立斯爲奇. 특 립 사 위 기	우뚝 선 이것이 기특하네.
秋陰漠漠四山空, 추 음 막 막 사 산 공	가을 그늘 아득하고 사방 산은 비었는데,
落葉無聲滿地紅. 낙 엽 무 성 만 지 홍	지는 잎은 소리 없이 땅에 가득 붉구나.
立馬溪橋問歸路, 입 마 계 교 문 귀 로	시냇가 다리에 말 세우고 갈 길을 묻노라니,
不知身在畫圖中. 부 지 신 재 화 도 중	몸이 그림 속에 있음을 알지 못하네.

28. 해석 문제

㉤은 '개울을 건너다'가 아니라 '시냇가 다리'로 해석된다.

답: ⑤

29. 한시 문제

ㄱ. (가)는 다섯 글자씩 네 구이므로 그 형식은 오언절구이다.
ㄴ. 운자는 짝수 구의 마지막 글자에 오고, 첫째 구의 마지막 글자에 올 수 있다. (가)의 짝수 구의 마지막 글자는 '時'(시), '奇'(기)이므로 '滅'(멸)은 운자가 아님을 알 수 있다.

ㄷ. (나) 제1구의 '秋'(가을 추)와 제2구의 '落葉'(낙엽)을 통해 계절적 배경을 알 수 있다.
ㄹ. 두 구가 문법적 기능이 동일한 글자의 배열로 이루어져 있을 때 대우를 이룬다고 한다. (나)의 제3구와 제4구는 문법적 기능이 동일한 글자의 배열로 이루어져 있지 않으므로 대우를 이루지 않는다.

답: ③

30. 이해와 감상 문제

① (가)는 일어나고 없어지는 구름과 바뀌는 때가 없는 산의 이미지를 잘 대비하였다.
② (가)는 구름과 산이라는 자연현상을 통해 변하지 않음을 추구해야 한다는 인생의 교훈을 얻고 있다.
③ 흐르는 시간에 대한 안타까운 마음은 (나)에 드러나 있지 않다.
④ (나)의 제3구 '問歸路'에서 시적 화자가 길을 묻고 있음을 알 수 있다.
⑤ (나)에는 가을 풍경이 잘 나타나 있다.

답: ③

성명 [   ]   수험 번호 [—   ]

1. 그림과 대화의 내용으로 보아 ㉠에 알맞은 것은? [1점]

채연 : 소나무에는 까치가 앉아 있고, 그 아래에는 표범이 그려져 있는 민화네요. 언니, 무슨 의미죠?

숙진 : 소나무는 '정월'을, 까치는 '기쁨'을 뜻한단다. 표범을 뜻하는 '표(豹)'는 중국어 발음으로는 '알릴 보[報]'와 같아. 따라서 '新年報(㉠)', 즉 '새해를 맞아 기쁜 소식을 알린다.'라는 의미라고 해.

① 哀   ② 償   ③ 喜   ④ 希   ⑤ 誠

2. 자전에서 한자를 찾을 때, ㉠에 들어갈 부수와 ㉡에 들어갈 획수가 모두 옳은 것은? [1점]

	㉠	㉡
①	金	3
②	立	4
③	金	4
④	立	5
⑤	金	5

3. 두 자를 <보기>와 같이 합하여 하나의 한자로 만들 때, ㉠과 ㉡의 음이 모두 옳은 것은? [1점]

─────<보 기>─────
木 + 兆 = (桃)

○女 + 子 = (㉠)   ○且 + 力 = (㉡)

	㉠	㉡			㉠	㉡
①	호	조		②	요	차
③	호	차		④	요	조
⑤	호	저				

4. 다음 조건을 모두 만족하는 한자는? [1점]

① 目   ② 自   ③ 貝   ④ 百   ⑤ 首

5. 음이 같은 한자끼리 연결된 것을 <보기>에서 고른 것은? [1점]

─────<보 기>─────
ㄱ. 倫 - 輪   ㄴ. 功 - 空
ㄷ. 音 - 暗   ㄹ. 每 - 悔

① ㄱ, ㄴ   ② ㄱ, ㄷ   ③ ㄴ, ㄷ
④ ㄴ, ㄹ   ⑤ ㄷ, ㄹ

6. 화살표 방향으로 성어를 채울 때, ㉠에 알맞은 것은? [1점]

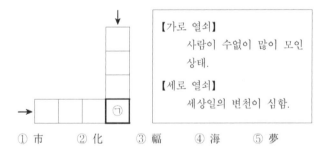

【가로 열쇠】
   사람이 수없이 많이 모인 상태.
【세로 열쇠】
   세상일의 변천이 심함.

① 市   ② 化   ③ 福   ④ 海   ⑤ 夢

7. 글의 내용으로 보아 ㉠과 ㉡에 공통으로 들어갈 것은?

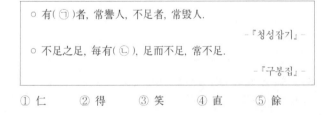

○ 有(㉠)者, 常譽人, 不足者, 常毀人.

－『청성잡기』－

○ 不足之足, 每有(㉡), 足而不足, 常不足.

－『구봉집』－

① 仁   ② 得   ③ 笑   ④ 直   ⑤ 餘

8. 그림과 글의 내용으로 보아 ㉠에 알맞은 것은? [1점]

이웃을 (㉠)하여 행동합시다!

🔊)) 층간 소음 문제를 해결하기 위해서는?

첫째
아이들이 쿵쿵 뛰거나 문을 쾅 하고 닫지 않도록 조심해 주세요.

둘째
늦거나 이른 시간의 세탁기·청소기·운동 기구 사용, 피아노 연주 등을 자제해 주세요.

셋째
늦은 밤에는 샤워나 설거지를 자제해 주세요.

넷째
애완견 짖는 소리가 들리지 않도록 조심해 주세요.

① 引導 ② 超脫 ③ 配慮 ④ 包容 ⑤ 說得

9. 대화의 내용과 의미가 통하는 것은? [1점]

둑 공사는 왜 하나요?

'治而不忘亂'이라고, 지금 공사를 해 두면 비가 많이 오더라도 걱정할 것이 없지요.

① 燈下不明   ② 居安思危   ③ 同病相憐
④ 天災地變   ⑤ 朝三暮四

10. 그림의 글자로 만들 수 있는 사자성어의 의미와 관계있는 것은?

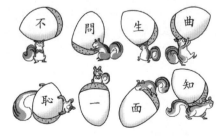

不 問 生 曲 恥 一 面 知

① 나도 오늘 처음 봤어. 그 사람 잘 몰라.
② 아랫사람에게라도 물어봐. 부끄러워 말고.
③ 왜 나만 갖고 그래. 잘잘못은 따져 보지도 않고.
④ 손바닥으로 하늘을 가리지 마. 아는 사람은 다 알아.
⑤ 참 똑똑하네. 공식만 알려 줬는데 응용력이 뛰어나군.

11. 그림과 대화의 내용으로 보아 ㉠과 ㉡에 모두 알맞은 것은?

유화 체험이 무료네! 표기도 중국이나 일본 사람도 알 수 있게 해 놓았어.

아, 중국에서는 '비용을 면제해 준다.'라고 하고, 우리나라와 일본에서는 '요금이 없다.'라고 표현하는구나.

유화 체험
무료
免(㉠)
無(㉡)

	㉠	㉡		㉠	㉡
①	費	料	②	稅	料
③	料	費	④	料	稅
⑤	費	金			

12. 글의 내용에 해당하는 것은?

> 色蒼黑, 無鱗. <중략> 頂上有吹潮穴, 長約十六丈許.
>
> *鱗(린): 비늘
> ―『청장관전서』―

① ② ③ ④ ⑤

[13~14] 다음 글을 읽고 물음에 답하시오.

> 梟逢鳩, 鳩曰: "子將㉠安之?" 梟曰: "我將東徙." 鳩曰: "何故?" 梟曰: "鄕人皆惡我鳴, 以故, 東徙." 鳩曰: "子能㉡更鳴, 可矣, 不能更鳴, 東徙, ㉢猶惡子之聲."
>
> *梟(효): 올빼미   *鳩(구): 비둘기
> *徙(사): 옮기다
> ―『설원』―

13. ㉠과 ㉡의 풀이가 모두 옳은 것은?

	㉠	㉡		㉠	㉡
①	편안하다	고치다	②	어디	고치다
③	편안하다	더욱	④	어디	다시
⑤	편안하다	다시			

14. ㉢에서 마지막으로 풀이되는 것은?

① 猶   ② 惡   ③ 子   ④ 之   ⑤ 聲

15. 대화의 내용으로 보아 ㉠과 관계있는 것은?

전하, 날이 너무 더워 이곳에서는 지내시기 어려우니 시원한 곳으로 옮기시옵소서.

㉠지금 이곳을 버리고 시원한 곳으로 옮겨 갔다가 거기서도 견디기 어려우면 더 시원한 곳을 생각하게 될 것이오. 여기서 잘 참고 지내면 바로 이곳이 시원한 곳이 될 것이오.

① 三歲之習, 至于八十.　　② 積功成塔, 終亦不崩.
③ 一日之狗, 不知畏虎.　　④ 旣乘其馬, 又思牽者.
⑤ 來語不美, 去語何美.

16. 글의 내용과 의미가 통하는 것은?

> 大凡天下事, 皆有其時, 時來則自成, 不要人力催促, 促之則反或爲害.
>
> －『홍재전서』－

① 大器晚成　　② 事必歸正　　③ 晚時之歎
④ 不要不急　　⑤ 欲速不達

[17~18] 다음 글을 읽고 물음에 답하시오.

> ○ 子曰: "㉠躬自厚而薄責於人, 則遠怨矣."
>
> *躬(궁): 몸소
>
> －『논어』－
>
> ○ 道在爾而求諸遠, 事在㉡易而求諸難, 人人親其親, 長其長, 而天下平.
>
> *爾(이): 가깝다
>
> －『맹자』－

17. ㉠에서 얻을 수 있는 교훈이 가장 필요한 사람은?

① 매사에 불평불만이 많은 사람
② 남 앞에서 뽐내기를 좋아하는 사람
③ 항상 덜렁대느라 준비물을 못 챙기는 사람
④ 남은 돌보지 않고 자기 욕심만 챙기는 사람
⑤ 제 잘못은 모르고 남의 잘못만 지적하는 사람

18. ㉡과 음이 같은 것을 <보기>에서 고른 것은?

> ―――――〈보 기〉―――――
> ㄱ. 交易　　ㄴ. 簡易　　ㄷ. 平易　　ㄹ. 貿易

① ㄱ, ㄷ　② ㄱ, ㄹ　③ ㄴ, ㄷ　④ ㄴ, ㄹ　⑤ ㄷ, ㄹ

[19~20] 다음 글을 읽고 물음에 답하시오.

> ㉮崔興孝通國之㉠善書者也. ㉡嘗赴擧書卷, 得一字㉢類王羲之, 坐視終日, 忍不能㉣捨, ㉤懷卷而歸, 是可謂得失不存於心耳.
>
> *崔興孝(최흥효), 王羲之(왕희지): 사람 이름
>
> －『연암집』－

19. ㉠~㉤에 대한 설명으로 옳은 것은?

① ㉠은 '착하다'라는 의미이다.
② ㉡은 '味'와 의미가 통한다.
③ ㉢은 '分類'의 '類'와 뜻이 같다.
④ ㉣의 주체는 '최흥효'이다.
⑤ ㉤의 음은 '怪'와/과 같다.

20. ㉮에 관한 일화의 내용으로 옳은 것만을 <보기>에서 있는 대로 고른 것은?

> ―――――〈보 기〉―――――
> ㄱ. 과거에 응시하였다.
> ㄴ. 책을 품고 귀가하였다.
> ㄷ. 출세보다 예술에 더 열정적이었다.
> ㄹ. 왕희지가 쓴 글자 한 자를 선물로 받았다.

① ㄱ, ㄷ　　　② ㄱ, ㄹ　　　③ ㄴ, ㄷ
④ ㄱ, ㄴ, ㄹ　　⑤ ㄴ, ㄷ, ㄹ

[21~22] 다음 글을 읽고 물음에 답하시오.

> 後白㉠爲吏判, ㉡務崇公論, 不受請託, 政事可觀. <중략> 一日, 有族人往見, 語次示求官之意, 後白變色, ㉢示以一錄. <중략> 後白曰: "吾錄子名, 將欲擬望, 今子有求官之語, ㉣若求者得之, 則非公道也. 惜乎! (　　㉮　　)." 其人大㉤慙而退.
>
> *託(탁): 부탁하다　*擬(의): 헤아리다
>
> －『석담일기』－

21. ㉠~㉤의 풀이로 옳지 않은 것은?

① ㉠: 되다　　② ㉡: 힘쓰다　　③ ㉢: 보이다
④ ㉣: 같다　　⑤ ㉤: 부끄러워하다

22. 윗글의 흐름으로 보아 ㉮에 들어갈 말의 의미로 알맞은 것은?

① 그대가 관직에 나가지 않겠다는 것이.
② 그대가 관직에 싫증을 느끼고 있었다니.
③ 그대가 아직까지 벼슬을 하지 못했다니.
④ 좀 더 일찍 말했더라면 관직에 추천했을 텐데.
⑤ 말을 하지 않았다면 관직을 얻을 수 있었을 텐데.

[23~24] 다음 글을 읽고 물음에 답하시오.

> 治體之汚隆, 係乎人材之㉠盛衰, 人材之盛衰, 關乎學校之興廢.
>
> -『태허정집』-

23. ㉠의 독음으로 옳은 것은? [1점]

① 성패　② 성쇠　③ 성취　④ 승부　⑤ 승패

24. 윗글에서 강조하고 있는 것은?

① 實學　② 立志　③ 修身　④ 校則　⑤ 教育

[25~27] 다음 글을 읽고 물음에 답하시오.

> 趙高欲爲亂, 恐㉠群臣不聽, 乃先設驗, 持鹿獻㉡於二世, 曰:
> "馬也." 二世笑曰: "丞相誤邪? 謂鹿爲馬." 問左右, 左右或默,
> 或言馬以阿順趙高, 或言鹿者. 高因陰中諸言鹿者以法, 後群臣
> 皆畏高.
>
> ＊趙高(조고): 사람 이름　＊丞相(승상): 벼슬 이름
> ＊阿(아): 아첨하다
>
> -『사기』-

25. ㉠과 짜임이 같은 것은? [1점]

① 年少　② 兄弟　③ 貴賓　④ 道路　⑤ 愛憎

26. ㉡과 바꾸어 쓸 수 있는 것은?

① 已　② 于　③ 而　④ 乃　⑤ 也

27. 윗글의 내용을 다음과 같이 정리할 때, 옳지 않은 것은?

① 陰 : '몰래'의 뜻으로 쓰임.
한자의 쓰임 · 문법 설명
② 以法 : 법으로써. '以'는 수단이나 방법을 나타낼 때 사용함.
어구 풀이 · 유래한 성어
③ 或言鹿者 : 어떤 사람은 사슴이라고 말했다. 곧 조고의 말에 동조하였다는 의미임.
④ 指鹿爲馬
성어의 속뜻
⑤ 윗사람을 농락하여 권세를 마음대로 함.

[28~30] 다음 시를 읽고 물음에 답하시오.

> (가) 白日依山㉠盡, 黃河入海流.
> 　　欲窮千里目, 更㉡上一層樓.
>
> 　　　　- 왕지환, 「등관작루(登鸛雀樓)」-
>
> (나) 一別年多消息㉢稀, 塞垣存歿有誰知.
> 　　今朝始寄寒衣去, 　㉣泣送歸時在腹兒.
>
> ＊垣(원): 담　＊歿(몰): 죽다
>
> 　　　　- 정몽주, 「정부원(征婦怨)」-

28. ㉠~㉣의 풀이로 옳지 않은 것은?

① ㉠: 지다　　　　② ㉡: 오르다
③ ㉢: 드물다　　　④ ㉣: 막다
⑤ ㉤: 울다

29. 위 시에 대한 설명으로 옳은 것만을 <보기>에서 있는 대로 고른 것은?

> ─────<보 기>─────
> ㄱ. (가)에서 운자(韻字)는 '盡', '流'이다.
> ㄴ. (가)에서 제1구와 제2구는 대우(對偶)를 이룬다.
> ㄷ. (나)의 형식은 칠언율시이다.
> ㄹ. (나)에서 제3구를 통해 시간적 배경을 알 수 있다.

① ㄱ, ㄷ　　② ㄱ, ㄹ　　③ ㄴ, ㄹ
④ ㄱ, ㄴ, ㄷ　　⑤ ㄴ, ㄷ, ㄹ

30. (가), (나)에 대한 이해로 옳지 않은 것은?

① (가)는 호수, 강, 바다의 대비를 통해 웅장한 주변 경관을 묘사하였어.

② (가)는 광활한 풍광을 더 보고자 하는 마음이 잘 드러나 있어.

③ (나)는 오래도록 남편의 생사조차 알 수 없는 현실을 원망하고 있어.

④ (나)는 이별할 때의 상황과 심부름을 가는 사람에 대한 정보를 알 수 있어.

⑤ (나)는 추위에 고생할 남편을 염려하는 아내의 애틋한 마음이 드러나 있어.

＊ 확인 사항

○ 답안지의 해당란에 필요한 내용을 정확히 기입(표기)했는지 확인하시오.

2014학년도 수학능력시험

1	③	7	⑤	13	②	19	④	25	③
2	③	8	③	14	②	20	①	26	②
3	①	9	②	15	④	21	④	27	③
4	⑤	10	①	16	⑤	22	⑤	28	④
5	①	11	⑤	17	⑤	23	④	29	③
6	④	12	④	18	③	24	⑤	30	①

1. 그림 문제

'新年報(㉠)'이 '새해를 맞아 기쁜 소식을 알린다'라는 뜻이 되어야 하므로 ㉠에는 '기쁜 소식'을 뜻하는 한자가 들어가야 한다.

① 哀(슬플 애)　　② 償(갚을 상)　　③ 喜(기쁠 희)
④ 希(바랄 희)　　⑤ 誠(정성 성)

답: ③

2. 자전 문제

㉠에는 '鏡'(거울 경)의 부수, ㉡에는 '飮'(마실 음)의 부수 '食'(먹을 식)을 제외한 획수가 들어간다. '鏡'은 그 뜻으로 보아 '金'(쇠 금)이 부수이다. '飮'에서 '食'을 제외한 부분의 획수는 4획이므로 답은 ③이다.

답: ③

3. 합자 문제

女+子=好(좋을 호), 且+力=助(도울 조)이다.

답: ①

4. 조건을 만족하는 한자 문제

조건을 만족하는 한자를 찾는 문제이다. 문제에서는 갑골문의 모양, 제자 원리, 음, 결합할 수 있는 한자를 알려 주고 있다. 보통은 음으로 찾는 게 가장 빠르므로 음이 '須'(모름지기 수)와 같은 한자를 먼저 찾아보자.

① 目(눈 목)　　② 自(스스로 자)　　③ 貝(조개 패)
④ 百(일백 백)　　⑤ 首(머리 수)

답: ⑤

5. 한자 문제

ㄱ. 倫(인륜 륜) - 輪(바퀴 륜)
ㄴ. 功(공 공) - 空(빌 공)
ㄷ. 音(소리 음) - 暗(어두울 암)
ㄹ. 每(매양 매) - 悔(뉘우칠 회)

답: ①

6. 십자말풀이 문제

가로 열쇠는 '人山人海'(인산인해), 세로 열쇠는 '桑田碧海'(상전벽해)이다.

답: ④

7. 빈칸 문제

有(㉠)者, 常譽人, 不足者, 常毀人.
유　　자　 상 예 인　 부 족 자　 상 훼 인

㉠이 있는 사람은 늘 남을 기리고, 만족하지 않는 사람은 늘 남을 헐뜯는다.

不足之足, 每有(㉡), 足而不足, 常不足.
부 족 지 족　 매 유　　　　　 족 이 부 족　 상 부 족

넉넉하지 않음의 만족은 매번 ㉡이 있지만 넉넉하지만 만족하지 않으면 늘 넉넉하지 않다.

① 仁(어질 인)　　② 得(얻을 득)　　③ 笑(웃을 소)
④ 直(곧을 직)　　⑤ 餘(남을 여)

답: ⑤

8. 한자어 문제

① 引導(인도)　　② 超脫(초탈)　　③ 配慮(배려)
④ 包容(포용)　　⑤ 説得(설득)

답: ③

9. 사자성어 문제

'治而不忘亂'(치이불망란: 다스려져도 어지러움을 잊지 말라)을 해석하지 않아도 '지금 공사를 해 두면 비가 많이 오더라도 걱정할 것이 없지요'로 충분히 답을 찾을 수 있다.

① 燈下不明(등하불명): 등잔 밑이 어두움.
② 居安思危(거안사위): 편안한 곳에 살 때 위태로움을 생각함.
③ 同病相憐(동병상련): 같은 병을 앓는 사람끼리 서로 가엾게 여김. 어려운 처지에 있는 사람끼리 서로 동정하고 도움.
④ 天災地變(천재지변): 하늘의 재앙과 땅의 변고. 지진, 홍수, 태풍 따위의 자연 현상으로 인한 재앙.
⑤ 朝三暮四(조삼모사): 아침에 셋, 저녁에 넷. 간사한 꾀로 남을 속여 희롱함.

답: ②

10. 카드 문제

그림의 한자로 만들 수 있는 사자성어를 찾는 문제이다. 이런 문제에서는 그림의 한자를 훑어본 다음, ①~⑤를 보면서 그림의 한자로 ①~⑤의 의미를 가지는 사자성어를 생각해 보면 된다.

① 나도 오늘 처음 봤어. 그 사람 잘 몰라.
　☞ 生面不知(생면부지)
② 아랫사람에게라도 물어봐. 부끄러워 말고.
　☞ 不恥下問(불치하문)
③ 왜 나만 갖고 그래. 잘잘못은 따져 보지도 않고.
　☞ 不問曲直(불문곡직)
④ 손바닥으로 하늘을 가리지 마. 아는 사람은 다 알아.
　☞ 떠오르는 사자성어가 없다.
⑤ 참 똑똑하네. 공식만 알려 줬는데 응용력이 뛰어나군.
　☞ 聞一知十(문일지십)

답: ①

11. 한중일 한자어 문제

'비용을 면제해(免) 준다'라는 뜻이 되는 것은 '免'(면할 면)이 있는 위쪽이고 ⑤에는 '비용'을 뜻하는 한자 '費'(쓸 비)가 들어가야 한다. 또 '요금이 없다(無)'라는 뜻이 되는 것은 '無'(없을 무)가 있는 아래쪽이고 ⑥에는 '요금'을 뜻하는 한자 '料'가 들어가야 한다.

답: ①

12. 사물 문제

> 色蒼黑, 無鱗. <중략> 頂上有吹潮穴, 長約十
> 색 창 흑　무 린　　　　　정 상 유 취 조 혈　장 약 십
> 六丈許.
> 륙 장 허

색이 푸른 검은색이고 비늘이 없다. 정수리 위에 바닷물을 불어내는 구멍이 있고 길이가 약 16장쯤 된다.

'無鱗'(비늘이 없다), '頂上有吹潮穴'(정수리 위에 바닷물을 불어내는 구멍이 있다)에서 단서를 찾을 수 있다. 답은 '고래'이다.

답: ④

[13~14] 올빼미 소리를 싫어하지 않는 곳은?

> 梟逢鳩, 鳩曰: "子將安之?"
> 효 봉 구　구 왈　　자 장 안 지
> 올빼미가 비둘기를 만나 비둘기가 말하기를, "그대는 장차 어디로 가는가?"
>
> 梟曰: "我將東徙." 鳩曰: "何故?"
> 효 왈　　아 장 동 사　　구 왈　　하 고
> 올빼미가 말하기를, "나는 장차 동쪽으로 옮긴다." 비둘기가 말하기를, "무슨 까닭인가?"
>
> 梟曰: "鄕人皆惡我鳴, 以故, 東徙."
> 효 왈　　향 인 개 오 아 명　이 고　동 사
> 올빼미가 말하기를, "마을 사람들이 모두 나의 울음소리를 싫어하니 그 까닭으로써 동쪽으로 옮긴다."
>
> 鳩曰: "子能更鳴, 可矣, 不能更鳴, 東徙, 猶惡
> 구 왈　　자 능 경 명　가 의　불 능 경 명　동 사　유 오
> 子之聲."
> 자 지 성
> 비둘기가 말하기를, "그대가 울음소리를 고칠 수 있으면 되겠지만 울음소리를 고칠 수 없으면 동쪽으로 옮겨도 똑같이 그대의 소리를 싫어할 것이다."

13. 해석 문제

⑤은 '어디'로, ⑥은 '고치다'로 해석된다.

답: ②

14. 해석 문제

⑥은 '똑같이 그대의 소리를 싫어할 것이다'로 해석되므로 마지막으로 풀이되는 것은 '惡'(미워할 오)이다.

답: ②

15. 단문 문제

① 三歲之習, 至于八十.
　삼 세 지 습　지 우 팔 십
세 살 버릇 여든 간다.

② 積功成塔, 終亦不崩.
　적 공 성 탑　종 역 불 붕
공을 쌓아 이룬 탑은 끝내 또한 무너지지 않는다.

③ 一日之狗, 不知畏虎.
　일 일 지 구　부 지 외 호
하룻강아지 범 무서운 줄 모른다.

④ 旣乘其馬, 又思牽者.
　기 승 기 마　우 사 견 자
이미 그 말을 탔으면 또 끌 사람을 생각한다.

⑤ 來語不美, 去語何美.
　래 어 불 미　거 어 하 미
오는 말이 아름답지 않은데 가는 말이 어찌 아름답겠는가?

답: ④

16. 단문 문제

> 大凡天下事, 皆有其時, 時來則自成, 不要人力
> 대 범 천 하 사　개 유 기 시　시 래 즉 자 성　불 요 인 력
> 催促, 促之則反或爲害.
> 최 촉　촉 지 즉 반 혹 위 해
> 무릇 천하의 일은 모두 그 때가 있어 때가 오면 저절로 이루어지니 사람의 힘으로 재촉할 필요가 없고 그것을 재촉하면 어긋나거나 해가 된다.

① 大器晚成(대기만성): 큰 그릇은 늦게 이루어짐.
② 事必歸正(사필귀정): 일은 반드시 바름으로 돌아감.
③ 晚時之歎(만시지탄): 늦은 때의 탄식.
④ 不要不急(불요불급): 필요하지도 급하지도 않음.
⑤ 欲速不達(욕속부달): 빠르고자 하면 이르지 못함.

답: ⑤

[17~18] 논어(論語), 맹자(孟子)

> 子曰: "躬自厚而薄責於人, 則遠怨矣."
> 자 왈　　궁 자 후 이 박 책 어 인　즉 원 원 의
> 공자가 말하기를, "몸소 자기에게는 두텁고 남에게는 박하게 꾸짖으면 원망이 멀다."
>
> 道在爾而求諸遠, 事在易而求諸難, 人人親其
> 도 재 이 이 구 저 원　사 재 이 이 구 저 난　인 인 친 기
> 親, 長其長, 而天下平.
> 친　장 기 장　이 천 하 평
> 도가 가까운 곳에 있으나 그것을 먼 곳에서 구하고, 일이 쉬운 곳에 있으나 그것을 어려운 곳에서 구하는데 사람마다 그 부모를 가까이하고 그 어른을 공경하면 천하가 태평하다.

17. 해석 문제

⑤에서 얻을 수 있는 교훈이 가장 필요한 사람은 '제 잘못은 모르고 남의 잘못만 지적하는 사람'이다.

답: ⑤

18. 해석 문제

ⓛ은 '쉽다'로 해석되므로 '이'로 읽는다.

　ㄱ. 交易(교역)　　　　　　ㄴ. 簡易(간이)

　ㄷ. 平易(평이)　　　　　　ㄹ. 貿易(무역)

답: ③

[19~20] 최흥효(崔興孝)

> 崔興孝通國之善書者也.
> 최흥효통국지선서자야
>
> 최흥효는 나라를 통해 글씨를 잘 쓰는 사람이다.
>
> 嘗赴擧書卷, 得一字類王羲之, 坐視終日, 忍不
> 상부거서권　득일자류왕희지　좌시종일　인불
> 能捨, 懷卷而歸, 是可謂得失不存於心耳.
> 능사　회권이귀　시가위득실부존어심이
>
> 일찍이 과거에 나아가 답안지에 쓰다가 한 글자를 얻었는데 왕희지와 비슷하여 앉아 보며 날을 다하다가 차마 버릴 수 없어 답안지를 품고 돌아왔으니 이는 얻고 잃음이 마음에 없는 사람일 뿐이라고 이를 만하다.

19. 해석 문제

ⓐ: 착하다 → 잘하다

ⓑ: 맛보다 → 일찍이

ⓒ: 무리 → 비슷하다

ⓓ의 주체는 '최흥효'이다.

ⓔ의 음은 '회'이고 '怪'의 음은 '괴'이다.

답: ④

20. 해석 문제

ㄱ. 과거에 응시하였다.

ㄴ. 책이 아니라 과거 답안지를 품고 귀가하였다.

ㄷ. 출세보다 예술에 더 열정적이었다.

ㄹ. 왕희지가 쓴 글자와 비슷한 글자를 썼다.

답: ①

[21~22] 이후백(李後白)

> 後白爲吏判, 務崇公論, 不受請託, 政事可觀.
> 후백위리판　무숭공론　불수청탁　정사가관
>
> 후백이 이조 판서가 되어서는 공론을 받드는 데 힘쓰고 청탁을 받지 않아 정사가 볼 만하였다.
>
> <중략> 一日, 有族人往見, 語次示求官之意,
> 　　　　일일　유족인왕견　어차시구관지의
> 後白變色, 示以一錄.
> 후백변색　시이일록
>
> 하루는 친척이 와서 봄이 있었는데 머뭇거리며 벼슬을 구하는 뜻을 보임을 말하니 후백이 얼굴빛을 바꾸며 한 목록으로써 보여 주었다.
>
> <중략> 後白曰: "吾錄子名, 將欲擬望, 今子
> 　　　　후백왈　오록자명　장욕의망　금자
> 有求官之語, 若求者得之, 則非公道也. 惜乎!
> 유구관지어　약구자득지　즉비공도야　석호

> (　　　　ⓖ　　　　)." 其人大慙而退.
> 　　　　　　　　　기인대참이퇴
>
> 후백이 말하기를, "내가 그대의 이름을 적어 장차 천거하고자 했는데 지금 그대가 벼슬을 구하는 말이 있으니 만약 구하는 사람이 그것을 얻으면 공도가 아니다. 아깝구나! ⓖ." 그 사람이 크게 부끄러워하며 물러났다.

21. 해석 문제

ⓗ은 '같다'가 아니라 '만약'이라는 뜻으로 해석된다.

답: ④

22. 빈칸 문제

윗글의 흐름으로 보아 ⓖ에 들어갈 말의 의미로 알맞은 것은 '말을 하지 않았다면 관직을 얻을 수 있었을 텐데'이다.

답: ⑤

[23~24] 학교의 중요성

> 治體之汚隆, 係乎人材之盛衰,
> 치체지오륭　계호인재지성쇠
>
> 다스리는 체제의 더러워짐과 융성함은 인재의 성함과 쇠함에 매여 있고,
>
> 人材之盛衰, 關乎學校之興廢.
> 인재지성쇠　관호학교지흥폐
>
> 인재의 성함과 쇠함은 학교의 흥함과 폐함에 걸려 있다.

23. 독음 문제

ⓘ의 독음은 '성쇠'이다. 이런 문제는 가장 쉬운 문제 가운데 하나이므로 꼭 풀도록 하자.

답: ②

24. 해석 문제

　① 實學(실학)　　② 立志(입지)　　③ 修身(수신)

　④ 校則(교칙)　　⑤ 敎育(교육)

답: ⑤

[25~27] 지록위마(指鹿爲馬)

> 趙高欲爲亂, 恐群臣不聽, 乃先設驗, 持鹿獻於
> 조고욕위란　공군신불청　내선설험　지록헌어
> 二世, 曰: "馬也."
> 이세　왈　마야
>
> 조고가 난을 일으키고자 하나 여러 신하들이 듣지 않을 것을 두려워하여 이에 먼저 시험을 하고자 사슴을 잡고 2세에게 바치며 말하기를, "말입니다."
>
> 二世笑曰: "丞相誤邪? 謂鹿爲馬."
> 이세소왈　승상오사　위록위마
>
> 2세가 웃으며 말하기를, "승상이 착각했나? 사슴을 일러 말이라고 하다니."
>
> 問左右, 左右或默, 或言馬以阿順趙高, 或言鹿者.
> 문좌우　좌우혹묵　혹언마이아순조고　혹언록자
>
> 왼쪽과 오른쪽의 신하들에게 물으니, 누구는 침묵하고, 누구는 말이라고 말함으로써 아첨하며 조고를 따랐고 누구는 사슴이

라고 말하는 사람이었다.

高因陰中諸言鹿者以法, 後群臣皆畏高.
고 인 음 중 제 언 록 자 이 법 후 군 신 개 외 고

조고가 이로 인하여 몰래 모든 사슴이라고 말한 사람을 법으로써 다스리니 뒤에 많은 신하들이 모두 조고를 두려워하였다.

25. 짜임 문제

한자어의 짜임은 두 글자 이상의 한자로 이루어진 한자어가 어떻게 해석되는가를 나타내는 개념이다. 한자어의 짜임에는 '주술(주어＋서술어)', '술목(서술어＋목적어)', '술보(서술어＋보어)', '수식', '병렬'의 다섯 가지가 있다.

㉠은 '여러 신하'로 해석되므로 그 짜임은 '수식'이다.

① 年少(연소): 나이가 어리다. (주술)
② 兄弟(형제): 형과 아우. (병렬)
③ 貴賓(귀빈): 귀한 손님. (수식)
④ 道路(도로): 길. (병렬)
⑤ 愛憎(애증): 사랑과 미움. (병렬)

답: ③

26. 바꾸어 쓸 수 있는 한자 문제

㉡과 바꾸어 쓸 수 있는 한자는 '于'(어조사 우)이다. 이런 문제는 가장 쉬운 문제 가운데 하나이므로 꼭 풀도록 하자.

답: ②

27. 해석 문제

'或言鹿者'는 '어떤 사람은 사슴이라고 말했다'라는 뜻이지만 이는 '조고의 말에 동조'한 것과는 정반대이다.

답: ③

〔28～30〕 왕지환, 「등관작루(登鸛雀樓)」
정몽주, 「정부원(征婦怨)」

白日依山盡, 백 일 의 산 진	흰 해가 산에 기대어 저물고
黃河入海流. 황 하 입 해 류	황하는 바다로 들어가 흐른다.
欲窮千里目, 욕 궁 천 리 목	천 리를 보는 안목 다하고자
更上一層樓. 갱 상 일 층 루	다시 한 층 누각을 올라간다.
一別年多消息稀, 일 별 년 다 소 식 희	한 번 이별하고 해가 많도록 소식이 드물어
塞垣存歿有誰知. 새 원 존 몰 유 수 지	변방에 살았는지 죽었는지 어느 누가 알겠나.
今朝始寄寒衣去, 금 조 시 기 한 의 거	오늘 아침 비로소 겨울옷을 부쳐 가니
泣送歸時在腹兒. 읍 송 귀 시 재 복 아	울며 보내고 돌아오는 때 배에 있던 아이라네

28. 해석 문제

㉣은 '막다'가 아니라 '변방'으로 해석된다.

답: ④

29. 한시 문제

ㄱ. 운자는 짝수 구의 마지막 글자에 오고, 첫째 구의 마지막 글자에 올 수 있다. (가)의 짝수 구의 마지막 글자는 '流'(류), '樓'(루)이므로 '盡'(진)은 운자가 아니다.

ㄴ. 두 구가 문법적 기능이 동일한 글자의 배열로 이루어져 있을 때 두 구가 대우를 이룬다고 한다. (가)의 제1구와 제2구는 문법적 기능이 동일한 글자의 배열로 이루어져 있으므로 대우를 이룬다.

ㄷ. (나)는 일곱 글자씩 네 구이므로 칠언절구이다.

ㄹ. (나)의 제3구 '今朝'(오늘 아침)에서 시간적 배경을 알 수 있다.

답: ③

30. 이해와 감상 문제

① (가)에 호수, 강, 바다가 나오지만 이들을 대비하지는 않았다.
② (가)의 시적 화자는 광활한 풍광을 더 보고자 누각을 한 층 더 올라갔다.
③ (나)의 제2구에서 오래도록 남편의 생사조차 알 수 없는 상황임을 알 수 있다.
④ (나)의 제4구에 이별할 때의 상황의 정보와 심부름을 가는 사람에 대한 정보가 있다.
⑤ (나)의 제3구에 겨울옷을 부치는 부분에서 추위에 고생할 남편을 염려하는 아내의 애틋한 마음이 드러난다.

답: ①

1. 그림과 대화의 내용으로 보아 ㉠에 알맞은 것은? [1점]

교사 : 이 그림 어때요? 소나무 언덕에 있는 호랑이를 그린 민화랍니다.

학생 : 뒷발로 목을 긁는 호랑이에, 누워서 발을 핥는 호랑이가 있고, 그 동작이 제각각이네요.

교사 : 그래요, 무리 지어 있는 호랑이를 그렸다고 해서, 이 그림을 '(㉠)虎圖'라고 해요.

① 猛　② 松　③ 祥　④ 各　⑤ 群

2. 자전에서 한자를 찾을 때, ㉠에 들어갈 부수와 ㉡에 들어갈 획수가 모두 옳은 것은? [1점]

(㉠) 5획【破】총 10획 파　[자해] 깨뜨리다

心 (㉡)획【恭】총 10획 공　[자해] 공손하다

	㉠	㉡		㉠	㉡
①	石	5	②	皮	5
③	石	6	④	皮	6
⑤	石	7			

3. 같은 뜻을 지닌 한자끼리 연결된 것을 <보기>에서 고른 것은? [1점]

―――<보 기>―――
ㄱ. 道 － 路　　ㄴ. 紅 － 亦
ㄷ. 養 － 育　　ㄹ. 犬 － 拘

① ㄱ, ㄴ　② ㄱ, ㄷ　③ ㄴ, ㄷ
④ ㄴ, ㄹ　⑤ ㄷ, ㄹ

4. 다음 조건을 모두 만족하는 한자는? [1점]

① 初　② 判　③ 始　④ 肖　⑤ 和

5. 화살표 방향으로 성어를 채울 때, ㉠에 알맞은 것은? [1점]

【가로 열쇠】
좀처럼 만나기 어려운 좋은 기회.

【세로 열쇠】
온갖 어려운 고비를 다 겪으며 심하게 고생함.

① 好　② 千　③ 深　④ 難　⑤ 全

6. 그림과 글을 통해 말하고자 하는 것은? [1점]

① 疏通
② 秩序
③ 協同
④ 淸廉
⑤ 勤勉

7. 글의 내용으로 보아 ㉠에 알맞은 것은?

古之君子, 其責己也, (㉠)以周, 其待人也, 輕以約.

－『한창려집』－

① 軟　② 弱　③ 低　④ 重　⑤ 柔

8. 그림의 내용과 관계있는 성어는? [1점]

① 同床異夢　　② 雪上加霜　　③ 指鹿爲馬

④ 脣亡齒寒　　⑤ 斷機之戒

9. 글의 내용과 관계있는 것은? [1점]

　　사람마다 재능과 품성이 같지 않고, 그들이 맡은 직분 역시 합당한 경우도 있고 합당하지 않은 경우도 있습니다. 선왕들은 이를 잘 알았기 때문에 농사에 익숙한 사람을 후직(后稷)으로 삼고, 각종 기술을 주관할 만한 사람을 공공(共工)으로 삼았습니다. 품성이 후덕하고 재능이 뛰어난 사람을 우두머리로 삼고, 그보다 품성과 재능이 부족한 사람으로 그를 보좌하게 하였습니다.

　　*후직(后稷): 순임금 때 농사를 주관하던 관리
　　*공공(共工): 순임금 때 기술을 주관하던 관리
　　　　　　　　　　　　　　　　　　　　-『임천집』-

① 不足之足, 每有餘.　　② 用人, 當用其所長.

③ 不經一事, 不長一智.　　④ 知彼知己, 百戰不殆.

⑤ 施恩勿求報, 與人勿追悔.

10. 그림의 글자로 만들 수 있는 사자성어의 의미와 관계있는 것은?

① 가을밤은 책을 가까이하기에 정말 좋아.

② 굳이 물어보지 않아도 그 이유를 알겠어.

③ 바로 아래층에 사는데도 여태 모르고 지내다니.

④ 이해력이 뛰어나 하나만 들어도 나머지를 미루어 아네.

⑤ 옳고 그른 것을 따지지도 않고 무조건 나무라기만 하네.

11. 그림과 대화의 내용으로 보아 가장 관계있는 것은?

① 鳥久止, 必帶矢.　　② 馬行處, 牛亦去.

③ 不入虎穴, 不得虎子.　　④ 我腹旣飽, 不察奴飢.

⑤ 吹之恐飛, 執之恐陷.

[12~13] 다음 글을 읽고 물음에 답하시오.

○ 作事, ㉠切須詳審㉮謹愼, 不可㉡輕率怠緩.　　-『순암집』-

○ 耳不聞人之㉢非, 目不視人之㉣短, 口不言人之㉤過, 庶幾君子.　　-『명심보감』-

12. ㉠~㉤의 풀이로 옳지 않은 것은?

① ㉠: 베다　　② ㉡: 가볍다　　③ ㉢: 잘못

④ ㉣: 단점　　⑤ ㉤: 허물

13. ㉮와 짜임이 같은 것은?

① 下山　　② 遵法　　③ 年少　　④ 援助　　⑤ 廣告

[14~15] 다음 글을 읽고 물음에 답하시오.

　　同春堂宋先生, 書籍借人, 人或㉠還之, 而㉮紙不生毛, 則必責其不讀, 更㉡與之, 其人不得不讀之.

　　*宋先生(송 선생): 조선 시대 학자 송준길
　　　　　　　　　　　　　　　　　-『사소절』-

14. ㉠과 ㉡의 풀이가 모두 옳은 것은?

	㉠	㉡		㉠	㉡
①	돌아오다	참여하다	②	돌려주다	참여하다
③	돌아오다	더불다	④	돌려주다	주다
⑤	돌아오다	주다			

15. ㉮의 의미로 알맞은 것은?

① 책을 반납하지 않았다.

② 책을 가려 읽지 않았다.

③ 책을 충분히 읽지 않았다.

④ 책을 남에게 빌려 주지 않았다.

⑤ 책을 깨끗하게 보관하지 않았다.

16. ㉠과 음이 같은 것을 <보기>에서 고른 것은?

> 子曰: "知之者, 不如好之者, 好之者, 不如㉠樂之者."
>
> -『논어』

> ─────<보 기>─────
> ㄱ. 音樂   ㄴ. 苦樂   ㄷ. 聲樂   ㄹ. 安樂

① ㄱ, ㄷ   ② ㄱ, ㄹ   ③ ㄴ, ㄷ

④ ㄴ, ㄹ   ⑤ ㄷ, ㄹ

17. ㉠의 가르침이 가장 필요한 사람은?

> 子曰: "由! 誨女知之乎! ㉠知之爲知之, 不知爲不知, 是知也."
>
> *誨(회): 가르치다
> -『논어』

① 아는 것을 실천하지 않는 이
② 아는 것을 남에게 가르쳐 주지 않는 이
③ 모르는 것을 끝까지 아는 척 우기는 이
④ 자신을 알아주지 않는 것을 걱정하는 이
⑤ 모르는 것을 알기 위해 노력하지 않는 이

[18~19] 다음 글을 읽고 물음에 답하시오.

> 車胤, <중략> 恭勤不倦, ㉠博覽多通, 家貧不常得油, 夏月, 則練囊盛數十螢火, 以照書, 以夜繼日焉.
> 孫氏世錄曰: "康, 家貧無油, 常映雪讀書, 少小淸介, 交遊不雜, 後至御史大夫."
>
> *車胤(차윤): 사람 이름   *倦(권): 게으르다   *囊(낭): 주머니
> -『몽구』-

18. ㉠의 독음으로 옳은 것은? [1점]

① 열람   ② 박식   ③ 해박   ④ 박람   ⑤ 전람

19. 위 내용을 다음과 같이 설명할 때, 옳지 <u>않은</u> 것은?

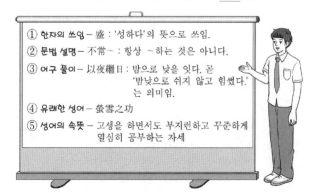

① 한자의 쓰임 – 盛: '성하다'의 뜻으로 쓰임.
② 문법 설명 – 不常~: 항상 ~하는 것은 아니다.
③ 어구 풀이 – 以夜繼日: 밤으로 낮을 잇다. 곧 '밤낮으로 쉬지 않고 힘썼다.'는 의미임.
④ 유래한 성어 – 螢雪之功
⑤ 성어의 속뜻 – 고생을 하면서도 부지런하고 꾸준하게 열심히 공부하는 자세

20. 그림과 대화의 내용으로 보아 ㉠에 알맞은 것은? [1점]

① 主   ② 走   ③ 注   ④ 朱   ⑤ 柱

[21~23] 다음 글을 읽고 물음에 답하시오.

> 朴判書邃, 兒時, 約婿㉠于某家, 未聘而處女中經危病, 人言兩目俱盲. 其兄, (㉮). 判書曰: "病盲, 天也. 盲妻猶可同居, ㉡人無信不立." 兄奇其言, 從之.
>
> *朴邃(박서): 사람 이름   *婿(서): 사위
> -『기문총화』-

21. ㉠과 바꾸어 쓸 수 있는 것은?

① 所   ② 也   ③ 乃   ④ 而   ⑤ 於

22. ㉡의 풀이 순서를 바르게 배열한 것은?

① 人 → 無 → 信 → 不 → 立
② 信 → 不 → 立 → 人 → 無
③ 人 → 不 → 立 → 無 → 信
④ 人 → 信 → 無 → 立 → 不
⑤ 立 → 不 → 信 → 人 → 無

23. 글의 흐름으로 보아 ㉮에 들어갈 말의 의미로 알맞은 것은?

① 소문이 나지 않도록 조심하였다.
② 먼저 여자에게 잘 치료하라고 했다.
③ 적절한 다른 혼처를 구하려고 했다.
④ 언젠가는 알려질 것이라고 생각했다.
⑤ 이왕 이렇게 된 거 빨리 혼인시키려 했다.

제2외국어/한문 영역 　　　　　(한문)

[24~25] 다음 글을 읽고 물음에 답하시오.

> 伯兪有過, 其母笞之, (㉠). 其母曰: "他日笞, 子未嘗泣, 今泣, 何也?" 對曰: "兪得罪, 笞常痛, 今母之力, 不能使痛. ㉡是以, 泣."
>
> *伯兪(백유): 사람 이름　*笞(태): 매질하다
>
> -『소학』-

24. 글의 내용으로 보아 ㉠에 알맞은 것은?

① 悔　② 痛　③ 惜　④ 泣　⑤ 怒

25. 글의 내용으로 보아 ㉡이 가리키는 것은?

① 어머니에 대한 그리움
② 어머니께 느끼는 서운함.
③ 어머니의 질병에 대한 근심
④ 어머니께 잘못한 일을 뉘우침.
⑤ 어머니의 기력이 약해진 것을 느낌.

[26~27] 다음 글을 읽고 물음에 답하시오.

> ㉮琴師金聖器, 學琴於王世基, 每遇㉠新聲, 王輒祕不傳授. 聖器, 夜夜來, 附王家窓前, 竊㉡聽, 明朝, ㉢能傳寫不錯. 王固疑之, 乃夜彈琴, 曲未半, 瞥然㉣拓窓, 聖器驚墮於地. 王乃大奇之, 盡以所㉤著授之.
>
> *輒(첩): 번번이　*瞥然(별연): 갑자기
>
> -『추재집』-

26. ㉠~㉤에 대한 설명으로 옳지 <u>않은</u> 것은?

① ㉠은 '新曲'과 의미가 통한다.
② ㉡의 대상은 '新聲'이다.
③ ㉢의 주체는 '김성기'이다.
④ ㉣은 '밀치다'의 뜻이다.
⑤ ㉤의 음은 '捉'와/과 같다.

27. ㉮에 관한 내용으로 옳은 것만을 <보기>에서 있는 대로 고른 것은?

> <보 기>
> ㄱ. 왕세기의 거문고 연주 솜씨에 깜짝 놀랐다.
> ㄴ. 왕세기에게 거문고 연주하는 법을 전수받지 않았다.
> ㄷ. 왕세기의 거문고 연주 소리를 밤마다 몰래 엿들었다.
> ㄹ. 왕세기가 전날 밤에 연주했던 곡을 그 다음날 그대로 연주할 수 있었다.

① ㄱ, ㄴ　② ㄱ, ㄷ　③ ㄷ, ㄹ
④ ㄱ, ㄴ, ㄹ　⑤ ㄴ, ㄷ, ㄹ

[28~30] 다음 시를 읽고 물음에 답하시오.

> (가) 不欲憶君㉠自憶君, 問㉡君何事每相分.
> 　　莫言靈鵲能傳喜, 幾度㉢虛驚到夕曛.
>
> *鵲(작): 까치　*曛(훈): 석양빛
>
> -박죽서, 「술회(述懷)」-
>
> (나) 近來安否問如何, 月白紗窓妾恨多.
> 　　㉣若使夢魂行有跡, 門前石路已成㉤沙.
>
> *紗(사): 비단
>
> -이옥봉, 「자술(自述)」-

28. ㉠~㉤의 풀이로 옳지 <u>않은</u> 것은?

① ㉠: 저절로　② ㉡: 임금　③ ㉢: 헛되이
④ ㉣: 만약　⑤ ㉤: 모래

29. (가)에 대한 설명으로 옳은 것만을 <보기>에서 있는 대로 고른 것은?

> <보 기>
> ㄱ. 시의 형식은 칠언절구이다.
> ㄴ. 운자(韻字)는 '分', '喜'이다.
> ㄷ. 첫째 구와 둘째 구를 통해 시인이 그리워하는 대상과 떨어져 있음을 알 수 있다.
> ㄹ. 셋째 구와 넷째 구는 대우(對偶)를 이루고 있다.

① ㄱ, ㄷ　② ㄱ, ㄹ　③ ㄴ, ㄹ
④ ㄱ, ㄴ, ㄷ　⑤ ㄴ, ㄷ, ㄹ

30. (나)에 대한 이해로 옳지 <u>않은</u> 것은?

① 의문의 형식을 빌려 시상을 전개하고 있구나.
② 임과 이별할 때의 시간적 배경이 잘 나타나 있네.
③ 여인이 있는 곳에 달빛이 비치고 있어.
④ 임을 만나지 못하는 여인의 한이 드러나 있군.
⑤ 과장된 표현으로 시적 화자의 심정을 묘사하고 있지.

* 확인 사항
○ 답안지의 해당란에 필요한 내용을 정확히 기입(표기)했는지 확인하시오.

253

2015학년도 6월 모의평가

1	⑤	7	④	13	④	19	①	25	⑤
2	③	8	①	14	④	20	③	26	⑤
3	②	9	②	15	③	21	⑤	27	③
4	①	10	⑤	16	④	22	④	28	②
5	②	11	③	17	③	23	③	29	①
6	①	12	①	18	④	24	④	30	②

1. 그림 문제

무리 지어 있는 호랑이를 그렸다고 해서 '(㉠)虎圖'라고 하므로 ㉠에는 '무리 짓다'를 뜻하는 한자가 들어가야 한다.

① 猛(사나울 맹)　　② 松(소나무 송)　　③ 祥(상서로울 상)

④ 各(각각 각)　　⑤ 群(무리 군)

답: ⑤

2. 자전 문제

㉠에는 '破'(깨뜨릴 파)의 부수, ㉡에는 '恭'(공손할 공)의 부수 '忄'(마음 심)을 제외한 획수가 들어간다. '破'는 그 뜻으로 보아 '石'(돌 석)이 부수이다. '恭'에서 '忄'을 제외한 부분의 획수는 6획이므로 답은 ③이다.

답: ③

3. 한자 문제

ㄱ. 道(길 도) – 路(길 로)

ㄴ. 紅(붉을 홍) – 亦(또 역)

ㄷ. 養(기를 양) – 育(기를 육)

ㄹ. 犬(개 견) – 拘(잡을 구)

'붉을 적'은 '赤'이고 '개 구'는 '狗'이다.

답: ②

4. 조건을 만족하는 한자 문제

조건을 만족하는 한자를 찾는 문제이다. 문제에서는 갑골문의 모양, 음, 총획, 결합할 수 있는 한자를 알려 주고 있다. 보통은 음으로 찾는 게 가장 빠르므로 음이 '草'(풀 초)와 같은 한자를 먼저 찾아보자.

① 初(처음 초)　　② 判(판단할 판)　　③ 始(처음 시)

④ 肖(닮을 초)　　⑤ 和(화할 화)

①~⑤에서 음이 '초'인 한자는 '初'와 '肖'이다. 여기에서 '步'(걸음 보)와 결합하면 '학문·기술 등의 첫걸음'을 뜻하는 단어가 되는 것은 당연히 '初'이다.

답: ①

5. 십자말풀이 문제

가로 열쇠는 '千載一遇'(천재일우), 세로 열쇠는 '千辛萬苦'(천신만고)이다.

답: ②

6. 한자어 문제

① 疏通(소통)　　② 秩序(질서)　　③ 協同(협동)

④ 清廉(청렴)　　⑤ 勤勉(근면)

답: ①

7. 단문 문제

> 古之君子, 其責己也, (㉠)以周, 其待人也, 輕以約.
> 고 지 군 자　기 책 기 야　이 주　기 대 인 야　경 이 약
>
> 옛날의 군자는 그 자기를 꾸짖는 것이 ㉠하고 빈틈없으나 그 남을 대함은 가볍고 간략하였다.

'其責己也, (㉠)以周'와 '其待人也, 輕以約'이 대구를 이루고 있고 '己'(몸 기)와 '人'(사람 인)이 반대되는 뜻이므로 ㉠에는 '輕'(가벼울 경)과 반대되는 뜻의 한자가 들어가야 한다.

① 軟(부드러울 연)　　② 弱(약할 약)　　③ 低(낮을 저)

④ 重(무거울 중)　　⑤ 柔(부드러울 유)

답: ④

8. 사자성어 문제

① 同床異夢(동상이몽): 같은 침상, 다른 꿈. 겉으로는 같이 행동하면서도 속으로는 각각 다른 생각을 하고 있음.

② 雪上加霜(설상가상): 눈 위에 서리가 더해짐. 난처한 일이나 불행한 일이 잇따라 일어남.

③ 指鹿爲馬(지록위마): 사슴을 가리켜 말이라고 함. 윗사람을 농락하여 권세를 마음대로 함.

④ 脣亡齒寒(순망치한): 입술이 없으면 이가 시림. 이해관계가 밀접한 사이에서 한쪽이 망하면 다른 쪽도 온전하기 어려움.

⑤ 斷機之戒(단기지계): 베를 끊는 경계. 맹자가 수학 도중 집으로 돌아왔을 때 그의 어머니가 짜던 베를 끊으며 학문을 중도에서 그만둠은 이 베를 끊는 것과 같다고 경계함.

답: ①

9. 단문 문제

① 不足之足, 每有餘.
부 족 지 족　매 유 여
넉넉하지 않음의 만족은 매번 남음이 있다.

② 用人, 當用其所長.
용 인　당 용 기 소 장
사람을 씀에는 마땅히 그 잘하는 바를 써라.

③ 不經一事, 不長一智.
불 경 일 사　부 장 일 지
하나의 일을 거치지 않으면 하나의 지혜를 기르지 못한다.

④ 知彼知己, 百戰不殆.
지 피 지 기　백 전 불 태
저를 알고 나를 알면 백 번 싸워도 위태롭지 않다.

⑤ 施恩勿求報, 與人勿追悔.
시 은 물 구 보　여 인 물 추 회
은혜를 베풀고 보답을 구하지 말고, 남에게 주고 뉘우침을 좇지 말라.

답: ②

10. 카드 문제

그림의 한자로 만들 수 있는 사자성어를 찾는 문제이다. 이런 문제에서는 그림의 한자를 훑어본 다음, ①~⑤를 보면서 그림의 한자로 ①~⑤의 의미를 가지는 사자성어를 생각해 보면 된다.

① 가을밤은 책을 가까이하기에 정말 좋아.
   ☞ 燈火可親(등화가친)
② 굳이 물어보지 않아도 그 이유를 알겠어.
   ☞ 不問可知(불문가지)
③ 바로 아래층에 사는데도 여태 모르고 지내다니.
   ☞ 燈下不明(등하불명)
④ 이해력이 뛰어나 하나만 들어도 나머지를 미루어 아네.
   ☞ 聞一知十(문일지십)
⑤ 옳고 그른 것을 따지지도 않고 무조건 나무라기만 하네.
   ☞ 不問曲直(불문곡직)

답: ⑤

11. 단문 문제

① 鳥久止, 必帶矢.
   조 구 지 필 대 시
   새가 오래 머무르면 반드시 화살을 두른다.

② 馬行處, 牛亦去.
   마 행 처 우 역 거
   말이 가는 곳에 소 또한 간다.

③ 不入虎穴, 不得虎子.
   불 입 호 혈 부 득 호 자
   호랑이굴에 들어가지 않으면 호랑이 새끼를 얻지 못한다.

④ 我腹旣飽, 不察奴飢.
   아 복 기 포 불 찰 노 기
   내 배가 이미 부르면 종의 배고픔을 살피지 않는다.

⑤ 吹之恐飛, 執之恐陷.
   취 지 공 비 집 지 공 함
   그것을 불면 날아갈까 두렵고, 그것을 쥐면 꺼질까 두렵다.

답: ③

[12~13] 순암집(醇庵集), 명심보감(明心寶鑑)

作事, 切須詳審謹愼, 不可輕率怠緩.
작 사 절 수 상 심 근 신 불 가 경 솔 태 완
일을 함에는 절실토록 모름지기 상세하게 살피고 삼가고 삼가야지 경솔하고 게으르고 느려서는 안 된다.
耳不聞人之非, 目不視人之短, 口不言人之過,
이 불 문 인 지 비 목 불 시 인 지 단 구 불 언 인 지 과
庶幾君子.
서 기 군 자
귀는 남의 잘못을 듣지 말고, 눈은 남의 단점을 보지 말고, 입은 남의 허물을 말하지 말아야 거의 군자이다.

12. 해석 문제

㉠은 '베다'가 아니라 '절실하다'로 해석된다.

답: ①

13. 짜임 문제

㉮는 '삼가고 삼가다'로 해석되므로 그 짜임은 '병렬'이다.
① 下山(하산): 산에서 내려오다. (술보)
② 遵法(준법): 법을 지키다. (술목)
③ 年少(연소): 나이가 어리다. (주술)
④ 援助(원조): 돕고 돕다. (병렬)
⑤ 廣告(광고): 널리 알리다. (수식)

답: ④

[14~15] 독서(讀書)

同春堂宋先生, 書籍借人, 人或還之, 而紙不生
동 춘 당 송 선 생 서 적 차 인 인 혹 환 지 이 지 불 생
毛, 則必責其不讀, 更與之, 其人不得不讀之.
모 즉 필 책 기 불 독 갱 여 지 기 인 부 득 불 독 지
동춘당 송 선생은 책을 남에게 빌려주고 남이 혹시 그것을 돌려주었을 때 종이에 보풀이 나지 않았으면 그 읽지 않음을 반드시 꾸짖고 다시 그것을 주어 그 사람이 그것을 읽지 않을 수 없었다.

14. 해석 문제

㉠은 '돌려주다', ㉡은 '주다'로 해석된다.

답: ④

15. 해석 문제

㉮는 '책에 보풀이 나지 않았다'로 해석되므로 그 의미는 '책을 충분히 읽지 않았다'이다.

답: ③

16. 해석 문제

子曰: "知之者, 不如好之者, 好之者, 不如樂
자 왈 지 지 자 불 여 호 지 자 호 지 자 불 여 락
之者."
지 자
공자가 말하기를, "그것을 아는 사람은 그것을 좋아하는 사람만 못하고 그것을 좋아하는 사람은 그것을 즐기는 사람만 못하다."

㉠은 '즐기다'로 해석되므로 '락'으로 읽는다.

ㄱ. 音樂(음악)
ㄴ. 苦樂(고락)
ㄷ. 聲樂(성악)
ㄹ. 安樂(안락)

답: ④

17. 해석 문제

子曰: "由! 誨女知之乎! 知之謂知之, 不知謂
자 왈 유 회 여 지 지 호 지 지 위 지 지 부 지 위
不知, 是知也."
부 지 시 지 야
공자가 말하기를, "유야! 너에게 그것을 안다는 것을 가르치마! 그것을 알면 그것을 안다고 이르고, 알지 못하면 알지 못한다고 이르는 것, 이것이 앎이다."

㉮의 가르침이 가장 필요한 사람은 '모르는 것을 끝까지 아는 척 우기는 이'이다.

답: ③

〔18~19〕형설지공(螢雪之功)

> 車胤, <중략> 恭勤不倦, 博覽多通, 家貧不常
> 得油, 夏月, 則練囊盛數十螢火, 以照書, 以夜
> 繼日焉.

차윤은 공손하고 부지런하며 게으르지 않고 널리 보아 많이 통하였는데 집이 가난하여 늘 기름을 얻지는 못하여 여름의 달이면 명주 주머니에 수십 반딧불을 담음으로써 책을 비추어 밤으로써 낮을 이었다.

> 孫氏世錄曰: "康, 家貧無油, 常映雪讀書, 少
> 小清介, 交遊不雜, 後至御史大夫."

손씨세록에 이르기를, "강은 집이 가난하여 기름이 없어 늘 눈에 비추어 책을 읽었는데 어리고 작을 때부터 청개하였고 사귀고 놂이 잡스럽지 않아 뒤에 어사대부에 이르렀다."

18. 독음 문제

㉠의 독음은 '박람'이다. 이런 문제는 가장 쉬운 문제 가운데 하나이므로 꼭 풀도록 하자.

답: ④

19. 해석 문제

'盛'은 '성하다'가 아니라 '담다'라는 뜻으로 쓰였다.

답: ①

20. 한자 문제

① 主(주인 주)　　② 走(달릴 주)　　③ 注(물댈 주)
④ 朱(붉을 주)　　⑤ 柱(기둥 주)

'주의하다'라고 할 때의 '주의'는 '注意'이다. '마음을 물대는 것', 즉 '마음을 기울이는 것'이 주의하는 것이다.

답: ③

〔21~23〕신의의 중요성

> 朴判書邃, 兒時, 約婿于某家, 未聘而處女中經
> 危病, 人言兩目俱盲.

박서 판서는 어릴 때 어떤 집에 사위가 되기로 약속하고 아직 찾아가지 않았는데 처녀가 중간에 위태로운 병을 앓아 사람들이 두 눈이 함께 멀었다고 말하였다.

> 其兄, (㉮). 判書曰: "病盲, 天也.
> 盲妻猶可同居, 人無信不立." 兄奇其言, 從之.

그 형이 ㉮. 판서가 말하기를, "눈먼 병에 걸린 것은 하늘의 일이다. 눈먼 아내와 오히려 함께 살 수 있지만 사람이 믿음이 없으면 서지 않습니다." 형이 그 말을 기특하게 여겨 그것을 따랐다.

21. 바꾸어 쓸 수 있는 한자 문제

㉠과 바꾸어 쓸 수 있는 한자는 '於(어조사 어)'이다. 이런 문제는 가장 쉬운 문제 가운데 하나이므로 반드시 풀도록 하자.

답: ⑤

22. 해석 문제

㉡은 '사람이 믿음이 없으면 서지 못한다'로 해석되므로 풀이 순서는 '人 - 信 - 無 - 立 - 不'이다.

답: ④

23. 해석 문제

글의 흐름으로 보아 ㉮에 들어갈 말은 '적절한 다른 혼처를 구하라고 했다'이다.

답: ③

〔24~25〕우는 까닭

> 伯兪有過, 其母笞之, (㉠).

백유가 잘못이 있어 그 어머니가 그를 때리니 ㉠하였다.

> 其母曰: "他日笞, 子未嘗泣, 今泣, 何也?"

그 어머니가 말하기를, "다른 날 때릴 때에는 네가 일찍이 울지 않았거늘, 지금 우는 것은 어찌 된 것인가?"

> 對曰: "兪得罪, 笞常痛, 今母之力, 不能使痛.
> 是以, 泣."

대답하여 말하기를, "백유가 죄를 얻어 때릴 때에는 늘 아팠는데, 지금 어머니의 힘이 아프게 할 수 없습니다. 이 이유로 웁니다."

24. 해석 문제

㉠ 다음에 그 어머니가 왜 우느냐가 물었으므로 ㉠에는 '울다'를 뜻하는 한자가 들어가야 한다.

① 悔(뉘우칠 회)　　② 痛(아플 통)　　③ 惜(아낄 석)
④ 泣(울 읍)　　⑤ 怒(성낼 노)

답: ④

25. 해석 문제

㉡이 가리키는 것은 '어머니의 기력이 약해진 것을 느낌'이다.

답: ⑤

〔26~27〕금사 김성기(琴師金聖器)

> 琴師金聖器, 學琴於王世基, 每遇新聲, 王輒祕
> 不傳授.

금사(거문고를 가르치는 선생) 김성기는 거문고를 왕세기에게서 배웠는데, 매번 새로운 소리를 만날 때마다 왕세기가 번번이 비밀로 하고 전해주지 않았다.

聖器, 夜夜來, 附王家窓前, 竊聽, 明朝, 能傳
성기 야야래 부왕가창전 절청 명조 능전
寫不錯.
사불착

김성기가 밤에 몰래 와 왕세기의 집 창문 앞에 붙어 몰래 들
어 다음날 아침에는 전하여 베껴 어긋나지 않을 수 있었다.

王固疑之, 乃夜彈琴, 曲未半, 瞥然拓窓, 聖器
왕고의지 내야탄금 곡미반 별연척창 성기
驚墮於地.
경타어지

왕세기가 진실로 그것을 의심하여 이에 밤에 거문고를 켜다가
곡이 아직 반이 안 되었을 때 갑자기 창문을 열어젖히자 김성
기가 놀라 땅에 떨어졌다.

王乃大奇之, 盡以所著授之.
왕내대기지 진이소저수지

왕세기가 이에 그것을 크게 기특하게 여기고 지은 바로써 다
하여 그것을 주었다.

26. 해석 문제

㉣은 '짓다'로 해석되므로 '저'로 읽는다. '著'가 '붙다(着)'라는 뜻
으로 쓰일 때에는 '착'으로 읽는다.

답: ⑤

27. 해석 문제

ㄱ. 김성기는 왕세기의 연주 솜씨에 깜짝 놀란 것이 아니라 왕세
기가 갑자기 창문을 열어젖혀 놀란 것이다.
ㄴ. 김성기는 왕세기에게 거문고 연주하는 법을 전수받았다.
ㄷ. 왕세기의 거문고 연주 소리를 밤마다 몰래 엿들었다.
ㄹ. 왕세기가 전날 밤에 연주했던 곡을 그 다음날 그대로 연주할
수 있었다.

답: ③

[28~30] 박죽서, 「술회(述懷)」
이옥봉, 「자술(自述)」

不欲憶君自憶君,
불욕억군자억군

　　낭군을 생각하고자 하지 않으나 저절로 낭군을 생각합니다.

問君何事每相分.
문군하사매상분

　　　낭군은 무슨 일로 매양 서로 헤어져 있는지 묻습니다.

莫言靈鵲能傳喜,
막언령작능전희

　　영험한 까치가 기쁨을 전할 수 있다고 말하지 마십시오.

幾度虛驚到夕曛.
기도허경도석훈

　　몇 번이나 헛되이 놀란 것이 저녁 석양빛에 이르렀습니다.

近來安否問如何,
근래안부문여하

근래에 안부가 무엇과 같은지 묻습니다.

月白紗窓妾恨多.
월백사창첩한다

달은 환데 비단으로 바른 창에 제 한이 많습니다.

若使夢魂行有跡,
약사몽혼행유적

만약 꿈의 넋이 다녀 자취가 있게 하면

門前石路已成沙.
문전석로이성사

문 앞 돌길이 이미 모래가 되었을 것입니다.

28. 해석 문제

㉡은 '임금'이 아니라 '낭군'으로 해석된다.

답: ②

29. 한시 문제

ㄱ. 일곱 글자씩 네 구이므로 칠언절구이다.
ㄴ. 운자는 짝수 구의 마지막 글자에 오고, 첫째 구의 마지막 글
자에 올 수 있다. 짝수 구의 마지막 글자는 '分'(분), '曛'(훈)이므
로 '君'(군)도 운자임을 알 수 있다.
ㄷ. 첫째 구에서 그리워하는 대상을, 둘째 구에서 그리워하는 대
상과 떨어져 있음을 알 수 있다.
ㄹ. 두 구가 문법적 기능이 동일한 글자의 배열로 이루어져 있을
때 대우를 이룬다고 한다. 셋째 구와 넷째 구는 문법적 기능이
동일한 글자의 배열로 이루어져 있지 않으므로 대우를 이루지 않
는다.

답: ①

30. 이해와 감상 문제

① 제1구에서 의문의 형식을 빌려 시상을 전개하였다.
② 임과 이별할 때의 시간적 배경은 나타나 있지 않고 현재의 시
간적 배경만 나타나 있다.
③ 제2구에서 여인이 있는 곳에 달빛이 비치고 있음을 알 수 있다.
④ 임을 만나지 못하는 여인의 한이 드러나 있다.
⑤ 꿈의 넋이 다니게 하여 자취가 있게 하면 문 앞 돌길이 모래
가 되었을 것이라는 과장된 표현으로 시적 화자의 심정을 묘사하
였다.

답: ②

1. 그림과 대화의 내용으로 보아 ㉠에 알맞은 것은? [1점]

준서 : 깎아지른 석벽 앞 냇가에 세 사람이 보이는데, 무슨 그림이야?
민서 : 벗들이 '소나무 숲 시냇가에 앉아 한가롭게 이야기를 나누는 모습'을 그린 거래. 그래서 이 그림의 제목을 '松溪閑(㉠)圖'라고 붙였대.

① 居   ② 寂   ③ 散   ④ 暇   ⑤ 談

2. 두 자를 <보기>와 같이 합하여 하나의 한자로 만들 때, ㉠과 ㉡의 음이 모두 옳은 것은? [1점]

<보 기>
示 + 羊 = (祥)

○ 禾 + 口 = (㉠)   ○ 土 + 鬼 = (㉡)

	㉠	㉡		㉠	㉡
①	화	괴	②	구	괴
③	화	귀	④	구	귀
⑤	화	추			

3. 같은 뜻을 지닌 한자끼리 연결된 것을 <보기>에서 고른 것은? [1점]

<보 기>
ㄱ. 寒－暑   ㄴ. 約－束
ㄷ. 損－益   ㄹ. 解－釋

① ㄱ, ㄴ   ② ㄱ, ㄷ   ③ ㄴ, ㄷ   ④ ㄴ, ㄹ   ⑤ ㄷ, ㄹ

4. 다음 조건을 모두 만족하는 한자는? [1점]

① 介   ② 覺   ③ 眼   ④ 項   ⑤ 角

5. ㉠에 알맞은 것은? [1점]

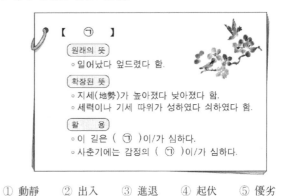

【 ㉠ 】

원래의 뜻
○ 일어났다 엎드렸다 함.

확장된 뜻
○ 지세(地勢)가 높아졌다 낮아졌다 함.
○ 세력이나 기세 따위가 성하였다 쇠하였다 함.

활용
○ 이 길은 (㉠)이/가 심하다.
○ 사춘기에는 감정의 (㉠)이/가 심하다.

① 動靜   ② 出入   ③ 進退   ④ 起伏   ⑤ 優劣

6. 그림과 글을 통해 말하고자 하는 것은? [1점]

재난 발생 시 대피 요령 숙지
적재정량 준수 돼요!
길 건널 때 우선멈춤
길가에서 공놀이
화재 발생 시 승강기 이용 안 돼요!
젖은 손으로 전기 기구 사용

① 安全   ② 配慮   ③ 待避   ④ 秩序   ⑤ 救助

7. 화살표 방향으로 성어를 채울 때, ㉠에 알맞은 것은? [1점]

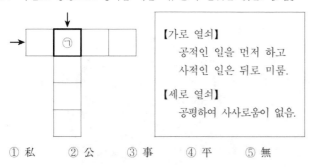

【가로 열쇠】
공적인 일을 먼저 하고 사적인 일은 뒤로 미룸.

【세로 열쇠】
공평하여 사사로움이 없음.

① 私　② 公　③ 事　④ 平　⑤ 無

8. 그림의 글자로 만들 수 있는 사자성어의 의미와 관계있는 것은?

① 질문에 대한 답변이 비슷비슷해.
② 좀처럼 만나기 어려운 좋은 기회야.
③ 지금은 꾸물거리지 말고 선뜻 결정할 때야.
④ 열심히 운동하니 체력도 좋아지고 정신력도 향상되네.
⑤ 생각을 많이 하다 보면 좋은 생각이 떠오를 수도 있어.

9. 시적 화자의 삶의 자세와 관계있는 것은?

> 외로운 구름 본래 무심하여
> 둥둥 떠서 우주를 노니네.
> 무심히 하얀 옷도 되었다가
> 무심히 푸른 개도 되네.
> 무심히 동으로 서로 가기도 하며
> 무심히 가기도 머물기도 하네.
> 구름도 나도 모두 무심하니
> 서로 함께 유익한 벗 되리.
>
> - 『제정집』 -

① 自强不息　② 朋友有信　③ 悠悠自適
④ 仁者無敵　⑤ 發憤忘食

10. 대화의 내용으로 보아 ㉠에 알맞지 않은 것은? [1점]

① 群鷄一鶴　② 騎虎之勢　③ 烏飛梨落
④ 朝令暮改　⑤ 指鹿爲馬

11. 글의 내용과 관계있는 것은?

> 천하에 재능이 하나도 없는 사람은 없으니 만약 많은 사람을 모아 각각 그 장점을 쓴다면 여러 재능을 겸비하게 될 것이다. 이와 같이 한다면 세상에는 버려지는 사람이 없고 사람에게는 버려지는 재능이 없을 것이다.
>
> - 『홍재전서』 -

① 非其義, 終不取.　② 作事, 多有始無終.
③ 自信者, 人亦信之.　④ 謝事, 當謝於正盛之時.
⑤ 天生我材, 必有用.

12. 그림과 대화의 내용으로 보아 ㉠에 알맞은 것은? [1점]

① 恒心　② 專心　③ 操心　④ 核心　⑤ 歡心

13. 글의 내용으로 보아 ㉠과 ㉡에 공통으로 들어갈 것은?

> ○ 破山中賊(㉠), 破心中賊難.
>
> - 『왕양명전서』 -
>
> ○ 天下, 難得者, 兄弟, (㉡)求者, 田地.
>
> - 『소학』 -

① 易　② 欲　③ 重　④ 要　⑤ 請

[14~15] 다음 글을 읽고 물음에 답하시오.

> 吾平生, 得一語, 道吾㉠過者, 是吾師, 談吾美者, 是吾賊.
>
> - 『학봉집』 -

14. ㉠과 같은 뜻으로 쓰인 것은?

① 過失 ② 通過 ③ 過信 ④ 看過 ⑤ 過去

15. 글의 교훈이 가장 필요한 사람은?

① 자신의 장점을 과대평가하는 사람
② 자신이 할 일을 항상 남에게 미루는 사람
③ 자신에게는 관대하고 남에게는 엄격한 사람
④ 자신의 단점을 지적하는 친구를 멀리하려는 사람
⑤ 자신의 잘못은 숨기고 남의 잘못만 들추어내는 사람

[16~18] 다음 글을 읽고 물음에 답하시오.

> 於是, 囚㉮堤上, 問曰: "汝何竊遣汝國王子耶?" 對曰: "臣是鷄林之臣, 非倭國之臣. 今欲成吾君之志耳, 何敢言於君乎?" ㉯倭王怒曰: "今汝㉠已爲我臣, 而言鷄林之臣, 則必具五刑, 若言倭國之臣者, 必賞重祿." 對曰: "(㉡)爲鷄林之犬豚, 不爲倭國之臣子."
>
> *倭(왜): 나라 이름
>
> - 『삼국유사』 -

16. 글의 내용으로 보아 ㉮와 ㉯의 행위나 태도로 모두 옳은 것은?

	㉮	㉯		㉮	㉯
①	勇敢	卑屈	②	愼重	輕率
③	忠直	懷柔	④	包容	排斥
⑤	恭敬	傲慢			

17. 의미상 ㉠과 바꾸어 쓸 수 있는 것은?

① 又 ② 旣 ③ 而 ④ 于 ⑤ 也

18. 글의 내용으로 보아 ㉡에 알맞은 것은?

① 不 ② 何 ③ 莫 ④ 若 ⑤ 寧

19. 대화의 내용으로 보아 ㉠의 내용으로 알맞은 것은?

선생님! 우리 아이가 자존감이 낮아서 친구들이 덩달아 업신여길까 걱정이에요.

그러면 ㉠이 글을 좌우명으로 삼게 하면 어떨까요?

① 不入虎穴, 不得虎子.
② 己所不欲, 勿施於人.
③ 自重其身者, 人不敢輕之.
④ 修其善則爲善人, 修其惡則爲惡人.
⑤ 人一能之, 己百之, 人十能之, 己千之.

[20~22] 다음 글을 읽고 물음에 답하시오.

> 耽羅大饑, 民相枕死. …(중략)… 於是, 萬德捐千金, 貿米陸地, 諸郡縣棹夫, 以時至. 萬德取十之一, 以活親族, 其餘盡輸之官. 浮黃者聞之, 集官庭㉠如雲, 官劑其㉡緩急, 分與之有差, 男若女, 出而頌萬德之恩, 咸以爲活我者萬德.
>
> *耽羅(탐라): 땅 이름 *捐(연): 내다
> *棹(도): 노 *劑(제): 조절하다
>
> - 『번암집』 -

20. ㉠의 의미로 옳은 것은?

① 多 ② 孤 ③ 白 ④ 寡 ⑤ 弱

21. ㉡의 독음으로 옳은 것은? [1점]

① 구급 ② 완만 ③ 완급 ④ 원만 ⑤ 응급

22. 글의 내용과 일치하는 것만을 <보기>에서 있는 대로 고른 것은?

> ───────< 보 기 >───────
> ㄱ. 만덕은 천금을 내어 쌀을 구입하였다.
> ㄴ. 만덕은 쌀의 십분의 일로 친족들을 살렸다.
> ㄷ. 만덕은 백성들을 살리고 남은 쌀을 관아에 보냈다.
> ㄹ. 만덕은 백성들에게 쌀을 나누어 줄 적에 차등을 두었다.

① ㄱ, ㄴ ② ㄱ, ㄷ ③ ㄷ, ㄹ
④ ㄱ, ㄴ, ㄹ ⑤ ㄴ, ㄷ, ㄹ

[23~25] 다음 글을 읽고 물음에 답하시오.

> 蓋忠逆旣分, ㉠是非大定之後, 所謂此黨, 亦我臣子, 所謂彼黨, 亦我臣子. 自上視之, 均是一室之人, 同胞中物. 善則賞之, 罪則罰之, ㉡有何愛憎之別. …(중략)… 自今予當於用舍之際, 不以黨目二字, 先著胸中, 惟其人是視, (　㉮　).
>
> ―『홍재전서』―

23. ㉠과 짜임이 같은 것은?

① 青雲　② 善惡　③ 讀書　④ 食堂　⑤ 作文

24. ㉡의 풀이 순서를 바르게 배열한 것은?

① 有 → 何 → 愛 → 憎 → 之 → 別
② 何 → 愛 → 憎 → 之 → 別 → 有
③ 何 → 愛 → 憎 → 有 → 之 → 別
④ 愛 → 憎 → 之 → 有 → 別 → 何
⑤ 愛 → 憎 → 何 → 之 → 別 → 有

25. 글의 흐름으로 보아 ㉮에 들어갈 내용으로 가장 알맞은 것은?

① 초야에 묻혀 있는 인재를 발굴하여 쓰겠다.
② 나에게 충성하는 사람만을 선별하여 쓰겠다.
③ 능력이 조금 부족하더라도 골고루 등용하겠다.
④ 백성에게 신망이 없는 사람은 등용하지 않겠다.
⑤ 훌륭한 사람은 등용하고 못난 사람은 쓰지 않겠다.

[26~27] 다음 글을 읽고 물음에 답하시오.

> 子謂顏淵曰:"用之則行, 舍之則㉠藏, 惟我㉡與爾, 有㉢是夫!" 子路曰:"子行三軍, 則誰與?" 子曰:"㉣暴虎馮河, 死而無悔者, ㉤吾不與也, 必也㉮臨事而懼, 好謀而成者也."
>
> *顏淵(안연): 사람 이름　*爾(이): 너　*馮(빙): 건너다
>
> ―『논어』―

26. ㉠~㉤에 대한 설명으로 옳지 않은 것은?

① ㉠은 '은거하다'라는 의미이다.
② ㉡은 '給與'의 '與'와 뜻이 같다.
③ ㉢은 '用之則行, 舍之則藏'을 가리킨다.
④ ㉣은 '무모한 행동'을 의미한다.
⑤ ㉤은 의미상 '予'와 바꾸어 쓸 수 있다.

27. ㉮의 의미와 관계있는 것은?

① 臨戰無退　② 事必歸正　③ 臨機應變
④ 如履薄氷　⑤ 殺身成仁

[28~30] 다음 시를 읽고 물음에 답하시오.

> (가) 問余何意棲㉠碧山, 笑而不答心自閑.
> 　　㉡桃花流水杳然去, 別有天地非㉢人間.
>
> 　　　*棲(서): 살다　　*杳(요): 아득하다
> 　　　　　　　―이백, 「산중문답(山中問答)」―
>
> (나) 山含㉣雨氣水生煙, 青草㉤湖邊白鷺眠.
> 　　路入海棠花下轉, 滿枝香雪落揮鞭.
>
> 　　*鷺(로): 해오라기　*棠(당): 해당화　*鞭(편): 채찍
> 　　　　　　　―유희경, 「월계도중(月溪途中)」―

28. ㉠~㉤의 풀이로 옳지 않은 것은?

① ㉠: 푸른 산　　　　② ㉡: 복사꽃
③ ㉢: 사람　　　　　④ ㉣: 비의 기운
⑤ ㉤: 호숫가

29. (가)에 대한 설명으로 옳은 것만을 <보기>에서 있는 대로 고른 것은?

> ─────<보 기>─────
> ㄱ. 시의 형식은 칠언율시이다.
> ㄴ. 운자(韻字)는 '山', '閑', '間'이다.
> ㄷ. 첫째 구와 둘째 구는 대우(對偶)를 이루고 있다.
> ㄹ. 셋째 구에서 계절적 배경을 알 수 있다.

① ㄱ, ㄷ　　② ㄱ, ㄹ　　③ ㄴ, ㄹ
④ ㄱ, ㄴ, ㄷ　　⑤ ㄴ, ㄷ, ㄹ

30. (나)에 대한 이해로 옳지 않은 것은?

① 자연물과 인간을 대비하여 주제를 부각하고 있지.
② 둘째 구에는 시각적 심상의 대비가 분명해.
③ 시적 화자의 시선이 먼 곳에서 가까운 곳으로 이동하고 있네.
④ 마치 한 폭의 그림을 보고 있는 듯한 느낌이 들어.
⑤ 넷째 구에서는 하얀 꽃잎을 눈에 비유하고 있어.

> *확인 사항
> ○ 답안지의 해당란에 필요한 내용을 정확히 기입(표기)했는지 확인하시오.

2015학년도 9월 모의평가

1	⑤	7	②	13	①	19	③	25	⑤
2	①	8	④	14	①	20	①	26	②
3	④	9	③	15	④	21	①	27	④
4	⑤	10	④	16	③	22	④	28	③
5	④	11	⑤	17	②	23	②	29	③
6	①	12	③	18	⑤	24	②	30	①

1. 그림 문제

'소나무 숲 시냇가에 앉아 한가롭게 이야기를 나누는 모습'을 그렸다고 해서 제목을 '松溪閑(㉠)圖'라고 붙였다고 했으므로 ㉠에는 '이야기를 나누다'를 뜻하는 한자가 들어가야 한다.
  ① 居(살 거)　　② 寂(고요할 적)　　③ 散(흩어질 산)
  ④ 暇(겨를 가)　　⑤ 談(이야기할 담)

답: ⑤

2. 합자 문제

禾＋口＝和(화할 화), 土＋鬼＝塊(덩어리 괴)이다.

답: ①

3. 한자 문제

ㄱ. 寒(추울 한) - 暑(더울 서)
ㄴ. 約(묶을 약) - 束(묶을 속)
ㄷ. 損(덜 손) - 益(더할 익)
ㄹ. 解(풀 해) - 釋(풀 석)

답: ④

4. 조건을 만족하는 한자 문제

조건을 만족하는 한자를 찾는 문제이다. 문제에서는 갑골문의 모양, 음, 제자 원리, 결합할 수 있는 한자를 알려 주고 있다. 보통은 음으로 찾는 게 가장 빠르므로 음이 '各'(각각 각)과 같은 한자를 먼저 찾아보자.
  ① 介(끼일 개)　　② 覺(깨달을 각)　　③ 眼(눈 안)
  ④ 項(목 항)　　⑤ 角(뿔 각)
①~⑤에서 음이 '각'인 한자는 '覺'과 '角'이다. 여기에서 '視'(볼 시)와 결합하면 '사물을 관찰하고 파악하는 자세(視角)'를 뜻하는 말이 되는 것은 당연히 '角'이다.

답: ⑤

5. 한자어 문제

  ① 動靜(동정)　　② 出入(출입)　　③ 進退(진퇴)
  ④ 起伏(기복)　　⑤ 優劣(우열)

답: ④

6. 한자어 문제

  ① 安全(안전)　　② 配慮(배려)　　③ 待避(대피)
  ④ 秩序(질서)　　⑤ 救助(구조)

답: ①

7. 십자말풀이 문제

가로 열쇠는 '先公後私'(선공후사), 세로 열쇠는 '公平無私'(공평무사)이다.

답: ②

8. 카드 문제

그림의 한자로 만들 수 있는 사자성어를 찾는 문제이다. 이런 문제에서는 그림의 한자를 훑어본 다음, ①~⑤를 보면서 그림의 한자로 ①~⑤의 의미를 가지는 사자성어를 생각해 보면 된다.
  ① 질문에 대한 답변이 비슷비슷해.
    ☞ 千篇一律(천편일률)
  ② 좀처럼 만나기 어려운 좋은 기회야.
    ☞ 千載一遇(천재일우)
  ③ 지금은 꾸물거리지 말고 선뜻 결정할 때야.
    ☞ 一刀兩斷(일도양단)
  ④ 열심히 운동하니 체력도 좋아지고 정신력도 향상되네.
    ☞ 一擧兩得(일거양득)
  ⑤ 생각을 많이 하다 보면 좋은 생각이 떠오를 수도 있어.
    ☞ 千慮一得(천려일득)

답: ④

9. 사자성어 문제

  ① 自強不息(자강불식): 스스로 힘쓰며 쉬지 않음.
  ② 朋友有信(붕우유신): 벗 사이에는 믿음이 있어야 한다.
  ③ 悠悠自適(유유자적): 속세를 떠나 아무 속박 없이 자기 마음대로 자유롭고 마음 편히 삶.
  ④ 仁者無敵(인자무적): 어진 사람은 적이 없음.
  ⑤ 發憤忘食(발분망식): 분을 내다 끼니를 잊음. 어떤 일에 열중하여 끼니까지 잊고 힘씀.

답: ③

10. 사자성어 문제

  ① 群鷄一鶴(군계일학): 여러 닭 가운데 하나의 학. 많은 사람 가운데서 뛰어난 한 사람.
  ② 騎虎之勢(기호지세): 호랑이를 탄 형세. 하던 일을 중도에서 그만둘 수 없는 경우.
  ③ 烏飛梨落(오비이락): 까마귀 날자 배가 떨어짐. 일이 공교롭게 같이 일어나 의심을 받음.
  ④ 朝令暮改(조령모개): 아침에 명령하고 저녁에 고침. 법령을 자꾸 고쳐서 갈피를 잡기 어려움.
  ⑤ 指鹿爲馬(지록위마): 사슴을 가리켜 말이라고 함. 윗사람을 농락하여 권세를 마음대로 함.

답: ④

11. 단문 문제

① 非其義, 終不取.
　비 기 의　종 불 취
　그 옳음이 아니면 끝내 취하지 말라.

② 作事, 多有始無終.
　작 사　다 유 시 무 종
　일을 함에는 시작은 많이 있으나 끝이 없다.

③ 自信者, 人亦信之.
자 신 자   인 역 신 지

스스로를 믿는 사람은 남 또한 그를 믿는다.

④ 謝事, 當謝於正盛之時.
사 사   당 사 어 정 성 지 시

일에서 물러날 때에는 마땅히 바로 성한 때에 물러나야 한다.

⑤ 天生我材, 必有用.
천 생 아 재   필 유 용

하늘이 나에게 재주를 낸 것은 반드시 쓰임이 있기 때문이다.

답: ⑤

12. 한자어 문제

① 恒心(항심)   ② 專心(전심)   ③ 操心(조심)
④ 核心(핵심)   ⑤ 歡心(환심)

답: ③

13. 대구 문제

破山中賊(㉠), 破心中賊難.
파 산 중 적   파 심 중 적 난

산중의 도적을 깨뜨리는 것은 ㉠하나 마음 속의 도적을 깨뜨리는 것은 어렵다.

天下, 難得者, 兄弟, (㉡)求者, 田地.
천 하   난 득 자   형 제   구 자   전 지

천하에 얻기 어려운 것은 형제이고, 구하기 ㉡한 것은 밭이다.

'破山中賊(㉠), 破心中賊難'과 '難得者, 兄弟, (㉡)求者, 田地'가 각각 대구를 이루고 있으므로 ㉠과 ㉡에는 '難'(어려울 난)과 비슷하거나 반대되는 뜻의 한자가 들어가야 한다.

① 易(쉬울 이)   ② 欲(하고자 할 욕)
③ 重(무거울 중)   ④ 要(필요할 요)
⑤ 請(청할 청)

그런데 ①~⑤에서 '難'과 반대되는 뜻의 한자는 '易'뿐이므로 이것이 바로 답이다.

답: ①

〔14~15〕 학봉집(鶴峯集)

吾平生, 得一語, 道吾過者, 是吾師, 談吾美者,
오 평 생   득 일 어   도 오 과 자   시 오 사   담 오 미 자

是吾賊.
시 오 적

내가 평생에 한 말을 얻었는데, 나의 허물을 말하는 사람은 바로 나의 스승이고, 나의 아름다움을 말하는 사람은 바로 나의 도적이다.

14. 해석 문제

㉠은 '허물'이라는 뜻으로 쓰였다.

① 過失(과실): 잘못과 실수. (허물)
② 通過(통과): 통하여 지나감. (지나가다)
③ 過信(과신): 지나치게 믿음. (지나치다)
④ 看過(간과): 보고 지나침. (지나치다)
⑤ 過去(과거): 지나간 것. (지나가다)

답: ①

15. 해석 문제

글의 교훈이 가장 필요한 사람은 '자신의 단점을 지적하는 친구를 멀리하려는 사람'이다.

답: ④

〔16~18〕 박제상(朴堤上)

於是, 囚堤上, 問曰: "汝何竊遣汝國王子耶?"
어 시   수 제 상   문 왈   여 하 절 견 여 국 왕 자 야

이에 제상을 가두고 물어 말하기를, "너는 어찌 너희 나라 왕자를 몰래 보냈는가?"

對曰: "臣是鷄林之臣, 非倭國之臣.
대 왈   신 시 계 림 지 신   비 왜 국 지 신

대답하여 말하기를, "신은 계림의 신하이지 왜국의 신하가 아니다.

今欲成吾君之志耳, 何敢言於君乎?"
금 욕 성 오 군 지 지 이   하 감 언 어 군 호

지금 우리 임금의 뜻을 이루고자 함일 뿐이니 어찌 감히 그대에게 말하겠는가?"

倭王怒曰: "今汝已爲我臣, 而言鷄林之臣,
왜 왕 노 왈   금 여 이 위 아 신   이 언 계 림 지 신

왜왕이 노하여 말하기를, "지금 너는 이미 나의 신하가 되었는데도 계림의 신하를 말하니

則必具五刑, 若言倭國之臣者, 必賞重祿."
즉 필 구 오 형   약 언 왜 국 지 신 자   필 상 중 록

반드시 오형을 갖추어야 하나 만약 왜국의 신하라고 말한다면 반드시 무거운 녹봉을 상으로 내리겠다."

對曰: "(㉡)爲鷄林之犬豚, 不爲倭國之臣
대 왈   위 계 림 지 견 돈   불 위 왜 국 지 신

子."
자

대답하여 말하기를, "㉡ 계림의 개돼지가 될지언정 왜국의 신하는 되지 않겠다."

16. 해석 문제

① 勇敢(용감)   卑屈(비굴)   ② 愼重(신중)   輕率(경솔)
③ 忠直(충직)   懷柔(회유)   ④ 包容(포용)   排斥(배척)
⑤ 恭敬(공경)   傲慢(오만)

답: ③

17. 바꾸어 쓸 수 있는 한자 문제

① 又(또 우)   ② 旣(이미 기)   ③ 而(말이을 이)
④ 于(어조사 우)   ⑤ 也(어조사 야)

의미상 ㉠과 바꾸어 쓸 수 있는 것은 '旣'이다. 이런 문제는 가장 쉬운 문제 가운데 하나이므로 꼭 풀도록 하자.

답: ②

18. 해석 문제

① 不(아니 불)   ② 何(어찌 하)   ③ 莫(없을 막)
④ 若(만약 약)   ⑤ 寧(차라리 녕)

답: ⑤

19. 속담 문제

① 不入虎穴, 不得虎子.
　不入虎穴　不得虎子
　호랑이굴에 들어가지 않으면 호랑이 새끼를 얻지 못한다.

② 己所不欲, 勿施於人.
　己所不欲　勿施於人
　자기가 하고자 하지 않는 바를 남에게 베풀지 말라.

③ 自重其身者, 人不敢輕之.
　自重其身者　人不敢輕之
　스스로 그 몸을 무겁게 하는 자는 남들이 감히 그를 가볍게
　여기지 못한다.

④ 修其善則爲善人, 修其惡則爲惡人.
　修其善則爲善人　修其惡則爲惡人
　그 착함을 닦으면 착한 사람이 되고, 그 악함을 닦으면 악한
　사람이 된다.

⑤ 人一能之, 己百之, 人十能之, 己千之.
　人一能之　己百之　人十能之　己千之
　남이 한 번에 그것을 할 수 있었으면 나는 백 번 그것을 하였
　으며, 남이 열 번에 그것을 할 수 있었으면 나는 천 번 그것
　을 하였다.

답: ③

〔20~22〕 만덕(萬德)

耽羅大飢, 民相枕死.
耽羅大飢　民相枕死
탐라가 크게 기근이 들어 백성들이 서로 (머리를) 베고 죽었다.
…(중략)… 於是, 萬德損千金, 貿米陸地, 諸
　　　　　於是　萬德損千金　貿米陸地　諸
郡縣棹夫, 以時至.
郡縣棹夫　以時至
이에 만덕이 천금을 내어 육지에서 쌀을 사 모든 군현의 노잡
이가 때맞춤으로써 이르게 하였다.
萬德取十之一, 以活親族, 其餘盡輸之官.
萬德取十之一　以活親族　其餘盡輸之官
만덕이 10분의 1을 취함으로써 친족을 살리고 그 나머지는 그
것을 모두 관에 날랐다.
浮黃者聞之, 集官庭如雲, 官劑其緩急, 分與之
浮黃者聞之　集官庭如雲　官劑其緩急　分與之
有差, 男若女, 出而頌萬德之恩, 咸以爲活我者
有差　男若女　出而頌萬德之恩　咸以爲活我者
萬德.
萬德
누렇게 뜬 사람들이 그것을 듣고 관아의 뜰에 모임이 구름과
같았는데 관아에서 그 완급을 조절하여 그것을 나누어줌에 차
가 있었으니 남자와 여자가 나와 만덕의 은혜를 기리고 다들
우리를 살린 사람은 만덕이라고 여겼다.

20. 해석 문제

㉠은 '구름과 같다'로 해석되는 부분으로, '많다'라는 뜻이다.

　① 多(많을 다)　　② 孤(외로울 고)　　③ 白(흰 백)
　④ 寡(적을 과)　　⑤ 弱(약할 약)

답: ①

21. 독음 문제

㉡의 독음은 '완급'이다. 이런 문제는 가장 쉬운 문제 가운데 하
나이므로 꼭 풀도록 하자.

답: ③

22. 해석 문제

ㄱ. 만덕은 천금을 내어 쌀을 구입하였다.
ㄴ. 만덕은 쌀의 십분의 일로 친족을 살렸다.
ㄷ. 만덕은 백성들이 아니라 친족을 살리고 남은 쌀을 관아에 보냈다.
ㄹ. 만덕이 아니라 관아에서 백성들에게 쌀을 나누어 줄 적에 차
등을 두었다.

답: ①

〔23~25〕 탕평책(蕩平策)

蓋忠逆旣分, 是非大定之後, 所謂此黨, 亦我臣
蓋忠逆旣分　是非大定之後　所謂此黨　亦我臣
子, 所謂彼黨, 亦我臣子.
子　所謂彼黨　亦我臣子
대개 충신과 역적이 이미 나누어지고 옳고 그름이 크게 정해
진 뒤에는 이 당이라고 이르는 바도 또한 나의 신하이고 저
당이라고 이르는 바도 또한 나의 신하이다.
自上視之, 均是一室之人, 同胞中物.
自上視之　均是一室之人　同胞中物
위에서 그것을 보면 고르게 한 방의 사람이요, 모두 같은 태보
속의 사물이다.
善則賞之, 罪則罰之, 有何愛憎之別.
善則賞之　罪則罰之　有何愛憎之別
잘하면 그것을 상주고 죄지으면 그것을 벌하니 어떤 사랑함이
나 미워함의 구별이 있겠는가?
…(중략)… 自今予當於用舍之際, 不以黨目二
　　　　　自今予當於用舍之際　不以黨目二
字, 先著胸中, 惟其人是視, (　　㉮　　).
字　先著胸中　惟其人是視
지금부터 나는 쓰고 버림의 가장자리에 맞닥뜨려 '당목' 두 글
자로써 먼저 가슴 속에 닿게 하지 않을 것이고 그 사람이 옳
게 보는지 생각하여 ㉮.

23. 짜임 문제

한자어의 짜임은 두 글자 이상의 한자로 이루어진 한자어가 어떻
게 해석되는가를 나타내는 개념이다. 한자어의 짜임에는 '주술(주
어＋서술어)', '술목(서술어＋목적어)', '술보(서술어＋보어)', '수식',
'병렬'의 다섯 가지가 있다.

㉠은 '옳고 그름'으로 해석되므로 그 짜임은 '병렬'이다.

① 靑雲(청운): 푸른 구름. (수식)
② 善惡(선악): 착함과 악함. (병렬)
③ 讀書(독서): 책을 읽음. (술목)
④ 食堂(식당): 먹는 방. (수식)
⑤ 作文(작문): 글을 지음. (술목)

답: ②

264

24. 해석 문제
ⓛ은 '어떤 사랑하고 미워함의 구별이 있겠는가?'로 해석되므로 풀이 순서는 '何 – 愛 – 憎 – 之 – 別 – 有'이다.

답: ②

25. 해석 문제
글의 흐름으로 보아 ㉮에 들어갈 내용으로 가장 알맞은 것은 '훌륭한 사람은 등용하고 못난 사람은 쓰지 않겠다'이다.

답: ⑤

[26~27] 논어(論語)

> 子謂顏淵曰: "用之則行, 舍之則藏, 惟我與爾,
> 자위안연왈　　용지즉행　사지즉장　유아여이
> 有是夫!"
> 유시부
> 공자가 안연에게 일러 말하기를: "그것을 쓰면 나아가고 그것을 버리면 감춤은 오직 나와 네가 이러함이 있구나!"
> 子路曰: "子行三軍, 則誰與?"
> 자로왈　　자행삼군　즉수여
> 자로가 말하기를, "선생님이 삼군을 움직이면 누구와 더불겠습니까?"
> 子曰: "暴虎馮河, 死而無悔者, 吾不與也, 必
> 자왈　　포호빙하　사이무회자　오불여야　필
> 也臨事而懼, 好謀而成者也."
> 야림사이구　호모이성자야
> 공자가 말하기를, "호랑이를 때려잡고 강을 건너다가 죽어도 후회가 없는 사람과는 내가 더불지 않을 것이고 반드시 일에 임함에 두려워하여 잘 꾀하고 이루는 사람이어야 한다."

26. 해석 문제
㉠은 글자 그대로는 '감추다'라는 뜻이므로 의역하면 '은거하다'가 된다고 볼 수 있다.
ⓛ은 '~와'로 해석된다. '給與'(급여)의 '與'는 '주다'로 해석된다.
㉢이 '用之則行, 舍之則藏'을 가리킴은 분명하다.
㉣은 '호랑이를 때려잡고 강을 건너다가 죽어도 후회하지 않다'로 해석되므로 '무모한 행동'을 가리킨다.
㉤은 '나 오'이므로 '予'(나 여)와 바꾸어 쓸 수 있다.

답: ②

27. 해석 문제
① 臨戰無退(임전무퇴): 싸움에 임하여 물러남이 없음.
② 事必歸正(사필귀정): 일은 반드시 바름으로 돌아감.
③ 臨機應變(임기응변): 그때그때 처한 사태에 맞추어 즉각 그 자리에서 결정하거나 처리함.
④ 如履薄氷(여리박빙): 얇은 얼음을 밟는 것과 같음. 얇은 얼음을 밟듯 몹시 위험함.
⑤ 殺身成仁(살신성인): 몸을 죽여 인을 이룸. 옳은 일을 위해 목숨을 버림.

답: ④

[28~30] 이 백, 「산중문답(山中問答)」
유희경, 「월계도중(月溪途中)」

> 問余何意棲碧山,　　　내가 무슨 뜻으로 푸른 산에 사느냐고 물으니
> 문여하의서벽산
> 笑而不答心自閑.　　　웃으며 답하지 않으니 마음이 저절로 한가하다
> 소이부답심자한
> 桃花流水窅然去,　　　복숭아꽃이 흐르는 물에 아득하게 떠나가니
> 도화류수요연거
> 別有天地非人間.　　　천지가 따로 있어 인간 세상이 아니구나.
> 별유천지비인간
>
> 山含雨氣水生煙,　　　산은 비 가운을 머금고 물에서는 연기가 나며
> 산함우기수생연
> 靑草湖邊白鷺眠.　　　푸른 풀 호숫가에 백로가 자네.
> 청초호변백로면
> 路入海棠花下轉,　　　길에 들어서니 해당화 꽃 아래 구르고
> 로입해당화하전
> 滿枝香雪落揮鞭.　　　가지 가득 향기 나는 눈 채찍 휘두르니 떨어지네.
> 만지향설락휘편

28. 해석 문제
㉢은 '사람'이 아니라 '인간 세계'로 해석된다.

답: ③

29. 한시 문제
ㄱ. (가)는 일곱 글자씩 네 구이므로 시의 형식은 칠언절구이다.
ㄴ. 운자는 짝수 구의 마지막 글자에 오고, 첫째 구의 마지막 글자에 올 수 있다. (가)의 짝수 구의 마지막 글자는 '閑'(한), '間'(간)이므로 '山'(산)도 운자임을 알 수 있다.
ㄷ. 두 구가 문법적 기능이 동일한 글자의 배열로 이루어져 있을 때 대우를 이룬다고 한다. (가)의 첫째 구와 둘째 구는 문법적 기능이 동일한 글자의 배열로 이루어져 있지 않으므로 대우를 이루고 있지 않다.
ㄹ. (가)의 셋째 구의 '桃花'(복숭아꽃)로부터 계절적 배경을 알 수 있다.

답: ③

30. 이해와 감상 문제
① (나)는 자연물과 인간을 대비하고 있지 않다.
② '靑草'(청초)와 '白鷺'(백로)의 시각적 대비가 분명하다.
③ 시적 화자의 시선이 산 → 호수 → 길 → 눈앞으로 이동하고 있다. 호수가 어떻게 산보다 가까울 수 있을까? 산 뒤편의 호수는 보이지 않기 때문이다.
④ 경치를 그린 시에 으레 나오는 설명이다.
⑤ '香雪'(향설)이 그냥 눈은 아닐 테고, 계절적 배경이 봄이므로 하얀 꽃잎을 눈에 비유한 것으로 생각하면 적절한 것 같다.

답: ①

제5교시

제2외국어/한문 영역(한문Ⅰ)

성명		수험 번호						—				

1. 그림과 대화의 내용으로 보아 ㉠에 알맞은 것은? [1점]

학생: 선생님, 다른 그림과는 달리 이 그림에는 난초 뿌리가 모두 다 드러나 있네요?

교사: 그래요, 나라를 잃으면 난초를 그리되 뿌리가 묻혀 있어야 할 땅은 그리지 않는다는 고사가 있는데, 일제(日帝)에 나라를 빼앗겼기 때문에 뿌리를 드러낸 난초를 그린 것이라고 해요.

학생: 아, 그렇군요. 이 그림의 제목은 뭔가요?

교사: '뿌리를 드러낸 난초 그림'이라고 해서 '(㉠)根蘭圖'라고 해요.

① 草　　② 露　　③ 衆　　④ 採　　⑤ 恨

2. 두 자를 <보기>와 같이 합하여 하나의 한자로 만들 때, ㉠과 ㉡의 음이 모두 옳은 것은? [1점]

―――<보 기>―――
大 + 可 = (奇)

○ 竹 + 合 = (㉠)　　　○ 公 + 羽 = (㉡)

	㉠	㉡		㉠	㉡
①	합	옹	②	합	공
③	답	옹	④	답	공
⑤	급	옹			

3. 같은 뜻을 지닌 한자끼리 연결된 것을 <보기>에서 고른 것은? [1점]

―――<보 기>―――
ㄱ. 榮 - 辱　　　ㄴ. 乾 - 燥
ㄷ. 勝 - 負　　　ㄹ. 委 - 任

① ㄱ, ㄴ　　② ㄱ, ㄷ　　③ ㄴ, ㄷ
④ ㄴ, ㄹ　　⑤ ㄷ, ㄹ

4. 다음 조건을 모두 만족하는 한자는? [1점]

① 亞　　② 牙　　③ 外　　④ 且　　⑤ 王

5. ㉠에 알맞은 것은? [1점]

【 ㉠ 】

원래의 뜻
○ 손가락을 꼽아 수를 셈.

확장된 뜻
○ 여럿 가운데서 손가락을 꼽아 셀 만큼 뛰어남.

① 越等　　② 泰斗　　③ 白眉　　④ 傑出　　⑤ 屈指

6. 화살표 방향으로 성어를 채울 때, ㉠에 알맞은 것은? [1점]

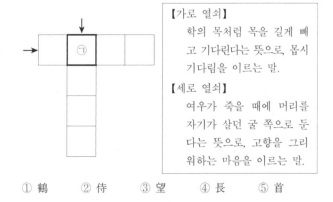

【가로 열쇠】
학의 목처럼 목을 길게 빼고 기다린다는 뜻으로, 몹시 기다림을 이르는 말.

【세로 열쇠】
여우가 죽을 때에 머리를 자기가 살던 굴 쪽으로 둔다는 뜻으로, 고향을 그리워하는 마음을 이르는 말.

① 鶴　　② 侍　　③ 望　　④ 長　　⑤ 首

7. 그림과 글의 내용으로 보아 ⊙과 ⓒ에 알맞은 것은? [1점]

	⊙	ⓒ			⊙	ⓒ
①	着用	豫防		②	計劃	守則
③	着用	守則		④	計劃	豫防
⑤	着用	遵守				

8. 글에서 ⊙이 처한 상황과 관계있는 것은? [1점]

> 　조나라 혜문왕이 초나라 변화(卞和)가 바쳤던 귀중한 옥을 얻게 되자, 진나라 소왕이 성 15개와 바꾸기를 청하였다. ⊙혜문왕은 옥을 주지 않자니 강대한 진나라가 두렵고, 주자니 진나라에 속을까 염려되었다. 그러자 인상여가 옥을 받들고 진나라로 가기를 원하면서 "진나라의 성이 조나라로 들어 오지 않으면 신이 옥을 빼앗기지 않고 온전하게 하여 돌아오겠습니다."라고 하였다.
>
> 　　　　　　　　　　　　　　　　　- 『십팔사략』-

① 進退兩難 　　② 背水之陣 　　③ 一擧兩得

④ 三旬九食 　　⑤ 骨肉相爭

9. 그림의 한자로 만들 수 있는 사자성어의 의미와 관계있는 것은?

① 그러게 왜 내가 한 말을 흘려버렸니?

② 몇 번을 이야기했는데도 알아듣지 못하네.

③ 결과에 실망했는데 오히려 일이 더 잘되었군.

④ 어릴 때부터 가까이 지내서 그 친구는 내가 잘 알아.

⑤ 흥행의 비결은 고전을 현대인의 감각에 맞게 재해석한 거야.

10. 글의 내용으로 보아 ⊙과 ⓒ에 공통으로 들어갈 것은?

> ○ 轉禍而爲福, 因敗而(⊙)功.
>
> 　　　　　　　　　　　　　- 『전국책』-
>
> ○ 太山不讓土壤, 故能(ⓒ)其大,
> 　河海不擇細流, 故能就其深.
>
> 　　　　　　　　　　　　　- 『사기』-

① 祝 　　② 令 　　③ 從 　　④ 成 　　⑤ 去

11. 글에서 말하고자 하는 것은?

> 愛人不親, 反其仁, 治人不治, 反其智, 禮人不答, 反其敬.
>
> 　　　　　　　　　　　　　　　　　- 『맹자』-

① 反求諸己 　　② 愛親敬長 　　③ 非禮勿視

④ 老馬之智 　　⑤ 仁者無敵

12. 그림과 대화의 내용으로 보아 ⊙에 알맞은 것은? [1점]

① 待機者席 　　② 老弱者席 　　③ 保護者席

④ 同伴者席 　　⑤ 受賞者席

[13~14] 다음 글을 읽고 물음에 답하시오.

> 動必三⊙省, 言必再思.
>
> 　　　　　　　　　　　　　- 『책림』-

13. ⊙과 음이 다른 것은?

① 省察 　　② 自省 　　③ 省略 　　④ 猛省 　　⑤ 省墓

14. 윗글에서 얻을 수 있는 교훈이 가장 필요한 사람은?

① 말과 행동을 함부로 하는 사람

② 계획을 꾸준히 실천하지 못하는 사람

③ 자신의 장점을 말하기 좋아하는 사람

④ 주관 없이 남의 말을 무조건 믿는 사람

⑤ 목표를 정하지 못하고 허송세월하는 사람

15. 대화의 내용으로 보아 ㉠의 내용으로 알맞은 것은?

① 好憎人者, 亦爲人所憎.
② 無道人之短, 無說己之長.
③ 恭者, 不侮人, 儉者, 不奪人.
④ 人之過誤宜恕, 而在己則不可恕.
⑤ 人一能之, 己百之, 人十能之, 己千之.

[16~18] 다음 글을 읽고 물음에 답하시오.

"做古爲文, 如鏡之㉠照形, 可㉡謂似也歟?" 曰: "左右相反, 惡得而似也?" "如水之㉢寫形, 可謂似也歟?" 曰: "㉮本末倒見, 惡得而似也?" …(중략)… "如畫之描形, 可謂似也歟?" 曰: "行者不動, 語者無聲, ㉣惡得而似也?" 曰: "然則㉤終不可得而似歟?" 曰: "夫何求乎似也? 求似者, 非眞也."

*歟(여): 어조사 *描(묘): 그리다
－『연암집』－

16. ㉠~㉤의 풀이로 옳지 않은 것은?

① ㉠: 비추다 ② ㉡: 말하다 ③ ㉢: 쏟다
④ ㉣: 어찌 ⑤ ㉤: 끝내

17. ㉮와 짜임이 다른 것은? [1점]

① 遠近 ② 明暗 ③ 大小 ④ 出入 ⑤ 友情

18. 윗글의 중심 내용으로 옳은 것은?

① 글은 자신의 생각을 물 흐르듯이 자연스럽게 표현하는 것이 좋아.
② 글을 쓸 때에는 대상의 특징을 잘 묘사해야 해.
③ 글쓰기는 사물을 표현하는 방식이 그림 그리기와는 달라.
④ 글을 지을 때 옛글과 비슷하게 쓰려고 하는 것은 바람직하지 않아.
⑤ 글은 자신의 생각을 거울처럼 분명하게 드러내는 것이 좋아.

[19~20] 다음 글을 읽고 물음에 답하시오.

人性之善也, (㉠)水之就下也, 人無有不善, ㉡水無有不下.
－『맹자』－

19. 글의 내용으로 보아 ㉠에 알맞은 것은?

① 猶 ② 旣 ③ 唯 ④ 遺 ⑤ 故

20. ㉡에서 마지막으로 풀이되는 것은?

① 水 ② 無 ③ 有 ④ 不 ⑤ 下

[21~23] 다음 글을 읽고 물음에 답하시오.

㉮洪相國之大夫人, 家甚貧, 疏食菜羹, 每多㉠空乏. 一日, ㉡遣婢買肉而來, 見肉色, 似有毒. 問婢曰: "所買之肉, 有幾許塊耶?" 乃賣首飾㉢得錢, 使婢盡買其肉, 而㉣埋于墻下, 恐他人之買食㉤生病也. 相國曰: "㉯母氏此心, 可通神明, 子孫必昌."

*羹(갱): 국 *乏(핍): 모자라다
－『해동속소학』－

21. ㉠~㉤에 대한 설명으로 옳지 않은 것은?

① ㉠의 음은 '共'와 과 같다.
② ㉡은 의미상 '使'와 바꾸어 쓸 수 있다.
③ ㉢은 '마련하다'라는 의미이다.
④ ㉣의 대상은 '首飾'이다.
⑤ ㉤의 주체는 '他人'이다.

22. ㉮의 행위로 옳은 것만을 <보기>에서 있는 대로 고른 것은?

─────＜보 기＞─────
ㄱ. 여종에게 고기 값이 얼마인지 물었다.
ㄴ. 여종에게 남은 고기를 마저 사 오게 했다.
ㄷ. 여종이 사 온 고기의 냄새를 맡아 보았다.
ㄹ. 여종이 사 온 고기가 상한 것을 알아차렸다.

① ㄱ, ㄷ ② ㄱ, ㄹ ③ ㄴ, ㄹ
④ ㄱ, ㄴ, ㄷ ⑤ ㄴ, ㄷ, ㄹ

23. ㉯의 의미와 통하는 것은?

① 滿招損, 謙受益.
② 養子息, 知親力.
③ 積善之家, 必有餘慶.
④ 不入虎穴, 不得虎子.
⑤ 有餘者, 常譽人, 不足者, 常毁人.

[24~25] 다음 글을 읽고 물음에 답하시오.

> 宋人或得玉, 獻諸子罕, 子罕不受. 獻玉者曰: "以示玉人, 玉人以爲寶也. 故敢獻之." 子罕曰: "我以不貪爲寶, 爾以玉爲寶. 若以⊙與我, 皆(ⓒ)寶也, 不若人有其寶."
>
> *宋(송): 나라 이름
> *子罕(자한): 사람 이름　*爾(이): 너
> - 『춘추좌씨전』 -

24. ⊙과 같은 뜻으로 쓰인 것은?

① 與朋友交而不信乎?
② 富與貴, 是人之所欲也.
③ 雖畜物, 其心與人同也.
④ 施恩勿求報, 與人勿追悔.
⑤ 自天而視之, 人與物, 均也.

25. 윗글의 내용으로 보아 ⓒ에 알맞은 것은?

① 爭　　② 取　　③ 授　　④ 喪　　⑤ 益

[26~27] 다음 글을 읽고 물음에 답하시오.

> 於時, 宮中諸舍人同謀, 盜唱翳倉穀⊙分之, ㉮劍君獨不受. 諸舍人曰: "衆人皆受, 君獨却之, 何也? 若ⓒ嫌小, 請更ⓒ加之." 劍君笑曰: "僕編名於近郎之徒, ㉣修行於風月之庭, 苟非其義, 雖千金之利, ㉯不動心焉."
>
> *唱翳倉(창예창): 왕실 창고　*僕(복): 저
> - 『삼국사기』 -

26. ⊙~㉣ 중, 행위의 주체가 ㉮와 같은 것만을 있는 대로 고른 것은?

① ⊙, ⓒ　　　　　② ⓒ, ㉣
③ ⓒ, ㉣　　　　　④ ⊙, ⓒ, ⓒ
⑤ ⊙, ⓒ, ㉣

27. 윗글의 내용으로 보아 ㉯의 의미로 알맞은 것은?

① 양보하겠다.
② 주지 않겠다.
③ 받지 않겠다.
④ 고맙게 받겠다.
⑤ 신중히 결정하겠다.

[28~30] 다음 시를 읽고 물음에 답하시오.

> (가) 春來萬里客, 　亂⊙定幾年歸.
> 　　　腸斷江城鴈, 　高高正北飛.
>
> 　　　　　　　　　　　*鴈(안): 기러기
> 　　　　　　　　　　- 두보, 「귀안(歸鴈)」 -
>
> (나) 少年常愛山家靜, 　多在禪窓讀古經.
> 　　　白髮偶然ⓒ重到此, 　佛前依舊一燈靑.
>
> 　　　　　　　　- 신광한, 「투숙산사(投宿山寺)」 -

28. ⊙과 ⓒ의 풀이로 모두 옳은 것은?

	⊙	ⓒ		⊙	ⓒ
①	그치다	소중하다	②	그치다	다시
③	결정하다	소중하다	④	결정하다	다시
⑤	약속하다	소중하다			

29. 위 시에 대한 설명으로 옳은 것만을 <보기>에서 있는 대로 고른 것은?

> ─────<보 기>─────
> ㄱ. (가)의 형식은 오언율시이다.
> ㄴ. (가)의 첫째 구는 '春來 / 萬里客'으로 띄어 읽는다.
> ㄷ. (나)의 첫째 구와 둘째 구는 대우(對偶)를 이루고 있다.
> ㄹ. (나)의 넷째 구에서 공간적 배경을 알 수 있다.

① ㄱ, ㄷ　　　② ㄱ, ㄹ　　　③ ㄴ, ㄹ
④ ㄱ, ㄴ, ㄷ　　　⑤ ㄴ, ㄷ, ㄹ

30. (가), (나)에 대한 이해로 옳지 않은 것은?

① (가)에는 고향을 그리워하는 시인의 감정이 녹아 있지.
② (가)는 자연물에 감정을 투영하여 주제를 부각하고 있어.
③ (가)에는 시인이 처한 상황을 알 수 있는 시어가 사용되었군.
④ (나)에는 자연에 은거하여 살고 싶은 시인의 마음이 드러나 있어.
⑤ (나)는 옛 시절을 생각하며 떠오른 느낌을 읊었군.

---

* 확인 사항
○ 답안지의 해당란에 필요한 내용을 정확히 기입(표기)했는지 확인하시오.

2015학년도 수학능력시험

1	②	7	①	13	③	19	①	25	④
2	③	8	①	14	①	20	②	26	②
3	④	9	⑤	15	⑤	21	④	27	③
4	②	10	④	16	③	22	③	28	②
5	⑤	11	①	17	⑤	23	③	29	③
6	⑤	12	②	18	④	24	④	30	④

1. 그림 문제

'뿌리를 드러낸 난초 그림'이라고 해서 '(㉠)根蘭圖'라고 한다고 하므로 ㉠에는 '드러내다'를 뜻하는 한자가 들어가야 한다.

① 草(풀 초)　　　② 露(이슬 로)　　　③ 衆(무리 중)
④ 採(캘 채)　　　⑤ 恨(한 한)

①~⑤에 '드러내다'라는 뜻을 가진 한자가 보이지 않는다. ①~⑤의 한자 가운데 제2의 뜻이 '드러내다'인 한자가 있는 것이다. 그렇다면 드러내다는 뜻을 가진 한자어를 생각해 보자. '노출'을 생각할 수 있으면 성공이다. 그렇다! '노출'의 '노'는 바로 '露'이다.

답: ②

2. 합자 문제

竹+合=答(대답할 답), 公+羽=翁(늙은이 옹)이다.

답: ③

3. 의미 관계 문제

ㄱ. 榮(영광 영)-辱(욕될 욕)　　　ㄴ. 乾(마를 건)-燥(마를 조)
ㄷ. 勝(이길 승)-敗(질 패)　　　ㄹ. 委(맡길 위)-任(맡길 임)

'乾'은 '하늘 건'이지만 '마르다'라는 뜻으로도 쓰인다. '乾燥'(건조)가 그 대표적인 예이다. 오히려 '乾'을 하늘의 뜻으로 쓰는 일상 단어는 '乾坤'(건곤) 정도밖에 없다.

답: ④

4. 조건을 만족하는 한자 찾기

조건을 만족하는 한자를 찾는 문제이다. 문제에서는 제자 원리, 음, 총획 그리고 결합할 수 있는 한자를 알려 주고 있다. 보통은 음으로 찾는 게 가장 빠르므로 음이 '兒'(아이 아)와 같은 한자를 먼저 찾아보자.

① 亞(버금 아)　　② 牙(어금니 아)　　③ 外(밖 외)
④ 旦(아침 단)　　⑤ 王(임금 왕)

①~⑤에서 음이 '아'인 한자는 '亞'와 '牙'뿐이다. '引'(끌 인)의 총획은 4획이고, '亞', '牙'의 총획은 각각 8획, 4획이다.

답: ②

5. 한자어 관계

① 越等(월등)　　② 泰斗(태두)　　③ 白眉(백미)
④ 傑出(걸출)　　⑤ 屈指(굴지)

'굴지'의 뜻을 알고 있었으면 더 볼 것도 없다. 그러나 몰랐다면 원래의 뜻이 '손가락을 꼽아 수를 셈'이므로 '손가락'이 들어가는 한자어를 찾으면 된다.

답: ⑤

6. 십자말풀이 문제

가로 열쇠는 '鶴首苦待'(학수고대), 세로 열쇠는 '首丘初心'(수구초심)이다.

답: ⑤

7. 한자어 문제

① 着用(착용)　　豫防(예방)　　② 計劃(계획)　　守則(수칙)
③ 着用(착용)　　守則(수칙)　　④ 計劃(계획)　　豫防(예방)
⑤ 着用(착용)　　遵守(준수)

답: ①

8. 사자성어 문제

① 進退兩難(진퇴양난): 나아가고 물러나는 양쪽이 어려움. 이러지도 저러지도 못하는 난처한 처지.
② 背水之陣(배수지진): 물을 등진 진. 어떤 일을 성취하기 위하여 더 이상 물러설 수 없음.
③ 一擧兩得(일거양득): 한 번 들어 두 개를 얻음.
④ 三旬九食(삼순구식): 삼십 일에 아홉 번 먹음. 몹시 가난함.
⑤ 骨肉相爭(골육상쟁): 뼈와 살이 서로 다툼. 혈육끼리 서로 싸움.

답: ①

9. 카드 문제

그림의 한자로 만들 수 있는 사자성어를 찾는 문제이다. 이런 문제에서는 그림의 한자를 훑어본 다음, ①~⑤를 보면서 그림의 한자로 ①~⑤의 의미를 가지는 사자성어를 생각해 보면 된다.

① 그러게 왜 내가 한 말을 흘려버렸니?
　☞ 馬耳東風(마이동풍)
② 몇 번을 이야기했는데도 알아듣지 못하네.
　☞ 牛耳讀經(우이독경)
③ 결과에 실망했는데 오히려 일이 더 잘되었군.
　☞ 塞翁之馬(새옹지마)
④ 어릴 때부터 가까이 지내서 그 친구는 내가 잘 알아.
　☞ 竹馬故友(죽마고우)
⑤ 흥행의 비결은 고전을 현대인의 감각에 맞게 재해석한 거야.
　☞ 溫故知新(온고지신)

답: ⑤

10. 단문 문제

轉禍而爲福, 因敗而(㉠)功.
전화이위복　　인패이　　　공
화를 돌림으로써 복으로 만들고, 실패로 인하여 공을 ㉠하다.
太山不讓土壤, 故能(㉡)其大, 河海不擇細流,
태산불양토양　　고능　　　　기대　하해불택세류
故能就其深.
고능취기심
태산은 흙을 사양하지 않아 그러므로 그 큼을 ㉡할 수 있었고, 하해는 가는 물줄기를 가리지 않았기에 그러므로 그 깊음에 나아갈 수 있었다.

실패로 인하여 '성공(成功)'했다고 하는 것이 가장 자연스럽다.

① 祝(빌 축)　　② 令(명령 령)　　③ 從(따를 종)

④ 成(이룰 성)　　⑤ 去(갈 거)

답: ④

11. 사자성어 문제

> 愛人不親, 反其仁, 治人不治, 反其智, 禮人不答, 反其敬.
> 애 인 불 친 반 기 인 치 인 불 치 반 기 지 예 인 부 답 반 기 경
>
> 사람을 사랑하되 친하지 않으면 그 어짊을 돌아보고, 사람을 다스리는데 다스려지지 않으면 그 지혜를 돌아보며, 사람을 예의로 맞되 답하지 않으면 그 공경함을 되돌아보라.

① 反求諸己(반구저기): 돌이켜 그것을 자기에게서 구하라.

② 愛親敬長(애친경장): 부모를 사랑하고 어른을 공경하라.

③ 非禮勿視(비례물시): 예가 아니면 보지 말라.

④ 老馬之智(노마지지): 늙은 말의 지혜.

⑤ 仁者無敵(인자무적): 어진 자는 적이 없다.

답: ①

12. 한자어 문제

① 待機者席(대기자석)　　② 老弱者席(노약자석)

③ 保護者席(보호자석)　　④ 同伴者席(동반자석)

⑤ 受賞者席(수상자석)

답: ②

〔13~14〕 살피고 생각해야

> 動必三省, 言必再思.
> 동 필 삼 성 언 필 재 사
>
> 움직임에는 반드시 세 번 살피며, 말함에는 반드시 다시 생각하라.

13. 독음 문제

㉠은 '살피다'로 해석되므로 '성'으로 읽는다.

① 省察(성찰)　　② 自省(자성)　　③ 省略(생략)

④ 猛省(맹성)　　⑤ 省墓(성묘)

'猛省'은 '맹성'이라 읽는지, '맹생'이라 읽는지 모를 수 있다. 그러나 ①, ②, ⑤의 '省'은 '성'으로 읽고 ③의 '省'을 '생'으로 읽으므로 '맹성'이라 읽음을 알게 된다.

답: ③

14. 해석 문제

윗글에서 얻을 수 있는 교훈이 가장 필요한 사람은 '말과 행동을 함부로 하는 사람'이다.

답: ①

15. 단문 문제

① 好憎人者, 亦爲人所憎.
　호 증 인 자 역 위 인 소 증

　남을 미워하기 좋아하는 자는 또한 남이 미워하는 바가 된다.

② 無道人之短, 無說己之長.
　무 도 인 지 단 무 설 기 지 장

　남의 단점을 말하지 말고, 자기의 장점을 말하지 말라.

③ 恭者, 不侮人, 儉者, 不奪人.
　공 자 불 모 인 검 자 불 탈 인

　공손한 자는 남을 업신여기지 않고 검소한 자는 남을 빼앗지 않는다.

④ 人之過誤宜恕, 而在己則不可恕.
　인 지 과 오 의 서 이 재 기 즉 불 가 서

　남의 과오는 마땅히 용서하되, 자기에 있으면 용서해서는 안 된다.

⑤ 人一能之, 己百之, 人十能之, 己千之.
　인 일 능 지 기 백 지 인 십 능 지 기 천 지

　남이 한 번에 그것을 할 수 있었으면 나는 백 번 그것을 하였으며, 남이 열 번에 그것을 할 수 있었으면 나는 천 번 그것을 하였다.

답: ⑤

〔16~18〕 좋은 글이란

> "倣古爲文, 如鏡之照形, 可謂似也歟?"
> 방 고 위 문 여 경 지 조 형 가 위 사 야 여
>
> "옛것을 모방하여 글을 삼는 것이 거울의 비친 모양과 같으면 같다고 이를 수 있겠습니까?"
>
> 曰: "左右相反, 惡得而似也?"
> 왈 　좌 우 상 반 　오 득 이 사 야
>
> 말하기를, "좌우가 서로 반대이니 어찌 같다고 할 수 있겠는가?"
>
> "如水之寫形, 可謂似也歟?"
> 여 수 지 사 형 가 위 사 야 여
>
> "물의 베낀 모양과 같으면 같다고 이를 수 있겠습니까?"
>
> 曰: "本末倒見, 惡得而似也?"
> 왈 　본 말 도 견 　오 득 이 사 야
>
> 말하기를, "본말이 뒤집어져 보이니, 어찌 같다고 할 수 있겠는가?"
>
> …(중략)… "如畫之描形, 可謂似也歟?"
> 여 화 지 묘 형 가 위 사 야 여
>
> "그림의 묘사한 모양과 같으면, 같다고 이를 수 있겠습니까?"
>
> 曰: "行者不動, 語者無聲, 惡得而似也?"
> 왈 　행 자 부 동 　어 자 무 성 　오 득 이 사 야
>
> 말하기를, "행동함이 움직이지 않고, 말하는 것이 소리가 없으니 어찌 같다고 할 수 있겠는가?"
>
> 曰: "然則終不可得而似歟?"
> 왈 　연 즉 종 불 가 득 이 사 여
>
> 말하기를, "그렇다면 끝내 같아질 수 없다는 말입니까?"
>
> 曰: "夫何求乎似也? 求似者, 非眞也."
> 왈 　부 하 구 호 사 야 　구 사 자 　비 진 야
>
> 말하기를, "무릇 어찌 같음에서 구하는가? 같음을 구하는 것은 참된 것이 아니다."

16. 해석 문제

㉢은 '쏟다'라는 뜻이 아니라 '베끼다'라는 뜻이다. '쏟다'라는 뜻의 한자는 '寫'가 아니라 '瀉'(쏟을 사)이다.

답: ③

17. 짜임 문제

㉮는 '근본과 끝'으로 해석되므로 그 짜임은 '병렬'이다.

① 遠近(원근): 멀고 가까움. (병렬)

② 明暗(명암): 밝고 어두움. (병렬)

③ 大小(대소): 크고 작음. (병렬)

④ 出入(출입): 나가고 들어옴. (병렬)

⑤ 友情(우정): 벗 사이의 정. (수식)

답: ⑤

18. 해석 문제

윗글의 중심 내용은 '글을 지을 때 옛글과 비슷하게 쓰려고 하는 것은 바람직하지 않아.'이다. ①, ③, ⑤는 글에 물, 그림, 거울이 나온 것을 이용한 오답이다.

답: ④

[19~20] 성선설(性善説)

人性之善也, (㉠)水之就下也,
인 성 지 선 야　　　　수 지 취 하 야

사람 본성의 선함은 물이 아래로 나아감과 ㉠하고,

人無有不善, 水無有不下.
인 무 유 불 선　수 무 유 불 하

사람은 선하지 않음이 있지 않고 물은 내려가지 않음이 있지 않다.

19. 해석 문제

㉠에는 '같다'라는 뜻의 한자가 들어가야 한다.

① 猶(오히려 유)　② 旣(이미 기)　③ 唯(오직 유)

④ 遣(보낼 견)　⑤ 故(옛 고)

'猶'는 '오히려 유'이지만 '같다'라는 뜻으로도 쓰인다. 대표적인 예가 '過猶不及'(과유불급)이다.

답: ①

20. 해석 문제

㉡은 '물은 내려가지 않음이 있지 않다'로 해석되므로 마지막으로 풀이되는 것은 '無'이다.

답: ②

[21~23] 진매부육(盡買腐肉)

洪相國之大夫人, 家甚貧, 疏食菜羹, 每多空乏.
홍 상 국 지 대 부 인　가 심 빈　소 사 채 갱　매 다 공 핍

홍 재상의 대부인은 집이 매우 가난하여 성긴 밥에 나물국도 매양 비고 모자람이 많았다.

一日, 遣婢買肉而來, 見肉色, 似有毒.
일 일　견 비 매 육 이 래　견 육 색　사 유 독

하루는 여종이 고기를 사고 오게 하였는데 고기 색을 보니 독이 있음과 같았다.

問婢曰: "所買之肉, 有幾許塊耶?"
문 비 왈　소 매 지 육　유 기 허 괴 야

여종에게 물어 말하기를, "산 곳의 고기가 몇 덩어리쯤 있느냐?"

乃賣首飾得錢, 使婢盡買其肉, 而埋于墻下, 恐
내 매 수 식 득 전　사 비 진 매 기 육　이 매 우 장 하　공

他人之買食生病也.
타 인 지 매 식 생 병 야

이에 머리 장식을 팔아 돈을 얻어 여종이 그 고기를 다 사게 하여 담 아래에 묻었으니, 다른 사람이 사 먹어 병이 날 것을 두려워하여서이다.

相國曰: "母氏此心, 可通神明, 子孫必昌."
상 국 왈　모 씨 차 심　가 통 신 명　자 손 필 창

재상이 말하기를, "어머니의 이 마음은 신명에게 통할 만하니 자손이 반드시 번창하리라."

21. 해석 문제

㉠의 음은 '공'이므로 '共'의 음 '공'과 같다.

㉡은 사동의 의미이므로 '使'(시킬 사)와 바꾸어 쓸 수 있다.

㉢은 얻다, 의역하면 돈을 마련한다는 뜻이다.

㉣의 대상은 '首飾'이 아니라 '肉'이다.

㉤의 주체는 '他人'이다.

답: ④

22. 해석 문제

ㄱ. 고기가 몇 덩어리나 남아 있냐고 물었을 뿐 고기 값이 얼마인지는 묻지 않았다.

ㄴ. 여종에게 남은 고기를 마저 사 오게 했다.

ㄷ. 여종이 사온 고기의 냄새는 맡지 않았다. 그냥 전부 묻었다.

ㄹ. 색깔이 이상했다고 되어 있다는 것에서 여종이 사온 고기가 상한 것을 알아차렸음을 알 수 있다.

답: ③

23. 해석 문제

① 滿招損, 謙受益.
　만 초 손　겸 수 익

교만함은 손해를 부르고, 겸손함은 이익을 받는다.

② 養子息, 知親力.
　양 자 식　지 친 력

자식을 기르면 부모의 힘을 알게 된다.

③ 積善之家, 必有餘慶.
　적 선 지 가　필 유 여 경

선을 쌓은 집은 반드시 남는 경사가 있다.

④ 不入虎穴, 不得虎子.
　불 입 호 혈　부 득 호 자

호랑이굴에 들어가지 않으면 호랑이를 얻을 수 없다.

⑤ 有餘者, 常譽人, 不足者, 常毀人.
　유 여 자　상 예 인　부 족 자　상 훼 인

남음이 있는 자는 늘 남을 기리고 부족한 자는 늘 남을 해친다.

답: ③

[24~25] 자한불수(子罕不受)

宋人或得玉, 獻諸子罕, 子罕不受.
송 인 혹 득 옥　헌 제 자 한　자 한 불 수

송나라 사람이 어쩌다 옥을 얻어 그것을 자한에게 바치니 자한이 받지 않았다.

獻玉者曰: "以示玉人, 玉人以爲寶也. 故敢獻之."
헌 옥 자 왈　이 시 옥 인　옥 인 이 위 보 야　고 감 헌 지

옥을 바친 사람이 말하기를, "옥장이에게 보임으로써 옥장이가

보물이라고 여겼습니다. 그러므로 그것을 감히 바칩니다.”

子罕曰: “我以不貪爲寶, 爾以玉爲寶. 若以與
자 한 왈   아 이 불 탐 위 보   이 이 옥 위 보   약 이 여

我, 皆(㉡)寶也, 不若人有其寶.”
아   개   보 야   불 약 인 유 기 보

자한이 “나는 탐하지 않음을 보물로 여기고, 너는 옥을 보물로
여긴다. 만약 나에게 준다면 모두 보물을 ㉡하는 것이니 사람
마다 그 보물이 있음만 못하다.

24. 해석 문제

㉠은 ‘주다’라는 뜻으로 해석된다.

① 與朋友交而不信乎?
　 여 붕 우 교 이 불 신 호

　벗과 더불어 사귐에 믿지 않았는가?

② 富與貴, 是人之所欲也.
　 부 여 귀   시 인 지 소 욕 야

　부와 귀, 이는 사람들이 바라는 바이다.

③ 雖畜物, 其心與人同也.
　 수 축 물   기 심 여 인 동 야

　비록 기르는 짐승이라도 그 마음은 사람과 같다.

④ 施恩勿求報, 與人勿追悔.
　 시 은 물 구 보   여 인 물 추 회

　은혜를 베풀고 갚음을 구하지 말고, 남에게 주고 후회를 쫓지 말라.

⑤ 自天而視之, 人與物, 均也.
　 자 천 이 시 지   인 여 물   균 야

　하늘에서 그것을 보면 사람과 사물이 고르다.

답: ④

25. 해석 문제

① 爭(다툴 쟁)　　② 取(취할 취)　　③ 授(줄 수)

④ 喪(잃을 상)　　⑤ 益(더할 익)

답: ④

[26~27] 검군(劍君)

於時, 宮中諸舍人同謀, 盜唱翳倉穀分之, 劍君
어 시   궁 중 제 사 인 동 모   도 창 예 창 곡 불 지   검 군

獨不受.
독 불 수

때에 궁 안의 모든 집의 사람들이 함께 창예창의 곡식을 훔쳐
그것을 나눌 것을 꾀하였는데 검군이 홀로 받아들이지 않았다.

諸舍人曰: “衆人皆受, 君獨却之, 何也? 若嫌小,
제 사 인 왈   중 인 개 수   군 독 각 지   하 야   약 혐 소

請更加之.”
청 갱 가 지

여러 집의 사람들이 말하기를, “뭇 사람들이 모두 받아들였는
데 그대만 홀로 그것을 물리치고 있으니 어찌 된 것인가? 만
약 작은 것을 싫어한다면 그것을 더 더할 것을 청하겠네.”

劍君笑曰: “僕編名於近郎之徒, 修行於風月之
검 군 소 왈   복 편 명 어 근 랑 지 도   수 행 어 풍 월 지

庭, 苟非其義, 雖千金之利, 不動心焉.”
정   구 비 기 의   수 천 금 지 리   부 동 심 언

검군이 웃으며 말하기를, “저는 근랑의 무리에 이름을 올리고
바람과 달의 뜰에서 수행하면서 진실로 그 의로움이 아니면
비록 천금의 이익이 있더라도 마음을 움직이지 않았습니다.”

26. 해석 문제

㉮의 행위의 주체는 ‘검군’이다. ㉠, ㉢의 주체는 모든 집의 사람
이고 ㉡, ㉣의 주체는 ‘검군’이다.

답: ②

27. 해석 문제

㉯는 ‘마음을 움직이지 않겠다.’로 해석되므로 그 의미는 ‘곡식을
받지 않겠다.’는 것이다.

답: ③

[28~30] 두 보, 「귀안(歸雁)」
##　　　　　신광훈, 「투숙산사(投宿山寺)」

春來萬里客,　봄이 오니 만 리의 손님
춘 래 만 리 객

亂定幾年歸,　어지러움이 그치고 어느 해에 돌아갈까.
란 정 기 년 귀

腸斷江城鴈,　장이 끊어지는구나, 강성의 기러기
장 단 강 성 안

高高正北飛.　높이 높이 정북으로 날아가네.
고 고 정 북 비

少年常愛山家靜,　소년은 산가의 고요함을 늘 사랑하여
소 년 상 애 산 가 정

多在禪窓讀古經.　자주 수행하는 방창에 있으면서 옛날 경서를 읽었다
다 재 선 창 독 고 경

白髮偶然重到此,　백발이 되어 우연히 다시 이곳에 이르니
백 발 우 연 중 도 차

佛前依舊一燈靑.　부처는 전처럼 의구하고 한 등불이 푸르다.
불 전 의 구 일 등 청

28. 해석 문제

‘백발이 우연히 다시 이곳에 이르다’로 해석되므로 ㉡은 ‘다시’라
는 뜻이다. 이제 ‘그치다’와 ‘결정하다’ 가운데 ‘그치다’가 자연스
러우므로 답은 ②이다.

답: ②

29. 한시 문제

ㄱ. (가)는 다섯 글자씩 네 구이므로 형식은 오언절구이다.

ㄴ. 오언시는 두 자, 세 자로 끊어 읽는다.

ㄷ. 두 구가 문법적 기능이 동일한 글자의 배열로 이루어져 있을
때 대우를 이룬다고 한다. (나)의 첫째 구와 둘째 구는 문법적 기
능이 동일한 글자의 배열로 이루어져 있지 않으므로 대우가 아니다.

ㄹ. (나)의 넷째 구 ‘佛’에서 공간적 배경이 ‘절’임을 알 수 있다.

답: ③

30. 이해와 감상 문제

① ‘幾年歸’에서 (가)에 고향을 그리워하는 시인의 감정이 녹아
있음을 가장 잘 알 수 있다.

② (가)는 기러기에 감정을 투영했다.

③ 시인이 처한 상황, 즉 고향이 아닌 곳에 있다는 사실이 ‘客’
(손님 객)이라는 시어에 나타나 있다.

④ 자연에 은거하고 싶은 마음은 어디에도 없다.

⑤ 소년이 바로 자신이다. 옛날 시절을 생각한 것 맞다.

답: ④

1. ㉠에 해당하지 <u>않는</u> 것은? [1점]

교사 : 이 그림은 조선의 인종이 세자 시절 자신의 스승인 김인후에게 그려서 하사한 것입니다.
학생 : 그림에 얽힌 얘기가 있나요?
교사 : 절의의 상징인 대나무와 변치 않는 성질의 바위를 그린 인종의 뜻을 받들어 김인후도 그림에 자신의 생각을 써 넣었답니다. 그 첫 구에서 "㉠뿌리, 가지, 마디, 잎이 모두 정교하다." 라고 하여 이 그림의 전반적인 특징에 대해 말하고 있습니다.

① 根   ② 枝   ③ 葉   ④ 節   ⑤ 果

2. 화살표 방향으로 성어를 채울 때, ㉠에 들어가는 한자와 같은 원리로 만들어진 것은? [1점]

① 下   ② 山   ③ 江   ④ 村   ⑤ 鳴

3. 두 자를 <보기>와 같이 합하여 하나의 한자로 만들 때, ㉠과 ㉡의 음이 모두 옳은 것은? [1점]

─<보 기>─
相 + 心 = (想)

○ 加 + 貝 = (㉠)   ○ 莫 + 日 = (㉡)

	㉠	㉡		㉠	㉡
①	하	막	②	가	막
③	하	모	④	가	모
⑤	하	묘			

4. 다음 조건을 모두 만족하는 한자는? [1점]

① 吏   ② 身   ③ 辛   ④ 長   ⑤ 臣

5. 같은 뜻을 지닌 한자끼리 연결된 것을 <보기>에서 고른 것은? [1점]

─<보 기>─
ㄱ. 存 – 在   ㄴ. 休 – 息
ㄷ. 進 – 退   ㄹ. 往 – 來

① ㄱ, ㄴ   ② ㄱ, ㄷ   ③ ㄴ, ㄷ
④ ㄴ, ㄹ   ⑤ ㄷ, ㄹ

6. ㉠에 알맞은 것은? [1점]

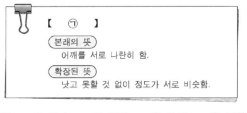

① 竝行   ② 對立   ③ 類似   ④ 比肩   ⑤ 同伴

7. 시의 내용과 관계있는 성어는? [1점]

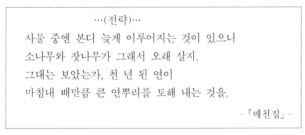

① 大同小異   ② 千載一遇   ③ 樂山樂水
④ 大器晩成   ⑤ 孤立無援

8. 그림의 내용으로 보아 ㉠과 ㉡의 한자 표기로 모두 옳은 것은?

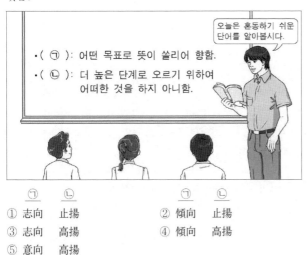

•(㉠): 어떤 목표로 뜻이 쏠리어 향함.

•(㉡): 더 높은 단계로 오르기 위하여 어떠한 것을 하지 아니함.

오늘은 혼동하기 쉬운 단어를 알아봅시다.

	㉠	㉡		㉠	㉡
①	志向	止揚	②	傾向	止揚
③	志向	高揚	④	傾向	高揚
⑤	意向	高揚			

9. 글에서 말하고자 하는 것은? [1점]

아무리 새로운 것이라도 세월이 흐르면 낡고 썩기 마련이지만, 발효된 것은 썩는 법이 없다. 고전은 정신의 발효 음식이다. 옛 터전에서 새로운 싹이 돋아난다. 옛것을 그대로 방치해 두면 부패하기 쉽다. 썩은 데서 새로운 것이 싹틀 수 없다. 썩지 않으려면 삭혀야 한다. 고전은 옛 시대의 빛나는 정신을 오랜 세월에 걸쳐 삭히고 발효시킨 '오래된 새로움'이다. 창조는 다른 것이 아니다. 창조는 곧 '오래된 새로움의 발견'이다.

- 『고전사계』 -

① 燈下不明   ② 桑田碧海   ③ 溫故知新

④ 苦盡甘來   ⑤ 切齒腐心

10. 시나리오의 ㉠에 들어갈 시구로 가장 알맞은 것은?

S#49. 처마 밑

동하가 메이와 처마 밑에서 이야기를 나누고 있다.

메이: (아쉬운 표정으로) 오늘 귀국하지?

동하: (그윽한 시선으로) 내일로 연기했어. 함께 있고 싶어서…….

때맞추어 단비가 내린다.

메이: (손을 내밀어 비를 맞으며 마음 속으로)   ㉠   (이)라더니, 이 사람은 때를 알고 온 것일까?

① 好雨知時節   ② 春雨細不滴   ③ 錯認爲疏雨

④ 往來風雨中   ⑤ 昨夜松堂雨

11. 그림의 글자로 만들 수 있는 사자성어의 의미와 관계있는 것은?

夜   錦   花   衣   添   還   上   蛇

① 애를 많이 썼지만 티도 안 나네.

② 마지막 그 말만 안 했어도 좋았을걸.

③ 게다가 그렇게까지 해 주니 좋고말고.

④ 낮에는 힘들게 일하고 밤에는 공부도 하는구나.

⑤ 성공하기 전까지는 고향에 돌아가지 않을 작정이야.

12. 대화의 내용으로 보아 ㉠에 들어갈 것은? [1점]

한국에선 '비행기가 땅에 내리는 것'을 '(㉠)陸'이라고 하는데 일본에선 뭐라고 하죠?

우리 일본도 마찬가지입니다. 중국도 그런가요?

네. 그런데 우리는 '降落'이라고도 합니다.

① 離   ② 連   ③ 空   ④ 領   ⑤ 着

13. 대화의 내용으로 보아 만나기로 한 장소는? [1점]

우리 어디에서 만나?

창덕궁에 "임금과 신하 사이는 서로 떨어질 수 없는 사이임."을 비유한 말로 이름을 붙인 곳이 있어. 어딘지 알아?

당연하지! 그리 갈게.

① 玉流川   ② 魚水門   ③ 誠正閣   ④ 宣政殿   ⑤ 敦化門

14. 글의 내용과 관계있는 성어는?

不知其人, 視其友.

- 『이담속찬』 -

① 不恥下問   ② 始終如一   ③ 類類相從

④ 莫上莫下   ⑤ 異口同聲

15. 광고의 내용과 의미가 통하는 것은?

당신이 남긴 **댓글** 하나

누군가에게는 **큰 격려**가
또 누군가에게는 **큰 상처**가 되기도 합니다!

① 先卽制人, 後則爲人所制.
② 愛而知其惡, 憎而知其善.
③ 居安思危, 思則有備, 有備無患.
④ 智者, 成之於順時, 愚者, 敗之於逆理.
⑤ 良言一句, 三冬暖, 惡語傷人, 六月寒.

16. 가상 인터뷰의 ㉠에 들어갈 말로 알맞은 것은?

임금님께서는 탕평책을
어떻게 펴려 하시는지요?

'不以老少二字, 先着胸中,
㉠' 할 것입니다.

① 欲勝人者, 必先自勝.
② 恭者不侮人, 儉者不奪人.
③ 自重其身者, 人不敢輕之.
④ 惟其人是視, 用賢而捨不肖.
⑤ 人之過誤宜恕, 而在己則不可恕.

17. 글에서 말하고 있는 것은?

> 穀觫長足, 吐絲成羅, 尋網求食, 利在昏夜.
>
>   *穀觫(곡속): 떠는 모양   *網(망): 그물
>   -『삼국지』-

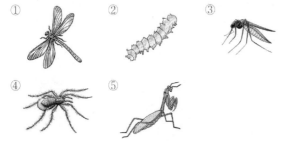

18. 글에서 얻을 수 있는 삶의 자세와 가장 가까운 것은?

> 人告之以有過, 有三可喜. 吾知己之有過而當改, 一也,
> 人不爲吾之過所瞞, 二也, 人以吾爲可告而告之, 三也.
>
>   *瞞(만): 속이다
>   -『성재집』-

① 吉人喜聞人長.
② 道吾過者, 是吾師.
③ 今日所爲, 明日難改.
④ 己所不欲, 勿施於人.
⑤ 好憎人者, 亦爲人所憎.

[19~20] 다음 글을 읽고 물음에 답하시오.

> 君子所以異㉠於人者, 以其存心也. 君子, 以仁存心, 以禮
> 存心. 仁者, 愛人, 有禮者, 敬人. 愛人者, 人恒愛之, 敬人者,
> 人恒敬之.
>
>   -『맹자』-

19. 글에서 얻을 수 있는 교훈이 필요한 경우만을 <보기>에서 있는 대로 고른 것은?

> ――――――――――< 보 기 >――――――――――
> ㄱ. 남들이 나를 존경하지 않아서 화가 나.
> ㄴ. 나는 우유부단한 내 성격이 마음에 안 들어.
> ㄷ. 나는 남다른 능력이 없어서 자신감이 부족해.
> ㄹ. 남들이 나를 사랑하지 않는 것 같아서 서글퍼.

① ㄱ, ㄷ   ② ㄱ, ㄹ   ③ ㄴ, ㄹ
④ ㄱ, ㄴ, ㄷ   ⑤ ㄴ, ㄷ, ㄹ

20. 의미상 ㉠과 바꾸어 쓸 수 있는 것은?

① 又   ② 乃   ③ 已   ④ 于   ⑤ 而

[21~22] 다음 글을 읽고 물음에 답하시오.

> 南智, …(중략)… ㉠自公退, 祖問其所㉡事. 一日歸㉢白曰:
> "有吏更入藏, 潛㉣懷錦段而出, 使之還入㉤藏, 如是者三, 吏識
> 其意, 置錦段而出." 祖曰: "汝以童子, 備官, 是以, 每有問, 欲
> 知其得失, ㉮自今吾可以無問."
>
>   -『국조인물지』-

21. ㉠~㉤의 풀이로 옳지 않은 것은?

① ㉠: 스스로   ② ㉡: 일삼다   ③ ㉢: 아뢰다
④ ㉣: 품다   ⑤ ㉤: 창고

22. ㉮에 드러난 마음은?

① 戀慕   ② 憎惡   ③ 疑心   ④ 失望   ⑤ 信賴

[23~25] 다음 글을 읽고 물음에 답하시오.

人君之位, 尊則尊矣, 貴則貴矣. 然, 天下至廣也, 萬民至衆也. 一有不得其心, 則蓋有大可慮者存焉. 下民至弱也, 不可以力刦之也, 至愚也, 不可以智欺之也. 得其心則服之, 不得其心則去之. 去就之間, 不㉠容毫髮焉. 然, 所謂得其心者, 非以私意苟且而爲之也, 非以違道干譽而致之也, 亦曰㉡而已矣.

　*刦(겁): 위협하다　　－『삼봉집』－

23. ㉠과 다른 뜻으로 쓰인 것은?

① 包容　② 許容　③ 美容　④ 受容　⑤ 寬容

24. 글의 내용으로 보아 ㉡에 알맞은 것은?

① 力　② 利　③ 仁　④ 貴　⑤ 譽

25. 위 글의 내용을 정리할 때 ㉮에 알맞은 것은?

① 백성에게 예를 가르칠 것.
② 백성을 꾀로 속이지 말 것.
③ 백성에게 생업을 마련해 줄 것.
④ 백성을 외적으로부터 보호할 것.
⑤ 백성에게서 세금을 많이 걷지 말 것.

[26~27] 다음 글을 읽고 물음에 답하시오.

趙高欲爲亂, 恐群臣不㉮聽.
㉠ 二世笑曰:"丞相誤邪? 謂鹿爲馬."
㉡ 乃先設驗, 持鹿獻於二世曰:"馬也."
㉢ 高因陰中諸言鹿者以法, 後群臣皆畏高.
㉣ 問左右, 左右或默, 或言馬以阿順趙高, 或言鹿者.

　*趙高(조고): 사람 이름　*丞相(승상): 벼슬 이름
　　　　*阿(아): 아첨하다
　　　　　　　　－『사기』－

26. ㉮의 의미로 옳은 것은?

① 問　② 從　③ 定　④ 斷　⑤ 待

27. 글의 전개에 따라 ㉠~㉣을 순서대로 바르게 배열한 것은?

① ㉠ → ㉡ → ㉢ → ㉣
② ㉠ → ㉡ → ㉣ → ㉢
③ ㉠ → ㉢ → ㉣ → ㉡
④ ㉡ → ㉠ → ㉢ → ㉣
⑤ ㉡ → ㉠ → ㉣ → ㉢

[28~30] 다음 시를 읽고 물음에 답하시오.

(가) 採藥忽㉠迷路, ㉡千峯秋葉裏.
　　山僧汲水歸, 　林末㉢茶煙起.

　　　　　*汲(급): 물을 긷다
　　　　　　　　－이이,「山中」－

(나) 洛陽城裏見秋風, 　欲作家書意㉣萬重.
　　復恐忽忽說㉤不盡, ㉥行人臨發又開封.

　　*洛陽(낙양): 지명　*忽忽(총총): 바쁜 모양
　　　　　　　　－장적,「秋思」－

28. ㉠~㉤의 풀이로 옳은 것은?

① ㉠: 오솔길　　　　　② ㉡: 높은 봉우리
③ ㉢: 차 달이는 연기　④ ㉣: 매우 무겁다
⑤ ㉤: 진술하지 않다

29. 위 시에 대한 설명으로 옳은 것만을 <보기>에서 있는 대로 고른 것은?

<보 기>
ㄱ. (가)에서 운자(韻字)는 '裏', '起'이다.
ㄴ. (가)에서 셋째 구와 넷째 구를 통해 계절적 배경을 알 수 있다.
ㄷ. (나)의 형식은 칠언절구이다.
ㄹ. (나)에서 셋째 구와 넷째 구는 대우(對偶)를 이루고 있다.

① ㄱ, ㄷ　　② ㄱ, ㄹ　　③ ㄴ, ㄹ
④ ㄱ, ㄴ, ㄷ　⑤ ㄴ, ㄷ, ㄹ

30. 시적 화자가 ㉥와 같이 행동한 이유로 알맞은 것은?

① 전달할 편지를 잃어버릴까 봐.
② 편지를 받을 사람이 떠날까 봐.
③ 다른 사람이 편지를 읽어 볼까 봐.
④ 편지를 전달할 사람이 떠났을까 봐.
⑤ 편지에 쓰지 못한 말이 더 있을까 봐.

* 확인 사항

○ 답안지의 해당란에 필요한 내용을 정확히 기입(표기)했는지 확인하시오.

2016학년도 6월 모의평가

1	⑤	7	④	13	②	19	②	25	②
2	②	8	①	14	③	20	④	26	②
3	③	9	③	15	⑤	21	①	27	⑤
4	②	10	①	16	④	22	④	28	③
5	①	11	③	17	④	23	④	29	①
6	④	12	⑤	18	②	24	③	30	⑤

1. 그림 문제

① 根(뿌리 근)　　② 枝(가지 지)　　③ 葉(잎 엽)
④ 節(마디 절)　　⑤ 果(열매 과)

답: ⑤

2. 십자말풀이 문제

가로 열쇠는 '清風明月'(청풍명월), 세로 열쇠는 '日就月將'(일취
월장)이다. 따라서 ㉠에 들어가는 한자는 '月'(달 월)이다. '月'은
상형자이다.
① 下(아래 하): 기준선(一)의 아래에 표시를 하여 '아래'라는 추
상적인 뜻을 나타낸 지사자이다.
② 山(뫼 산): 산의 모습을 본뜬 상형자이다.
③ 江(강 강): 'ㅜ'(물 수)로 뜻을, '工'(장인 공)으로 음을 나타낸
형성자이다.
④ 村(마을 촌): '木'(나무 목)으로 뜻을, '寸'(마디 촌)으로 음을
나타낸 형성자이다.
⑤ 鳴(울 명): '口'(입 구)와 '鳥'(새 조)를 합하여 새(鳥)가 입(口)
으로 욺을 나타낸 회의자이다.

답: ②

3. 합자 문제

加+貝=賀(축하할 하), 莫+日=暮(저물 모)이다.

답: ③

4. 조건을 만족하는 한자 찾기

조건을 만족하는 한자를 찾는 문제이다. 문제에서는 음, 총획, 갑
골문의 모양, 그리고 결합할 수 있는 한자를 알려 주고 있다. 보
통은 음으로 찾는 게 가장 빠르므로 음이 '神'(귀신 신)과 같은
한자를 먼저 찾아보자.
① 吏(아전 리)　　② 身(몸 신)　　③ 辛(매울 신)
④ 長(길 장)　　⑤ 臣(신하 신)
여기에서 음이 '신'인 것은 '身', '辛', '臣'이다. 이제 '終' 뒤에 결
합하면 '평생'의 뜻이 된다고 하니 아무래도 '終身'일 것이다.

답: ②

5. 의미 관계 문제

ㄱ. 存(있을 존) – 在(있을 재)
ㄴ. 休(쉴 휴) – 息(쉴 식)
ㄷ. 進(나아갈 진) – 退(물러날 퇴)
ㄹ. 往(갈 왕)-來(올 래)

답: ①

6. 한자어 문제

① 竝行(병행)　　② 對立(대립)　　③ 類似(유사)
④ 比肩(비견)　　⑤ 同伴(동반)
'비견'의 뜻을 알고 있었으면 더 볼 것도 없다. 그러나 몰랐다면
원래의 뜻이 '어깨를 서로 나란히 함'이므로 '어깨'가 들어가는 한
자어를 찾으면 된다.

답: ④

7. 사자성어 문제

① 大同小異(대동소이): 크게 같고 조금 다름. 서로 비슷비슷함.
② 千載一遇(천재일우): 천 년에 한 번 만남. 좀처럼 얻기 어려운 기회.
③ 樂山樂水(요산요수): 산을 좋아하고 물을 좋아함.
④ 大器晩成(대기만성): 큰 그릇은 늦게 이루어짐.
⑤ 孤立無援(고립무원): 외롭게 서 도움받을 데가 없음.

답: ④

8. 한자어 문제

①~⑤에는 '志向'(지향), '止揚'(지양), '傾向'(경향), '高揚'(고양)이
있다. 혼동하기 쉬운 한자어는 '志向'과 '止揚'이다. 만약 '志向'과
'止揚'의 뜻이 어떻게 다른지 처음부터 알고 있었다면 더 볼 것도
없다.
그러나 '志向'과 '止揚'의 뜻이 어떻게 다른지 몰랐다면, '傾向'이
나 '高揚'이 들어간 것은 답이 아니므로 제거하여 보자. 그러면
답이 ①임을 알 수 있다. 그러니까 '志向'이 '어떤 목표로 뜻이 쏠
리어 향함'이라는 뜻이고, '止揚'은 '더 높은 단계로 오르기 위하
여 어떠한 것을 하지 아니함'이라는 뜻이다.

답: ①

9. 사자성어 문제

① 燈下不明(등하불명): 등잔 밑이 어두움.
② 桑田碧海(상전벽해): 뽕나무밭이 변하여 푸른 바다가 됨. 세상
일의 변천이 심함.
③ 溫故知新(온고지신): 옛것을 익혀 새것을 앎.
④ 苦盡甘來(고진감래): 고생이 다하면 달콤함이 옴.
⑤ 切齒腐心(절치부심): 이를 갈고 마음을 썩임.

답: ③

10. 단문 문제

① 好雨知時節(호우지시절): 좋은 비는 시절을 안다.
② 春雨細不滴(춘우세부적): 봄비가 가늘어 방울지지 않다.
③ 錯認爲疏雨(착인위소우): 성긴 비로 잘못 알다.
④ 往來風雨中(왕래풍우중): 비바람 가운데 오고 가다.
⑤ 昨夜松堂雨(작야송당우): 어젯밤 소나무집에 비가 오다.

답: ①

11. 카드 문제

그림의 한자로 만들 수 있는 사자성어를 찾는 문제이다. 이런 문제에서는 그림의 한자를 훑어본 다음, ①~⑤를 보면서 그림의 한자로 ①~⑤의 의미를 가지는 사자성어를 생각해 보면 된다.

① 애를 많이 썼지만 티도 안 나네.
　☞ 사자성어가 떠오르지 않는다.
② 마지막 그 말만 안 했어도 좋았을걸.
　☞ 畫蛇添足(화사첨족)
③ 게다가 그렇게까지 해 주니 좋고말고.
　☞ 錦上添花(금상첨화)
④ 낮에는 힘들게 일하고 밤에는 공부도 하는구나.
　☞ 晝耕夜讀(주경야독)
⑤ 성공하기 전까지는 고향에 돌아가지 않을 작정이야.
　☞ 錦衣還鄕(금의환향)

답: ③

12. 한중일 한자어 문제

'비행기가 땅에 내리는 것'은 '着陸'(착륙)이라고 한다.

답: ⑤

13. 문장 문제

① 玉流川(옥류천): 옥처럼 맑은 물이 흐르는 시내
② 魚水門(어수문): 물고기와 물의 문
③ 誠正閣(성정각): 정성스럽게 바른 건물
④ 宣政殿(선정전): 정치를 베푸는 건물
⑤ 敦化門(돈화문): 도타워지는 문
'임금과 신하 사이는 떨어질 수 없는 사이임'을 비유한 말이 될 만한 것은 '물고기(魚)'와 '물(水)'밖에 없다.

답: ②

14. 사자성어 문제

> 不知其人, 視其友.
> 부 지 기 인　시 기 우
> 그 사람을 알지 못하면 그 친구를 보라.

① 不恥下問(불치하문): 아랫사람에게 묻는 것을 부끄러워하지 않음.
② 始終如一(시종여일): 시작과 끝이 하나와 같음. 처음부터 끝까지 변함없이 한결같음.
③ 類類相從(유유상종): 비슷한 무리끼리 서로 좇음.
④ 莫上莫下(막상막하): 위도 없고 아래도 없음. 더 낫고 더 못함의 차이가 거의 없음.
⑤ 異口同聲(이구동성): 다른 입, 같은 소리. 여러 사람의 말이 한결같음.

답: ③

15. 단문 문제

① 先卽制人, 後則爲人所制.
　선 즉 제 인　후 즉 위 인 소 제
　앞서면 곧 남을 다스리고, 뒤처지면 남에게 다스려지는 바가 된다.
② 愛而知其惡, 憎而知其善.
　애 이 지 기 악　증 이 지 기 선
　사랑하되 그 나쁨은 알고, 미워하되 그 착함은 알라.
③ 居安思危, 思則有備, 有備無患.
　거 안 사 위　사 즉 유 비　유 비 무 환
　편안함에 살 때 위태로움을 생각하라. 생각하면 대비가 있으니 대비가 있으면 근심이 없다.
④ 智者, 成之於順時, 愚者, 敗之於逆理.
　지 자　성 지 어 순 시　우 자　패 지 어 역 리
　지혜로운 사람은 순조로운 때 그것을 이루고, 어리석은 사람은 이치를 거스름에 그것을 그르친다.
⑤ 良言一句, 三冬暖, 惡語傷人, 六月寒.
　양 언 일 구　삼 동 난　악 어 상 인　유 월 한
　좋은 말 한 마디에 세 달 겨울이 따뜻하고, 나쁜 말은 사람을 해치고 유월이 춥다.

답: ⑤

16. 단문 문제

> 不以老少二字, 先着胸中, (㉠).
> 불 이 로 소 이 자　선 착 흉 중
> '노소'(노론과 소론) 두 글자로써 먼저 가슴 속에 닿게 하지 않을 것이고 ㉠.

① 欲勝人者, 必先自勝.
　욕 승 인 자　필 선 자 승
　남을 이기고자 하는 자는 반드시 먼저 스스로를 이겨야 한다.
② 恭者不侮人, 儉者不奪人.
　공 자 불 모 인　검 자 불 탈 인
　공경하는 사람은 남을 업신여기지 않고, 검소한 자는 남을 빼앗지 않는다.
③ 自重其身者, 人不敢輕之.
　자 중 기 신 자　인 불 감 경 지
　스스로 그 몸을 무겁게 하는 자는 남들이 감히 그를 가볍게 여기지 못한다.
④ 惟其人是視, 用賢而捨不肖.
　유 기 인 시 시　용 현 이 사 불 초
　그 사람이 옳게 보는지 생각하여 현명함은 쓰고 못남은 버린다.
⑤ 人之過誤宜恕, 而在己則不可恕.
　인 지 과 오 의 서　이 재 기 즉 불 가 서
　남의 잘못은 마땅히 용서하되, 자기에 있으면 용서하면 안 된다.

답: ④

17. 사물 문제

> 觳觫長足, 吐絲成羅, 尋網求食, 利在昏夜.
> 곡 속 장 족　토 사 성 라　심 망 구 식　리 재 혼 야
> 긴 다리를 떨면서 실을 토해 그물을 만들고, 그물을 찾아 먹을 것을 구하지만 이익은 어두운 밤에 있다.

'吐絲成羅'가 결정적인 단서이다.

답: ④

18. 산문 문제

人告之以有過, 有三可喜.
인 고 지 이 유 과 　유 삼 가 희
남이 허물 있음으로써 그것을 고하면 기뻐할 만한 것이 세 가지 있다.

吾知己之有過而當改, 一也, 人不爲吾之過所
오 지 기 지 유 과 이 당 개 　일 야 　인 불 위 오 지 과 소
瞞, 二也, 人以吾爲可告而告之, 三也.
만 　이 야 　인 이 오 위 가 고 이 고 지 　삼 야
내가, 내가 허물이 있음을 알고 마땅히 고쳐야 함을 아는 것이
하나요, 남이 나의 허물을 속이는 바로 여기지 않았다는 것이
둘이요, 남이 내게 고할 수 있다고 여기고 그것을 고했다는 것
이 셋이다.

① 吉人喜聞人長.
　길 인 희 문 인 장
　길한 사람은 남의 장점을 듣기 좋아한다.

② 道吾過者, 是吾師.
　도 오 과 자 　시 오 사
　나의 허물을 말하는 자가 곧 나의 스승이다.

③ 今日所爲, 明日難改.
　금 일 소 위 　명 일 난 개
　오늘 한 바는 내일 고치기 어렵다.

④ 己所不欲, 勿施於人.
　기 소 불 욕 　물 시 어 인
　자기가 하고자 하지 않는 바를 남에게 베풀지 말라.

⑤ 好憎人者, 亦爲人所憎.
　호 증 인 자 　역 위 인 소 증
　남을 미워하기 좋아하는 사람은 또한 남에게 미움받는 바가 된다.

답: ②

〔19~20〕 군자(君子)

君子所以異於人者, 以其存心也.
군 자 소 이 이 어 인 자 　이 기 존 심 야
군자가 남과 다른 바의 것은 그 마음을 가짐으로써이다.

君子, 以仁存心, 以禮存心.
군 자 　이 인 존 심 　이 례 존 심
군자는 어짊으로써 마음을 가지고 예의로써 마음을 가진다.

仁者, 愛人, 有禮者, 敬人.
인 자 　애 인 　유 례 자 　경 인
어진 사람은 남을 사랑하고, 예의가 있는 사람은 남을 공경한다.

愛人者, 人恒愛之, 敬人者, 人恒敬之.
애 인 자 　인 항 애 지 　경 인 자 　인 항 경 지
남을 사랑하는 사람은 남이 항상 그를 사랑하며, 남을 공경하
는 사람은 남이 항상 그를 공경한다.

19. 산문 문제

ㄱ. 남들이 나를 존경하지 않아서 화가 나.
　☞ 남을 공경하는 사람은 남이 항상 그를 공경한다고 했다.

ㄴ. 나는 우유부단한 내 성격이 마음에 안 들어.
　☞ 우유부단한 성격에 대한 이야기는 없었다.

ㄷ. 나는 남다른 능력이 없어서 자신감이 부족해.
　☞ 능력이나 자신감에 대한 이야기도 없었다.

ㄹ. 남들이 나를 사랑하지 않는 것 같아서 서글퍼.
　☞ 남을 사랑하는 사람은 남이 항상 그를 사랑한다고 했다.

답: ②

20. 바꾸어 쓸 수 있는 한자 문제

㉠과 바꾸어 쓸 수 있는 글자는 '于'(어조사 우)이다. 이런 문제는 가장 쉬운 문제 가운데 하나이므로 꼭 풀도록 하자.

답: ④

〔21~22〕 남지(南智)

南智, 〈중략〉 自公退, 祖問其所事.
남 지 　　　　　자 공 퇴 　조 문 기 소 사
남지가 관청에서 물러나니 할아버지가 그 일삼은 바를 물었다.

一日歸白曰: "有下吏入藏, 潛懷錦段而出, 使
일 일 귀 백 왈 　유 하 리 입 장 　잠 회 금 단 이 출 　사
之還入藏, 如是者三, 吏識其意, 置錦段而出."
지 환 입 장 　여 시 자 삼 　리 식 기 의 　치 금 단 이 출
한 날은 돌아와 말하기를, "어떤 하급 관리가 창고에 들어가
비단을 안에 품고 나와 그가 돌아가 창고에 들어가게 하고 이
와 같은 것이 세 번이니 관리가 그 뜻을 알고 비단을 두고 나
왔습니다."

祖曰: "汝以童子, 備官, 是以, 每有問, 欲知其
조 왈 　여 이 동 자 　비 관 　시 이 　매 유 문 　욕 지 기
得失, 自今吾可以無問."
득 실 　자 금 오 가 이 무 문
할아버지가 말하기를, "너는 어린아이로서 관리가 되어 이런 이
유로 매번 물음이 있음으로 그 얻고 잃음을 알고자 하였는데
이제부터 내가 물음이 없어도 되겠다."

21. 해석 문제

㉠은 '스스로'가 아니라 '~로부터'로 해석된다.

㉡은 '일'이 아니라 '일삼다'로 해석해야 '所事'(일삼은 바)가 자연
스럽게 해석된다.

㉢은 '말하다', '아뢰다'라는 뜻이다. '告白'(고백), '獨白'(독백), '主
人白'(주인 백)의 '白'이 이런 뜻으로 쓰인 예이다.

㉣, ㉤은 각각 '품다', '창고'라는 뜻이다.

답: ①

22. 해석 문제

① 戀慕(연모)　　② 憎惡(증오)　　③ 疑心(의심)

④ 失望(실망)　　⑤ 信賴(신뢰)

답: ⑤

〔23~25〕 임금의 자리

人君之位, 尊則尊矣, 貴則貴矣.
인 군 지 위 　존 즉 존 의 　귀 즉 귀 의
사람들의 임금의 자리는 높다면 높고 귀하다면 귀하다.

然, 天下至廣也, 萬民至衆也.
연 　천 하 지 광 야 　만 민 지 중 야
그러나 천하는 지극히 넓고 온갖 백성은 지극히 많다.

一有不得其心, 則蓋有大可慮者存焉.
일 유 부 득 기 심 　즉 개 유 대 가 려 자 존 언
하나라도 그 마음을 얻지 못함이 있으면 대개 어떤 크게 근심
해야 할 만한 것이 그것에 있다.

下民至弱也, 不可以力刦之也, 至愚也, 不可以
하 민 지 약 야　불 가 이 력 겁 지 야　지 우 야　불 가 이

智欺之也.
지 기 지 야

아래 백성들이 지극히 약하지만 힘으로써 그들을 겁주어서는
안 되고, 지극히 어리석지만 지혜로써 그들을 속여서는 안 된다.

得其心則服之, 不得其心則去之.
득 기 심 즉 복 지　부 득 기 심 즉 거 지

그 마음을 얻으면 그를 따르고 그 마음을 얻지 못하면 그를
떠나간다.

去就之間, 不容毫髮焉.
거 취 지 간　불 용 호 발 언

떠나가고 나아가는 사이에는 잔털도 담을 수 없다.

然, 所謂得其心者, 非以私意苟且而爲之也, 非
연　소 위 득 기 심 자　비 이 사 의 구 차 이 위 지 야　비

以違道干譽而致之也, 亦曰(　ⓛ　)而已矣.
이 위 도 간 예 이 치 지 야　역 왈　　　　　　이 이 의

그러나 그 마음을 얻었다고 이르는 바의 것은 사사로운 뜻으
로써 구차하게 그것을 함이 아니고, 도를 어겨 기림을 구하여
그것에 이름도 아니니 다시 말하지만 ⓛ일 뿐이다.

23. 해석 문제

㉠은 '담다'로 해석된다. 그러나 해석이 어려웠다고 해도 ①~⑤
를 보면 답을 고를 수 있다.

① 包容(포용)　　② 許容(허용)　　③ 美容(미용)

④ 受容(수용)　　⑤ 寬容(관용)

'美容'을 제외하면 나머지는 '받아들이다', '용인하다'라는 뜻이다.
'美容'의 '容'만이 '용모', '얼굴'이라는 뜻이다.

답: ③

24. 해석 문제

① 力(힘 력)　　② 利(이로울 리)　　③ 仁(어질 인)

④ 貴(귀할 귀)　　⑤ 譽(기릴 예)

답: ③

25. 해석 문제

'至愚也, 不可以智欺之也.'에서 ㉮에 알맞은 것은 '백성을 꾀로 속
이지 말 것'이다.

답: ②

〔26~27〕 지록위마(指鹿爲馬)

趙高欲爲亂, 恐群臣不聽.
조 고 욕 위 란　공 군 신 불 청

조고가 어지럽히고자 하나 여러 신하가 듣지 않을 것을 두려
워하였다.

ㄱ. 二世笑曰: "丞相誤邪? 謂鹿爲馬."
　　이 세 소 왈　　승 상 오 사　위 록 위 마

2세가 웃으면서 말하기를, "승상이 착각했나? 사슴을 일러 말
이라 하다니."

ㄴ. 乃先設驗, 持鹿獻於二世曰: "馬也."
　　내 선 설 험　지 록 헌 어 이 세 왈　　마 야

이에 먼저 시험을 하고자 사슴을 가지고 2세에게 바치면서 말
하기를 "말입니다."

ㄷ. 高因陰中諸言鹿者以法, 後群臣皆畏高.
　　고 인 음 중 제 언 록 자 이 법　후 군 신 개 외 고

조고가 이로 인하여 몰래 모든 사슴이라고 말한 사람을 법으
로써 다스리니 뒤에 많은 신하들이 모두 조고를 두려워하였다.

ㄹ. 問左右, 左右或默, 或言馬以阿順趙高, 或
　　문 좌 우　좌 우 혹 묵　혹 언 마 이 아 순 조 고　혹

言鹿者.
언 록 자

좌우에 물으니 좌우의 누구는 침묵하고 누구는 말이라 함으로
써 조고에 아부하고 따랐으나 누구는 사슴이라고 말하는 사람
이었다.

26. 해석 문제

① 問(물을 문)　　② 從(좇을 종)　　③ 定(정할 정)

④ 斷(끊을 단)　　⑤ 待(기다릴 대)

'듣지 않을 것을 두려워하다'에서 '듣다'는 '따르다'라는 의미이다.

답: ②

27. 해석 문제

글의 전개에 따라 ㉠~㉣을 순서대로 배열하면 ⓛ - ㉠ - ㉣ -
㉢이다.

답: ⑤

〔28~30〕 이이, 「산중(山中)」

장적, 「추사(秋思)」

採藥忽迷路,　　약을 캐다가 문득 길을 잃으니
채 약 홀 미 로

千峯秋葉裏.　　천 봉우리 가을 잎 안이다.
천 봉 추 엽 리

山僧汲水歸,　　산 중이 물을 긷고 돌아가고
산 승 급 수 귀

林末茶煙起.　　숲 끝에서 차 연기가 일어난다.
림 말 차 연 기

洛陽城裏見秋風,　　낙양성 안에 가을 바람이 보여
낙 양 성 리 견 추 풍

欲作家書意萬重.　　집에 부칠 편지를 쓰고자 하니 뜻이 만 겹이라.
욕 작 가 서 의 만 중

復恐忽忽說不盡,　　바빠 말했지만 다하지 못한 것이 있을까 다시 두려워
부 공 총 총 설 부 진

行人臨發又開封.　　행인이 출발하기 임했는데 다시 봉투를 열어 본다.
행 인 림 발 우 개 봉

28. 해석 문제

㉠ 오솔길 → 길을 잃다

ⓛ 높은 봉우리 → 많은 봉우리

㉢ 차 달이는 연기

㉣ 매우 무겁다 → 만 겹이다

㉤ 진술하지 않다 → 다하지 못하다

답: ③

29. 한시 문제

ㄱ. 운자는 짝수 구의 마지막 글자에 오고 첫째 구의 마지막 글자에 올 수 있다. (가)의 짝수 구의 마지막 글자는 '裏'(리), '起'(기)이므로 '路'(로)는 운자가 아님을 알 수 있다.

ㄴ. (가)에서 셋째 구와 넷째 구를 통해서는 계절적 배경을 알 수 없다.

ㄷ. (나)는 일곱 글자씩 네 구이므로 형식은 칠언절구이다.

ㄹ. 두 구가 문법적 기능이 동일한 글자의 배열로 이루어져 있을 때 대우를 이룬다고 한다. (나)에서 셋째 구와 넷째 구는 문법적 기능이 동일한 글자의 배열로 이루어져 있지 않으므로 대우를 이루지 않는다.

답: ①

30. 이해와 감상 문제

행인이 발하기가 임했는데 다시 봉투를 열어 보는 이유는 셋째 구에서도 살펴볼 수 있듯이 '편지에 쓰지 못한 말이 더 있을까 봐'이다.

답: ⑤

老子
노　자

道可道, 非常道,
도 가 도　비 상 도
말할 수 있는 도는 언제나 (도라 할 수 있는) 도가 아니요,

名可名, 非常名.
명 가 명　비 상 명
이름할 수 있는 이름은 언제나 (이름이라 할 수 있는) 이름이 아니다.

無名, 天地之始,
무 명　천 지 지 시
이름이 없는 것은 천지의 시작이요,

有名, 萬物之母.
유 명　만 물 지 모
이름이 있는 것은 만물의 어머니이다.

1. 그림과 대화의 내용으로 보아 ㉠에 알맞은 것은? [1점]

교사 : 이 그림은 허유(許由)가 귀를 씻던 광경을 그렸다고 하여 '許由(㉠)耳圖'라고 합니다.
학생 : 귀를 왜 씻었나요?
교사 : 요(堯) 임금이 천하를 맡아 달라는 부탁을 했기 때문이지요. 그는 자기의 귀가 더러워졌다면서 귀를 씻으러 갔어요. 마침 소에게 물을 먹이러 왔던 소보(巢父)가 그 이유를 듣고는 더러워진 물을 먹일 수 없다며 되돌아갔다는 고사가 있어요.

① 牛   ② 洗   ③ 溪   ④ 細   ⑤ 濁

2. 두 자를 <보기>와 같이 합하여 하나의 한자로 만들 때, ㉠과 ㉡의 음이 모두 옳은 것은? [1점]

―――――<보 기>―――――
日 + 辰 = (晨)

○ 叔 + 目 = (㉠)   ○ 分 + 具 = (㉡)

	㉠	㉡		㉠	㉡
①	독	빈	②	숙	빈
③	독	탐	④	숙	탐
⑤	독	분			

3. 같은 뜻을 지닌 한자끼리 연결된 것을 <보기>에서 고른 것은? [1점]

―――――<보 기>―――――
ㄱ. 取 － 捨   ㄴ. 浮 － 沈
ㄷ. 但 － 只   ㄹ. 具 － 備

① ㄱ, ㄴ   ② ㄱ, ㄷ
③ ㄴ, ㄷ   ④ ㄴ, ㄹ
⑤ ㄷ, ㄹ

4. 다음 조건을 모두 만족하는 한자는? [1점]

① 保   ② 步   ③ 昌   ④ 走   ⑤ 奏

5. ㉠에 알맞은 것은? [1점]

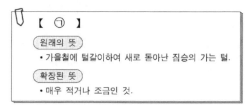

① 秋毫   ② 千秋   ③ 秋霜   ④ 春秋   ⑤ 秋收

6. 그림과 글을 통해 말하고자 하는 것은? [1점]

① 節制   ② 協同   ③ 奉仕   ④ 容恕   ⑤ 遵法

7. ㉠과 ㉡에 공통으로 들어갈 것은?

○ 人(㉠)至愚, 責人則明.
－『소학』－

○ 謂學不暇者, (㉡)暇, 亦不能學矣.
－『회남자』－

① 何   ② 非   ③ 奚   ④ 胡   ⑤ 雖

284

8. 화살표 방향으로 성어를 채울 때, ㉠에 알맞은 것은?

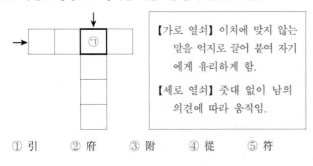

【가로 열쇠】 이치에 맞지 않는 말을 억지로 끌어 붙여 자기에게 유리하게 함.

【세로 열쇠】 줏대 없이 남의 의견에 따라 움직임.

① 引   ② 府   ③ 附   ④ 從   ⑤ 符

9. ㉠과 관계있는 성어는? [1점]

> 강화도는 이 나라의 요충지로 고려 이래로 일이 생길 때마다 먼저 칼날을 받아왔소. 하물며 지금은 바닷길이 사방으로 통해 있으니, 적들이 결코 물길을 버리고 육로로 가고자 하지 않을 것이오. 이곳만 통과한다면 곧장 한양에 도달할 수 있으니, 문지방을 지키지 못하고서 집안을 지킨다는 것은 어려운 일이오. 만일 이와 같이 된다면 중국과 조선에 큰 우환을 끼치게 되어 ㉠서로 믿고 의지하는 세력을 잃는 꼴이 되고 말 것이오.
>
> - 『운양집』 -

① 伯牙絕絃   ② 尾生之信   ③ 漸入佳境
④ 緣木求魚   ⑤ 脣亡齒寒

10. 그림의 한자로 만들 수 있는 사자성어의 의미와 관계있는 것은?

晩 時 耳 竹 破 歎 馬 之

① 거침없는 기세로 결승까지 올라갔어요.
② 옆에서 뭐라 하든 아랑곳하지 않는군요.
③ 어려서부터 같이 놀아서 눈빛만 봐도 통해요.
④ 미리미리 대비하지 못한 것이 너무 아쉬워요.
⑤ 어르신의 지혜를 빌리니 일이 쉽게 해결되었네요.

11. 글의 내용과 관계있는 성어는?

> 蓋天下之士, 於此有所長, 則於彼有所短, 於彼有所蔽, 則於此有所見矣.
>
> - 『서하집』 -

① 日就月將   ② 角者無齒   ③ 先見之明
④ 過猶不及   ⑤ 易地思之

12. 그림과 대화의 내용으로 보아 ㉠에 들어갈 것은? [1점]

① 洞   ② 屋   ③ 段   ④ 閣   ⑤ 層

13. 대화의 내용으로 보아 ㉠에 알맞은 것은?

① 不知其人, 視其友.   ② 聞則病, 不聞則藥.
③ 行百里者, 半於九十.   ④ 朋友有過, 忠告善導.
⑤ 靜則常安, 儉則常足.

14. 시나리오의 ㉠에 들어갈 시구로 가장 알맞은 것은?

S#15. 흉노의 궁궐 안

봄날 황량한 사막에 지어진 궁궐을 시름에 잠겨 거닐고 있는 왕소군. 곁을 따르는 시녀, 그런 왕소군을 안쓰럽게 바라본다.

왕소군 : 이곳으로 시집온 게 엊그제 같은데 새봄이 되었구나. 고향에 있는 가족들은 무탈한지······.

시 녀 : (울먹이며) 마마, 몸이 무척 야위셨어요. 돌아갈 수 없는 고향 생각일랑 그만 하세요!

왕소군 : (한스러운 표정으로 고개를 저으며) 온갖 꽃들이 만발한 고향 동산에서의 행복했던 순간들을 어떻게 잊을 수 있겠어? ㉠ (이)라더니, 이곳엔 꽃과 풀조차 없어. 봄이 왔는데도······.

① 春眠不覺曉   ② 山靑花欲然
③ 春水滿四澤   ④ 花落今朝風
⑤ 春來不似春

15. 대화의 내용과 관계있는 것은? [1점]

이런! 어쩌다 이 회사가 파산한 거야?

더 큰 성과를 내려고 새로운 사업에 무리하게 투자했기 때문이야.

① 三歲之習, 至于八十.
② 我腹旣飽, 不察奴飢.
③ 知足可樂, 務貪則憂.
④ 欲勝人者, 必先自勝.
⑤ 精神一到, 何事不成.

16. 글의 의미와 관계있는 것은?

未有涉川而後乘船.　　　　　　－『이담속찬』－

① 背水陣
② 登高自卑
③ 滿招損, 謙受益.
④ 飛者上, 有乘者.
⑤ 橫步行, 好去京.

17. 글의 내용과 관계있는 것은? [1점]

남이 나를 의심하는 것은 평소 내 행동이 남에게 신임을 받을 수 없었기 때문이다. 나도 분한 마음에 큰소리로 따지고 관부에 소송을 제기하고 천지신명에게 따져 물어 기필코 밝혀야 한다는 걸 모르는 것은 아니다. 하지만 나는 차라리 실체가 없는 누명을 참으며 내면의 인격을 연마하는 쪽을 선택하겠다. 인격이 쌓여 겉으로 드러나면 모든 사람이 심복할 것이다.

－『가정집』－

① 君子求諸己.
② 有餘者, 常譽人.
③ 以勢交者, 勢傾則絶.
④ 本不結交, 安有絶交.
⑤ 疑人莫用, 用人莫疑.

18. 글에서 설명하고 있는 것은?

鍊石築臺, 上方下圓, 高十九尺. 通其中, 人由中而上下, 以候天文.

－『신증동국여지승람』－

①
②
③
④
⑤

19. ㉠과 같은 뜻으로 쓰인 것을 <보기>에서 고른 것은?

道在爾而求諸遠, 事在易而求諸難, 人人親其㉠親, 長其長, 而天下平.

*爾(이): 가깝다
－『맹자』－

── <보 기> ──
ㄱ. 親近　　ㄴ. 兩親　　ㄷ. 老親　　ㄹ. 親善

① ㄱ, ㄴ
② ㄱ, ㄷ
③ ㄴ, ㄷ
④ ㄴ, ㄹ
⑤ ㄷ, ㄹ

20. ㉠에서 말하고자 하는 태도로 옳은 것은?

仲弓問仁, 子曰: "㉠出門如見大賓, 使民如承大祭, 己所不欲, 勿施於人, 在邦無怨, 在家無怨."

－『논어』－

① 寬大　② 恭敬　③ 淸廉　④ 高潔　⑤ 勤勉

[21~22] 다음 글을 읽고 물음에 답하시오.

楚人有涉江者, 其劍自舟中墜於水, ㉠遽契其舟, 曰: "是吾劍之所從墜." ㉡舟止, 從其所契者, 入水求之. ㉢舟已行矣, 而劍不行. ㉣ ㉤

*楚(초): 나라 이름　*墜(추): 떨어지다　*遽(거): 갑자기
－『여씨춘추』－

21. 글의 흐름으로 보아 <보기>의 문장이 들어갈 위치로 알맞은 것은?

── <보 기> ──
求劍若此, 不亦惑乎?

① ㉠　② ㉡　③ ㉢　④ ㉣　⑤ ㉤

22. 윗글에서 얻을 수 있는 교훈이 가장 필요한 사람은?

① 다른 사람의 잘못을 말하기 좋아하는 사람
② 소신 없이 다른 사람의 의견에 동조하는 사람
③ 남들이 자신을 알아주지 않는다고 불평하는 사람
④ 융통성 없이 낡은 생각을 고집하는 어리석은 사람
⑤ 다른 사람을 배려하지 않고 자기 이익만 추구하는 사람

[23~24] 다음 글을 읽고 물음에 답하시오.

> 附耳之言, 勿聽焉, 戒洩之談, 勿言焉. 猶恐人知, 奈何言之,
> ㉠奈何聽之? 旣言而(㉡)戒, 是疑人也, 疑人而言之, 是不智也.
>
> 　　　　　　　　　　　　　　　*洩(설): 새다
> 　　　　　　　　　　　　　　　- 『연암집』 -

23. ㉠의 의미로 옳은 것은?

① 의심하지 말고 들어야 한다.
② 말을 들으면 실천해야 한다.
③ 그런 말은 들을 필요가 없다.
④ 다른 사람이 들으면 안 된다.
⑤ 숨은 의도를 새겨들어야 한다.

24. 글의 내용으로 보아 ㉡에 알맞은 것은?

① 勿　　② 失　　③ 無　　④ 復　　⑤ 聽

[25~27] 다음 글을 읽고 물음에 답하시오.

> 尹澤, 茂長人. 早孤, 不識父面, 於㉠方策中, ㉡見述父子之情,
> 未嘗不流涕, 常佩一囊, 得異味, 必盛以獻母.
>
> 　*尹澤(윤택): 사람 이름　　　*涕(체): 눈물
> 　*佩(패): 차다　　　　　　　*囊(낭): 주머니
> 　　　　　　　　　　　　　　　『해동속소학』 -

25. 의미상 ㉠과 바꾸어 쓸 수 있는 것은?

① 風聞　② 書籍　③ 消息　④ 都城　⑤ 遺品

26. ㉡에서 마지막으로 풀이되는 것은?

① 見　　② 述　　③ 父子　　④ 之　　⑤ 情

27. 윗글의 내용으로 알 수 있는 것만을 <보기>에서 있는 대로
고른 것은?

> ─────────〈보 기〉─────────
> ㄱ. 윤택은 아버지를 여의었다.
> ㄴ. 윤택은 아버지의 얼굴을 알지 못한다.
> ㄷ. 윤택은 어머니 생각이 날 때마다 눈물을 흘렸다.
> ㄹ. 윤택은 맛난 음식을 얻으면 어머니께 가져다 드렸다.

① ㄱ, ㄷ　　　　　　② ㄴ, ㄷ
③ ㄴ, ㄹ　　　　　　④ ㄱ, ㄴ, ㄹ
⑤ ㄱ, ㄷ, ㄹ

[28~30] 다음 시를 읽고 물음에 답하시오.

> (가) 長江悲已㉠滯, 萬里念㉡將歸.
> 　　　況屬高風晩, 　　山山黃葉飛.
> 　　　　　　　　　　　　- 왕발, 「산중(山中)」 -
>
> (나) 鏡裏㉢誰憐病已成, 　不須醫藥不須驚.
> 　　　他生㉣若使君爲我, 　㉤應識相思此夜情.
> 　　　　　　　　　　　　- 박죽서, 「기정(寄呈)」 -

28. ㉠~㉤의 풀이로 옳지 <u>않은</u> 것은?

① ㉠ : 막히다　　　　② ㉡ : 장차
③ ㉢ : 누가　　　　　④ ㉣ : 같이
⑤ ㉤ : 마땅히

29. 위 시에 대한 설명으로 옳은 것만을 <보기>에서 있는 대로
고른 것은?

> ─────────〈보 기〉─────────
> ㄱ. (가)의 형식은 오언율시이다.
> ㄴ. (가)에서 넷째 구를 통해 계절적 배경을 알 수 있다.
> ㄷ. (나)의 둘째 구는 '不須醫藥 / 不須驚'으로 떠어 읽는다.
> ㄹ. (나)에서 셋째 구와 넷째 구는 대우(對偶)를 이루고 있다.

① ㄱ, ㄷ　　　　　　② ㄱ, ㄹ
③ ㄴ, ㄷ　　　　　　④ ㄱ, ㄴ, ㄹ
⑤ ㄴ, ㄷ, ㄹ

30. (가), (나)에 대한 이해로 옳지 <u>않은</u> 것은?

① (가)에는 시적 화자가 객지에 있음을 알 수 있는 시어가 사용되었어.
② (가)에서는 자연의 풍광이 시적 화자의 정서를 고조시키고 있어.
③ (나)에는 현실을 받아들일 수밖에 없는 시적 화자의 체념이 나타나 있어.
④ (나)에는 자신의 심정을 몰라주는 임을 향한 그리움이 담겨 있어.
⑤ (가)와 (나)는 모두 선경후정(先景後情)의 기법이 사용되고 있어.

> ＊ 확인 사항
> ◦ 답안지의 해당란에 필요한 내용을 정확히 기입(표기)했는지 확인
> 하시오.

2016학년도 9월 모의평가

1	②	7	⑤	13	④	19	③	25	②
2	①	8	③	14	⑤	20	②	26	①
3	⑤	9	⑤	15	③	21	⑤	27	④
4	②	10	④	16	②	22	④	28	④
5	①	11	②	17	①	23	③	29	③
6	①	12	⑤	18	④	24	④	30	⑤

1. 그림 문제

'허유가 귀를 씻던 광경을 그린 그림'이라고 해서 '許由(㉠)耳圖'라고 한다고 하므로 ㉠에는 '씻다'를 뜻하는 한자가 들어가야 한다.

① 牛(소 우)　　② 洗(씻을 세)　　③ 溪(시내 계)

④ 細(가늘 세)　　⑤ 濁(흐릴 탁)

답: ②

2. 합자 문제

叔＋目＝督(볼 독), 分＋貝＝貧(가난할 빈)이다.

답: ①

3. 의미 관계 문제

ㄱ. 取(취할 취) - 捨(버릴 사)

ㄴ. 浮(뜰 부) - 沈(가라앉을 침)

ㄷ. 但(다만 단) - 只(다만 지)

ㄹ. 具(갖출 구) - 備(갖출 비)

답: ⑤

4. 조건을 만족하는 한자 찾기

조건을 만족하는 한자를 찾는 문제이다. 문제에서는 결합할 수 있는 한자, 음, 총획 그리고 갑골문의 모양을 알려 주고 있다. 보통은 음으로 찾는 게 가장 빠르므로 음이 '補'(기울 보)와 같은 한자를 먼저 찾아보자.

① 保(지킬 보)　　② 步(걸음 보)　　③ 昌(창성할 창)

④ 走(달릴 주)　　⑤ 奏(아뢸 주)

여기에서 음이 '보'인 것은 '保'와 '步'이다. 이제 '獨'(홀로 독) 뒤에 결합하면 '남이 따를 수 없을 만큼 뛰어남'이라는 뜻이 되는 한자를 찾으면 아무래도 '步'임을 알 수 있다. 총획으로도 확인해 보면 '良'은 7획이고 '保'는 9획, '步'는 7획이다. 확실하다.

답: ②

5. 한자어 문제

① 秋毫(추호)　　② 千秋(천추)　　③ 秋霜(추상)

④ 春秋(춘추)　　⑤ 秋收(추수)

답: ①

6. 한자어 문제

① 節制(절제)　　② 協同(협동)　　③ 奉仕(봉사)

④ 容恕(용서)　　⑤ 遵法(준법)

답: ①

7. 단문 문제

人(㉠)至愚, 責人則明.

사람이 ㉠ 지극히 어리석어도 남을 꾸짖음에는 밝다.

謂學不暇者, (㉡)暇, 亦不能學矣.

배우려고 하나 겨를이 없다고 이르는 자는 ㉡ 겨를이 있어도 또한 배울 수 없다.

① 何(어찌 하)　　② 非(아닐 비)　　③ 奚(어찌 해)

④ 胡(어찌 호)　　⑤ 雖(비록 수)

답: ⑤

8. 십자말풀이 문제

가로 열쇠는 '牽强附會'(견강부회), 세로 열쇠는 '附和雷同'(부화뇌동)이다.

답: ③

9. 사자성어 문제

① 伯牙絶絃(백아절현): 백아가 거문고 줄을 끊음. 자기를 알아주는 참다운 벗의 죽음을 슬퍼함.

② 尾生之信(미생지신): 미생의 신의. 우직하여 융통성이 없음.

③ 漸入佳境(점입가경): 점점 아름다운 경치로 들어감.

④ 緣木求魚(연목구어): 나무에 올라 고기를 구함. 도저히 불가능한 일을 하려고 함.

⑤ 脣亡齒寒(순망치한): 입술이 없으면 이가 시림. 이해관계가 밀접한 사이에서 한쪽이 망하면 다른 쪽도 온전하기 어려움.

답: ⑤

10. 카드 문제

그림의 한자로 만들 수 있는 사자성어를 찾는 문제이다. 이런 문제에서는 그림의 한자를 훑어본 다음, ①~⑤를 보면서 그림의 한자로 ①~⑤의 의미를 가지는 사자성어를 생각해 보면 된다.

① 거침없는 기세로 결승까지 올라갔어요.

　　☞ 破竹之勢(파죽지세)

② 옆에서 뭐라 하든 아랑곳하지 않는군요.

　　☞ 馬耳東風(마이동풍)

③ 어려서부터 같이 놀아서 눈빛만 봐도 통해요.

　　☞ 竹馬故友(죽마고우)

④ 미리미리 대비하지 못한 것이 너무 아쉬워요.

　　☞ 晚時之歎(만시지탄)

⑤ 어르신의 지혜를 빌리니 일이 쉽게 해결되었네요.

　　☞ 老馬之智(노마지지)

답: ④

11. 단문 문제

> 蓋天下之士, 於此有所長, 則於彼有所短, 於彼
> 개천하지사　어차유소장　즉어피유소단　어피
> 有所蔽, 則於此有所見矣.
> 유소폐　즉어차유소현의
> 대개 천하의 선비는 이것에 잘하는 바가 있으면 저것에 못하
> 는 바가 있고, 저것에 덮을 바가 있으면 이것에 나타낼 바가
> 있다.

① 日就月將(일취월장): 날마다 나아가고 달마다 나아감.
② 角者無齒(각자무치): 뿔이 있는 것은 이가 없음. 사람이 여러
가지 복을 겸하지 못함.
③ 先見之明(선견지명): 앞을 내다보는 현명함.
④ 過猶不及(과유불급): 지나침은 미치지 못함과 같음.
⑤ 易地思之(역지사지): 입장을 바꾸어 그것을 생각함.

답: ②

12. 한중일 한자 문제

① 洞(골 동)　　② 屋(집 옥)　　③ 段(단 단)
④ 閣(문설주 각)　⑤ 層(층 층)

답: ⑤

13. 단문 문제

① 不知其人, 視其友.
　부지기인　시기우
　그 사람을 알지 못하면 그 친구를 보라.

② 聞則病, 不聞則藥.
　문즉병　불문즉약
　듣는 것이 병이요, 듣지 않는 것이 약이다.

③ 行百里者, 半於九十.
　행백리자　반어구십
　백 리를 가려는 자는 구십 리에 반이다.

④ 朋友有過, 忠告善導.
　붕우유과　충고선도
　벗이 잘못이 있으면 충고하여 선으로 이끌어야 한다.

⑤ 靜則常安, 儉則常足.
　정즉상안　검즉상족
　고요하면 늘 편안하고 검소하면 늘 만족한다.

답: ④

14. 단문 문제

① 春眠不覺曉(춘면불각효): 봄 잠에 새벽을 깨닫지 못하다.
② 山青花欲然(산청화욕연): 산은 푸르고 꽃은 불타고자 한다.
③ 春水滿四澤(춘수만사택): 봄 물이 사방의 못을 채우다.
④ 花落今朝風(화락금조풍): 꽃이 떨어졌다, 오늘 아침 바람에.
⑤ 春來不似春(춘래불사춘): 봄이 왔으나 봄 같지 않다.

답: ⑤

15. 단문 문제

① 三歲之習, 至于八十.
　삼세지습　지우팔십
　세 살 버릇이 여든까지 간다.

② 我腹旣飽, 不察奴飢.
　아복기포　불찰노기
　내 배가 이미 부르면 종의 배고픔을 살피지 않는다.

③ 知足可樂, 務貪則憂.
　지족가락　무탐즉우
　만족을 알면 즐거워할 수 있고, 탐욕에 힘쓰면 근심스럽다.

④ 欲勝人者, 必先自勝.
　욕승인자　필선자승
　남을 이기고자 하는 자는 반드시 먼저 스스로를 이겨야 한다.

⑤ 精神一到, 何事不成.
　정신일도　하사불성
　정신이 하나로 다다르면 어떤 일을 이루지 못할까.

답: ③

16. 단문 문제

> 未有涉川而後乘船.
> 미유섭천이후승선
> 아직까지 시내를 건너고 뒤에 배를 타는 것이 있지 않았다.

① 背水陣(배수진): 물을 등진 진. 어떤 일을 성취하기 위하여 더
이상 물러설 수 없음
② 登高自卑(등고자비): 높은 곳에 오르는 것은 낮은 곳에서부터.
모든 일에 반드시 차례를 밟아야 함.
③ 滿招損, 謙受益.
　만초손　겸수익
　교만함은 손해를 부르고, 겸손함은 이익을 받는다.
④ 飛者上, 有乘者.
　비자상　유승자
　나는 놈 위에 타는 놈 있다.
⑤ 橫步行, 好去京.
　횡보행　호거경
　모로 가도 서울만 가면 된다.

답: ②

17. 단문 문제

① 君子求諸己.
　군자구저기
　군자는 그것을 자기에서 구한다.

② 有餘者, 常譽人.
　유여자　상예인
　남음이 있는 사람은 늘 남을 기린다.

③ 以勢交者, 勢傾則絶.
　이세교자　세경즉절
　권세로써 사귄 사람은 권세가 기울면 절교한다.

④ 本不結交, 安有絶交.
　본불결교　안유절교
　본래 사귐을 맺지 않았으면 어찌 사귐을 끊음이 있겠는가.

⑤ 疑人莫用, 用人莫疑.
　의인막용　용인막의
　의심스러운 사람은 쓰지 말고, 쓰는 사람은 의심하지 말라.

답: ①

18. 사물 문제

> 鍊石築臺, 上方下圓, 高十九尺.
> 련 석 축 대　상 방 하 원　고 십 구 척
> 돌을 다듬어 대를 쌓아 위는 모나고 아래는 둥글며, 높이가 십구 척이다.
>
> 通其中, 人由中而上下, 以候天文.
> 통 기 중　인 유 중 이 상 하　이 후 천 문
> 그 가운데가 통하여 사람이 가운데로 오르내리고 이로써 천문을 살폈다.

위는 모나고 아래는 둥글며, 가운데가 통하여 사람이 가운데로 오르내리고 이로써 천문을 살피는 건물은 첨성대이다.

답: ④

19. 산문 문제

> 道在爾而求諸遠, 事在易而求諸難, 人人親其
> 도 재 이 이 구 저 원　사 재 이 이 구 저 난　인 인 친 기
> 親, 長其長, 而天下平.
> 친　장 기 장　이 천 하 평
> 도가 가까운 곳에 있으나 그것을 먼 곳에서 구하고, 일이 쉬운 곳에 있으나 그것을 어려운 곳에서 구하는데 사람마다 그 부모를 가까이하고 그 어른을 공경하면 천하가 태평하다.

㉠은 '친하다'가 아니라 '부모'라는 뜻으로 쓰였다.
ㄱ. 親近(친근): 친하고 가까움. (친하다)
ㄴ. 兩親(양친): 양쪽 부모 (부모)
ㄷ. 老親(노친): 늙은 부모 (부모)
ㄹ. 親善(친선): 친하고 좋음. (친하다)

㉠이 '부모'라는 뜻으로 쓰였다는 것을 몰랐더라도 ㄱ과 ㄹ, ㄴ과 ㄷ이 같은 뜻임은 알 수 있다. 따라서 답은 이 둘 중 하나여야 한다. 그런데 ㄴ, ㄷ밖에 고를 수 있는 것이 없으므로 답은 ③이다.

답: ③

20. 산문 문제

> 仲弓問仁, 子曰: "出門如見大賓, 使民如承大祭,
> 중 궁 문 인　자 왈　출 문 여 견 대 빈　사 민 여 승 대 제
> 己所不欲, 勿施於人, 在邦無怨, 在家無怨."
> 기 소 불 욕　물 시 어 인　재 방 무 원　재 가 무 원
> 중궁이 인을 묻자, 공자가 말하기를, "문을 나서는 것을 큰 손님을 맞는 것과 같게 하며, 백성을 부림을 큰 제사를 받드는 것과 같게 하며, 자기가 하고자 하지 않는 바를 남에게 베풀지 말면, 나라에 있으면 원망이 없을 것이요, 집에 있으면 원망이 없을 것이다."

① 寬大(관대)　　② 恭敬(공경)　　③ 清廉(청렴)
④ 高潔(고결)　　⑤ 勤勉(근면)

㉠을 해석해도 말하고자 하는 태도가 무엇인지 알기 쉽지 않다. 그러나 백성을 부림을 큰 제사를 받드는 것처럼 하라는 것에서 백성을 함부로 하지 말고 공경하라는 뜻이라고 짐작할 수 있다.

답: ②

〔21~22〕 각주구검(刻舟求劍)

> 楚人有涉江者, 其劍自舟中墜於水, 遽契其舟,
> 초 인 유 섭 강 자　기 검 자 주 중 추 어 수　거 계 기 주
> 曰: "是吾劍之所從墜."
> 왈　시 오 검 지 소 종 추
> 초나라 사람으로 강을 건너는 자가 있었는데 그 칼을 배 가운데서 물에 빠뜨리자 갑자기 그 배에 새기고 말하기를, "이는 내 칼이 따라 떨어진 곳이다."
>
> 舟止, 從其所契者, 入水求之. 舟已行矣, 而劍
> 주 지　종 기 소 계 자　입 수 구 지　주 이 행 의　이 검
> 不行.
> 불 행
> 배가 멈추니 그 새긴 바의 것을 따라 물에 들어가 그것을 구하였다. 배는 이미 갔지만 칼은 가지 않았다.

21. 빈칸 문제

> 求劍若此, 不亦惑乎?
> 구 검 약 차　불 역 혹 호
> 칼을 구하는 것이 이와 같으면 또한 미혹되지 않았는가?

<보기>의 문장은 칼을 구하는 내용 뒤에 나와야 하므로 들어갈 자리가 ㉤밖에 없다.

답: ⑤

22. 해석 문제

윗글을 읽고 '융통성 없이 낡은 생각을 고집하는 어리석음을 경계하자'는 교훈을 이끌어 내기는 쉽지 않다. 그러나 ①~⑤가 있기 때문에 답을 고를 수 있다. 이 문제는 아마도 답을 찾으면서 윗글의 교훈이 이것임을 깨달으라는 뜻에서 만들어진 것이리라. 윗글은 낡은 생각, 즉 배에 새긴 자리만 보고 그곳에 여전히 칼이 있을 것이라는 생각에 사로잡힌 것을 비판하는 것이다.

답: ④

〔23~24〕 듣지 말아야 할 말, 하지 말아야 할 말

> 附耳之言, 勿聽焉, 戒洩之談, 勿言焉.
> 부 이 지 언　물 청 언　계 설 지 담　물 언 언
> 귀에 대는 말은 듣지 말고, 샐 것을 경계하는 말은 말하지 말라.
>
> 猶恐人知, 奈何言之, 奈何聽之?
> 유 공 인 지　내 하 언 지　내 하 청 지
> 남이 알 것을 두려워하면 어찌 그것을 말하고 어찌 그것을 듣겠는가?
>
> 旣言而(㉡)戒, 是疑人也, 疑人而言之, 是不智也.
> 기 언 이　　계　시 의 인 야　의 인 이 언 지　시 부 지 야
> 이미 말하고 ㉡ 경계하는 것, 이는 남을 의심하는 것이고, 남을 의심하면서 그것을 말하는 것, 이는 지혜롭지 못한 것이다.

23. 해석 문제

㉠은 '어찌 그것을 듣겠는가?'로 해석되므로 '그런 말은 들을 필요가 없다'라는 의미이다. '다른 사람이 들으면 안 된다'는 다른 사람도 들어서는 안 되지만, 나도 들어서는 안 되는 사람에 포함되기 때문에 ㉠의 의미로 적절하지 못하다.

답: ③

24. 빈칸 문제

① 勿(말 물)　　② 失(잃을 실)　　③ 無(없을 무)

④ 復(다시 부)　　⑤ 聽(들을 청)

'이미 말하고 '다시' 경계하는 것, 이는 남을 의심하는 것이다'가 되어야 가장 자연스럽다.

답: ④

〔25~27〕 윤택(尹澤)

> 尹澤, 茂長人.
> 　윤택 　무 장 인
>
> 윤택은 무장 사람이다.
>
> 早孤, 不識父面, 於方策中, 見述父子之情, 未
> 　조 고 　불 식 부 면 　어 방 책 중 　견 술 부 자 지 정 　미
>
> 嘗不流涕, 常佩一囊, 得異味, 必盛以獻母.
> 　상 불 류 체 　상 패 일 낭 　득 이 미 　필 성 이 헌 모
>
> 어려서 아버지를 잃고 아버지의 얼굴을 알지 못하지만 방책 가운데에서 아버지와 아들의 정을 쓴 것을 보고는 아직까지 일찍이 눈물을 흘리지 않음이 없었고 늘 한 주머니를 차고 이상한 맛을 얻으면 반드시 담음으로써 어머니에게 바쳤다.

25. 해석 문제

① 風聞(풍문)　　② 書籍(서적)　　③ 消息(소식)

④ 都城(도성)　　⑤ 遺品(유품)

㉠이 무엇인지 바로 알기는 어렵다. 그러나 방책 가운데에서 '아버지와 아들의 정을 쓴 것을 보았다'라는 것에서 '書籍'임을 알 수 있다.

답: ②

26. 해석 문제

㉡은 '아버지와 아들의 정을 쓴 것을 보았다'로 해석되므로 마지막으로 풀이되는 것은 '見'(볼 견)이다.

답: ①

27. 해석 문제

ㄱ. '早孤, 不識父面'에서 윤택이 아버지를 여의었음을 알 수 있다.

ㄴ. '不識父面'에서 윤택이 아버지의 얼굴을 알지 못함을 알 수 있다.

ㄷ. 윤택은 방책 가운데에서 아버지와 아들의 정을 쓴 것을 볼 때마다 눈물을 흘렸다.

ㄹ. 윤택은 이상한 맛, 즉 별미를 얻으면 어머니께 가져다 드렸다.

답: ④

〔28~30〕 왕　반, 「산중(山中)」

　　　　　박죽서, 「기정(寄呈)」

> 長江悲已滯, 　장강이 슬퍼 이미 막히고
> 장 강 비 이 체
>
> 萬里念將歸. 　만 리에서 장차 돌아갈 것을 생각한다.
> 만 리 념 장 귀
>
> 況屬高風晚, 　하물며 마침 바람 높은 저녁에
> 황 속 고 풍 만
>
> 山山黄葉飛. 　산마다 누런 잎 날아다닌다.
> 산 산 황 엽 비

> 鏡裏誰憐病已成, 　거울 속 누가 그리는 병이 이미 이루어졌던가
> 경 리 수 련 병 이 성
>
> 不須醫藥不須驚. 　모름지기 의원의 약도 놀랄 필요도 없네.
> 불 수 의 약 불 수 경
>
> 他生若使君爲我, 　다른 생에서 낭군이 내가 되게 하면
> 타 생 약 사 군 위 아
>
> 應識相思此夜情. 　마땅히 서로 그리는 이 밤의 마음을 알겠지.
> 응 식 상 사 차 야 정

28. 해석 문제

㉣은 '같이'가 아니라 '만약'으로 해석된다.

답: ④

29. 한시 문제

ㄱ. (가)는 다섯 글자씩 네 구이므로 그 형식은 오언절구이다.

ㄴ. (가)의 넷째 구 '黄葉'(누런 잎)이라는 시어에서 계절적 배경을 알 수 있다.

ㄷ. 칠언시는 네 자, 세 자로 끊어 읽는다. 이는 칠언시를 읽는 대원칙이다.

ㄹ. 두 구가 문법적 기능이 동일한 글자의 배열로 이루어져 있을 때 대우를 이룬다고 한다. (나)의 셋째 구와 넷째 구는 문법적 기능이 동일한 글자의 배열로 이루어져 있지 않으므로 대우를 이루지 않는다.

답: ③

30. 이해와 감상 문제

① (가)의 둘째 구 '歸'(돌아갈 귀)라는 시어를 통해 시적 화자가 객지에 있음을 알 수 있다.

② (가)에서는 쓸쓸한 가을의 분위기가 시적 화자의 정서를 고조시키고 있다.

③ (나)에서 현실을 받아들일 수밖에 없는 시적 화자의 체념은 찾기 어렵다. 그러나 답이 아니다!

④ (나)의 셋째 구에서 임이 자신의 심정을 몰라주고 있음을 알 수 있고, (나) 전체에 임에 대한 그리움이 담겨 있다.

⑤ 첫째와 둘째 구에 경치, 셋째와 넷째 구에 정서를 서술하는 것을 선경후정(先景後情)의 기법이라고 한다. 그러나 (가), (나) 어느 하나도 첫째와 둘째 구는 경치, 셋째와 넷째 구는 정서라고 볼 수 없다. 이 문제의 교훈은 가장 부적절한 설명을 고르라는 것이다.

답: ⑤

제2외국어/한문 영역(한문 I)

제 5 교시

성명 [   ]　수험 번호 [： ： ： ： — ： ： ：]

---

1. 그림과 대화의 내용으로 보아 ㉠에 알맞은 것은? [1점]

학생 : 선생님! 연꽃이 참 운치 있어 보이네요. 이 그림에 대해 설명해 주세요.

교사 : 이건 표암 강세황의 작품이에요. 예로부터 연꽃을 '군자의 꽃'이라고 했어요. 진흙 속에서 자라지만 더러움에 물들지 않고, 향기가 멀수록 더욱 맑으며, 멀리서 바라볼 수는 있으나 함부로 대할 수 없는 점이 군자와 닮았기 때문이죠. 이 그림은 연꽃의 이러한 점을 잘 표현했는데, "향기가 멀수록 더욱 맑다."라는 구절을 따서 제목을 '香遠(㉠)淸'이라고 했답니다.

① 淨　② 快　③ 益　④ 散　⑤ 飛

2. 두 자를 <보기>와 같이 합하여 하나의 한자로 만들 때, ㉠과 ㉡의 음이 모두 옳은 것은? [1점]

<보 기>
因 + 心 = (恩)

○ 莫 + 土 = (㉠)　　○ 非 + 車 = (㉡)

	㉠	㉡			㉠	㉡
①	막	배		②	묘	배
③	막	비		④	묘	비
⑤	막	차				

3. 같은 뜻을 지닌 한자끼리 연결된 것을 <보기>에서 고른 것은? [1점]

<보 기>
ㄱ. 表 - 裏　　ㄴ. 慶 - 賀
ㄷ. 崩 - 壞　　ㄹ. 昇 - 降

① ㄱ, ㄴ　② ㄱ, ㄷ　③ ㄴ, ㄷ
④ ㄴ, ㄹ　⑤ ㄷ, ㄹ

---

4. 다음 조건을 모두 만족하는 한자는? [1점]

갑골문으로는 이렇게 생겼어.

'白' 뒤에 결합하면 '여럿 가운데 가장 뛰어난 사람이나 물건'을 뜻하는 말이 되지.

'迷'와/과 음이 같아.　총획은 '革'과 같아.

① 尾　② 首　③ 面　④ 美　⑤ 眉

5. ㉠에 알맞은 것은? [1점]

【 ㉠ 】
원래의 뜻 → 햇빛과 그늘
확장된 뜻 → 시간 또는 세월

① 寸刻　② 明暗　③ 晝夜　④ 光陰　⑤ 歲時

6. 화살표 방향으로 성어를 채울 때, ㉠에 들어가는 한자와 같은 원리로 만들어진 것은? [1점]

【가로 열쇠】
어찌할 도리가 없어 꼼짝 못함.
【세로 열쇠】
손에서 책을 놓지 않고 늘 글을 읽음.

① 禾　② 本　③ 休　④ 忠　⑤ 林

7. 광고의 내용과 관계있는 것은? [1점]

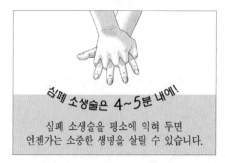

심폐 소생술은 4~5분 내에!
심폐 소생술을 평소에 익혀 두면 언젠가는 소중한 생명을 살릴 수 있습니다.

① 發憤忘食
② 隱忍自重
③ 捨生取義
④ 望雲之情
⑤ 有備無患

8. 그림과 대화의 내용으로 보아 ㉠에 해당하는 것은? [1점]

① 試驗　② 初步　③ 徐行　④ 安全　⑤ 模範

9. 대화의 내용과 관계있는 것은? [1점]

> 평공(平公): 남양 고을을 다스릴 사람이 없는데 누가 좋겠소?
> 기해(祁奚): 해호(解狐)가 좋겠습니다.
> 평공: 해호는 그대와 원수지간이 아니오?
> 기해: 공께서는 누가 다스릴 사람으로 적합하냐고 물으셨지 저의 원수를 묻지 않으셨습니다.
>
> - 『여씨춘추』 -

① 減私奉公　② 易地思之　③ 不問曲直
④ 立身揚名　⑤ 東問西答

10. 그림과 대화의 내용으로 보아 ㉠에 알맞은 것은? [1점]

> 교사: 왼쪽은 겸재 정선이 그린 '압구정'의 정경이고, 오른쪽은 최근의 모습이에요. 참 많이 변했죠?
> 학생: 같은 곳이라는 게 전혀 상상이 안 가요. 그야말로 (㉠)(이)라는 성어가 떠오르네요.

① 沙上樓閣　② 桑田碧海　③ 百年河淸
④ 愚公移山　⑤ 錦上添花

11. 대화의 내용으로 보아 ㉠에 알맞은 것은?

① 德不孤, 必有鄰.　② 木難上, 不可仰.
③ 不經一事, 不長一智.　④ 行百里者, 半於九十.
⑤ 衆人重利, 廉士重名.

12. 그림의 한자로 만들 수 있는 사자성어의 의미와 관계있는 것은?

① 글씨가 매우 훌륭하군.
② 어쩌면 이렇게 한결같이 비슷하니.
③ 이렇게 좋은 기회는 쉽게 오지 않아.
④ 위험한 고비를 셀 수 없이 겪어 왔어.
⑤ 수없이 따져 봤는데도 결국 실수하고 말았어.

13. 글에서 강조하고 있는 것은?

> 以言教者訟, 以身教者從.
>
> - 『승정원일기』 -

① 包容　② 協同　③ 公正　④ 率先　⑤ 盲從

14. 글의 내용으로 보아 ㉠에 알맞은 것은?

> 大韓國, 在亞細亞之東, 北連大陸, 東西南, (㉠)以洋海, 故謂半島國.
>
> - 『몽학한문초계』 -

① 淺　② 換　③ 産　④ 壞　⑤ 環

15. 시나리오의 내용으로 보아 ㉠에 들어갈 시구로 알맞은 것은?

S#12. 용궁 앞

자라는 등에 찰싹 붙어 있던 토끼를 내려놓는다.

> 자라: 여보게! 여기가 남해 용궁이라네.
> 토끼: (사방을 살펴보며) 이보게, 자라! 오색구름 속에 진주며 자개로 만든 궁궐이 우뚝하고, 산호 기둥에 백옥 난간을 순금으로 꾸며 놓은 것이 과연 자네에게 듣던 대로 ◻◻◻◻◻㉠◻◻◻(이)구먼. 구경 좀 시켜 주게나!
> 자라: 잠시 기다리시게. 내 들어가 용왕님께 보고하리다.

① 白雲飛下暮山靑　② 秋陰漠漠四山空
③ 別有天地非人間　④ 落花時節又逢君
⑤ 長夏江村事事幽

16. 그림과 대화의 내용으로 보아 ㉠에 알맞은 것은?

학생 : 달빛이 은은한 밤에 까치가 날아오르고 있는데, 무엇을
　　　표현한 거죠?
교사 : 그건 왼쪽에 '幾度能尋織女橋'라고 쓰여 있는 글을
　　　보면 알 수 있어요. 예부터 전해 내려오던 이야기와
　　　관계가 있답니다.
학생 : 아, (㉠)와/과 관계된 전설을 묘사한 작품이군요!

① 七夕　② 元旦　③ 仲秋　④ 冬至　⑤ 端午

17. 글에서 말하고 있는 것은?

> 數條竹爲骨, 一片紙作毛. 非是飽則去, 引風上雲霄.
> 　　　　*霄(소): 하늘　　-『청장관전서』-

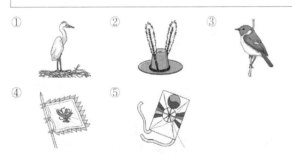

[18~19] 다음 글을 읽고 물음에 답하시오.

> 公主對曰 : "大王常語, 汝必爲溫達之婦, 今何故, 改㉠前言
> 乎? 匹夫猶不欲食言, 況至尊乎? 故曰 '王者無戲言'. 今大王之
> 命, 謬矣. 妾不敢祗承."
> 　　　　*謬(류) : 그릇되다　　*祗(지) : 공경하다
> 　　　　　　　　　　　　　　　-『삼국사기』-

18. ㉠과 짜임이 같은 것은?

① 上陸　② 生辰　③ 日沒　④ 祭祀　⑤ 榮辱

19. 윗글의 주제와 관계있는 것은?

① 信義　② 禮節　③ 友愛　④ 忍耐　⑤ 儉素

[20~21] 다음 글을 읽고 물음에 답하시오.

> 明君, 制民之産, 必使仰足以事父母, 俯足以㉠畜妻子, 樂歲,
> 終身飽, 凶年, 免於死亡, 然後, ㉡驅而之善. 故, 民之從之也㉢輕
> 　　　　*俯(부) : 숙이다　　-『맹자』-

20. ㉠~㉢의 의미로 옳은 것만을 <보기>에서 있는 대로 고른
것은?

> ─────<보 기>─────
> ㉠ : 부양하다　㉡ : 유도하다　㉢ : 쉽다

① ㉠　　② ㉡　　③ ㉠, ㉢
④ ㉡, ㉢　　⑤ ㉠, ㉡, ㉢

21. 윗글의 내용을 다음과 같이 설명할 때 옳지 <u>않은</u> 것은?

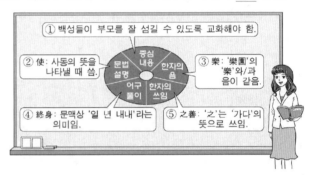

[22~23] 다음 글을 읽고 물음에 답하시오.

> 古之學者, 必有師. 師者, 所以傳道授業解惑也. 人非生而知
> 之者, ㉠孰能無惑? 惑而不從師, 其爲惑也, 終不解矣. 生乎吾
> 前, 其聞道也, 固先乎吾, 吾從而師之, 生乎吾後, 其聞道也, 亦
> 先乎吾, 吾從而師之. 吾師道也, (　㉡　) 是故,
> 無貴無賤, 無長無少, 道之所存, 師之所存也.
> 　　　　　　　　　　　　　　　-『한창려집』-

22. ㉠의 의미로 옳은 것은?

① 의혹이 있게 마련이다.
② 배워야 의혹이 없어진다.
③ 의혹을 없애기는 쉽지 않다.
④ 의혹을 없애도록 해야 한다.
⑤ 의혹을 품어야 배울 수 있다.

23. 글의 흐름으로 보아 ㉡에 들어갈 내용으로 알맞은 것은?

① 배움에는 정해진 시기가 없다.
② 남에게 모범이 되는 행동을 해야 한다.
③ 스승의 말이라도 무조건 따라서는 안 된다.
④ 나보다 나이가 많은지 적은지를 따질 필요가 없다.
⑤ 배우고자 하는 사람이 있으면 누구든지 가르쳐야 한다.

[24~25] 다음 글을 읽고 물음에 답하시오.

> 人之患, 在常知我過於人, 而不知不及於人, 常欲上㉠於人, 而不欲下於人, ㉡常好我敎人, 而不好我問於人, 所以學聖賢而不至也.
>
> －『의암집』－

24. ㉠과 같은 뜻으로 쓰인 것은?

① 良藥苦於口.
② 霜葉紅於二月花.
③ 一年之計, 在於春.
④ 天下大事, 必作於細.
⑤ 己所不欲, 勿施於人.

25. ㉡과 의미가 통하는 것만을 <보기>에서 있는 대로 고른 것은?

> ─<보 기>─
> ㄱ. 人之患, 在好爲人師.
> ㄴ. 不能舍己從人, 學者之大病.
> ㄷ. 古之學者, 爲己, 今之學者, 爲人.
> ㄹ. 今之衆人, 其下聖人也, 亦遠矣, 而恥學於師.

① ㄱ, ㄷ
② ㄴ, ㄷ
③ ㄴ, ㄹ
④ ㄱ, ㄴ, ㄹ
⑤ ㄱ, ㄷ, ㄹ

[26~27] 다음 글을 읽고 물음에 답하시오.

> 昔, 黃相國喜, 微時行役, 憩于路上, 見田父駕二牛耕者, 問曰: "二牛, 何者爲勝?" 田父不對, 輟耕而至, 附耳細語曰: "㉠此牛勝." 公怪之曰: "何以附耳相語?㉡" 田父曰: "雖畜物, 其心與人同也.㉢ 此勝則彼劣.㉣" 公大悟, 遂不復言人長短云.㉤
>
> *憩(게): 쉬다　　*駕(가): 부리다　　*輟(철): 그치다
> －『지봉유설』－

26. 글의 흐름으로 보아 <보기>의 문장이 들어갈 위치로 알맞은 것은?

> ─<보 기>─
> 使牛聞之, 寧無不平之心乎?

① ㉠
② ㉡
③ ㉢
④ ㉣
⑤ ㉤

27. 윗글의 내용을 교훈으로 삼아야 할 사람은?

① 모르는 것을 안다고 강변하는 사람
② 남의 일에 간섭하기 좋아하는 사람
③ 다른 사람의 잘잘못을 말하기 좋아하는 사람
④ 일의 순서를 생각하지 않고 무턱대고 하는 사람
⑤ 이기기 위해서는 수단과 방법을 가리지 않는 사람

[28~30] 다음 시를 읽고 물음에 답하시오.

> (가) 江碧鳥逾白,　　山靑花欲㉠然.
> 　　　今春看又㉡過,　　何日是㉢歸年.
>
> *逾(유): 더욱
> －두보, 「絶句」－
>
> (나) 雪色白於紙,　　㉮擧鞭書姓字.
> 　　　㉣莫敎風掃地,　　好㉤待主人至.
>
> *鞭(편): 채찍
> － 이규보, 「雪中訪友人不遇」－

28. ㉠~㉤의 이해로 옳지 않은 것은?

① ㉠은 '불타다'라는 의미이다.
② ㉡은 '過誤'의 '過'와 뜻이 같다.
③ ㉢의 주체는 시적 화자이다.
④ ㉣은 '勿'과 뜻이 통한다.
⑤ ㉤의 음은 '帶'와 같다.

29. 시적 화자가 ㉮와 같이 행동한 이유로 알맞은 것은?

① 자연과 동화되고 싶어서
② 주인이 만나 주지 않아서
③ 자신이 다녀간 것을 알리고 싶어서
④ 말을 재촉하여 빨리 돌아가고 싶어서
⑤ 친구의 울적한 마음을 달래 주기 위해서

30. 위 시에 대한 설명으로 옳은 것만을 <보기>에서 있는 대로 고른 것은?

> ─<보 기>─
> ㄱ. (가)에는 색채의 대비가 뚜렷하게 나타나 있다.
> ㄴ. (가)는 아름다운 경치를 통해 시적 화자의 시름을 끌어내고 있다.
> ㄷ. (나)의 첫째 구는 '雪色 / 白於紙'로 띄어 읽는다.
> ㄹ. (나)에서 셋째 구와 넷째 구는 대우(對偶)를 이루고 있다.

① ㄱ, ㄴ
② ㄴ, ㄹ
③ ㄷ, ㄹ
④ ㄱ, ㄴ, ㄷ
⑤ ㄱ, ㄷ, ㄹ

2016학년도 수학능력시험

1	③	7	⑤	13	④	19	①	25	④
2	②	8	②	14	⑤	20	⑤	26	④
3	③	9	①	15	③	21	①	27	③
4	⑤	10	②	16	①	22	①	28	②
5	④	11	③	17	⑤	23	④	29	③
6	①	12	②	18	②	24	②	30	④

1. 그림 문제

"향기가 멀수록 더욱 맑다."라는 구절을 따서 제목을 '香遠(㉠)淸'이라고 했다고 하므로 ㉠에는 '더욱'이라는 뜻을 나타내는 한자가 들어가야 한다.

　① 浮(뜰 부)　　② 快(즐거울 쾌)　③ 益(더할 익)

　④ 散(흩어질 산)　⑤ 飛(날 비)

답: ③

2. 합자 문제

莫＋土＝墓(무덤 묘), 非＋車＝輩(무리 배)이다.

답: ②

3. 한자 문제

ㄱ. 表(겉 표) - 裏(속 리)

ㄴ. 慶(경사 경) - 賀(하례 하)

ㄷ. 崩(무너질 붕) - 壞(무너질 괴)

ㄹ. 昇(오를 승) - 降(내릴 강)

답: ③

4. 조건을 만족하는 한자 문제

조건을 만족하는 한자를 찾는 문제이다. 문제에서는 갑골문의 모양, 음, 총획, 그리고 결합할 수 있는 한자를 알려 주고 있다. 보통은 음으로 찾는 게 가장 빠르므로 음이 '迷'(미혹될 미)와 같은 한자를 먼저 찾아보자.

　① 尾(꼬리 미)　　② 首(머리 수)　　③ 面(얼굴 면)

　④ 美(아름다울 미)　⑤ 眉(눈썹 미)

여기에서 음이 '미'인 것은 '尾', '美', '眉'이다. 이제 '白'(흰 백) 뒤에 결합하면 '여럿 가운데 가장 뛰어난 사람이나 물건'을 뜻하는 말이 되는 것을 찾으면 '眉'임을 알 수 있다. 갑골문으로 보아도 눈썹의 모양이다.

답: ⑤

5. 한자어 문제

① 寸刻(촌각)　② 明暗(명암)　③ 晝夜(주야)

④ 光陰(광음)　⑤ 歲時(세시)

'광음'의 뜻을 알고 있었다면 더 볼 것도 없다. 그러나 몰랐다면 '햇빛'과 '그늘'이 모두 들어가는 한자어를 찾아보자. 그러면 답이 '光陰'임을 쉽게 알 수 있다.

답: ④

6. 십자말풀이 문제

가로 열쇠는 '束手無策'(속수무책), 세로 열쇠는 '手不釋券'(수불석권)이다. 따라서 ㉠에 들어가는 한자는 '手'(손 수)이다. '手'는 상형자이다.

① 禾(벼 화): 줄기(木)에 이삭(一)이 주렁주렁 매달린 모습을 본뜬 상형자이다.

② 本(근본 본): 나무(木)의 뿌리에 한 획(一)을 그어 근본이라는 추상적인 뜻을 나타낸 지사자이다.

③ 休(쉴 휴): 사람(人)과 나무(木)를 합하여 나무에 기대어 쉰다는 뜻을 나타낸 회의자이다.

④ 忠(충성 충): '心'(마음 심)으로 뜻을, '中'(가운데 중)으로 음을 나타낸 형성자이다.

⑤ 林(수풀 림): 나무(木)와 나무(木)를 합하여 수풀이라는 뜻을 나타낸 회의자이다.

답: ①

7. 사자성어 문제

① 發憤忘食(발분망식): 분노가 발하여 먹는 것을 잊음.

② 隱忍自重(은인자중): 숨고 참으면서 스스로를 무겁게 함.

③ 捨生取義(사생취의): 삶을 버리고 옳음을 취함.

④ 望雲之情(망운지정): 구름을 바라보는 마음. 고향을 그리는 마음.

⑤ 有備無患(유비무환): 대비가 있으면 근심이 없음.

답: ⑤

8. 한중일 한자어 문제

① 試驗(시험)　　② 初步(초보)　　③ 徐行(서행)

④ 安全(안전)　　⑤ 模範(모범)

답: ②

9. 사자성어 문제

① 滅私奉公(멸사봉공): 사를 멸하고 공을 받듦.

② 易地思之(역지사지): 입장을 바꾸어 그것을 생각함.

③ 不問曲直(불문곡직): 굽고 곧음을 묻지 않음.

④ 立身揚名(입신양명): 몸을 세워 이름을 날림.

⑤ 東問西答(동문서답): 동쪽을 물었는데 서쪽을 대답함. 묻는 말에 전혀 맞지 않는 엉뚱한 대답을 함.

답: ①

10. 사자성어 문제

① 沙上樓閣(사상누각): 모래 위의 누각. 기초가 약하여 오래 견디지 못할 일이나 실현 불가능한 일.

② 桑田碧海(상전벽해): 뽕나무밭이 변하여 푸른 바다가 됨. 세상일의 변천이 심함.

③ 百年河淸(백년하청): 백 년이 지난들 황허 강이 맑아질까. 아무리 기다려도 일이 이루어지기 어려움.

④ 愚公移山(우공이산): 우공이 산을 옮김. 어떤 일이든 끊임없이 노력하면 반드시 이루어짐.

⑤ 錦上添花(금상첨화): 비단 위에 꽃을 더함. 좋은 일에 또 좋은 일이 더함.

답: ②

11. 단문 문제

① 德不孤, 必有鄰.
　덕 불 고　필 유 린
덕은 외롭지 않으며 반드시 이웃이 있다.

② 木難上, 不可仰.
　목 난 상　불 가 앙
나무가 오르기 어려우면 우러러보지 말라.

③ 不經一事, 不長一智.
　불 경 일 사　부 장 일 지
하나의 일을 거치지 않으면 하나의 지혜를 기르지 못한다.

④ 行百里者, 半於九十.
　행 백 리 자　반 어 구 십
백 리를 가려는 자는 구십 리에 반이다.

⑤ 衆人重利, 廉士重名.
　중 인 중 리　렴 사 중 명
뭇 사람들은 이익을 중하게 여기고 청렴한 선비는 이름을 중하게 여긴다.

답: ③

12. 카드 문제

그림의 한자로 만들 수 있는 사자성어를 찾는 문제이다. 이런 문제에서는 그림의 한자를 훑어본 다음, ①~⑤를 보면서 그림의 한자로 ①~⑤의 의미를 가지는 사자성어를 생각해 보면 된다.

① 글씨가 매우 훌륭하군.
　☞ 떠오르는 사자성어가 없다.

② 어쩌면 이렇게 한결같이 비슷하니.
　☞ 千篇一律(천편일률)

③ 이렇게 좋은 기회는 쉽게 오지 않아.
　☞ 千載一遇(천재일우)

④ 위험한 고비를 셀 수 없이 겪어 왔어.
　☞ 千辛萬苦(천신만고)

⑤ 수없이 따져 봤는데도 결국 실패하고 말았어.
　☞ 千慮一失(천려일실)

답: ②

13. 단문 문제

以言教者訟, 以身教者從.
이 언 교 자 송　이 신 교 자 종
말로써 가르치는 자는 송사를 당하고, 몸으로써 가르치는 자는 따른다.

① 包容(포용)　　② 協同(협동)　　③ 公正(공정)
④ 率先(솔선)　　⑤ 盲從(맹종)

답: ④

14. 빈칸 문제

大韓國, 在亞細亞之東, 北連大陸, 東西南,
대 한 국　재 아 세 아 지 동　북 련 대 륙　동 서 남
(㉠)以洋海, 故謂半島國.
　　　이 양 해　고 위 반 도 국
대한이라는 나라는 아시아의 동쪽에 있어 북쪽으로는 대륙과 이어져 있고, 동쪽, 서쪽, 남쪽으로는 바다로써 ㉠해 있어 그러므로 반도국이라 이른다.

① 淺(얕을 천)　　② 換(바꿀 환)　　③ 産(낳을 산)
④ 壤(흙 양)　　⑤ 環(고리 환)

답: ⑤

15. 단문 문제

① 白雲飛下暮山靑
　백 운 비 하 모 산 청
흰 구름 나는 아래 저녁 산이 푸르다.

② 秋陰漠漠四山空
　추 음 막 막 사 산 공
가을 그늘 막막한데 네 산이 비었구나.

③ 別有天地非人間
　별 유 천 지 비 인 간
하늘과 땅이 따로 있어 인간 세계가 아니다.

④ 落花時節又逢君
　락 화 시 절 우 봉 군
꽃 떨어지는 때 다시 낭군을 만나다.

⑤ 長夏江村事事幽
　장 하 강 촌 사 사 유
긴 여름 강마을 일마다 그윽하구나.

답: ③

16. 한자어 문제

① 七夕(칠석)　　② 元旦(원단)　　③ 仲秋(중추)
④ 冬至(동지)　　⑤ 端午(단오)

'幾度能尋織女橋'(기도능심직녀교)에 '織女'(직녀)가 눈에 뜨인다. 직녀? 예부터 전해 오던 이야기? 견우와 직녀 이야기이다.

답: ①

17. 사물 문제

數條竹爲骨, 一片紙作毛.
수 조 죽 위 골　일 편 지 작 모
몇 가닥 나무로 뼈를 삼고 한 조각 종이로 털을 만든다.
非是飽則去, 引風上雲霄.
비 시 포 즉 거　인 풍 상 운 소
배부름이 아니면 가고, 바람을 끌어들여 구름과 하늘로 오른다.

'數條竹爲骨, 一片紙作毛'와 '引風上雲霄'가 결정적인 단서이다.

답: ⑤

[18~19] 온달전(溫達傳)

公主對曰: "大王常語, 汝必爲溫達之婦, 今何
공 주 대 왈　대 왕 상 어　여 필 위 온 달 지 부　금 하
故, 改前言乎?
고　개 전 언 호
공주가 대답하여 말하기를, "대왕께서 너는 반드시 온달의 지어미가 될 것이라고 늘 말씀하시고서는 지금 무슨 까닭으로 앞에 하신 말씀을 고치시나이까?
匹夫猶不欲食言, 況至尊乎?
필 부 유 불 욕 식 언　황 지 존 호
필부도 오히려 식언하고자 하지 않거늘, 하물며 지존이겠습니까?

故曰 '王者無戲言'.
_{고 왈　왕 자 무 희 언}

그러므로 말하기를, '임금된 자는 농담하는 말이 없다'라고 하였습니다.

今大王之命, 謬矣. 妾不敢祗承."
_{금 대 왕 지 명　류 의　첩 불 감 지 승}

지금 대왕의 명은 그릇되었습니다. 저는 감히 공경하고 받들지 못하겠습니다."

18. 짜임 문제

㉠은 '전에 한 말'로 해석되므로 그 짜임은 '수식'이다.

① 上陸(상륙): 뭍에 오르다. (술보)
② 生辰(생신): 태어난 날. (수식)
③ 日沒(일몰): 해가 지다. (주술)
④ 祭祀(제사): 제사. (병렬)
⑤ 榮辱(영욕): 영예와 욕됨. (병렬)

답: ②

19. 해석 문제

① 信義(신의)　② 禮節(예절)　③ 友愛(우애)
④ 忍耐(인내)　⑤ 儉素(검소)

답: ①

[20~21] 항산(恒産)과 항심(恒心)

明君, 制民之産, 必使仰足以事父母, 俯足以畜
_{명 군　제 민 지 산　필 사 앙 족 이 사 부 모　부 족 이 축}

妻子, 樂歲, 終身飽, 凶年, 免於死亡, 然後,
_{처 자　낙 세　종 신 포　흉 년　면 어 사 망　연 후}

驅而之善.
_{구 이 지 선}

현명한 임금은 백성의 재산을 다스림에 반드시 우러러 어버이를 섬기기에 충분하고 굽어 아내와 자식을 먹임에 충분하게 해야 하니, 즐거운 해에는 몸을 다하도록 배부르게 해야 하며, 흉년에는 사망을 면하게 해야 하고, 그러한 뒤에 몰아 선함에 간다.

故, 民之從之也輕.
_{고　민 지 종 지 야 경}

그러므로 백성이 그것을 따르는 것이 가볍다.

20. 해석 문제

㉠은 '기르다'로 해석되는데 '부양하다'는 이를 자연스러운 표현으로 고친 것이다.

㉡은 '몰다'로 해석되는데 '유도하다'는 이를 자연스러운 표현으로 고친 것이다.

㉢은 '가볍다'로 해석되는데 '쉽다'는 이를 자연스러운 표현으로 고친 것이다.

답: ⑤

21. 해석 문제

① 백성들이 부모를 잘 섬길 수 있도록 교화해야 하는 것이 아니라 백성들을 선으로 몰려면 먼저 부모를 잘 섬길 수 있게 해 주어야 한다는 내용이다.

② '使'(시킬 사)는 사동의 뜻을 나타낼 때 쓰는 대표적인 글자이다.
③ '樂歲'는 '즐거운 해'로 해석되므로 '락'으로 읽는다. 따라서 '樂園'(낙원)의 '樂'과 음이 같다.
④ '終身'은 '樂歲'가 앞에 나오므로 문맥상 '일 년 내내'라고 해석할 수 있다고 보아 주자.
⑤ '之善'은 '선으로 가다'로 해석되므로 '之'는 '가다'의 뜻으로 쓰였다.

답: ①

[22~23] 사설(師説)

古之學者, 必有師.
_{고 지 학 자　필 유 사}

옛날의 배우는 사람은 반드시 스승이 있었다.

師者, 所以傳道授業解惑也.
_{사 자　소 이 전 도 수 업 해 혹 야}

스승이라는 것은 도를 전하고 배움을 주며 의혹을 풀어 주는 바의 것이다.

人非生而知之者, 孰能無惑?
_{인 비 생 이 지 지 자　숙 능 무 혹}

사람이 나면서부터 아는 사람이 아니니, 누가 의혹이 없을 수 있겠는가?

惑而不從師, 其爲惑也, 從不解矣.
_{혹 이 부 종 사　기 위 혹 야　종 불 해 의}

의혹됨에도 스승을 좇지 아니하면 그것이 바로 의혹이 되는 것이요, 끝내 풀지 못한다.

生乎吾前, 其聞道也, 固先乎吾, 吾從而師之,
_{생 호 오 전　기 문 도 야　고 선 호 오　오 종 이 사 지}

나보다 앞에 났어도 그 도를 들음이 진실로 나보다 앞서면 나는 그를 좇아 스승으로 삼을 것이고

生乎吾後, 其聞道也, 亦先乎吾, 吾從而師之.
_{생 호 오 후　기 문 도 야　역 선 호 오　오 종 이 사 지}

나보다 뒤에 났어도 그 도를 들음이 또한 나보다 앞서면 나는 그를 좇아 스승으로 삼을 것이다.

吾師道也, (　　㉡　　) 是故, 無貴無賤,
_{오 사 도 야　　　　　　　시 고　무 귀 무 천}

無長無少, 道之所存, 師之所存也.
_{무 장 무 소　도 지 소 존　사 지 소 존 야}

나는 도로 스승을 삼으니 ㉡ 이런 까닭으로 귀함이 없고 천함도 없으며 나이가 많음도 없고 적음도 없으며 도가 있는 곳이 스승이 있는 곳이다.

22. 해석 문제

㉠은 '누가 의혹이 없을 수 있겠는가?'로 해석되므로 '의혹이 있게 마련이다'라는 의미이다.

답: ①

23. 빈칸 문제

글의 흐름으로 보아 ㉡에는 '나보다 나이가 많은지 적은지를 따질 필요가 없다'라는 내용이 들어가야 한다.

답: ④

〔24~25〕 사람이 어리석은 까닭

人之患, 在常知我過於人, 而不知不及於人, 常
_{인지환 재상지아과어인 이부지불급어인 상}
欲上於人, 而不欲下於人, 常好我敎人, 而不好
_{욕상어인 이불욕하어인 상호아교인 이불호}
我問於人, 所以學聖賢而不至也.
_{아문어인 소이학성현이부지야}

사람의 근심은 늘 남보다 내가 앞선다고 알고 남보다 미치지
못함을 알지 못하는 데 있고, 항상 남보다 위에 있고자 하고
남보다 아래에 있고자 하지 않는 데 있으며, 늘 내가 남을 가
르치는 것만 좋아하고 내가 남에게 묻는 것은 좋아하지 않는
데 있으니, 성현을 배워도 이르지 못하는 까닭이다.

24. 해석 문제

㉠은 '~보다'라는 뜻으로 쓰였다.

① 良藥苦於口.
_{양약고어구}
좋은 약은 입에 쓰다. (~에)

② 霜葉紅於二月花.
_{상엽홍어이월화}
서리 맺힌 잎이 2월 꽃보다 붉다. (~보다)

③ 一年之計, 在於春.
_{일년지계 재어춘}
한 해의 계획은 봄에 있다. (~에)

④ 天下大事, 必作於細.
_{천하대사 필작어세}
천하의 큰 일도 반드시 가는 데에서 지어진다. (~에)

⑤ 己所不欲, 勿施於人.
_{기소불욕 물시어인}
자기가 하고자 하지 않는 바를 남에게 베풀지 말라. (~에게)

답: ②

25. 해석 문제

㉡은 '늘 내가 남을 가르치는 것만 좋아하고 내가 남에게 묻는
것은 좋아하지 않다'로 해석된다.

ㄱ. 人之患, 在好爲人師.
_{인지환 재호위인사}
사람의 근심은 남의 스승이 되기를 좋아하는 데 있다.

ㄴ. 不能舍己從人, 學者之大病.
_{불능사기종인 학자지대병}
자기를 버리고 남을 좇을 수 없는 것은 배우는 자의 큰 병이다.

ㄷ. 古之學者, 爲己, 今之學者, 爲人.
_{고지학자 위기 금지학자 위인}
옛날에 배우는 사람은 자기를 위하였는데, 오늘날 배우는 사
람은 남을 위한다.

ㄹ. 今之衆人, 其下聖人也, 亦遠矣, 而恥學於師.
_{금지중인 기하성인야 역원의 이치학어사}
오늘날의 뭇 사람은 그 성인의 아래에 있음이 또한 먼데도 스
승에게 배우는 것을 부끄러워한다.

문제에서 묻는 바를 정확하게 파악하지 못하면 답을 고르기 어려
운 문제이다. 이럴 때에는 적절하지 않은 것을 제거하는 것이 한
가지 방법이다. ㄱ은 ㉡과 의미가 통하고, ㄷ은 통하지 않으므로
ㄱ은 포함하고 ㄷ은 빠진 것을 고르면 답은 ④이다.

답: ④

〔26~27〕 황희 정승

昔, 黃相國喜, 微時行役, 憩于路上, 見田父駕
_{석 황상국희 미시행역 게우로상 견전부가}
二牛耕者, 問曰: "二牛, 何者爲勝?"
_{이우경자 문왈 이우 하자위승}

옛날에 황희 정승이 한미한(가난하고 지체가 변변하지 않은) 때
에 길을 다니다가 길 위에서 쉬는데, 농부가 두 소를 부려 밭가
는 것을 보고 물어 말하기를, "두 소에서 어느 것이 나은가?"

田父不對, 輟耕而至, 附耳細語曰: "此牛勝."
_{전부부대 철경이지 부이세어왈 차우승}
농부가 대답하지 않고 밭가는 것을 멈추고 이르러 귀에 대고
작은 말로 말하기를, "이 소가 낫습니다."

公怪之曰: "何以附耳相語?"
_{공괴지왈 하이부이상어}
공이 그것을 괴이하게 여기고 말하기를, "무슨 까닭으로 귀에
대고 서로 말하는가?"

田父曰: "雖畜物, 其心與人同也. 此勝則彼劣."
_{전부왈 수축물 기심여인동야 차승즉피열}
농부가 말하기를, "비록 가축이라도 그 마음은 사람과 같습니
다. 이가 나으면 저는 못한 것입니다."

公大悟, 遂不復言人長短云.
_{공대오 수불부언인장단운}
공이 크게 깨닫고 마침내 다시는 남의 장점과 단점을 말하지
않았다고 한다.

26. 빈칸 문제

使牛聞之, 寧無不平之心乎?
_{사우문지 녕무불평지심호}
소가 그것을 듣게 한다면 어찌 불평하는 마음이 없겠습니까?

<보기>의 문장은 '농부'가 한 말이고, '황희'가 귀에 대고 말하는
이유를 물은 다음에 나와야 하므로 ㉣에 들어가야 한다.

답: ④

27. 해석 문제

윗글의 내용을 교훈으로 삼아야 할 사람은 '다른 사람의 잘잘못
을 말하기 좋아하는 사람'이다.

답: ③

〔28~30〕 두 보, 「절구(絶句)」
　　　　이규보, 「설중방우인불우(雪中訪友人不遇)」

江碧鳥逾白,　강이 푸르니 새가 더욱 희고
_{강벽조유백}
山靑花欲然.　산이 푸르고 꽃은 불타고자 한다.
_{산청화욕연}
今春看又過,　이번 봄도 또 지나가는 것을 보니
_{금춘간우과}
何日是歸年.　어느 날이 돌아가는 해일까.
_{하일시귀년}

雪色白於紙, _{설 색 백 어 지}	눈빛이 종이보다 희어
舉鞭書姓字. _{거 편 서 성 자}	채찍을 들고 성을 쓴다.
莫敎風掃地, _{막 교 풍 소 지}	바람이 땅을 쓸게 하지 말거라,
好待主人至. _{호 대 주 인 지}	주인이 이르는 것을 기다리는 것을 좋아하거라.

28. 해석 문제

㉠은 '불타다'라는 의미이다. '然'(그러할 연)이 '燃'(불탈 연)의 뜻으로 쓰인 경우이다. 이는 시를 읽어서 알 수 없는 것이므로 몰랐다면 꼭 알아두자.

㉡은 '지나가다'로 해석되므로 '허물'로 해석되는 '過誤'(과오)의 '過'와 뜻이 다르다.

㉢의 주체는 시적 화자이다.

㉣은 '말다'로 해석되므로 '勿'(말 물)과 뜻이 통한다.

㉤의 음은 '대'이므로 '帶'(띠 대)와 음이 같다.

답: ②

29. 해석 문제

㉮는 '채찍을 들어 성을 쓰다'로 해석된다. 시적 화자가 이렇게 행동한 이유는 '자신이 다녀간 것을 알리고 싶어서'이다.

답: ③

30. 한시 문제

ㄱ. (가)의 제1구와 제2구는 푸르고 붉은 색채의 대비가 뚜렷하게 나타나 있다.

ㄴ. (가)에 아름다운 경치가 있고 시적 화자가 시름에 잠겨 있지만 아름다운 경치를 통해 시적 화자의 시름을 이끌어내고 있는지는 다소 불확실하다.

ㄷ. 오언시는 두 자, 세 자로 끊어 읽는다. 이는 오언시를 읽는 대원칙이다.

ㄹ. 두 구가 문법적 기능이 동일한 글자의 배열로 이루어져 있을 때 대우를 이룬다고 한다. (나)의 셋째 구와 넷째 구는 문법적 기능이 동일한 글자의 배열로 이루어져 있지 않으므로 대우를 이루고 있지 않다.

따라서 ㄱ, ㄷ을 포함하고 ㄹ이 들어 있지 않은 설명을 고르면 답은 ④이다.

답: ④

동아시아의 수학

今有圓木, 徑二寸五尺.
<small>금 유 원 목   경 이 촌 오 척</small>

지금 둥근 나무가 있어 지름이 2촌 5척이다.

欲爲方板, 令厚七寸. 問廣幾何.
<small>욕 위 방 판   령 후 칠 촌   문 광 기 하</small>

모난 판을 만들고자 하는데 두께가 7척이 되게 한다.
너비가 얼마인가 묻는다.

答曰, 二尺四寸.
<small>답 왈   이 척 사 촌</small>

답하여 말하기를 2척 4촌이다.

術曰, 令徑二尺五寸自乘, 以七寸自乘, 減之,
<small>술 왈   령 경 이 척 오 촌 자 승   이 칠 촌 자 승   감 지</small>

其餘開方除之, 卽廣.
<small>기 여 개 방 제 지   즉 광</small>

방법을 말하기를 지름 2척 5촌을 제곱하고 7촌의 제곱으로써 그것을
덜어 그 나머지로 제곱근을 열어 그것을 없애면 곧 너비이다.

* 문제 풀이

1척은 10촌이므로 이 문제는 오른쪽
그림처럼 지름의 길이가 25인 원에
내접하는 직사각형에서 한 변의 길이가
7일 때, 나머지 변의 길이를 묻는 문제가
된다. 따라서 나머지 한 변의 길이는
피타고라스의 정리에 의하여

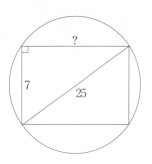

$$\sqrt{25^2 - 7^2} = \sqrt{625 - 49} = \sqrt{576} = 24$$

가 된다. 이는 위 글에서 답으로 제시한 2척 4촌과 일치한다.

1. 그림과 대화의 내용으로 보아 ㉠에 알맞은 것은? [1점]

학생: 선생님! 이 그림은 누가 그린 건가요? 참 운치가 있는데요.

교사: 그렇지요. 이 그림 우측에 "늙은 나이에 보는 꽃은 안개 속에서 보는 듯하네."라는 두보의 시구가 적혀 있어요. 김홍도가 이 시를 읽고 이 그림을 그렸다고 합니다.

학생: 여백의 미를 느낄 수 있어요. 언덕 위에 있는 건 무슨 꽃인가요?

교사: 매화랍니다. 이 그림은 배 위에서 매화를 바라보는 모습을 그렸다고 하여 '舟上(㉠)梅圖'라고 합니다.

① 想　　② 觀　　③ 寒　　④ 詠　　⑤ 吟

2. 두 자를 <보기>와 같이 합하여 하나의 한자로 만들 때, ㉠과 ㉡의 음이 모두 옳은 것은? [1점]

―――――<보 기>―――――
雨 + 路 = (露)

○ 山 + 嚴 = (㉠)　　○ 勿 + 心 = (㉡)

	㉠	㉡		㉠	㉡
①	엄	물	②	엄	문
③	암	물	④	암	홀
⑤	엄	홀			

3. 다음 조건을 모두 만족시키는 한자는? [1점]

'省'과 결합하면 '자신을 돌이켜 살핌'을 뜻하는 말이 되지.

갑골문으로는 이렇게 생겼어.

'班'와/과 음이 같아.

총획은 '切'과 같아.

① 反　　② 半　　③ 方　　④ 斤　　⑤ 內

4. 같은 뜻을 지닌 한자끼리 연결된 것을 <보기>에서 고른 것은? [1점]

―――――<보 기>―――――
ㄱ. 送 — 迎　　ㄴ. 副 — 次
ㄷ. 悲 — 哀　　ㄹ. 優 — 劣

① ㄱ, ㄴ　　② ㄱ, ㄷ　　③ ㄴ, ㄷ
④ ㄴ, ㄹ　　⑤ ㄷ, ㄹ

5. 대화의 내용으로 보아 ㉠에 알맞은 것은? [1점]

어머! 웬 팥죽이에요?

오늘이 일 년 중 밤이 가장 길다는 (㉠)잖니.

① 端午　　② 除夜　　③ 夏至　　④ 穀雨　　⑤ 冬至

6. 카드의 내용으로 보아 ㉠에 들어갈 것은? [1점]

【 ㉠ 】

원래의 뜻　답안지를 누름.

확장된 뜻　여럿 가운데 가장 뛰어난 것.

① 龜鑑　　② 白眉　　③ 卓越　　④ 壓卷　　⑤ 出衆

7. 대화의 내용으로 보아 옳은 것만을 있는 대로 고른 것은?

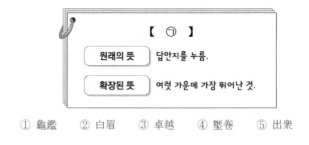

이번에는 '角逐'에 대해 알아볼까요?

'각광'으로 읽어요. …㉠

'서로 이기려고 다투며 덤벼든다.'는 의미이지요. …㉡

유의어로는 '頭角'을 들 수 있어요. …㉢

"운동 경기에서 두 팀이 角逐을 벌였어." 라고 활용할 수 있어요. …㉣

① ㉠, ㉢　　② ㉡, ㉢　　③ ㉡, ㉣
④ ㉠, ㉡, ㉣　　⑤ ㉠, ㉢, ㉣

8. 대화의 내용으로 보아 ㉠에 들어갈 것은? [1점]

① 占　　② 點　　③ 計　　④ 慮　　⑤ 店

9. 글의 내용으로 보아 ㉠에 알맞은 것은?

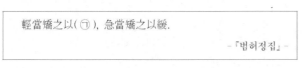

輕當矯之以(㉠), 急當矯之以緩.

- 『범허정집』 -

① 快　　② 微　　③ 薄　　④ 重　　⑤ 率

10. 화살표 방향으로 성어를 채울 때, ㉠에 들어갈 것은?

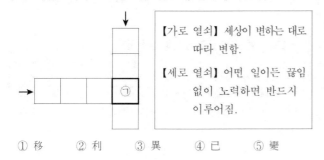

【가로 열쇠】 세상이 변하는 대로 따라 변함.

【세로 열쇠】 어떤 일이든 끊임 없이 노력하면 반드시 이루어짐.

① 移　　② 利　　③ 異　　④ 已　　⑤ 變

11. 글에서 강조하고 있는 것은?

國家所以維持者, 人心而已, 雖危亂之際, 人心固結則國安, 人心離散則國危.

- 『서애집』 -

① 對備　　② 團結　　③ 平等　　④ 實踐　　⑤ 修身

12. 대화의 내용으로 보아 ㉠에 알맞은 것은? [1점]

① 近墨者黑.　　② 隨友適江南.　　③ 無說己之長.
④ 施恩勿求報.　　⑤ 無友不如己者.

13. 그림의 한자로 만들 수 있는 사자성어의 의미와 관계있는 것은?

① 그 일이 일어나기도 전에 예측하다니 대단해.
② 바로 눈앞에서 벌어진 일도 알아채지 못했네.
③ 그 일의 원인은 굳이 물어보지 않아도 알 수 있어.
④ 모르는 게 있으면 나이 어린 사람에게도 물어봐야 해.
⑤ 넘어진 아이를 보고 마음이 아파 그냥 지나치지 못했어.

14. 글에서 말하고자 하는 것은? [1점]

제나라 환공이 유람을 하다가 폐허가 된 옛 성을 보고 야인에게 물었다.

환공 : 이곳은 누가 살던 곳인가?
야인 : 곽 씨가 살던 곳입니다.
환공 : 곽 씨가 어찌하였기에 이 성이 폐허가 되었는가?
야인 : 곽 씨는 선을 좋아하고 악을 미워했습니다.
환공 : 선을 좋아하고 악을 미워하는 것은 사람이 행할 선행이거늘, 이렇게 폐허가 된 것은 어째서인고?
야인 : 선을 좋아했지만 실행하지는 못하였고, 악을 미워 했지만 없애지는 못하였기 때문입니다.

- 『신서』 -

① 上善若水　　② 與民同樂　　③ 智者一失
④ 知行合一　　⑤ 晚時之歎

15. 광고의 내용과 의미가 통하는 것은?

① 精神一到, 何事不成.
② 家貧思賢妻, 國亂思良相.
③ 三日之程, 一日往, 十日臥.
④ 道吾過者, 是吾師, 談吾美者, 是吾賊.
⑤ 幼而不學, 老無所知, 春若不耕, 秋無所望.

16. 시나리오의 ㉠에 들어갈 성어로 알맞은 것은? [1점]

S#52. 절벽 위

박혜영이 몰던 자동차가 절벽 끝에 아슬아슬하게 매달려 있다. 박혜영은 남유진에게 다급하게 전화를 건다.

박혜영: (공포에 질린 목소리로) 나 좀 살려 줘요!

남유진: (깜짝 놀란 표정으로) 어디예요? 무슨 일이에요?

차가 떨어질 듯 움직이기 시작한다.

박혜영: 여기가 어딘지 나도 몰라요. 차가 떨어지려 해요. 빨리 와서 도와 주세요!

남유진: 내가 찾을게요. 조금만 기다려요. ㉠ 처럼 빨리 달려갈게요.

① 馬耳東風　　② 電光石火　　③ 行雲流水

④ 言飛千里　　⑤ 歲月如流

17. 글에서 설명하고 있는 것은?

取瓦片磨圓, 或五或三, 仰擲俯拾, 手猶餘閑, 有終日擲, 而一不墜者.

＊擲(척): 던지다　　＊俯(부): 숙이다　　＊墜(추): 떨어뜨리다

－『한양세시기』－

① 　② 　③

④ 　⑤

[18~19] 다음 글을 읽고 물음에 답하시오.

敬順王謀降高麗, 王子曰: "國之存亡, 必有天命, 當與忠臣義士, 收合人心, 以死自(㉠), 力盡後已, 豈宜以一千年社稷, 輕以㉡與人?" 王不聽. 王子哭泣辭王, 徑入皆骨.

＊社稷(사직): 국가

－『해동속소학』－

18. 글의 내용으로 보아 ㉠에 알맞은 것은?

① 慢　　② 淨　　③ 給　　④ 負　　⑤ 守

19. ㉡과 다른 뜻으로 쓰인 것은?

① 寄與　　② 參與　　③ 贈與　　④ 授與　　⑤ 賦與

[20~21] 다음 글을 읽고 물음에 답하시오.

冉求曰: "非不㉠說子之道, 力不足也." 子曰: "力不足者, 中道而廢, 今女㉡畫."

＊冉求(염구): 사람 이름

－『논어』－

20. ㉠과 ㉡의 음이 모두 옳은 것은?

	㉠	㉡			㉠	㉡
①	설	화		②	설	획
③	열	화		④	열	획
⑤	설	주				

21. 윗글에서 얻을 수 있는 교훈으로 알맞은 것은?

① 실천 가능한 목표를 세워야 한다.

② 자신의 부족한 능력을 알아야 한다.

③ 남에 대해 함부로 말해서는 안 된다.

④ 노력해 보지도 않고 먼저 포기해서는 안 된다.

⑤ 욕심내지 않고 만족할 줄 아는 삶을 살아야 한다.

[22~23] 다음 글을 읽고 물음에 답하시오.

金先生, 善談笑. 嘗訪友人家, 主人設酌, 只佐蔬菜, 先㉠謝曰: "家貧市遠, ㉡絕無兼味, 惟淡泊是㉢愧耳." 適有群鷄, 亂啄庭除. 金曰: "大丈夫, 不惜千金, 當斬吾馬, 佐酒." 主人曰: "斬一馬, ㉣騎何物而還?" 金曰: "借鷄騎還." 主人大笑, 殺鷄餉之.

＊啄(탁): 쪼다　　＊斬(참): 베다　　＊餉(향): 대접하다

－『태평한화골계전』－

22. ㉠~㉤에 대한 설명으로 옳지 않은 것은?

① ㉠은 '感謝'의 '謝'와 뜻이 같다.

② ㉡은 '전혀'라는 의미이다.

③ ㉢은 '恥'와 의미가 통한다.

④ ㉣의 주체는 '金先生'이다.

⑤ ㉤은 '差別'의 '差'와 음이 같다.

23. 윗글의 내용으로 알 수 있는 것을 <보기>에서 고른 것은?

＜보 기＞

ㄱ. 김 선생은 집이 가난하였다.

ㄴ. 김 선생은 재치 있는 말을 잘하였다.

ㄷ. 주인의 집에 닭이 여러 마리 있었다.

ㄹ. 주인은 김 선생에게 닭을 빌려 주었다.

① ㄱ, ㄴ　　② ㄱ, ㄷ　　③ ㄴ, ㄷ

④ ㄴ, ㄹ　　⑤ ㄷ, ㄹ

[24~25] 다음 글을 읽고 물음에 답하시오.

> 孫叔敖爲嬰兒, 出遊而還, 憂而不食. 其母問其故, 泣而對曰:
> "今日㉠吾見兩頭蛇, 恐去死無日矣." 母曰: "今蛇安在?" 曰:
> "㉡吾聞見兩頭蛇者死. ㉢吾恐他人見之, 已埋之矣." 母曰:
> "㉣汝不死. ㉤吾聞之, 有陰德者, 天報以福."
>
> 　　*孫叔敖(손숙오): 사람 이름　　*嬰(영): 아이
> 　　　　　　　　　　　　　　　　　　-『몽구』-

24. ㉠~㉤ 중 가리키는 대상이 같은 것만을 있는 대로 고른 것은?

① ㉠, ㉣　　② ㉡, ㉢　　③ ㉠, ㉡, ㉢
④ ㉡, ㉢, ㉣　　⑤ ㉠, ㉡, ㉢, ㉣

25. 윗글의 흐름으로 보아 <보기>의 문장이 들어갈 위치로 알맞은 것은?

> ─────<보 기>─────
> 無憂.

① (가)　　② (나)　　③ (다)　　④ (라)　　⑤ (마)

[26~27] 다음 글을 읽고 물음에 답하시오.

> 趨向自正者, 才藝雖鮮, 有時可用, 趨向旣不正, 才藝雖多,
> 適足以助爲亂. 凡選擧之求材藝者, 爲其可以理人也. 材藝雖
> (㉠), 以正直爲本者, 以其材有時理也. 材藝雖(㉡),
> 其所趨向, 未免邪僞, 則理人姑捨, 反致紊亂. 故擇人者, 先觀趨
> 向之邪正, 不可只取其材藝也.
>
> 　　*趨(추): 달리다　　*紊(문): 어지럽다
> 　　　　　　　　　　　　　　　　　-『추측록』-

26. 글의 내용으로 보아 ㉠과 ㉡에 알맞은 것은?

	㉠	㉡
①	充分	未多
②	有餘	不少
③	不少	缺如
④	缺如	不足
⑤	未多	有餘

27. 윗글에 나타난 인재 선발의 가장 중요한 기준은?

① 다양한 재능을 지녔는가.
② 추구하는 바가 올바른가.
③ 사람을 바르게 이끌 수 있는가.
④ 사리를 바르게 분별할 수 있는가.
⑤ 일사불란하게 일을 처리할 수 있는가.

[28~30] 다음 시를 읽고 물음에 답하시오.

> (가) 獨坐㉠幽篁裏, 　　彈琴㉡復長嘯.
> 　　　深林人不知, 　　明月來相㉢照.
>
> 　　　　　*篁(황): 대숲　　*嘯(소): 읊조리다
> 　　　　　　　　　　　　　　-왕유, 「竹里館」-
>
> (나) 臨溪茅屋獨㉣閑居, 　　月白風淸興有餘.
> 　　　外客不來山鳥語, 　　移床竹塢臥㉤看書.
>
> 　　　　　*茅(모): 띠　　*塢(오): 산자락
> 　　　　　　　　　　　　　　-길재, 「述志」-

28. ㉠~㉤의 풀이로 옳지 않은 것은?

① ㉠: 서늘하다　　　② ㉡: 다시
③ ㉢: 비추다　　　　④ ㉣: 한가하다
⑤ ㉤: 보다

29. 위 시에 대한 설명으로 옳은 것만을 <보기>에서 있는 대로 고른 것은?

> ─────<보 기>─────
> ㄱ. (가)의 첫째 구와 둘째 구는 대우(對偶)를 이루고 있다.
> ㄴ. (가)의 셋째 구는 '深林 / 人不知'로 띄어 읽는다.
> ㄷ. (나)의 첫째 구에서는 공간적 배경이 드러난다.
> ㄹ. (나)의 둘째 구에서는 과장된 표현이 사용되었다.

① ㄱ, ㄷ　　② ㄱ, ㄹ　　③ ㄴ, ㄷ
④ ㄱ, ㄴ, ㄹ　　⑤ ㄴ, ㄷ, ㄹ

30. 위 시에 대한 이해로 옳지 않은 것은?

① (가)와 (나)에서는 공통된 소재가 쓰였군요.
② (가)의 시적 화자는 밝은 달이 자신을 찾아온 것으로 표현했네요.
③ (가)에는 시적 화자를 알아주지 않는 세상에 대한 불만이 담겨 있네요.
④ (나)에는 자연 속에서의 한적한 삶이 그려져 있네요.
⑤ (나)의 셋째 구에서는 시적 화자를 찾아오는 사람이 없음을 표현하고 있어요.

> * 확인 사항
> ○ 답안지의 해당란에 필요한 내용을 정확히 기입(표기)했는지 확인하시오.

2017학년도 6월 모의평가

1	②	7	③	13	①	19	②	25	⑤
2	④	8	②	14	④	20	④	26	⑤
3	①	9	④	15	⑤	21	④	27	②
4	③	10	①	16	②	22	①	28	①
5	⑤	11	②	17	②	23	③	29	③
6	④	12	④	18	⑤	24	③	30	③

1. 그림 문제

'배 위에서 매화를 바라보는 모습'을 그렸다고 하여 '舟上(㉠) 梅圖'라고 한다고 했으므로 ㉠에는 '바라보다'를 뜻하는 한자가 들어가야 한다.

① 想(생각할 상)　　② 觀(볼 관)　　③ 寒(찰 한)

④ 詠(읊을 영)　　⑤ 吟(읊을 음)

답: ②

2. 합자 문제

山＋嚴＝巖(바위 암), 勿＋心＝忽(소홀할 홀)이다.

답: ④

3. 조건을 만족하는 한자 문제

조건을 만족하는 한자를 찾는 문제이다. 문제에서는 결합할 수 있는 한자, 음, 총획 그리고 갑골문의 모양을 알려 주고 있다. 보통은 음으로 찾는 게 가장 빠르므로 음이 '班'(나눌 반)과 같은 한자를 먼저 찾아보자.

① 反(돌이킬 반)　　② 半(절반 반)　　③ 友(벗 우)

④ 斤(도끼 근)　　⑤ 內(안 내)

여기에서 음이 '반'인 것은 '反'과 '半'뿐이다. 이제 '省'(살필 성)과 결합하면 '자신을 돌이켜 살핌'을 뜻하는 말이 되는 것을 찾으면 '反'임을 알 수 있다.

답: ①

4. 의미 관계 문제

ㄱ. 送(보낼 송) - 迎(맞을 영)

ㄴ. 副(버금 부) - 次(버금 차)

ㄷ. 悲(슬플 비) - 哀(슬플 애)

ㄹ. 優(넉넉할 우) - 劣(못할 렬)

답: ③

5. 한자어 관계

① 端午(단오)　　② 除夜(제야)　　③ 夏至(하지)

④ 穀雨(곡우)　　⑤ 冬至(동지)

답: ⑤

6. 한자어 문제

① 龜鑑(귀감)　　② 白眉(백미)　　③ 卓越(탁월)

④ 壓卷(압권)　　⑤ 出衆(출중)

'압권'의 뜻을 알고 있었으면 더 볼 것도 없다. 그러나 몰랐다면 원래의 뜻이 '답안지를 누름'이므로 '누름'이 들어가는 한자어를 찾으면 된다.

답: ④

7. 한자어 문제

㉠ '角逐'은 '각축'으로 읽는다.

㉡ 서로 이기려고 다투며 덤벼든다는 의미이다.

㉢ '頭角'(두각)은 뛰어난 학식이나 재능 등을 비유적으로 나타내는 말로, '角逐'과는 무관하다.

㉣ "운동 경기에서 두 팀이 角逐을 벌였어."라고 활용할 수 있다.

답: ③

8. 한중일 한자어 문제

① 占(차지할 점)　　② 點(점 점)　　③ 計(셈 계)

④ 慮(생각할 려)　　⑤ 店(가게 점)

답: ②

9. 대구 문제

輕當矯之以(㉠), 急當矯之以緩.
　경　당　교　지　이　　　　　　급　당　교　지　이　완

가벼우면 마땅히 ㉠으로써 그것을 바로잡아야 하고, 급하면 마땅히 느림으로써 그것을 바로잡아야 한다.

윗글을 해석해서 푸는 문제가 아니다. 한문의 대구를 이용해서 빈칸에 알맞은 한자를 찾는 문제다. '輕當矯之以㉠'과 '急當矯之以緩'이 대구를 이루고 있고, '急'(급할 급)과 '緩'(느릴 완)이 반대되는 뜻의 한자이므로 ㉠에는 '輕'(가벼울 경)과 반대되는 뜻의 한자가 들어가야 한다. 따라서 ㉠에 들어갈 한자는 '重'(무거울 중)이다.

답: ④

10. 십자말풀이 문제

가로 열쇠는 '與世推移'(여세추이), 세로 열쇠는 '愚公移山'(우공이산)이다.

답: ①

11. 한자어 문제

國家所以維持者, 人心而已, 雖危亂之際, 人心
　국　가　소　이　유　지　자　　인　심　이　이　　수　위　란　지　제　　인　심
固結則國安, 人心離散則國危.
　고　결　즉　국　안　　인　심　리　산　즉　국　위

국가가 유지하는 바의 것은 사람의 마음일 뿐이니, 비록 위태롭고 어지러운 사이에서도 사람의 마음이 굳게 맺어지면 나라가 편안하고, 사람의 마음이 떨어져 흩어지면 나라가 위태롭다.

① 對備(대비)　　② 團結(단결)　　③ 平等(평등)

④ 實踐(실천)　　⑤ 修身(수신)

답: ②

12. 단문 문제

① 近墨者黑. 먹을 가까이하는 자는 검어진다.
근 묵 자 흑

② 隨友適江南. 친구 따라 강남 간다.
수 우 적 강 남

③ 無說己之長. 자기의 장점을 말하지 말라.
무 설 기 지 장

④ 施恩勿求報. 은혜를 베풀고 갚음을 구하지 말라.
시 은 물 구 보

⑤ 無友不如己者. 자기만 못한 자를 벗하지 말라.
무 우 불 여 기 자

답: ④

13. 카드 문제

① 그 일이 일어나기도 전에 예측하다니 대단해.
　☞ 先見之明(선견지명)

② 바로 눈앞에서 벌어진 일도 알아채지 못했네.
　☞ 燈下不明(등하불명)

③ 그 일의 원인은 굳이 물어보지 않아도 알 수 있어.
　☞ 不問可知(불문가지)

④ 모르는 게 있으면 나이 어린 사람에게도 물어봐야 해.
　☞ 不恥下問(불치하문)

⑤ 넘어진 아이를 보고 마음이 아파 그냥 지나치지 못했어.
　☞ 不忍之心(불인지심)

답: ①

14. 사자성어 문제

① 上善若水(상선약수): 최고의 선은 물과 같음.
② 與民同樂(여민동락): 백성과 더불어 함께 즐거워함.
③ 智者一失(지자일실): 지혜로운 사람의 한 가지 실수.
④ 知行合一(지행합일): 앎과 행동이 하나로 맞음.
⑤ 晩時之歎(만시지탄): 늦은 때의 탄식.

답: ④

15. 단문 문제

① 精神一到, 何事不成.
　정신 일 도　하 사 불 성
　정신이 한 번 이르면 어떤 일이 이루어지지 않겠는가.

② 家貧思賢妻, 國亂思良相.
　가 빈 사 현 처　국 란 사 량 상
　집이 가난하면 현명한 아내를 생각하고, 나라가 어지러우면 좋은 재상을 생각한다.

③ 三日之程, 一日往, 十日臥.
　삼 일 지 정　일 일 왕　십 일 와
　사흘의 노정을 하루에 가면 열흘을 몸져눕는다.

④ 道吾過者, 是吾師, 談吾美者, 是吾賊.
　도 오 과 자　시 오 사　담 오 미 자　시 오 적
　나의 허물을 말하는 사람은 바로 나의 스승이요, 나의 아름다움을 말하는 사람은 바로 나의 도적이다.

⑤ 幼而不學, 老無所知, 春若不耕, 秋無所望.
　유 이 불 학　노 무 소 지　춘 약 불 경　추 무 소 망

어려서 배우지 않으면 늙어서 아는 바 없고, 봄에 밭갈지 않으면 가을에 바랄 바가 없다.

답: ⑤

16. 시나리오 문제

2016년에 방영된 드라마 '태양의 후예'의 한 장면이다.

① 馬耳東風(마이동풍): 말 귀에 동쪽 바람, 남의 말을 귀담아 듣지 않고 곧 흘려버림.

② 電光石火(전광석화): 번갯불과 돌이 서로 맞부딪칠 때 나는 불. 아주 신속한 동작.

③ 行雲流水(행운유수): 지나가는 구름과 흐르는 물. 일이 막힘이 없음.

④ 言飛千里(언비천리): 말이 천 리를 날아감. 말이 빠르고도 멀리 퍼짐.

⑤ 歲月如流(세월여류): 세월은 흐름과 같음. 세월이 매우 빨리 흘러감.

답: ②

17. 단문 문제

> 取瓦片磨圓, 或吾或三, 仰擲俯拾, 手猶餘閑,
> 취 와 편 마 원　혹 오 혹 삼　앙 척 부 습　수 유 여 한
> 有終日擲, 而一不墜者.
> 유 종 일 척　이 일 불 추 자
> 기와 조각을 취하여 갈아 둥글게 만들고, 혹은 다섯 혹은 셋으로 위로 던지고 숙여 잡는데 손이 오히려 남고 한가로워 날이 다하도록 던져 하나도 떨어뜨리지 않는 사람이 있다.

'仰擲俯拾'에서 글에서 설명하고 있는 것이 '공기놀이'임을 알 수 있다.

답: ②

[18~19] 마의태자(麻衣太子)

> 敬順王謀降高麗, 王子曰: "國之存亡, 必有天
> 경 순 왕 모 항 고 려　왕 자 왈　국 지 존 망　필 유 천
> 命, 當與忠臣義士, 收合人心, 以死自(㉠),
> 명　당 여 충 신 의 사　수 합 인 심　이 사 자
> 力盡後已, 豈宜一千年社稷, 輕以與人?"
> 력 진 후 이　기 의 일 천 년 사 직　경 이 여 인
> 경순왕이 고려에 항복할 것을 꾀하자 왕자가 말하기를: "나라의 존망은 반드시 천명에 있으니 마땅히 충신, 의사와 더불어 사람의 마음을 모으고 합하여 죽음으로써 스스로 ㉠하다가 힘이 다한 뒤에 그쳐야지, 어찌 일천 년 사직을 가벼움으로써 남에게 넘기는 것이 마땅하겠습니까?"
> 王不聽. 王子哭泣辭王, 徑入皆骨.
> 왕 불 청　왕 자 곡 읍 사 왕　경 입 개 골
> 왕이 듣지 않았다. 왕자가 울고 왕을 사양하고 지름길로 개골산에 들어갔다.

18. 짜임 문제

① 慢(느릴 만)　② 淨(깨끗할 정)　③ 給(줄 급)
④ 負(질 부)　　⑤ 守(지킬 수)

답: ⑤

19. 뜻 문제

ⓛ은 '주다'라는 뜻으로 쓰였다. 그러나 ⓛ이 어떤 뜻으로 쓰였는지 몰랐더라도 ①~⑤의 한자어를 읽어 나머지 네 개와 다른 뜻으로 쓰인 '與'를 찾을 수 있다.

　① 寄與(기여)　　② 參與(참여)　　③ 贈與(증여)

　④ 授與(수여)　　⑤ 賦與(부여)

답: ②

[20~21] 논어(論語)

> 冉求曰: "非不説子之道, 力不足也."
> 염구왈　　　비불열자지도,　력부족야
> 염구가 말하기를, "선생님의 도를 좋아하지 않음이 아닌데, 힘이 충분하지 않습니다."
>
> 子曰: "力不足者, 中道而廢, 今女畫."
> 자왈　　　력부족자,　중도이폐,　금여획
> 공자가 말하기를, "힘이 충분하지 않은 사람은 중도에 그만두니 지금 너는 금긋고 있구나."

20. 해석 문제

㉠은 '좋아하다'로 해석되므로 '열'로 읽는다. ㉡은 '긋다'라는 뜻으로 쓰일 때에는 '획'으로 읽는데, '畫'(그림 화)가 '그을 획'으로도 쓰인다는 것을 알고 있는 사람이 많지 않았을 것이다.

원래 '畫'는 '그림 화'와 '그을 획'의 두 가지로 쓰이다가 이를 구별하고자 '그을 획'을 나타내는 '劃'이라는 한자를 만들었다. 중국에서는 한자의 획수를 가리킬 때 '劃' 대신에 '畫'을 쓴다.

답: ④

21. 해석 문제

윗글에서 얻을 수 있는 교훈으로 알맞은 것은 '노력해 보지도 않고 먼저 포기해서는 안 된다'이다.

답: ④

[22~23] 차계기환(借鷄騎還)

> 金先生, 善談笑.
> 김선생,　선담소
> 김 선생은 담소를 잘하였다.
>
> 嘗訪友人家, 主人設酌, 只佐蔬菜, 先謝曰:
> 상방우인가,　주인설작,　지좌소채,　선사왈
> 일찍이 벗의 집을 방문하자 주인이 술자리를 베풀고 다만 채소로 도우면서(안주로 하면서) 먼저 사과하여 말하기를,
>
> "家貧市遠, 絕無兼味, 惟淡泊是愧耳."
> 가빈시원,　절무겸미,　유담박시괴이
> "집이 가난하고 시장이 멀어 겸할 맛(다른 음식)이 전혀 없고 오직 담박함이 부끄러울 뿐이다."
>
> 適有群鷄, 亂啄庭除.
> 적유군계,　란탁정제
> 때마침 여러 닭이 있어 어지럽게 뜰을 쪼았다.
>
> 金曰: "大丈夫, 不惜千金, 當斬吾馬, 佐酒."
> 김왈　　대장부,　불석천금,　당참오마,　좌주
> 김 선생이 말하기를, "대장부는 천금을 아까워하지 않으니 마

땅히 내 말을 베어 술을 돕겠다(안주를 차리겠다)."

> 主人曰: "斬一馬, 騎何物而還?"
> 주인왈　　참일마,　기하물이환
> 주인이 말하기를, "하나뿐인 말을 베면 어떤 것을 타고 돌아가는가?"
>
> 金曰: "借鷄騎還." 主人大笑, 殺鷄餉之.
> 김왈　　차계기환　　주인대소,　살계향지
> 김 선생이 말하기를, "닭을 빌려 타고 돌아간다." 주인이 크게 웃고 닭을 죽여 그를/그것을 대접했다.

22. 해석 문제

㉠은 '빌다'라는 뜻이다. '謝過'(사과), '謝罪'(사죄)에서 '謝'가 '빌다'라는 뜻으로 쓰였다. 반면 '感謝'(감사)의 '謝'는 '고마워하다'는 뜻이다.

답: ①

23. 해석 문제

ㄱ. 집이 가난하다고 말한 사람은 김 선생이 아니라 김 선생의 친구이다.

ㄴ. 윗글 전체에서 김 선생이 재치 있는 말을 잘함을 알 수 있다.

ㄷ. 주인의 집에 닭이 여러 마리 있어 뜰을 어지럽게 쪼았다.

ㄹ. 주인은 김 선생에게 닭을 빌려 주지 않고 잡아 대접하였다.

답: ③

[24~25] 손숙오(孫叔敖)

> 孫叔敖爲嬰兒, 出遊而還, 憂而不食.
> 손숙오위영아,　출유이환,　우이불식
> 손숙오가 어린아이가 되어 나와 놀다가 돌아오더니 근심하고 먹지 않았다.
>
> 其母問其故, 泣而對曰: "今日吾見兩頭蛇, 恐去死無日矣."
> 기모문기고,　읍이대왈　　금일오견량두사,　공거사무일의
> 그 어머니가 그 까닭을 물으니 울면서 대답하여 말하기를, "오늘 제가 머리가 둘 달린 뱀을 보아 죽음으로부터 떨어짐이 날이 없을 것을 두려워합니다."
>
> 母曰: "今蛇安在?"
> 모왈　　금사안재
> 어머니가 말하기를, "지금 뱀은 어디에 있는가?"
>
> 曰: "吾聞見兩頭蛇者死. 吾恐他人見之, 已埋之矣."
> 왈　　오문견량두사자사　　오공타인견지,　이매지의
> 말하기를, "제가 머리 둘 달린 뱀을 본 자는 죽는다고 들었습니다. 제가 다른 사람이 그것을 볼 것을 두려워하여 그것을 이미 묻었습니다."
>
> 母曰: "汝不死. 吾聞之, 有陰德者, 天報以福."
> 모왈　　여불사　　오문지,　유음덕자,　천보이복
> 어머니가 말하기를, "너는 죽지 않는다. 내가 그것을 들었다, 숨은 덕이 있는 사람은 하늘이 복으로써 갚는단다."

24. 해석 문제

㉠~㉢은 '손숙오' ㉣은 '손숙오의 어머니'를 가리킨다.

답: ③

25. 해석 문제

> 無憂.
> 무우
> 걱정하지 말라.

윗글의 흐름으로 보아 '걱정하지 말라'는 내용은 ㈜에 들어가야 한다.

답: ⑤

〔26~27〕 인재를 선발하는 기준

> 趨向自正者, 才藝雖鮮, 有時可用, 趨向旣不
> 추 향 자 정 자 재 예 수 선 유 시 가 용 추 향 기 부
> 正, 才藝雖多, 適足以助爲亂.
> 정 재 예 수 다 적 족 이 조 위 란

달려 향함이 스스로 바른 자는 재주와 기예가 비록 드물더라도 때가 있어 쓰일 수 있지만 달려 향함이 이미 바르지 않으면 재주와 기예가 비록 많더라도 어지러움을 일으킴을 돕기에 알맞고 충분하다.

> 凡選擧之求材藝者, 爲其可以理人也.
> 범 선 거 지 구 재 예 자 위 기 가 이 리 인 야

무릇 골라 천거함이 구하는 재주와 기예라는 것은 그 사람을 다스릴 수 있음이다.

> 材藝雖(㉠), 以正直爲本者, 以其材有時
> 재 예 수   이 정 직 위 본 자 이 기 재 유 시
> 能理也.
> 능 리 야

재주가 비록 ㉠하더라도 정직으로써 근본을 삼은 사람은 그 재주가 있는 때로써 다스릴 수 있다.

> 材藝雖(㉡), 其所趨向, 未免邪僞, 則理
> 재 예 수   기 소 추 향 미 면 사 위 즉 리
> 人姑捨, 反致紊亂.
> 인 고 사 반 치 문 란

재주가 비록 ㉡하더라도 그 달리고 향하는 바가 간사하고 거짓됨을 면하지 못하면 사람을 다스리는 것은 고사하고 도리어 어지러움에 이른다.

> 故擇人者, 先觀趨向之邪正, 不可只取其材藝也.
> 고 택 인 자 선 관 추 향 지 사 정 불 가 지 취 기 재 예 야

그러므로 사람을 고르는 사람은 먼저 달려 향함의 간사하고 바름을 보아야지 다만 그 재주와 기예를 취해서는 안 된다.

26. 해석 문제

글의 내용으로 보아 ㉠에는 '적다'라는 뜻이, ㉡에는 '많다'라는 뜻이 들어가야 한다.

① 充分(충분)　未多(미다)　② 有餘(유여)　不少(불소)
③ 不少(불소)　缺如(결여)　④ 缺如(결여)　不足(부족)
⑤ 未多(미다)　有餘(유여)

답: ⑤

27. 해석 문제

마지막 부분에 결론이 나와 있다. 인재 선발의 가장 중요한 기준은 '추구하는 바가 올바른가'이다.

답: ②

〔28~30〕 왕 유, 「죽리관(竹里館)」
　　　　 길 재, 「술지(述志)」

> 獨坐幽篁裏,　　그윽한 대숲 속에 홀로 앉아
> 독 좌 유 황 리
> 彈琴復長嘯.　　거문고를 퉁기며 다시 길게 읊조린다.
> 탄 금 부 장 소
> 深林人不知,　　깊은 숲 사람이 알지 못하고
> 심 림 인 부 지
> 明月來相照.　　밝은 달이 와 서로 비춘다.
> 명 월 래 상 조
>
> 臨溪茅屋獨閑居,　　시내와 띠집에 임하여 홀로 한가롭게 사니
> 림 계 모 옥 독 한 거
> 月白風淸興有餘.　　달은 희고 바람은 맑아 흥이 남음이 있구나.
> 월 백 풍 청 흥 유 여
> 外客不來山鳥語,　　바깥손님은 오지 않고 산새가 말하니,
> 외 객 불 래 산 조 어
> 移床竹塢臥看書.　　대나무 산자락으로 상을 옮겨 누워 책을 본다.
> 이 상 죽 오 와 간 서

28. 해석 문제

㉠은 '그윽하다'라는 뜻이다.

답: ①

29. 한시 문제

ㄱ. 두 구가 문법적 기능이 동일한 글자의 배열로 이루어져 있을 때 대우를 이룬다고 한다. (가)의 첫째 구와 둘째 구는 문법적 기능이 동일한 글자의 배열로 이루어져 있지 않으므로 대우를 이루지 않는다.
ㄴ. 오언시는 두 자, 세 자로 끊어 읽는다. 이는 오언시를 읽는 대원칙이다.
ㄷ. (나)의 첫째 구 '茅屋'(모옥)에서 공간적 배경을 알 수 있다.
ㄹ. (나)의 둘째 구에서는 과장된 표현을 찾을 수 없다.

답: ③

30. 이해와 감상 문제

① 소재는 명사이므로, (가)와 (나)에 공통으로 나온 명사를 찾으면 된다. 해석을 하지 못했더라도 (가)와 (나)에 '月'(달)이라는 공통된 소재가 쓰였음을 알 수 있다.
② (가)의 시적 화자는 넷째 구에서 밝은 달이 자신을 찾아온 것으로 표현했다.
③ (가)에서는 시적 화자를 알아주지 않는 세상에 대한 불만을 찾을 수 없다. 그러나 그럼에도 불구하고 답일 수 있으므로 속단하지 말고 나머지 설명도 마저 읽어 보자.
④ (나)의 넷째 구에 자연 속에서의 한적한 삶이 그려져 있다.
⑤ (나)의 셋째 구에서는 시적 화자를 찾아오는 사람이 없음을 표현하고 있다.

답: ③

제 5 교시

제2외국어/한문 영역(한문I)

성명 [ ] 수험번호 [| | | | — | | |]

1. 그림과 대화의 내용으로 보아 ㉠에 알맞은 것은? [1점]

교사 : 무엇을 그린 그림일까요?

학생 : 소나무와 학 두 마리가 있네요. 부채를 든 동자는 찻물을 끓이는 거 같구요. 그런데 방안에 있는 분, 혹시 책을 베개 삼아서 자고 있는 건가요?

교사 : 그래요, 참 한가로워 보이죠? 이 작품은 "새 울음소리 높았다 낮았다 하니 낮잠 자기 딱 좋은 때로구나."라는 구절을 그림으로 표현한 것이랍니다. 그래서 이 그림의 제목을 '(㉠)圖'라고 합니다.

① 濯足　② 閑談　③ 花鳥　④ 群鶴　⑤ 午睡

2. ㉠과 ㉡에 해당하는 한자의 음이 모두 옳은 것은? [1점]

이 카드를 조합하여 만들 수 있는 한자로는 무엇이 있을까요?

'力'의 왼쪽에 '工'을 붙이면 '(㉠)'이, 오른쪽에 'ㅁ'를 붙이면 '(㉡)'가 되겠네요.

工　力　口

	㉠	㉡			㉠	㉡
①	강	가		②	공	가
③	강	거		④	공	거
⑤	강	구				

3. 같은 뜻을 지닌 한자끼리 연결된 것을 <보기>에서 고른 것은? [1점]

─────<보 기>─────
ㄱ. 厚 － 薄　　ㄴ. 住 － 居
ㄷ. 完 － 全　　ㄹ. 增 － 減

① ㄱ, ㄴ　② ㄱ, ㄹ　③ ㄴ, ㄷ
④ ㄴ, ㄹ　⑤ ㄷ, ㄹ

4. 다음 조건을 모두 만족시키는 한자는? [1점]

음은 '移'와 같아.

총획은 '色'과 같아.

갑골문으로는 이렇게 생겼어.

이 글자 뒤에 '順'을 결합하면 '예순 살'을 뜻하는 말로 쓰여.

① 而　② 瓦　③ 巨　④ 吏　⑤ 耳

5. 대화의 내용 중 옳은 것만을 있는 대로 고른 것은?

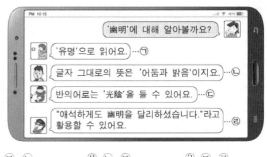

PM 10:15

'幽明'에 대해 알아볼까요?

'유명'으로 읽어요. …㉠

글자 그대로의 뜻은 '어둠과 밝음'이지요. …㉡

반의어로는 '光陰'을 들 수 있어요. …㉢

"애석하게도 幽明을 달리하셨습니다."라고 활용할 수 있어요. …㉣

① ㉠, ㉡　　② ㉡, ㉢　　③ ㉢, ㉣
④ ㉠, ㉡, ㉣　　⑤ ㉠, ㉢, ㉣

6. 그림의 한자로 만들 수 있는 사자성어의 의미와 관계있는 것은?

大　貪　同　異
來　小　苦　甘

① 모두들 한목소리로 그분을 칭송하더군.
② 우리 기쁠 때나 슬플 때나 늘 함께하자.
③ 그렇게 힘들게 공부하더니 결국은 합격했구나.
④ 신제품이라 다를 줄 알았더니 이전 것과 별 차이 없네.
⑤ 별거 아닌 데 욕심 부리다 결국 큰 손해를 보고 말았군.

7. 화살표 방향으로 성어를 채울 때, ㉠에 들어갈 것은? [1점]

【가로 열쇠】 말할 길이 끊어졌다는 뜻으로, 어이가 없어서 말하려 해도 말할 수 없음.

【세로 열쇠】 학문을 중도에 그만두면 짜던 베를 끊는 것처럼 아무 쓸모없음.

① 斷　　② 語　　③ 端　　④ 學　　⑤ 無

8. 글에서 강조하고 있는 것은?

言工無施, 不若無言.

－『백사집』－

① 忍耐　　② 直言　　③ 實踐　　④ 疏通　　⑤ 工夫

9. 대화의 내용으로 보아 ㉠에 알맞은 것은? [1점]

궁궐을 돌아보고 한 시간 뒤에 '정사를 부지런히 한다.'는 의미로 이름을 붙인 전각에서 만나요.

예, 알겠습니다. (㉠)으로 갈게요.

① 仁政殿　　　② 集賢殿　　　③ 明政殿

④ 康寧殿　　　⑤ 勤政殿

10. 시의 내용과 관계있는 성어는? [1점]

눈을 들어 보니 강산이 깊고 또 깊은데
집의 편지는 한 자가 천금 값일세.
밤중에 달을 보면 부모 생각에 눈물이요
대낮에 구름 보곤 아우를 그리는 내 마음.
두 눈은 침침하여 봄 안개가 어린 듯
비녀 꽂은 머리는 희끗희끗 새벽 서리 내린 듯.
봄바람이 어느덧 수심을 스쳐가니
고향 숲엔 꾀꼬리가 푸른 나무에서 울고 있겠지.

－『독곡집』－

① 望雲之情　　　② 一片丹心　　　③ 炎涼世態

④ 日就月將　　　⑤ 麥秀之歎

11. 단어장의 내용으로 보아 ㉠에 알맞은 것은? [1점]

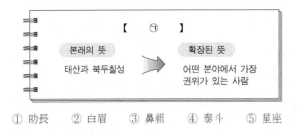

【 ㉠ 】

본래의 뜻
태산과 북두칠성

확장된 뜻
어떤 분야에서 가장 권위가 있는 사람

① 助長　　② 白眉　　③ 鼻祖　　④ 泰斗　　⑤ 星座

12. 광고의 내용과 관계있는 성어는? [1점]

내가 건넨 우산 내게 돌아오고

내가 한 손가락질 내게 돌아옵니다.

① 指鹿爲馬　　　② 走馬看山　　　③ 坐井觀天

④ 起死回生　　　⑤ 種豆得豆

13. 글의 내용으로 보아 ㉠과 ㉡에 공통으로 들어갈 것은?

○ 邦有道, (㉠)且賤焉, 恥也, 邦無道, 富且貴焉, 恥也.

－『논어』－

○ 夫以貴爲福者, 位替則賤, 以富爲福者, 財盡則(㉡).

－『계곡집』－

① 貧　　② 榮　　③ 尊　　④ 深　　⑤ 賞

14. 대화의 내용으로 보아 ㉠에 들어갈 어구로 알맞은 것은?

이건 비밀인데 너한테만 말해줄게. 있잖아, 글쎄…

잠깐! 남이 들어서는 안 될 말이라면 안 듣는 게 좋겠어. (㉠)(이)라는 말이 있잖아.

① 自信者, 人亦信之.　　　② 談吾美者, 是吾賊.

③ 附耳之言, 勿聽焉.　　　④ 同心之言, 其臭如蘭.

⑤ 不信乎朋友, 不獲乎上矣.

15. 글의 내용으로 보아 ㉠에 들어갈 어구로 알맞은 것은?

> 조정은 온 나라의 모범이니, 조정이 화합하지 못하면 올바른 정치가 나올 수 없습니다. 중국 전국 시대의 어떤 신하는 (㉠)(이)라고 하였습니다. 신하들이 화합하면 하나로 뭉치게 되고, 하나로 뭉치면 강해지는 법입니다. 그래서 적국도 감히 공격할 마음을 먹지 못했던 것입니다.
>
> - 『인조실록』 -

① 滿招損, 謙受益.　　② 群臣和, 其國不可伐.
③ 知彼知己, 百戰不殆.　④ 欲知其君, 先視其臣.
⑤ 國之存亡, 必有天命.

16. 글의 의미와 관계있는 것은?

> 寧測十丈水深, 難測一丈人心.
>
> - 『이담속찬』 -

① 勞心者, 治人.　　　② 修身在正其心.
③ 人心固結則國安.　④ 以責人之心, 責己.
⑤ 海枯終見底, 人死不知心.

17. 시나리오의 ㉠에 들어갈 어구로 알맞은 것은?

> **S#45. 오나라 주유의 진영 안**
>
> 갑자기 몰아치는 광풍. 북쪽 조조 진영의 깃대는 부러져 강물에 떨어지고, 남쪽 주유 진영의 깃발은 주유의 얼굴을 스치고 간다.
> 순간 주유는 조조 군대를 공격할 묘책이 떠올라 흥분하지만 서북풍이 부는 계절이라 화공(火攻)을 할 수 없자 화병으로 앓아눕는다.
> 이때 제갈량이 그를 찾아가 병문안한다.
>
> 제갈량: 조조 군대를 치려면 화공을 해야 되지요. 준비는 다 되어 있는데 동남풍이 불지 않아 아프신 게지요?
> 주 유: (깜짝 놀라 자리에서 벌떡 일어나며) 바람은 천지의 조화인데 인력으로 어찌 하겠소?
> 제갈량: [㉠](이)라 했지요. 제 할 일만 다하면 되지 하늘의 뜻이야 어찌 하겠소? 제게 병력을 주신다면 남병산에 올라가 동남풍이 불기를 빌겠소이다.

① 欲勝人者, 必先自勝.
② 謀事在人, 成事在天.
③ 己所不欲, 勿施於人.
④ 天時不如地利, 地利不如人和.
⑤ 欲速則不達, 見小利則大事不成.

[18~20] 다음 글을 읽고 물음에 답하시오.

> 不愛君憂國, 非詩也, 不傷時憤俗, 非詩也, 非有美刺勸懲之義, 非詩也. 故, 志不立, 學不純, 不聞㉠大道, 不能有致君澤民之心者, 不能作詩, ㉡汝其勉之.
>
> - 『여유당전서』 -

18. ㉠과 짜임이 같은 것은? [1점]

① 霜降　② 喜悅　③ 捕捉　④ 登頂　⑤ 校庭

19. ㉡에 담긴 의미는?

① 당부　② 위로　③ 신뢰　④ 수락　⑤ 위임

20. 윗글의 내용으로 보아 ㉮에 알맞지 않은 것은?

> (㉮)을 담지 않으면 시가 아니다.

① 권선징악의 내용
② 임금을 사랑하는 마음
③ 나라를 걱정하는 마음
④ 자연을 찬미하는 내용
⑤ 세상일에 상심하는 내용

[21~22] 다음 글을 읽고 물음에 답하시오.

> 太史公云: "以權利合者, 權利盡而交疏." 君亦世之滔滔中一人, 其有㉠超然自拔於滔滔權利之外, ㉮不以權利視我耶? 太史公之言㉡非耶? 孔子曰: "歲寒然後, 知松柏之後凋." 松柏, 是㉢貫四時而不凋者, 歲寒以前, 一松柏也, 歲寒以後, 一松柏也, ㉣聖人特稱之㉤於歲寒之後.
>
> *滔滔(도도): 세력이 걷잡을 수 없는 모양
> *柏(백): 잣나무　*凋(조): 시들다
>
> - 『완당집』 -

21. ㉠~㉤에 대한 설명으로 옳지 않은 것은?

① ㉠: 음은 '초연'이다.
② ㉡: '非常'의 '非'와 뜻이 같다.
③ ㉢: '사계절 내내'라는 의미이다.
④ ㉣: '孔子'를 가리킨다.
⑤ ㉤: 의미상 '于'와 바꾸어 쓸 수 있다.

22. 윗글의 내용으로 보아 ㉮의 의미로 옳은 것은?

① 성현의 말씀을 늘 마음에 새기게.
② 역경을 잘 극복해야 하지 않겠나.
③ 언제나 한결같이 대해줘서 고맙네.
④ 사람은 이해관계를 잘 알아야 하네.
⑤ 어찌 자네의 장점을 보여 주지 않는가.

[23~24] 다음 글을 읽고 물음에 답하시오.

> 孟子謂齊宣王曰: "王之臣, 有託其妻子於其友而㉠之楚遊者,
> 比其㉡反也, 則凍餒其妻子, 則如之何?" 王曰: "㉢棄之." 曰:
> "士師不能治士, 則如之何?" 王曰: "㉣已之." 曰: "四境之內不
> 治, 則如之何?" 王㉤顧左右而言他.
>
> 　　*託(탁): 맡기다　　*楚(초): 나라 이름　　*餒(뇌): 굶주리다
>
> 　　　　　　　　　　　　　　　　　　　　　　　　- 『맹자』-

23. ㉠~㉤의 풀이로 옳은 것은?

① ㉠: 가다　　　　　　　　② ㉡: 반대하다
③ ㉢: 폐지하다　　　　　　④ ㉣: 이미
⑤ ㉤: 도리어

24. 윗글에 대한 설명으로 옳은 것은?

① 왕은 궁금한 것을 맹자에게 우회적으로 질문했다.
② 맹자는 왕이 잘못을 깨닫도록 계속하여 질문했다.
③ 왕은 원하는 답이 나올 때까지 맹자를 계속 설득했다.
④ 맹자는 왕이 이해하기 쉽게 역사적 실례를 들어 질문했다.
⑤ 맹자는 왕을 설득하기 위해 단점보다 장점을 먼저 말했다.

[25~27] 다음 글을 읽고 물음에 답하시오.

> 　季札之初使, 北㉠過徐君, 徐君好季札劍, 口弗敢㉡言. 季札
> (가)
> 心知之, 爲使上國, 未獻. 於是, 乃㉢解其寶劍, 繫之徐君冢樹
> (나)
> 而去. 從者曰: "徐君已死, 尙誰㉣予乎?" 季子曰: "不然. 始
> (다)　　　　　　　　　　　　　　　(라)　　　　　　　(마)
> 吾心已(㉤)之, 豈以死倍吾心哉."
>
> 　　　　　　　　　　　　　　　　　　　*季札(계찰): 사람 이름
> 　　　　　　　　　*弗(불): 아니다　　*冢(총): 무덤
>
> 　　　　　　　　　　　　　　　　　　　　　　　　- 『사기』-

25. 윗글의 흐름으로 보아 <보기>의 문장이 들어갈 위치로 알맞은
것은?

> ───────<보 기>───────
> 還至徐, 徐君已死.

① (가)　　② (나)　　③ (다)　　④ (라)　　⑤ (마)

26. ㉠~㉣ 중 행위의 주체가 같은 것만을 있는 대로 고른 것은?

① ㉠, ㉡　　　　② ㉡, ㉣　　　　③ ㉢, ㉣
④ ㉠, ㉡, ㉢　　⑤ ㉠, ㉢, ㉣

27. 윗글의 내용으로 보아 ㉤에 알맞은 것은?

① 許　　② 改　　③ 拒　　④ 忘　　⑤ 惡

[28~30] 다음 시를 읽고 물음에 답하시오.

> (가) 日照香爐㉠生紫煙,　　遙看瀑布㉡掛前川.
> 　　飛流直㉢下三千尺,　　疑是銀河落九天.
>
> 　　　　　　　　　　　　　　　　　　*瀑(폭): 폭포
>
> 　　　　　　　　　- 이백, 「망여산폭포(望廬山瀑布)」-
>
> (나) 野小風微不得意,　　日光搖曳故相牽.
> 　　削㉣平天下槐花樹,　　鳥㉤沒雲飛乃浩然.
>
> 　　　　　　　　*曳(예): 끌다　　*槐(괴): 홰나무
>
> 　　　　　　　　　　　　　- 박제가, 「지연(紙鳶)」-

28. ㉠~㉤의 풀이로 옳지 않은 것은?

① ㉠: 피어나다　　　　　　② ㉡: 걸려 있다
③ ㉢: 내려오다　　　　　　④ ㉣: 평화롭다
⑤ ㉤: 사라지다

29. 위 시에 대한 설명으로 옳은 것만을 <보기>에서 있는 대로
고른 것은?

> ───────<보 기>───────
> ㄱ. (가)의 형식은 칠언율시이다.
> ㄴ. (나)에서 운자(韻字)는 '牽', '然'이다.
> ㄷ. (가)의 셋째 구와 넷째 구는 대우(對偶)를 이루고 있다.
> ㄹ. (나)의 첫째 구는 '野小風微 / 不得意'로 띄어 읽는다.

① ㄱ, ㄷ　　　　② ㄱ, ㄹ　　　　③ ㄴ, ㄹ
④ ㄱ, ㄴ, ㄷ　　⑤ ㄴ, ㄷ, ㄹ

30. 위 시에 대한 이해로 옳지 않은 것은?

① (가)에는 작자의 호탕한 기상이 드러나 있구나.
② (나)에는 작자의 소망이 담겨 있군.
③ (가)는 과장된 표현으로 시의 맛을 더해 주고 있네.
④ (가), (나)에는 모두 계절의 정취를 표현한 시어가 사용되었군.
⑤ (가), (나)에는 모두 시각적 심상이 드러나 있어.

> ＊ 확인 사항
> ○ 답안지의 해당란에 필요한 내용을 정확히 기입(표기)했는지 확인
> 하시오.

2017학년도 9월 모의평가

1	⑤	7	①	13	①	19	①	25	②
2	②	8	③	14	③	20	④	26	⑤
3	③	9	⑤	15	②	21	②	27	①
4	⑤	10	①	16	⑤	22	③	28	④
5	④	11	④	17	②	23	①	29	③
6	④	12	⑤	18	⑤	24	②	30	④

1. 그림 문제

"새 울음소리 높았다 낮았다 하니 낮잠 자기 딱 좋은 때로구나."
라는 구절을 그림으로 표현한 것이라고 하므로 ㉠에는 '새 울음
소리'나 '낮잠'을 나타내는 한자가 들어가야 한다.

① 濯足(탁족)　② 閑談(한담)　③ 花鳥(화조)

④ 群鶴(군학)　⑤ 午睡(오수)

먼저 '濯足'이나 '閑談'은 아니고, '花鳥'와 '群鶴'은 새가 들어가기
는 하지만 '花鳥'는 '새'에 '꽃'이 끼었다는 것이, '群鶴'은 그 새가
학이면 학이라고 했지 굳이 그냥 새라고 했겠냐는 것이 문제.

답: ⑤

2. 합자 문제

力+工=功(공 공), 力+口=加(더할 가)이다.

답: ②

3. 한자 문제

ㄱ. 厚(두꺼울 후) – 薄(얇을 박)

ㄴ. 住(살 주) – 居(살 거)

ㄷ. 完(완전할 완) – 全(온전할 전)

ㄹ. 增(늘 증) – 減(덜 감)

답: ③

4. 조건을 만족하는 한자 문제

조건을 만족하는 한자를 찾는 문제이다. 문제에서는 음, 총획, 갑
골문의 모양 그리고 결합할 수 있는 한자를 알려 주고 있다. 보
통은 음으로 찾는 게 가장 빠르므로 음이 '移'(옮길 이)와 같은
한자를 먼저 찾아보자.

① 而(말이을 이)　② 瓦(기와 와)　③ 巨(클 거)

④ 吏(아전 리)　⑤ 耳(귀 이)

여기에서 음이 '이'인 것은 '而'와 '耳'뿐이다. 이제 '順'(따를 순)과
결합하여 '예순 살'을 뜻하는 말로 쓰이는 것을 찾으면 '耳'임을
알 수 있다. 갑골문의 모양으로 보아도 귀가 확실하다.

답: ⑤

5. 한자어 관계

㉠ '유명'으로 읽는다.

㉡ 글자 그대로의 뜻은 '어둠과 밝음'이다.

㉢ '光陰'(광음)은 '시간'이라는 뜻이므로 '幽明'의 반의어가 아니다.

㉣ '어둠과 밝음'에서 확장되어 '저승과 이승'이라는 뜻을 가져
"애석하게도 幽明을 달리하셨습니다."라고 활용할 수 있다.

답: ④

6. 카드 문제

① 모두들 한목소리로 그분을 칭송하더군.

☞ 異口同聲(이구동성)

② 우리 기쁠 때나 슬플 때나 늘 함께하자.

☞ 同苦同樂(동고동락)

③ 그렇게 힘들게 공부하더니 결국은 합격했구나.

☞ 苦盡甘來(고진감래)

④ 신제품이라 다를 줄 알았더니 이전 것과 별 차이 없네.

☞ 大同小異(대동소이)

⑤ 별거 아닌 데 욕심 부리다 결국 큰 손해를 보고 말았군.

☞ 小貪大失(소탐대실)

답: ④

7. 십자말풀이 문제

가로 열쇠는 '言語道斷'(언어도단), 세로 열쇠는 '斷機之戒'(단기
지계)이다. 가로 열쇠가 풀이 그대로여서 어렵지 않아 쉽게 찾을
수 있었을 것이다.

가로 열쇠와 세로 열쇠 어느 하나 찾지 못했더라도 ㉠에 들어갈
한자는 두 풀이에 공통으로 들어가는 '끊다'라는 뜻을 가지고 있
어야 한다.

① 斷(끊을 단)　② 語(말씀 어)　③ 端(끝 단)

④ 學(배울 학)　⑤ 無(없을 무)

답: ①

8. 한자어 문제

> 言工無施, 不若無言.
> 언 공 무 시　불 약 무 언
> 말을 만들고 베풂이 없으면 말함이 없음과 같지 않다.

① 忍耐(인내)　② 直言(직언)　③ 實踐(실천)

④ 疏通(소통)　⑤ 工夫(공부)

답: ③

9. 단문 문제

① 仁政殿(인정전)　② 集賢殿(집현전)　③ 明政殿(명정전)

④ 康寧殿(강녕전)　⑤ 勤政殿(근정전)

'정사', '부지런하다'가 들어간 건물 이름을 찾으면 된다.

답: ⑤

10. 사자성어 문제

① 望雲之情(망운지정): 구름을 바라보는 마음. 고향이나 어버이
를 그리는 마음.

② 一片丹心(일편단심): 한 조각 붉은 마음. 진심에서 우러나오는
변치 않는 마음.

③ 炎涼世態(염량세태): 뜨겁고 찬 세상의 모양. 세력이 있을 때
에는 아첨하며 따르고 권세가 없어지면 푸대접하는 세상 인심.

④ 日就月將(일취월장): 날마다 나아가고 달마다 나아감.

⑤ 麥秀之歎(맥수지탄): 보리가 빼어난 탄식. 고국의 망국에 대한 탄식.

답: ①

11. 한자어 문제

① 助長(조장) ② 白眉(백미) ③ 鼻祖(비조)
④ 泰斗(태두) ⑤ 星座(성좌)

'태두'의 뜻을 알고 있었으면 더 볼 것도 없다. 그러나 몰랐다면 원래의 뜻이 '태산(泰山)'과 북두칠성(北斗七星)'이므로 '태산 또는 '북두칠성'이 들어가는 한자어를 찾으면 된다.

답: ④

12. 사자성어 문제

① 指鹿爲馬(지록위마): 사슴을 가리켜 말이라고 함. 윗사람을 농락하여 권세를 마음대로 함.
② 走馬看山(주마간산): 달리는 말 위에서 산을 봄. 자세히 살피지 아니하고 대충대충 보고 지나감.
③ 坐井觀天(좌정관천): 우물에 앉아 하늘을 봄. 견문이 매우 좁음.
④ 起死回生(기사회생): 죽음에서 일어나 삶으로 돌아옴. 거의 죽을 뻔하다가 다시 살아남.
⑤ 種豆得豆(종두득두): 콩을 심으면 콩을 얻음. 원인에 따라 결과가 생김.

답: ⑤

13. 대구 문제

> 邦有道, (㉠)且賤焉, 恥也, 邦無道, 富且貴焉, 恥也.
> 나라에 도가 있으면 ㉠하고 천함이 부끄러운 것이요, 나라가 도가 없으면 부유하고 귀함이 부끄러운 것이다.
> 夫以貴爲福者, 位替則賤, 以富爲福者, 財盡則 (㉡).
> 무릇 귀함으로써 복을 삼는 사람은 자리가 쇠하면 천해지고, 부로써 복을 삼는 사람은 재물이 다하면 ㉡해진다.

윗글을 해석해서 푸는 문제가 아니다. 한문의 대구를 이용해서 빈칸에 알맞은 한자를 찾는 문제다. '방유도, (㉠)차천언, 치야'와 '방무도, 부차귀언, 치야'가 대구를 이루고 있고, '有'(있을 유)와 '無'(없을 무)가 반대되는 뜻의 한자이므로 ㉠에는 '富'(부유할 부)와 반대되는 뜻의 한자가 들어가야 한다.

① 貧(가난할 빈) ② 榮(빛날 영) ③ 尊(높을 존)
④ 深(깊을 심) ⑤ 賞(상줄 상)

답: ①

14. 단문 문제

① 自信者, 人亦信之.
스스로를 믿는 사람은 남 또한 그를 믿는다.
② 談吾美者, 是吾賊.
나의 아름다움을 말하는 사람은 바로 나의 도적이다.

③ 附耳之言, 勿聽焉.
귀에 대고 하는 말은 듣지 말라.
④ 同心之言, 其臭如蘭.
마음을 함께하는 말은 그 냄새가 난초와 같다.
⑤ 不信乎朋友, 不獲乎上矣.
친구에게서 믿음받지 못했다면 임금에게서 얻을 수 없다.

답: ③

15. 단문 문제

① 滿招損, 謙受益.
교만함은 손해를 부르고, 겸손함을 이익을 받는다.
② 群臣和, 其國不可伐.
많은 신하가 화목하면 그 나라는 칠 수 없다.
③ 知彼知己, 百戰不殆.
저를 알고 나를 알면 백 번 싸워도 위태롭지 않다.
④ 欲知其君, 先視其臣.
그 임금을 알고자 하면 먼저 그 신하를 보라.
⑤ 國之存亡, 必有天命.
나라의 존망은 반드시 하늘의 명이 있다.

답: ②

16. 단문 문제

> 寧測十丈水深, 難測一丈人心.
> 차라리 열 길 물의 깊음은 잴 수 있을지언정 한 길 사람 마음은 재기 어렵다.

① 勞心者, 治人.
마음을 쓰는 자가 남을 다스린다.
② 修身在正其心.
몸을 닦음은 그 마음을 바르게 하는 데 있다.
③ 人心固結則國安.
사람의 마음이 굳게 맺어지면 나라가 편안하다.
④ 以責人之心, 責己.
남을 꾸짖는 마음으로써 자기를 꾸짖으라.
⑤ 海枯終見底, 人死不知心.
바다가 마르면 끝내 바닥이 보이지만, 사람이 죽으면 마음을 알 수 없다.

답: ⑤

17. 시나리오 문제

① 欲勝人者, 必先自勝.
　욕 승 인 자　필 선 자 승
남을 이기고자 하는 자는 먼저 스스로를 이겨야 한다.

② 謀事在人, 成事在天.
　모 사 재 인　성 사 재 천
일을 꾸밈은 사람에게 있고, 일을 이룸은 하늘에 있다.

③ 己所不欲, 勿施於人.
　기 소 불 욕　물 시 어 인
자기가 하고자 하지 않는 바를 남에게 베풀지 말라.

④ 天時不如地利, 地利不如人和.
　천 시 불 여 지 리　지 리 불 여 인 화
하늘의 때는 땅의 이로움만 못하고, 땅의 이로움은 사람의 화목함만 못하다.

⑤ 欲速則不達, 見小利則大事不成.
　욕 속 즉 부 달　견 소 리 즉 대 사 불 성
빠르고자 하면 이르지 못하고, 작은 이익을 보면 큰일이 이루어지지 못한다.

답: ②

〔18~20〕 시(詩)

不愛君憂國, 非詩也, 不傷時憤俗, 非詩也, 非
불 애 군 우 국　비 시 야　불 상 시 분 속　비 시 야　비
有美刺勸懲之義, 非詩也.
유 미 자 권 징 지 의　비 시 야
임금을 사랑하고 나라를 걱정하지 않으면 시가 아니고 때에 상심하고 풍속에 분노하지 않으면 시가 아니며, 아름다움과 풍자, 권선징악의 뜻이 있지 않으면 시가 아니다.

故, 志不立, 學不純, 不聞大道, 不能有致君澤
고　지 불 립　학 불 순　불 문 대 도　불 능 유 치 군 택
民之心者, 不能作詩, 汝其勉之.
민 지 심 자　불 능 작 시　여 기 면 지
그러므로 뜻이 서지 않으면 배움이 순수하지 않고 큰 도를 듣지 못하며 임금이 백성의 마음을 윤택하게 하는 것에 이름이 있을 수 없으며 시를 지을 수 없으니, 너는 그것에 힘쓰라.

18. 짜임 문제

한자어의 짜임은 두 글자 이상의 한자로 이루어진 한자어가 어떻게 해석되는가를 나타내는 개념이다. 한자어의 짜임에는 '주술(주어＋서술어)', '술목(서술어＋목적어)', '술보(서술어＋보어)', '수식', '병렬'의 다섯 가지가 있다.
㉠은 '큰 도'로 해석되므로 그 짜임은 '수식'이다.

① 霜降(상강): 서리가 내리다. (주술)

② 喜悅(희열): 기쁨. (병렬)

③ 捕捉(포착): 잡음. (병렬)

④ 登頂(등정): 꼭대기에 오르다. (술보)

⑤ 校庭(교정): 학교의 뜰. (수식)

답: ⑤

19. 해석 문제

㉡은 '너는 그것에 힘쓰라'로 해석되므로 담긴 의미는 '당부'이다.

답: ①

20. 해석 문제

① 권선징악의 내용(勸懲之義)

② 임금을 사랑하는 마음(愛君)

③ 나라를 걱정하는 마음(憂國)

④ 자연을 찬미하는 마음

⑤ 세상일에 상심하는 내용(傷時憤俗)

답: ④

〔21~22〕 세한도 서문(歲寒圖序文)

太史公云: "以權利合者, 權利盡而交疏."
태 사 공 운　이 권 리 합 자　권 리 진 이 교 소
태사공이 말하기를 "권세와 이익으로써 빌붙는 자는 권세와 이익이 다하면 사귐이 멀어진다."

君亦世之滔滔中一人, 其有超然自拔於滔滔權
군 역 세 지 도 도 중 일 인　기 유 초 연 자 발 어 도 도 권
利之外, 不以權利視我耶? 太史公之言非耶?
리 지 외　불 이 권 리 시 아 야　태 사 공 지 언 비 야
그대 또한 세상의 도도한(권세가 있는) 사람 가운데 하나이지만 그 초연히 도도한 권세와 이익 밖에 스스로 뽑아남(권세와 이익으로 사람을 사귀는 것에서 벗어남)이 있으니 권세와 이익으로써 나를 보지 않는 것인가? 태사공의 말은 틀렸는가?

孔子曰: "歲寒然後, 知松柏之後凋."
공 자 왈　세 한 연 후　지 송 백 지 후 조
공자가 말하기를, "해가 추워진 뒤에야 소나무와 잣나무가 뒤에 시듦을 안다."

松柏, 是貫四時而不凋者, 歲寒以前, 一松柏也,
송 백　시 관 사 시 이 부 조 자　세 한 이 전　일 송 백 야
歲寒以後, 一松柏也, 聖人特稱之於歲寒之後.
세 한 이 후　일 송 백 야　성 인 특 칭 지 어 세 한 지 후
소나무와 잣나무, 이는 네 때를 통하여 시들지 않는 것으로, 해가 추워지기 전에도 하나의 잣나무와 소나무이고 해가 추워진 뒤에도 하나의 잣나무와 소나무이지만 성인이 특별히 이를 해가 추워진 뒤에 부른 것이다.

21. 해석 문제

㉠의 음은 '초연'이다.

㉡은 '틀렸다'라는 뜻이고 '非常'(비상)의 '非'는 '아니다'라는 뜻이다.

㉢은 '네 때를 통하여'로 해석되므로 '사계절 내내'라는 의미이다.

㉣은 공자가 말한 다음에 ㉤이 나왔으므로 공자를 가리킨다고 볼 수 있다.

㉤은 의미상 '于'와 바꾸어 쓸 수 있다.

답: ②

22. 해석 문제

㉮는 '권세와 이익으로써 나를 보지 않는 것인가?'로 해석된다. 태사공이 사람이 권세와 이익으로써 합하고 멀어진다고 했는데 권세와 이익으로써 나를 보지 않으니 ㉮와 같이 묻고, 또 태사공의 말이 틀렸냐고 묻는 것이다. 따라서 ㉮는 권세와 이익에 따라 합하고 멀어지지 않고 언제나 한결같이 대해줘서 고맙다는 의미가 된다.

답: ③

〔23~24〕맹자(孟子)

孟子謂齊宣王曰:"王之臣, 有託其妻子於其友而
맹자위제선왕왈 왕지신 유탁기처자어기우이
之楚遊者, 比其反也, 則凍餒其妻子, 則如之何?"
지초유자 비기반야 즉동뇌기처자 즉여지하

맹자가 제나라 선왕에게 일러 말하기를, "왕의 신하 가운데 그
아내와 자식을 그 벗에게 맡기고 초나라로 가 논 사람이 있어
그가 돌아온 것과 견주어 보니 그 아내와 자식을 얼리고 굶겼
다면 그것이 무엇과 같습니까?"

王曰:"棄之."
왕왈 기지

왕이 말하기를, "그를 버리겠다."

曰:"士師不能治士, 則如之何?"
왈 사사불능치사 즉여지하

말하기를, "사사(벼슬 이름)가 사(벼슬 이름)를 다스리지 못한
다면 그것이 무엇과 같습니까?"

王曰:"已之."
왕왈 이지

왕이 말하기를, "그를 그만두게 하겠다."

曰:"四境之內不治, 則如之何?"
왈 사경지내불치 즉여지하

말하기를, "사방의 국경의 안이 다스려지지 않는다면 그것이
무엇과 같습니까?"

王顧左右而言他.
왕고좌우이언타

왕이 좌우를 돌아보고 다른 것을 말하였다.

23. 해석 문제

ㄱ: 가다

ㄴ: 반대하다 → 돌아오다

ㄷ: 폐지하다 → 버리다

ㄹ: 이미 → 그치다

ㅁ: 도리어 → 돌아보다

답: ①

24. 해석 문제

윗글에 대한 설명으로 옳은 것은 '맹자는 왕이 잘못을 깨닫도록
계속하여 질문했다'이다.

답: ②

〔25~27〕계찰지검(季札之劍)

季札之初使, 北過徐君, 徐君好季札劍, 口弗敢言.
계찰지초사 북과서군 서군호계찰검 구불감언

계찰이 처음 사신으로 감에 북으로 서나라 임금을 지나게 되
었는데, 서나라 임금이 계찰의 칼을 좋아하였으나 입으로 감히
말하지 않았다.

季札心知之, 爲使上國, 未獻.
계찰심지지 위사상국 미헌

계찰의 마음이 그것을 알았으나 상국의 사신이 되어 바치지
않았다.

於是, 乃解其寶劍, 繫之徐君冢樹而去.
어시 내해기보검 계지서군총수이거

이에 그 보검을 풀어 서나라 임금의 무덤에 자란 나무에 그것
을 걸고 갔다.

從者曰:"徐君已死, 尚誰予乎?"
종자왈 서군이사 상수여호

따르는 사람이 말하기를, "서나라 임금이 이미 죽었는데 오히
려 누구에게 주십니까?"

季子曰:"不然. 始吾心已(ㅁ)之, 豈以死倍
계자왈 불연 시오심이 지 기이사배
吾心哉."
오심재

계찰이 말하기를, "그렇지 않다. 처음에 내 마음이 이미 그것을
ㅁ하였으니, 어찌 죽음으로써 나의 마음을 배신하겠는가."

25. 빈칸 문제

還至徐, 徐君已死.
환지서 서군이사

돌아와 서나라에 이르니 서나라 임금이 이미 죽었다.

계찰이 칼을 바치지 않았다는데 이에 그 보검을 풀어 서나라 임
금의 무덤에 자란 나무에 걸었다는 것은 앞뒤가 맞지 않는다. 이
사이에 들어가면 딱 맞다.

답: ②

26. 해석 문제

ㄴ의 주체는 '서나라 임금', 나머지의 주체는 '계찰'이다.

답: ⑤

27. 빈칸 문제

① 許(허락할 허) ② 改(고칠 개) ③ 拒(막을 거)

④ 忘(잊을 망) ⑤ 惡(나쁠 악)

답: ①

〔28~30〕이 백, 「망여산폭포(望廬山瀑布)」
박제가, 「지연(紙鳶)」

日照香爐生紫煙,	해 비치는 향로에서 붉은 연기가 피어나고
일조향로생자연	
遙看瀑布掛前川.	멀리 폭포를 보니 시내 앞에 걸려 있네.
요간폭포패전천	
飛流直下三千尺,	날아흘러 곧게 떨어짐이 삼천 척이니
비류직하삼천척	
疑是銀河落九天.	이를 은하가 구천에서 떨어진다고 의심했네.
의시은하락구천	
野小風微不得意,	들이 작고 바람이 작아 뜻을 얻지 못하고
야소풍미부득의	
日光搖曳故相牽.	햇빛이 흔들고 끄는 까닭으로 끌려다녔네.
일광요예고상견	
削平天下槐花樹,	천하의 홰꽃나무를 깎아 평평하게 하고
삭평천하괴화수	
鳥沒雲飛乃浩然.	새가 사라지고 구름이 날아가면 호연할 텐데
조몰운비내호연	

28. 해석 문제

ㄹ은 '평화롭다'가 아니라 '평평하다'라는 뜻이다.

답: ④

29. 한시 문제

ㄱ. (가)는 일곱 글자씩 네 구이므로 칠언절구이다.

ㄴ. 운자는 짝수 구의 마지막 글자에 오고, 첫째 구의 마지막 글자에 올 수 있다. (나)의 짝수 구의 마지막 글자는 '牽'(견), '然'(연)이고 첫째 구의 마지막 글자는 '意'(의)이므로 '意'는 운자가 아님을 알 수 있다.

ㄷ. 두 구가 문법적 기능이 동일한 글자의 배열로 이루어져 있을 때 두 구가 대우를 이룬다고 한다. (가)의 셋째 구와 넷째 구는 문법적 기능이 동일한 글자의 배열로 이루어져 있지 않으므로 대우를 이루지 않는다.

ㄹ. 칠언시는 네 자, 세 자로 끊어 읽는다. 이는 칠언시를 읽는 기본 원칙이다.

답: ③

30. 이해와 감상 문제

① '폭포가 날아흘러 곧게 떨어짐이 삼천 척'이라는 표현을 보고 (가)에 작자의 호탕한 기상이 드러나 있다고 한 것 같다.

② (나)의 제목은 '紙鳶'(지연)이다. 따라서 (나)의 셋째 구와 넷째 구는 종이연을 날리는 시적 화자의 소망을 담은 것으로 해석해야 한다. 종이연을 날리는 데 거치적거리는 홰꽃나무, 새, 구름을 모두 치워 버리고 싶다는 것이다.

③ '폭포가 날아흘러 곧게 떨어짐이 삼천 척'부터가 이미 과장된 표현이다.

④ (가), (나)에는 모두 계절의 정취를 표현한 시어가 사용되지 않았다.

⑤ (가), (나)에는 각각 경치와 연을 날리는 모습이라는 시각적 심상이 묘사되어 있다.

답: ④

공자도 모르는 것

孔子東遊, 見兩小兒辯鬪, 問其故.
공자동유 견량소아변투 문기고

공자가 동쪽에 놀러 갔다가 두 어린아이가 말다툼을 하는 것을 보고 그
까닭을 물었다.

一兒曰: "我以日初出時, 去人近, 而日中時, 遠也."
일아왈 아이일초출시 거인근 이일중시 원야

한 아이가 말하기를, "저는 해가 처음 나오는 때로써 사람으로부터 떨어
짐이 가깝고, 해가 가운데 있는 때에는 멀다고 생각합니다."

一兒曰: "以日初出遠, 而日中時, 近也."
일아왈 이일초출원 이일중시 근야

다른 아이가 말하기를, "해가 처음 나오는 것으로써 멀고, 해가 가운데
있는 때에는 가깝습니다."

一兒曰: "日初出大如車蓋, 及日中則如小盤,
일아왈 일초출대여거개 급일중즉여소반

此不爲遠者小而近者大乎?"
차불위원자소이근자대호

한 아이가 말하기를, "해가 처음 나오면 큼이 수레바퀴 덮개와 같고 해가
가운데에 이르면 작은 쟁반과 같으니 이것이 먼 것은 작고 가까운 것은
큰 것이 아니겠습니까?"

一兒曰: "日初出滄滄凉凉, 及其日中則如探湯,
일아왈 일초출창창량량 급기일중즉여탐탕

此不爲近者熱而遠者凉乎?"
차불위근자열이원자량호

다른 아이가 말하기를, "해가 처음 나오면 차갑고 서늘하다가 그 해의 가
운데에 이르면 끓는 물을 더듬는 것과 같으니 이것이 가까운 것은 뜨겁고
먼 것은 서늘한 것이 아니겠습니까?"

孔子不能決也, 兩小兒笑曰: "熟爲汝多知乎?"
공자불능결야 량소아소왈 숙위여다지호

공자가 결정하지 못하자 두 어린아이가 비웃으며 말하기를, "누가 당신이
많이 안다고 하였나요?"

제5교시

제2외국어/한문 영역(한문Ⅰ)

성명 □ 수험 번호 □□□□□ — □□□□□

---

1. 그림과 대화의 내용으로 보아 ㉠에 들어갈 것은? [1점]

교사 : 이 작품은 겸재 정선이 정자의 정경을 그린 것이랍
니다. 길가에는 세 그루의 소나무가 서 있고, 물이
흘러내리는 냇가 너른 바위 위에 기와지붕이 날아갈
듯한 멋진 정자가 보이지요?

학생 : 네, 멋져요. 주변의 경치와도 잘 어울리는 것 같아요.
그런데 이 정자의 이름은 무엇인가요?

교사 : 洗(㉠)亭이랍니다. 인조반정 때 이귀(李貴) 등이
이곳에 모여 광해군의 폐위를 모의하고, 거사 후에
이곳의 맑은 물로 칼을 씻었다는 고사에서 이 이름이
유래했다고 하네요.

① 劍　　② 檢　　③ 儉　　④ 刑　　⑤ 刻

2. 다음 조건을 모두 만족시키는 한자는? [1점]

① 巧　　② 安　　③ 交　　④ 友　　⑤ 支

3. 같은 뜻을 지닌 한자끼리 연결한 것을 <보기>에서 고른
것은? [1점]

---- <보 기> ----
ㄱ. 墮 － 落　　ㄴ. 利 － 害
ㄷ. 高 － 低　　ㄹ. 忍 － 耐

① ㄱ, ㄷ　　② ㄱ, ㄹ　　③ ㄴ, ㄷ
④ ㄴ, ㄹ　　⑤ ㄷ, ㄹ

4. ㉠과 ㉡에 해당하는 한자의 음이 모두 옳은 것은? [1점]

　　㉠　㉡　　　　　　㉠　㉡
① 지　급　　　② 시　급
③ 지　흡　　　④ 시　흡
⑤ 지　염

5. 대화의 내용 중 옳은 것만을 있는 대로 고른 것은?

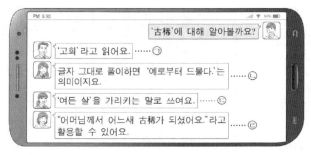

① ㉠, ㉡　　　② ㉡, ㉢　　　③ ㉢, ㉣
④ ㉠, ㉡, ㉣　　⑤ ㉠, ㉢, ㉣

6. 그림의 한자로 만들 수 있는 사자성어의 의미와 관계있는
것은?

① 끝이 좋으면 다 좋은 거야.
② 입이 열 개라도 할 말이 없어.
③ 그 일은 시작만 거창했지, 흐지부지되었어.
④ 소문난 잔치에 먹을 것 없다더니, 그 말이 맞네.
⑤ 예방주사 맞아 두길 잘했어, 독감이 유행한다니.

7. 글의 내용으로 보아 ㉠에 들어갈 것은? [1점]

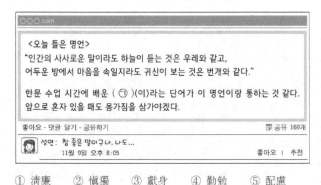

○○○.com

＜오늘 들은 명언＞

"인간의 사사로운 말이라도 하늘이 듣는 것은 우레와 같고,
어두운 방에서 마음을 속일지라도 귀신이 보는 것은 번개와 같다."

한문 수업 시간에 배운 (㉠)(이)라는 단어가 이 명언이랑 통하는 것 같다.
앞으로 혼자 있을 때도 몸가짐을 삼가야겠다.

좋아요·댓글 달기·공유하기　　　　　📨공유 169개

성연: 참 좋은 말이구나. 나도…
11월 9일 오후 8:05　　　　　좋아요 | 추천

① 淸廉　② 愼獨　③ 獻身　④ 勤勉　⑤ 配慮

8. 단어장의 내용으로 보아 ㉠에 들어갈 것은? [1점]

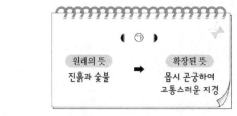

(㉠)

원래의 뜻	→	확장된 뜻
진흙과 숯불		몹시 곤궁하여 고통스러운 지경

① 塗炭　② 崩壞　③ 涉獵　④ 探査　⑤ 捕捉

9. 화살표 방향으로 성어를 채울 때, ㉠에 들어갈 것은?

【가로 열쇠】 세력이 있을 때는 아첨하여 따르고, 없어지면 푸대접하는 세상인심.

【세로 열쇠】 세상 사물이 한결같지 아니하고 각각 모양이 다름.

① 世　② 心　③ 象　④ 態　⑤ 樣

10. 시의 내용과 관계있는 것은? [1점]

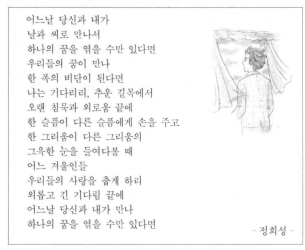

어느날 당신과 내가
날과 씨로 만나서
하나의 꿈을 엮을 수만 있다면
우리들의 꿈이 만나
한 폭의 비단이 된다면
나는 기다리리, 추운 길목에서
오랜 침묵과 외로움 끝에
한 슬픔이 다른 슬픔에게 손을 주고
한 그리움이 다른 그리움의
그윽한 눈을 들여다볼 때
어느 겨울인들
우리들의 사랑을 춥게 하리
외롭고 긴 기다림 끝에
어느날 당신과 내가 만나
하나의 꿈을 엮을 수만 있다면

- 정희성 -

① 螢雪之功　② 脣亡齒寒　③ 胡蝶之夢
④ 昏定晨省　⑤ 鶴首苦待

11. 글의 내용으로 보아 ㉠과 ㉡에 공통으로 들어갈 것은?

○ 一日行惡, 禍雖未至, 福(㉠)遠矣.
○ 終身行善, 善猶不足, 一日行惡, 惡(㉡)有餘.

- 『명심보감』 -

① 自　② 雖　③ 未　④ 誰　⑤ 豈

12. ㉠에서 마지막으로 풀이되는 것은?

水去不復回, ㉠言出難更收.

- 『추구』 -

① 言　② 出　③ 難　④ 更　⑤ 收

13. 대화의 내용으로 보아 ㉠에 들어갈 것은? [1점]

선생님, 이건 뭐예요?

아, 이것은 (㉠)라고 해요. 무거운 물건을 들어 올릴 때 사용하던 도구입니다.

① 絹織機　　② 擧重器　　③ 投石具
④ 測雨器　　⑤ 申聞鼓

14. 글에서 말하고자 하는 것은?

己過則默, 人過則揚, 是過也大矣.

- 『상촌고』 -

① 人一能之, 己百之.
② 己所不欲, 勿施於人.
③ 不患人之不己知, 患不知人也.
④ 以責人之心, 責己, 恕己之心, 恕人.
⑤ 道吾過者, 是吾師, 談吾美者, 是吾賊.

15. ㉠에 들어갈 내용을 ＜보기＞의 카드로 완성할 때, 순서대로 바르게 배열한 것은?

良藥, 苦於口, 利於病, 忠言, (　　　㉠　　　).

- 『설원』 -

＜보 기＞

㉮	㉯	㉰	㉱
利	於耳	於行	逆

① ㉮-㉯-㉰-㉱　　　② ㉮-㉯-㉱-㉰
③ ㉱-㉰-㉮-㉯　　　④ ㉱-㉰-㉯-㉮
⑤ ㉱-㉮-㉯-㉰

16. 시나리오의 내용으로 보아 ㉠에 들어갈 것은? [1점]

S#33. 황성 안

　심 황후를 위해 천자가 황성 안에서 맹인 잔치를 연다. 심 봉사도 이 잔치에 참석하여 원통한 사연을 고한다.

심 봉사 : 저는 황주에 사는 심학규이옵니다. 아내 잃고 강보에 싸인 딸을 동냥젖 먹여 길러 열다섯이 되었는데, 이름은 청이라 하옵니다. 효녀인 청이는 제 눈을 뜨게 하려고 공양미 삼백 석을 받고 인당수에 몸을 던졌사옵니다.

심 황후 : (깜짝 놀라며) 아버지! 공양미 삼백 석에 몸이 팔려 수궁에 갔던 아버지 딸 청이오. 눈을 떠서 저를 보옵소서.

심 봉사 : 이게 웬 말이냐? 내 딸 청이가 살아 있단 말이 웬 말이냐? 내 딸이면 어디 보자.

　흰 구름이 일어나고 안개가 자욱해진다. 심 봉사가 감았던 눈을 크게 뜬다. 심 봉사가 기뻐 달려들며 딸의 손을 덥석 잡는다.

심 봉사 : 이게 누구냐? 목소리는 같다마는 얼굴은 초면일세. 세상 사람들, 　㉠　 (이)라더니 나를 두고 한 말일세. 어둡던 눈을 뜨니 황성이 웬일이며 인당수에 빠진 딸은 황후가 되었구나! 얼씨구나, 이런 경사 또 있을까.

① 走馬看山　　② 緣木求魚　　③ 明若觀火
④ 苦盡甘來　　⑤ 錦衣還鄕

[17~18] 다음 글을 읽고 물음에 답하시오.

　○ 季康子問政於孔子. 孔子對曰 : "政者, 正也, 子㉠帥以正, ㉡孰敢不正?"

　○ 子貢問政. 子曰 : "㉢足食, 足兵, 民信之矣." 子貢曰 : "必不得已而去, 於斯三者, ㉣何先?" 曰 : "去兵." 子貢曰 : "必不得已而去, 於斯二者, 何先?" 曰 : "去食. 自古皆有死, 民無(㉮)不立."

－『논어』－

17. ㉠~㉤의 풀이로 옳지 <u>않은</u> 것은?

① ㉠ : 솔선하다　　　② ㉡ : 누구
③ ㉢ : 풍족하게 하다　④ ㉣ : 무엇
⑤ ㉤ : 가다

18. 윗글의 내용으로 보아 ㉮에 알맞은 것은?

① 正　② 政　③ 食　④ 信　⑤ 兵

19. 글에서 말하고자 하는 것은?

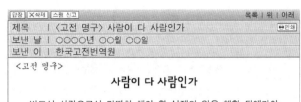

＜고전 명구＞

사람이 다 사람인가

반드시 사람으로서 마땅히 해야 할 실제의 일을 행한 뒤에라야 사람이라는 이름에 걸맞을 수 있는 것이니, 그렇지 않으면 이름은 비록 사람이라 할지라도 실제는 사람이 아닌 것이다.

－ 이재, 『도암집』 －

　광대 공길은 연산군에게 "임금은 임금다워야 하고, 신하는 신하다워야 하고, 아비는 아비다워야 하고, 아들은 아들다워야 한다. 임금이 임금답지 않고 신하가 신하답지 않으면 아무리 곡식이 있더라도 내가 먹을 수 있으랴."라는 말을 쏟아내고는, 곤장을 맞고 귀양을 갔다고 기록되어 있습니다.

　공길이 인용한 『논어』의 이 말이 어디 임금, 신하, 아비, 아들에게만 적용되겠습니까. 이름을 가진 세상의 모든 것에 적용되는 것입니다.

① 名實相符　　② 言必再思　　③ 推己及人
④ 與世推移　　⑤ 先公後私

20. 대화의 내용으로 보아 ㉠에 들어갈 것은?

① 以利交者, 利窮則散.
② 精神一到, 何事不成.
③ 施恩勿求報, 與人勿追悔.
④ 待有餘而後濟人, 必無濟人之日.
⑤ 有餘者, 常譽人, 不足者, 常毀人.

[21~22] 다음 글을 읽고 물음에 답하시오.

　金庾信, ＜중략＞ 相語曰 : "吾聞見危致命, 臨難忘身者, ㉠烈士之志也. 夫一人致死, 當百人, 百人㉡致死, 當千人, 千人致死, 當萬人, 則可以㉢橫行天下. 今國之㉣賢相, 被他國之拘執, 其可畏不犯難乎?" 於是, ㉤衆人曰 : "雖出萬死一生之中, 敢不(㉮)將軍之令乎?"

*金庾信(김유신) : 사람 이름
－『삼국사기』－

21. ㉠~㉤ 중 짜임이 <u>다른</u> 하나는?

①㉠　②㉡　③㉢　④㉣　⑤㉤

22. 윗글의 내용으로 보아 ㉮에 알맞은 것은?

①抗　②號　③拒　④違　⑤從

[23~25] 다음 글을 읽고 물음에 답하시오.

> 李尚毅, 兒時, 性甚輕率, ㉠坐不耐久, 言輒妄發. 父兄憂之, 頗有㉡責言. 李公佩小鈴以自戒, 每聞鈴聲, 猛加警飭, 出入坐臥, 未嘗㉢捨鈴. 今日減一分, 明日減一分, 及至中年之後, <중략> 渾然天成. <중략> 後人之戒㉣輕薄子弟者, 必㉤擧李公, 以爲則云.
>
> 　　　*李尚毅(이상의): 사람 이름　　*輒(첩): 번번이
> 　　　　　*佩(패): 차다　　*鈴(령): 방울
> 　　　　　*飭(칙): 삼가다　　*渾(혼): 온전하다
> 　　　　　　　　　　　　　－『공사견문록』－

23. ㉠~㉤ 중 행위의 주체가 같은 것만을 있는 대로 고른 것은?

① ㉠, ㉡　　　② ㉠, ㉣　　　③ ㉡, ㉣
④ ㉠, ㉡, ㉢　　⑤ ㉡, ㉢, ㉣

24. ㉣의 독음으로 옳은 것은? [1점]

① 천대　② 각박　③ 경박　④ 천박　⑤ 경멸

25. 윗글의 주제와 관계있는 것은?

① 格物　② 修身　③ 包容　④ 治國　⑤ 疏通

[26~27] 다음 글을 읽고 물음에 답하시오.

> 諸將, <중략> 問信曰: "兵法, 右㉠倍山陵, 前左水澤, 今者, 將軍㉡令臣等, 反背水陣, 曰破趙會食, 然竟以勝, 此何術也?"　⟨가⟩
> 信曰: "此在兵法, 顧㉢諸君不察耳. 兵法不曰'陷之死地而後生, 置之亡地而後存'? 且信非得素拊循士大夫也, 此所謂驅市人而戰之, 其勢, 非置之死地, 使人人自爲戰, 今㉣予之生地, 皆走, ㉤寧尚可得而用之乎?"　⟨나⟩⟨다⟩⟨라⟩
>
> 　　　*趙(조): 나라 이름　　*拊(부): 어루만지다
> 　　　　　　　　　　　　　－『사기』－

26. ㉠~㉤에 대한 설명으로 옳지 않은 것은?

① ㉠: '등지다'라는 뜻이다.
② ㉡: 의미상 '使'와 바꾸어 쓸 수 있다.
③ ㉢: '諸將'을 가리킨다.
④ ㉣: 행위의 주체는 '信'이다.
⑤ ㉤: '安寧'의 '寧'과 뜻이 같다.

27. 윗글의 흐름으로 보아 <보기>의 문장이 들어갈 위치로 알맞은 곳은?

> ─────<보 기>─────
> 臣等不服.

① ⟨가⟩　② ⟨나⟩　③ ⟨다⟩　④ ⟨라⟩　⑤ ⟨마⟩

[28~30] 다음 시를 읽고 물음에 답하시오.

> (가) 春眠不㉠覺曉, 處處㉡聞啼鳥.
> 　　　夜來風雨聲, 　花落知多少.
> 　　　　　　　　　　　*啼(제): 울다
> 　　　　　　　　　　－ 맹호연, 「春曉」－
>
> (나) 雨歇長㉢堤草色多, 送㉣君南浦動悲歌.
> 　　　大同江水何時盡, ㉤別淚年年添綠波.
> 　　　　　　　　　　　*歇(헐): 그치다
> 　　　　　　　　　　－ 정지상, 「送人」－

28. ㉠~㉤의 풀이로 옳지 않은 것은?

① ㉠: 깨닫다　　　　② ㉡: 들리다
③ ㉢: 둑　　　　　　④ ㉣: 임금
⑤ ㉤: 이별

29. 위 시에 대한 설명으로 옳은 것만을 <보기>에서 있는 대로 고른 것은?

> ─────<보 기>─────
> ㄱ. (가)의 형식은 오언절구이다.
> ㄴ. (가)의 셋째 구와 넷째 구는 대우(對偶)를 이루고 있다.
> ㄷ. (나)의 운자(韻字)는 '多', '歌', '波'이다.
> ㄹ. (나)의 셋째 구는 '大同江水 / 何時盡'으로 띄어 읽는다.

① ㄱ, ㄴ　　　② ㄴ, ㄹ　　　③ ㄷ, ㄹ
④ ㄱ, ㄴ, ㄷ　　⑤ ㄱ, ㄷ, ㄹ

30. 위 시에 대한 이해로 옳지 않은 것은?

① (가)는 귀에 들리는 소리를 통해 바깥 풍경을 형상화하고 있어.
② (가)에는 시적 화자의 정감이 직설적으로 드러나 있군.
③ (나)에는 이별의 공간이 나타나 있어.
④ (나)에는 과장된 표현이 사용되었군.
⑤ (가)와 (나)에는 공통된 소재가 쓰였어.

> ＊ 확인 사항
> ○ 답안지의 해당란에 필요한 내용을 정확히 기입(표기)했는지 확인하시오.

2017학년도 수학능력시험

1	①	7	②	13	②	19	①	25	②
2	③	8	①	14	④	20	④	26	⑤
3	②	9	④	15	③	21	②	27	②
4	③	10	⑤	16	④	22	⑤	28	④
5	④	11	①	17	⑤	23	①	29	⑤
6	⑤	12	③	18	④	24	③	30	②

1. 그림 문제

'인조반정 때 이귀 등이 이곳에 모여 광해군의 폐위를 모의하고, 거사 후에 이곳의 맑은 물로 칼을 씻었다'는 고사에서 '洗(㉠)亭'이라는 이름이 유래했다고 하므로 ㉠에는 '칼'을 뜻하는 한자가 들어가야 한다.

① 劍(칼 검)   ② 檢(검사할 검)   ③ 儉(검소할 검)
④ 刑(형벌 형)   ⑤ 刻(새길 각)

답: ①

2. 조건을 만족하는 한자 문제

조건을 만족하는 한자를 찾는 문제이다. 문제에서는 결합할 수 있는 한자, 총획, 갑골문의 모양 그리고 음을 알려 주고 있다. 보통은 음으로 찾는 게 가장 빠르므로 음이 '矯'(바로잡을 교)와 같은 한자를 먼저 찾아보자.

① 巧(공교할 교)   ② 安(편안할 안)   ③ 交(사귈 교)
④ 友(벗 우)   ⑤ 支(지탱할 지)

여기에서 음이 '교'인 것은 '巧'와 '交'뿐이다. 이제 이 글자 앞에 '親'(친할 친)을 결합하면 '친밀하게 사귐'을 뜻하는 말로 쓰이는 것을 찾으면 '交'임을 알 수 있다.

답: ③

3. 의미 관계 문제

ㄱ. 墮(떨어질 타) – 落(떨어질 락)
ㄴ. 利(이로울 이) – 害(해로울 해)
ㄷ. 高(높을 고) – 低(낮을 저)
ㄹ. 忍(참을 인) – 耐(견딜 내)

답: ②

4. 합자 문제

矢+口=知(알 지), 口+及=吸(들이쉴 흡)이다.

답: ③

5. 한자어 문제

㉠ '古稀'의 독음은 고희이다.
㉡ 글자 그대로 풀이하면 '예로부터 드물다.'는 의미이다.
㉢ '일흔 살'을 가리키는 말로 쓰인다.
㉣ 나이를 가리키는 말이므로 "어머님께서 어느새 古稀가 되셨어요."라고 활용할 수 있다.

답: ④

6. 카드 문제

그림의 한자로 만들 수 있는 사자성어를 찾는 문제이다. 이런 문제에서는 그림의 한자를 훑어본 다음, ①~⑤를 보면서 그림의 한자로 ①~⑤의 의미를 가지는 사자성어를 생각해 보면 된다.

① 끝이 좋으면 다 좋은 거야.
☞ 有終之美(유종지미)
② 입이 열 개라도 할 말이 없어.
☞ 有口無言(유구무언)
③ 그 일은 시작만 거창했지, 흐지부지되었어.
☞ 龍頭蛇尾(용두사미)
④ 소문난 잔치에 먹을 것 없다더니, 그 말이 맞네.
☞ 有名無實(유명무실)
⑤ 예방주사 맞아 두길 잘했어, 독감이 유행한다더니.
☞ 有備無患(유비무환)

답: ⑤

7. 한자어 문제

① 淸廉(청렴)   ② 愼獨(신독)   ③ 獻身(헌신)
④ 勤勉(근면)   ⑤ 配慮(배려)

'신독'의 뜻을 알고 있었으면 더 볼 것도 없다. 몰랐다면 '혼자(獨) 있을 때에도 몸가짐을 삼가야겠다(愼).'라는 부분에서 결정적인 단서를 얻을 수 있다.

답: ②

8. 한자어 문제

① 塗炭(도탄)   ② 崩壞(붕괴)   ③ 涉獵(섭렵)
④ 探査(탐사)   ⑤ 捕捉(포착)

'도탄'의 뜻을 알고 있었으면 더 볼 것도 없다. 그러나 몰랐다면 원래의 뜻이 '진흙과 숯불'이므로 '진흙' 또는 '숯불'이 들어가는 한자어를 찾으면 된다.

답: ①

9. 사자성어 문제

가로 열쇠는 '炎涼世態'(염량세태), 세로 열쇠는 '千態萬象'(천태만상)이다.

답: ④

10. 사자성어 문제

① 螢雪之功(형설지공): 반딧불이와 눈의 공. 고생을 하면서 꾸준히 공부하여 얻은 보람.
② 脣亡齒寒(순망치한): 입술이 없으면 이가 시림. 이해관계가 밀접한 사이에서 한쪽이 망하면 다른 쪽도 온전하기 어려움.
③ 胡蝶之夢(호접지몽): 호랑나비의 꿈. 현실과 꿈의 구별이 안 됨.
④ 昏定晨省(혼정신성): 저녁에 (잠자리를) 정해 드리고 새벽에 살핌. 자식이 아침저녁으로 부모의 안부를 물어서 살핌.
⑤ 鶴首苦待(학수고대): 학이 머리를 빼고 괴롭게 기다림. 몹시 애태우며 간절히 기다림.

답: ⑤

11. 빈칸 문제

一日行惡, 禍雖未至, 福(㉠)遠矣.
일 일 행 악　화 수 미 지　복　　　　원 의

하루 악을 행하면 화가 비록 이르지 않더라도 복이 ㉠ 멀어진다.

終身行善, 善猶不足, 一日行惡, 惡(㉡)有餘.
종 신 행 선　선 유 부 족　일 일 행 악　악　　　　유 여

몸이 다하도록 선을 행하여도 선이 오히려 충분하지 않지만,
하루 악을 행하면 악이 ㉡ 남음이 있다.

① 自(저절로 자)　② 雖(비록 수)　③ 未(아닐 미)

④ 誰(누구 수)　⑤ 豈(어찌 기)

답: ①

12. 서술어 문제

水去不復回, 言出難更收.
수 거 불 부 회　언 출 난 갱 수

물은 가면 다시 돌아오지 않고, 말은 나오면 다시 거두기 어렵다.

㉠은 '말은 나오면 다시 거두기 어렵다'로 해석되므로 마지막으로
풀이되는 것은 '難'(어려울 난)이다.

답: ③

13. 한자어 문제

① 絹織機(견직기)　② 擧重器(거중기)　③ 投石具(투석구)

④ 測雨器(측우기)　⑤ 申聞鼓(신문고)

한국사 과목에서 '거중기' 그림만 보았어도 맞힐 수 있는 문제이
다. 그러나 몰랐다면 '무거운(重) 물건을 들어 올릴(擧) 때 사용
하던 도구(器)'라는 게 결정적인 단서이다. 그래서 배점이 1점일
까?

답: ②

14. 단문 문제

己過則默, 人過則揚, 是過也大矣.
기 과 즉 묵　인 과 즉 양　시 과 야 대 의

자기가 잘못하면 침묵하고, 남이 잘못하면 떠벌리는데, 이 잘
못이야말로 크다.

① 人一能之, 己百之.
　　인 일 능 지　기 백 지

　남이 한 번에 그것을 할 수 있었으면, 나는 백 번 그것을 하였다.

② 己所不欲, 勿施於人.
　　기 소 불 욕　물 시 어 인

　내가 하고자 하지 않는 바를 남에게 베풀지 말라.

③ 不患人之不己知, 患不知人也.
　　불 환 인 지 불 기 지　환 부 지 인 야

　남이 자기를 알아주지 않음을 근심하지 말고, 남을 알아주지
　않음을 근심하라.

④ 以責人之心, 責己, 恕己之心, 恕人.
　　이 책 인 지 심　책 기　서 기 지 심　서 인

　남을 꾸짖는 마음으로써 나를 꾸짖고, 자기를 용서하는 마음
　으로써 남을 용서하라.

⑤ 道吾過者, 是吾師, 談吾美者, 是吾賊.
　　도 오 과 자　시 오 사　담 오 미 자　시 오 적

　나의 허물을 말하는 사람은 바로 나의 스승이요, 나의 아름다
　움을 말하는 사람은 바로 나의 도적이다.

답: ④

15. 단문 문제

良藥, 苦於口, 利於病, 忠言, (㉠   ).
량 약　고 어 구　리 어 병　충 언

좋은 약은 입에 쓰나 병에 이롭고, 충언은 ㉠.

듣기에 거슬리지만(逆於耳) 행하는 데에는 이롭다(利於行).

답: ③

16. 시나리오 문제

① 走馬看山(주마간산): 달리는 말 위에서 산을 봄. 자세히 살피
지 아니하고 대충대충 보고 지나감.

② 緣木求魚(연목구어): 나무를 올라 물고기를 구함. 도저히 불가
능한 일을 하려고 함.

③ 明若觀火(명약관화): 밝음이 불을 봄과 같음. 불 보듯 분명하
고 뻔함.

④ 苦盡甘來(고진감래): 괴로움이 다하면 즐거움이 옴.

⑤ 錦衣還鄉(금의환향): 비단옷을 입고 고향에 돌아옴. 출세하여
고향에 돌아옴.

답: ④

〔17~18〕 정치란 무엇인가?

季康子問政於孔子.
계 강 자 문 정 어 공 자

계강자가 공자에게 정치를 물었다.

孔子對曰: "政者, 正也, 子帥以正, 孰敢不正?"
공 자 대 왈　정 자　정 야　자 솔 이 정　숙 감 부 정

공자가 대답하여 말하기를, "정치라는 것은 바른 것이니 그대
가 바름으로써 이끈다면 누가 감히 바르지 않겠습니까?"

子貢問政. 子曰: "足食, 足兵, 民信之矣."
자 공 문 정　자 왈　족 식　족 병　민 신 지 의

자공이 정치를 물었다. 공자가 말하기를, "먹을 것을 족하게 하
고, 군사를 족하게 하며, 백성이 그것을 믿는 것이다."

子貢曰: "必不得已而去, 於斯三者, 何先?"
자 공 왈　필 부 득 이 이 거　어 사 삼 자　하 선

자공이 말하기를, "반드시 부득이하게 버려야 한다면, 이 세 가
지 것에서 무엇이 먼저입니까?"

曰: "去兵."
왈　거 병

말하기를, "군사를 버려라."

子貢曰: "必不得已而去, 於斯二者, 何先?"
자 공 왈　필 부 득 이 이 거　어 사 이 자　하 선

자공이 말하기를 "반드시 부득이하게 버려야 한다면, 이 두 가
지 것에서 무엇이 먼저입니까?"

曰: "去食. 自古皆有死, 民無(㉮)不立."
왈　거 식　자 고 개 유 사　민 무　　　　불 립

말하기를, "먹을 것을 버려라. 예로부터 모두 죽음이 있었으되,
백성이 ㉮가 없으면 서지 않는다."

17. 해석 문제

㉠은 '이끌다'로 해석되므로 '솔선하다'라는 의미로 생각할 수 있다.
㉯은 '버리다'라는 뜻이다. '去'는 '떠나가다'라는 느낌이 강하다.

'떠나가다'라는 뜻에서 '없애다', '버리다'라는 뜻도 나왔다. '除去'(제거), '消去'(소거), '去勢'(거세)에 '去'가 쓰인 이유도 마찬가지이다.

답: ⑤

18. 빈칸 문제

① 正(바를 정)　　② 政(정사 정)　　③ 食(먹을 식)
④ 信(믿을 신)　　⑤ 兵(군사 병)

'食'(식량), '兵'(군사), '信'(믿음)에서 '食'(식량), '兵'(군사)을 버리면 남는 것은 '信'(믿음)뿐이다.

답: ④

19. 사자성어 문제

① 名實相符(명실상부): 이름과 실제가 서로 맞음.
② 言必再思(언필재사): 말할 때에는 반드시 다시 생각함.
③ 推己及人(추기급인): 나를 미루어 남에게 미침.
④ 與世推移(여세추이): 세상과 더불어 따라 움직임.
⑤ 先公後私(선공후사): 공을 앞세우고 사를 뒤로 함.

임금, 신하, 아비, 아들뿐 아니라 이름을 가진 세상의 모든 것이 실제와 부합해야 한다는 내용의 글이므로 답은 ①이다.

답: ①

20. 단문 문제

① 以利交者, 利窮則散.
　이 리 교 자　리 궁 즉 산
　이익으로써 사귀는 사람은 이익이 다하면 흩어진다.

② 精神一到, 何事不成.
　정 신 일 도　하 사 불 성
　정신이 한 번 이르면 어떤 일이 이루어지지 않을까.

③ 施恩勿求報, 與人勿追悔.
　시 은 물 구 보　여 인 물 추 회
　은혜를 베풀고 갚음을 구하지 말고, 남에게 주고 후회를 쫓지 말라.

④ 待有餘而後濟人, 必無濟人之日.
　대 유 여 이 후 제 인　필 무 제 인 지 일
　남음이 있음을 기다린 뒤에 남을 구제하려 하면 반드시 남을 구제할 날이 없을 것이다.

⑤ 有餘者, 常譽人, 不足者, 常毀人.
　유 여 자　상 예 인　부 족 자　상 훼 인
　남음이 있는 자는 늘 남을 기리며, 만족하지 않는 자는 늘 남을 헐뜯는다.

답: ④

[21~22] 견위치명(見危致命)

金庾信, <중략> 相語曰: "吾聞見危致命, 臨
금 유 신　　　　　상 어 왈　오 문 견 위 치 명　림
難忘身者, 烈士之志也.
난 망 신 자　열 사 지 지 야
김유신이 말하여 말하기를, "내가 위태로움을 보면 목숨을 바치고, 어려움이 임하면 자신을 잊는 자가 열사의 뜻이라 들었다.

夫一人致死, 當百人, 百人致死, 當千人, 千人
부 일 인 치 사　당 백 인　백 인 치 사　당 천 인　천 인

致死, 當萬人, 則可以橫行天下.
치 사　당 만 인　즉 가 이 횡 행 천 하
무릇 한 사람이 죽음에 이르면 백 사람을 당할 수 있고, 백 사람이 죽음에 이르면 천 사람을 당할 수 있으며, 천 사람이 죽음에 다하면 만 사람을 당할 수 있으니, 곧 천하를 가로지를 수 있다.

今國之賢相, 被他國之拘執, 其可畏不犯難乎?"
금 국 지 현 상　피 타 국 지 구 집　기 가 외 불 범 난 호
지금 나라의 현명한 재상이 다른 나라의 포로가 되었으니, 그것이 두렵기는 하지만 어려움을 범하지 않을 수 있겠는가?"

於是, 衆人曰: "雖出萬死一生之中, 敢不(㉮)
어 시　중 인 왈　수 출 만 사 일 생 지 중　감 불
將軍之令乎?"
장 군 지 령 호
이에 뭇 사람이 말하기를, "비록 만이 죽고 하나가 사는 상황이 나오는 가운데에서도 감히 장군의 명령을 ㉮하지 않을 수 있겠습니까?"

21. 짜임 문제

㉠ 烈士(열사): 세찬 선비. (수식)
㉡ 致死(치사): 죽음에 이르다. (술보)
㉢ 橫行(횡행): 가로로 다니다. (수식)
㉣ 賢相(현상): 현명한 재상. (수식)
㉤ 衆人(중인): 뭇 사람. (수식)

답: ②

22. 빈칸 문제

① 抗(막을 항)　　② 號(부를 호)　　③ 拒(막을 거)
④ 違(어길 위)　　⑤ 從(따를 종)

답: ⑤

[23~25] 이상의(李尙毅)

李尙毅, 兒時, 性甚輕率, 坐不耐久, 言輒妄發.
리 상 의　아 시　성 심 경 솔　좌 불 내 구　언 첩 망 발
이상의는 어릴 때 성품이 심히 경솔하여 앉으면 오램을 견디지 못하고 말하면 번번이 망발이었다.

父兄憂之, 頗有責言.
부 형 우 지　파 유 책 언
아버지와 형이 그것을 근심하여 여러 번 꾸짖는 말이 있었다.

李公佩小鈴以自戒, 每聞鈴聲, 猛加警飭, 出入
리 공 패 소 령 이 자 계　매 문 령 성　맹 가 경 칙　출 입
坐臥, 未嘗捨鈴.
좌 와　미 상 사 령
이공이 작은 방울을 참으로써 스스로를 경계하니 방울 소리를 들을 때마다 엄히 경계하고 삼감을 더하여 들고 나나 앉으나 누우나 일찍이 방울을 버리지 않았다.

今日減一分,　　明日減一分,　　乃至中年之後,
금 일 감 일 분　　명 일 감 일 분　　내 지 중 년 지 후
<중략> 渾然天成.
　　　　혼 연 천 성
오늘 일분 줄이고, 내일 일분 줄여 이에 중년의 뒤에 이르러 온전히 천성이 되었다.

<중략> 後人之戒輕薄子弟者, 必擧李公, 以
후인지계경박자제자　필거리공　이

爲則云.
위칙운

뒷사람으로서 경박한 자제를 경계하려는 자는 반드시 이공을
들어 모범으로 삼았다고 한다.

---

23. 해석 문제

㉠, ㉢의 주체는 '이상의', ㉡의 주체는 '아버지와 형', ㉣의 주체
는 '뒷사람'이다.

답: ①

24. 독음 문제

㉮의 독음은 '경박'이다.

답: ③

25. 해석 문제

① 格物(격물)　② 修身(수신)　③ 包容(포용)

④ 治國(치국)　⑤ 疏通(소통)

'格物'의 뜻을 몰랐어도 답이 '修身'임을 찾는 데에는 지장이 없
다. '格物'은 '사물을 연구하다'라는 뜻이다.

답: ②

[26~27] 배수진(背水陣)

諸將, <중략> 問信曰: "兵法, 右倍山陵, 前
제장　　　　　　　문신왈　병법　우배산릉　전

左水澤,
좌수택

여러 장수가 한신에게 물어 말하기를, "병법에는 오른쪽으로는
산과 언덕을 등지고, 앞으로는 물과 못을 왼쪽에 두라 하는데

今者, 將軍令臣等, 反背水陣, 曰破趙會食,
금자　장군령신등　반배수진　왈파조회식

지금 장군께서는 저희들에게 도리어 물을 등지고 진을 치라
명령하시고 조나라를 쳐부수고 모여 먹자고 말씀하시고는

然竟以勝, 此何術也?"
연경이승　차하술야

그러나 마침내 그럼으로써 승리에 이르렀으니 이는 어떤 기술
입니까?"

信曰: "此在兵法, 顧諸君不察耳.
신왈　차재병법　고제군불찰이

한신이 말하기를, "이는 병법에 있으니 다만 제군이 살피지 않
았을 뿐입니다.

兵法不曰 '陷之死地而後生, 置之亡地而後存'?
병법불왈　함지사지이후생　치지망지이후존

병법에서 '사지에 그를 빠뜨리면 뒤에 살아나고, 망지에 그를
두면 뒤에 살아남는다'라고 하지 않았습니까?

且信非得素拊循士大夫也,
차신비득소부순사대부야

또한 한신은 평소에는 사대부들을 어루만질 수 없었으니

此所謂驅市人而戰之,
차소위구시인이전지

이는 이른바 저자 사람을 몰아 그들을 싸우게 한 것으로

其勢, 非置之死地, 使人人自爲戰,
기세　비치지사지　사인인자위전

그 형세가 그들을 사지에 놓아 사람마다 스스로 싸움을 하게
하지 않았다면

今予之生地, 皆走, 寧尙可得而用之乎?"
금여지생지　개주　녕상가득이용지호

지금 그들에게 생지를 주었을 때 모두 도망쳤을 테니 어찌 오
히려 그들을 얻어 쓸 수 있었겠습니까?"

26. 해석 문제

㉠은 '背'(등질 배)의 뜻으로 쓰였다.

㉡은 '~하게 하다'라는 사동의 뜻으로 쓰였다. 따라서 사동을 나
타내는 대표적인 한자인 '使'(시킬 사)와 바꾸어 쓸 수 있다.

㉢은 '諸將'(모든 장수)을 가리킨다.

㉣의 주체는 '信'이다.

㉤은 '어찌'라는 뜻으로 쓰였다. '寧'이 문장의 앞에 쓰였고, 뒤에
물음표가 있다는 것에서 이를 짐작할 수 있다. 따라서 '安寧'(안
녕)의 '寧'과 뜻이 같지 않다.

답: ⑤

27. 문장 삽입 문제

臣等不服.
신등불복

저희들은 따르지 않았습니다.

'臣等'(저희들)이라는 표현이 있으므로 여러 장수들이 하는 말에
들어가야 한다. 따라서 ㉮, ㉯가 가능하다. 그러나 이 문장이 ㉮
에 들어가면 '병법이 이러한데 저희들은 따르지 않았습니다.'라고
해석되므로 문맥과 전혀 맞지 않는다. 답은 ㉯이다.

답: ②

[28~30] 맹호연, 「춘효(春曉)」
　　　　　정지상, 「송인(送人)」

春眠不覺曉,　봄날에 잠들어 새벽을 깨닫지 못했는데,
춘면불각효

處處聞啼鳥.　곳곳에 새 울음소리 들린다.
처처문제조

夜來風雨聲,　밤이 오니 바람과 비 소리 나고
야래풍우성

花落知多少.　꽃이 떨어짐이 얼마인지 알겠는가?
화락지다소

雨歇長堤草色多,　비 그친 긴 둑에 풀빛이 많고
우헐장제초색다

送君南浦動悲歌.　그대를 남포에서 보내면서 슬픈 노래 부른다.
송군남포동비가

大同江水何時盡,　대동강 물 어느 때 다할까,
대동강수하시진

別淚年年添綠波.　이별의 눈물 해마다 푸른 물결에 더하는데.
별루년년첨록파

28. 해석 문제

㉣은 '임금'이라는 뜻이 아니라 '그대'라는 뜻으로 쓰였다.

답: ④

29. 한시 문제

ㄱ. (가)는 다섯 글자씩 네 구이므로 오언절구이다.

ㄴ. 두 구가 문법적 기능이 동일한 글자의 배열로 이루어져 있을 때 대우를 이룬다고 한다. (가)의 셋째 구와 넷째 구는 문법적 기능이 동일한 글자의 배열로 이루어져 있지 않으므로 대우를 이루지 않는다.

ㄷ. 운자는 짝수 구의 마지막 글자에 오고, 첫째 구의 마지막 글자에 올 수 있다. (나)의 짝수 구의 마지막 글자는 '歌'(가), '波'(파)이고 첫째 구의 마지막 글자는 '多'(다)이므로 모두 운자임을 알 수 있다.

ㄹ. 칠언시는 네 자, 세 자로 끊어 읽는다. 이는 칠언시를 읽는 대원칙이다.

답: ⑤

30. 이해와 감상 문제

① (가)에는 귀에 들리는 바깥 소리인 새소리, 비바람 소리가 나타나고 이를 통해 바깥 풍경이 형상화되고 있다.

② (가)에서 시적 화자의 정감이 드러나는 시어는 찾을 수 없다.

③ (나)에는 이별의 공간인 '남포'가 나타나 있다.

④ (나)에는 이별 눈물로 대동강이 마르지 않겠다는 과장된 표현이 사용되었다.

⑤ 소재는 명사이므로, (가)와 (나)에 공통으로 나온 명사를 찾으면 된다. 해석을 하지 못했더라도 (가)와 (나)에 '雨'(비)라는 공통된 소재가 쓰였음을 알 수 있다.

답: ②

朝鮮公事三日
조 선 공 사 삼 일

柳成龍, 爲都體察使, 有列邑移文事,
류 성 룡　위 도 체 찰 사　유 렬 읍 이 문 사

文旣成, 屬驛吏.
문 기 성　촉 역 리

유성룡이 도체찰사(벼슬 이름)가 되어 여러 고을에 문서를 보낼 일이
있었는데 문서가 이미 완성되자 역리에게 맡겼다.

過三日後, 復收其文, 將追改之, 驛吏, 持文而至,
과 삼 일 후　부 수 기 문　장 추 개 지　역 리　지 문 이 지

公詰之曰: "爾何受書三日, 尚不頒列邑?"
공 힐 지 왈　이 하 수 서 삼 일　상 불 반 렬 읍

사흘이 지난 뒤 다시 그 문서를 거두어 장차 그것을 고침을 좇으려 하니
역리가 문서를 들고 이르러 공이 그것을 꾸짖으며 말하기를, "너는 어찌
문서를 받은 지 사흘인데도 아직까지 여러 고을에 반포하지 않았느냐?"

吏曰: "諺, 朝鮮公事三日, 小人知三日後復改,
리 왈　언　조 선 공 사 삼 일　소 인 지 삼 일 후 부 개

故延至今日矣."
고 연 지 금 일 의

역리가 말하기를, "속담에 조선공사삼일이라 하니 소인이 사흘 뒤에 다시
고칠 것을 알고 그 까닭으로 미루어 오늘에 이르렀습니다."

公欲罪之, 仍思之曰: "是言, 可以警世, 吾過矣."
공 욕 죄 지　잉 사 지 왈　시 언　가 이 경 세　오 과 의

공이 그를 벌주고자 하다가 이에 그것을 생각하고 말하기를, "이 말은
세상을 경계할 만하니 내가 잘못하였다."

지은이 ──────────

김 경 률

서울대학교 경제학과

지은 책: 『고등수학+』, 『고등수학의 지름길』

bir1104@snu.ac.kr

수능기출문제집 한문 I

초판 1쇄 발행 2017년 3월 2일

지은이   김경률
펴낸곳   도서출판 계승
펴낸이   임지윤

출판등록   제2016-000036호

주소   13600 경기도 성남시 분당구 수내로 174
대표전화   031-714-0783

제작처   서울대학교출판문화원
주소   08826 서울특별시 관악구 관악로 1
전화   02-880-5220

ISBN 979-11-958071-1-6   53710